Madame Bovary

Gustave Flaubert

Madame Bovary

Mœurs de province

Éditions Garnier Frères
6, Rue des Saints-Pères, Paris

Texte
suivi des réquisitoire,
plaidoirie et jugement
du procès intenté à l'auteur

Introduction,
notes et relevé de variantes,
par
Édouard Maynial
Agrégé des Lettres

Édition illustrée

FLAUBERT DISSÉQUANT EMMA BOVARY

Caricature de Lemot parue dans la *Parodie*
(5 sept. 1869).

Cl. B. N.

PLAN D'YONVILLE L'ABBAYE
Tracé de la main de Flaubert.
Bibliothèque municipale de Rouen.

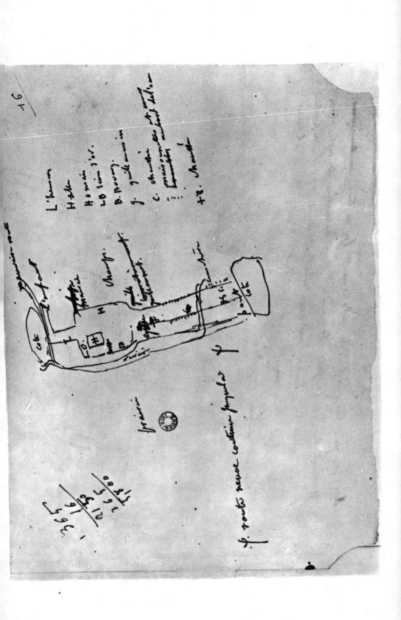

Puis cela allait en dom[illegible]
C'était dur et cotelés régulièrement
comme un melon — [illegible] et abandonné à son goût
suivait ensuite une façon de sac qui se terminait par
un polygone cartonné couvert d'une broderie en soutache compliquée
et d'où pendait à distance au bout d'un long cordon trop mince
un petit croisillon de fils d'or en manière de gland —

Madame Bovary

I.

Une heure ~~trois~~ et demie venaient de sonner à l'horloge du collège [illegible] quand le proviseur entra dans l'étude des moyens suivi d'un jeune garçon d'environ [illegible] ans et d'un grand pupitre. garçon de classe qui portait un grand pupitre.

il était suivi d'un nouveau habillé en bourgeois [illegible] et d'un garçon de classe qui portait un gd pupitre

Une heure et demie venaient de sonner à l'horloge du collège quand le proviseur entra dans l'étude des moyens suivi d'un nouveau habillé en bourgeois & d'un garçon de classe qui portait un gd pupitre. Ceux qui dormaient se réveillèrent en sursaut, il y eut brouhaha subit de dictionnaires ouverts, de cahiers feuilletés de pages tournées, de plumes qui grinçaient sur le papier et tout le monde se leva comme surpris dans son travail — [illegible]

ceux qui dormaient se réveillèrent en sursaut / d'autres ceux qui dessinaient des bonshommes les lâchèrent dans leur atlas, plus d'un qui les pommettes en feu dévorait un mélodrame n'eut que le temps [illegible]

Par terre [illegible] brouhaha subit de pages, dictionnaires ouverts, de cahiers [illegible], de feuillets retournés, de plumes qui grinçaient sur le papier et tout le monde se leva comme surpris dans son travail

— bien Messieurs — fit le proviseur avec un geste de la main [illegible] nouveau camarade. Monsieur Roger continua-t-il en se tournant vers le maître d'étude, resté debout dans sa main par respect pour son supérieur

Il nous fit signe de nous rasseoir et se tournant vers le maître d'études [illegible] à demi-voix

INTRODUCTION

GUSTAVE FLAUBERT

Pour *bien comprendre Flaubert, il faut le mettre au-dessus et en dehors des écoles, des idées et des formules d'écoles, il faut surtout se débarrasser de ce préjugé tenace, qui a beaucoup nui à sa gloire, de cette habitude de découper son œuvre et son art en deux périodes différentes : romantisme, réalisme. Aujourd'hui, le sens des grands livres de Flaubert apparaît plus nettement qu'il y a cinquante ans ; ils ont beaucoup gagné à être vus, à la faveur du recul du temps, hors du naturalisme, et par delà le symbolisme qu'ils ont précédé, et le roman moderne, qu'ils ont souvent inspiré.*

Le romantisme de Flaubert... le réalisme de Flaubert..., ces expressions n'ont plus aucun sens net et distinct. Il reste un homme pour qui le monde tout entier, — le monde au milieu duquel il vivait, et le monde plus beau qu'il rêvait, — n'existe qu'en tant qu'objet de littérature. Il reste une œuvre qui est, comme toutes les œuvres vivantes, le résultat d'une expérience et la conclusion d'une pensée. Un écrivain, qui est sans doute un des plus éloignés de Flaubert qui puisse être, et des plus étrangers à sa conception de l'art, Émile Zola, écrivait : « Se donner à une œuvre, je vous assure que, dans le néant de tout, c'est encore l'inutilité la plus passionnante. » Pour Flaubert, ce n'était pas une inutilité; *certes, il a pu souffrir profondément de se sentir désarmé devant la vie, incapable de rien changer à l'état social et moral de l'humanité, réduit à la mépriser. Mais à ses yeux, l'œuvre d'art n'était pas une lâche dérobade ; il ne se jetait pas dans la littérature pour échapper aux échecs de sa vie profonde, pour s'oublier lui-même et pour oublier qu'il était vaincu. Il a fait de la littérature parce qu'il croyait à la littérature, parce qu'il y croyait de toute son âme, comme à la seule réalité profonde et durable.*

* * *

C'est un fait que dans la connaissance de Flaubert et pour l'intelligence de ses livres l'étude de sa vie occupe une place essentielle. Ce fait est-il naturel, est-il légitime ?

On a coutume de répéter que la vie de Flaubert, presque toute enfermée dans la solitude de Croisset, est peu chargée d'événements, et qu'elle se réduit à l'histoire de ses livres. Mais, à y mieux réfléchir, et à y regarder de plus près, on s'aperçoit que peu d'écrivains ont subi, plus que Flaubert, le choc des événements qui glissaient autour d'eux, et quand on sait que cette vie s'étend de 1821 à 1880, les réactions d'un tel esprit à une telle époque ne peuvent, a priori, rester indifférentes.

Gustave Flaubert est né le 12 décembre 1821 à Rouen, à l'Hôtel-Dieu, dont son père, le docteur Flaubert, était le médecin en chef. Il a passé son enfance dans un hôpital, il y a habité une vingtaine d'années presque sans interruption, et la vieille maison de la souffrance et de la mort a formé sa première expérience, bercé ses premiers rêves. Avec sa sœur Caroline, avec des amis d'élite, Ernest Chevalier, Alfred Le Poittevin, il a connu dans cette maison les chevauchées exaltantes de l'imagination, et ses jeux préférés ont été des lectures de Cervantes ou de Chateaubriand, la rédaction d'un journal romantique, des pièces de théâtre qu'il compose et qu'il joue sur le billard de son père, des manuscrits de contes, de nouvelles, d'essais lyriques, dont il bourre ses poches et pour lesquels il trouve toujours un public complaisant. De 1832 à 1840, il fut élève au Collège royal de Rouen, et cette vie de collège, déjà marquée par la forte empreinte classique que recevaient les collégiens du siècle dernier, est traversée d'événements ou d'expériences, dont rien n'est pour nous banal ou indifférent : c'est au lendemain de la Révolution de 1830, dont les échos se sont fait entendre à Rouen comme dans toute la France ; le jeune Flaubert vit au milieu d'une jeunesse passionnée, enthousiaste, romantique jusqu'à la fièvre, et qui transpose son roman-

tisme de la littérature dans la vie. Au collège encore, il s'est découvert une vocation d'historien, sous l'influence de son maître Chéruel ; au collège, il s'est livré à une débauche de lectures, qui n'ont que peu de rapports avec les programmes officiels, et qui vont de Shakespeare à Victor Hugo, de Rabelais à Byron, de Montaigne à Beaumarchais ; au collège enfin, il a rencontré l'ami parfait, Louis Bouilhet, le futur poète, qui sera comme le reflet de sa propre inspiration et la conscience de son propre génie. Et pendant ces huit années fougueuses, il a écrit encore, des œuvres de tout genre, mais des œuvres, qui ont mérité d'être recueillies, qui forment la matière de plusieurs volumes, et dont certaines sont aussi significatives que les Mémoires d'un fou.

Hors du collège, c'est la vie de famille, avec ses influences décisives, ses rencontres, ses expériences : des voyages de vacances, assez fréquents pour l'époque, l'ont conduit à Nogent-sur-Seine, à Paris, à Versailles, à Fontainebleau, à Trouville surtout, où il rencontrera, dans la personne de Mme Schlésinger, la grande passion, vaine et sans lendemain, dont la nostalgie douloureuse planera sur toute sa vie*. Puis, après son baccalauréat, qui termine sa vie de collège, c'est un voyage aux Pyrénées et en Corse, et c'est, pendant trois ans, de 1840 à 1843, la vie d'étudiant à Paris ; des études de droit, subies sans goût et poursuivies sans succès, ne disons rien, mais comment négliger cette indépendance du corps et de l'esprit, dans la ville et à une époque le mieux faites pour satisfaire cette impatience romantique de se réaliser ? C'est aussi à cette période qu'il faut rapporter la liaison décisive avec Maxime Du Camp, et malheureusement l'origine d'une terrible maladie nerveuse, peut-être épileptique, qui, dès lors, va peser sur toute la vie de Flaubert, le condamner à une existence presque sédentaire dans sa retraite provinciale, d'abord à Rouen, puis près de Rouen, dans la propriété de Croisset, que son père vient d'acheter.

Pourtant, cette vie ne fut pas toujours aussi sédentaire qu'on l'imagine, et le cycle des expériences fécondes ne s'est pas fermé : un voyage en Italie en 1845 ; il y voit un tableau de Breughel dont il s'inspira un jour pour écrire La Tentation de Saint Antoine:

---

* Voir la notice en tête de *L'Éducation sentimentale*

— *la rencontre de Louise Colet dans l'atelier de Pradier en 1846 ; et c'est le début d'une orageuse liaison, qui fut pour Flaubert sa plus importante sinon sa meilleure expérience de la passion, et qui nous valut les lettres les plus admirables et les plus riches de sa* Correspondance; — *un voyage à pied, sur les routes de Bretagne et de Normandie, en compagnie de Maxime Du Camp, en 1847, et il en rapporta les notes qui deviendront* Par les Champs et par les Grèves; — *la Révolution de 1848, dont il est le témoin, l'observateur très intéressé, sans y jouer un rôle personnel, à Rouen et à Paris, et c'est pour lui de l'histoire vivante dont il pétrira un jour la matière de* L'Éducation sentimentale; — *enfin et surtout, ce célèbre* Voyage en Orient, *avec Maxime Du Camp, de 1849 à 1851, qui le mènera d'Égypte en Palestine et en Grèce, tout autour de la Méditerranée, en un temps où ce « tour » n'était pas une simple promenade touristique, comme aujourd'hui ; et l'on sait assez que cette rencontre de l'Orient fut le grand rêve réalisé de sa vie, et qu'il eut un effet décisif sur la cristallisation de ses idées, puisque, en décevant, jusqu'à un certain point, sa vision romantique du monde, elle l'amena, par réaction, au réalisme de* Madame Bovary.

Telles sont, et seulement jusqu'à trente ans, les étapes essentielles de cette vie, que l'on dit pauvre en événements et que l'on imagine repliée sur elle-même.

Et puis, au retour d'Orient, en octobre 1851, c'est, à Croisset, la conférence décisive, avec Bouilhet et Du Camp, d'où sortira, condamné, le rêve romantique, le rêve imparfait de la jeunesse, La Tentation de Saint-Antoine, *d'où naîtra, déjà parfaite, la vocation réaliste,* Madame Bovary.

Et il est bien vrai, jusqu'à un certain point, qu'à partir de cette date, les plus grands événements de la vie de Flaubert seront ses livres. Mais de quel grand écrivain ne pourrait-on en dire autant, et qui songerait à s'en étonner ?

Pourtant, oublierons-nous ici des faits, publics et privés, qui n'ont pu manquer de retentir sur cette conscience toujours en éveil ? Flaubert a traversé le coup d'État de 1851; il était à Paris, et il a manqué en être victime. Flaubert se brouille momentanément avec Du Camp, crise psychologique importante, qui l'amènera à mieux prendre conscience de son art personnel, à

*mieux définir son attitude devant la vie ; Flaubert met quatre ans
à écrire* Madame Bovary, *mais tous les événements de sa vie
extérieure, pendant ces quatre années, sont en quelque sorte concen-
trés autour du sujet qu'il vit ; et puis, après la publication du
premier livre, après le scandale du procès, le succès foudroyant,
ce sera d'un livre à l'autre, pendant près de vingt-cinq ans, ce
sera encore une chaîne serrée d'actions et de rêves, de joies et de
tristesses, d'enthousiasmes et de colères, qui suit le cours du siècle.
Pour ne pas nous perdre dans cette existence, qu'on imagine stérile
et dédaigneuse de l'action, alors que la plus humaine sensibilité
la pénètre, notons seulement le voyage de 1858 en Afrique, pour
la documentation de* Salammbô, *la part active que Flaubert
a prise pendant quinze ans à la carrière dramatique de son ami
Bouilhet, les séjours à Paris, fréquents et si féconds pour la vie
de l'esprit, puisqu'ils groupent autour de Flaubert des personnalités aussi considérables que celles de Théophile Gautier, des
Goncourt, de Sainte-Beuve, de Taine, de Renan, de Tourguéniev,
de Zola, — rappelons les expériences personnelles de Flaubert
au théâtre, ses démêlés avec les directeurs, son contact avec le
monde si curieux et si riche d'observation de la scène et des coulisses, — songeons que, en dehors des voyages d'études, dont
chacun de ses livres, et presque chaque chapitre de ses livres est
précédé, cet homme qu'on représente comme un ermite a visité
Londres, la Suisse, la Belgique, le duché de Bade, — évoquons
ces deux grandes amitiés de l'intelligence et du cœur qui ont comblé
la dernière partie de sa vie, celle de George Sand, et celle de sa
fille adoptive, de sa nièce Caroline Commanville, — n'oublions
pas que « le solitaire de Croisset » était un des habitués du salon
de la princesse Mathilde, à Saint-Gratien, des fameux dîners
Magny à Paris, et du « grenier » des Goncourt, à Auteuil ; —
surtout, rappelons-nous la grande secousse de 1870-1871, la
guerre et l'invasion, la Commune et l'insurrection, qui atteignit
Flaubert au moment où, vieilli et mal portant, consumé de regrets,
assombri par des deuils successifs, menacé par des embarras
d'argent, il cherchait à se défendre contre le vertige du passé
par la plus ardente passion du travail et les plus sublimes chimères
de l'imagination... Et concluons enfin.
Quand le 8 mai 1880, Gustave Flaubert meurt subitement*

à Croisset, robuste géant à la face sereine, au verbe éclatant, il était à peine un vieillard ; il n'avait pas soixante ans ; mais depuis longtemps il cultivait en lui ces fleurs mélancoliques du souvenir, dont la senteur ne trouble d'ordinaire que les cœurs précocement meurtris. Au temps où il était encore un jeune homme, plein d'enthousiasme et de confiance devant la vie, le sort rigoureux avait pris auprès de lui tous les meilleurs et les plus chers ; chaque année, il s'assombrissait de marcher entre des tombes plus nombreuses. Certaines fêtes, qui ramenaient pour lui de funèbres pensées, lui étaient une vraie souffrance : le jour de l'an, il fuyait les réunions de famille. Une année, pourtant, cédant à de plus affectueuses sollicitations, et ne voulant pas « faire la bête », il accepta d'aller dîner chez son frère, le docteur Achille Flaubert, qui avait remplacé leur père à la direction de l'hôpital de Rouen. En arrivant à l'Hôtel-Dieu, devant sa maison natale, à l'entrée du jardin où il revoyait le fantôme de sa sœur, ceux de ses parents et ceux de ses amis, son cœur se brisa en sanglots... Cet homme, qu'on a représenté toujours dans le plus orgueilleux isolement, de quel amour n'avait-il pas dû aimer les illusions, les tendresses et l'enchantement de ses jeunes années?

C'est que, quoi qu'on en ait dit, sa vie n'a pas été en dehors de la vie. Et l'on peut affirmer, sans paradoxe, que peu d'écrivains ont plus intimement mêlé leur rêve à la réalité. Récemment, un critique, étudiant ce divorce de l'action et du rêve qui est le drame secret de plus d'un grand artiste, écrivait ceci : « Il faut, pour l'œuvre même, vivre en honnête homme. Il faut même ne renoncer à rien entièrement. Un Montaigne, un Chateaubriand, un Barrès, qui ont vécu selon le siècle, sont plus naturels qu'un Flaubert retranché à Croisset. « Tu n'écriras, disent-ils, qu'après avoir vécu et agi. Alors tu rendras compte de ce que tu as fait et ressenti. » Conseil de l'humanisme français, auquel répond celui de l'idéalisme allemand, car Hegel déclare au début de l'Esthétique : « Il faut avoir vécu pour être digne de peindre les mystères de la vie. »

La sévérité de ce jugement sur Flaubert et la condamnation qu'il entraîne nous semblent injustifiées. Flaubert, lui aussi, n'a écrit qu'après avoir vécu et agi ; Flaubert, lui aussi, a rendu compte de ce qu'il avait fait et ressenti. Si l'exposé rapide que nous avons fait de sa vie ne paraît pas assez probant, il faut

encore apporter ces témoignages matériels de son humanisme;
*on a pu dresser, mois par mois, presque jour par jour, une bio-
graphie chronologique de Flaubert, où la vie accompagne l'œuvre,
et quelle serait la possibilité, quel serait l'intérêt de ce travail *,
où René Descharmes et René Dumesnil ont mis autant de science
que d'amour, si Flaubert n'avait été qu'une sorte de mandarin
retranché du monde dans une orgueilleuse solitude ?*

*On a pu suivre pas à pas à travers son œuvre les faits, les per-
sonnages, les lieux de la réalité qui l'avaient inspiré. On a cherché,
dans la jeunesse de Flaubert, l'écolier normand, l'étudiant parisien,
le voyageur oriental. On l'a poursuivi dans les rues de sa ville
natale, dans les cours du vieux collège royal, à travers la campagne
normande, sur les routes et les pistes d'Égypte ou de Syrie...
Et tous ceux qui ont mené en conscience la même enquête, sont
arrivés à la même conclusion ; l'impersonnalité chez Flaubert,
l'impassibilité absolue n'est qu'une formule d'esthétique, c'est-à-
dire pas grand-chose. Flaubert n'a jamais cru sérieusement qu'un
effort hautain de la volonté suffisait à renier le passé, à secouer
le joug de l'habitude, à effacer l'empreinte que la réalité patiente
avait gravée sur son âme. L'instinctive piété de la postérité ne
s'y est pas trompée ; elle est allée tout d'abord aux pierres et aux
arbres qui ont été le décor de son enfance, à la terre qu'il a habitée,
fût-ce avec lassitude ou révolte, aux horizons familiers qu'il a
contemplés, et dans l'air natal, elle croit encore respirer le souffle
de son génie. Nous chercherons toujours Flaubert à Rouen, où
il a laissé de lui-même plus qu'une insensible effigie de bronze ;
nous le chercherons à Croisset, où son âme survit à sa maison,
tombée sous la pioche des démolisseurs, et où un pavillon abrite
le musée consacré à sa mémoire. Lorsque Flaubert commence à
écrire sa première œuvre essentielle, après les fougueux brouillons
de sa jeunesse, il porte en lui toute la matière vivante, souvenirs
d'enfance, rêves ambitieux et désillusions, recherche inquiète de
l'amour, défiance de l'action (mais non dédain), mépris réfléchi
des fortunes médiocres, sur laquelle il va broder le dessin de
Madame Bovary et de L'Éducation sentimentale, même celui*.

---

* R. Descharmes et R. Dumesnil, *Autour de Flaubert*, 2 vol. « Mercure de France », 1912; tome II, p. 122 à 174.)

de Salammbô *et de* La Tentation. *Mais cette matière personnelle, qui s'étale avec quelque ingénuité dans les œuvres de sa jeunesse, il a appris à la dominer, à la traiter, à la dissimuler, comme les fleurs et les arabesques de soie multicolores recouvrent l'humble canevas d'étamine. Parce qu'elle ne se laisse plus voir, en est-elle moins pour cela la condition nécessaire et le soutien naturel de l'œuvre ? Rappelant la parole profonde de Gœthe : « Les seules œuvres durables sont des œuvres de circonstances », Anatole France lui a donné, dans* Le Jardin d'Épicure, *sa véritable portée : « Il n'y a à tout prendre que des œuvres de circonstances, car toutes dépendent du lieu et du moment où elles furent créées. On ne peut les comprendre ni les aimer d'un amour intelligent, si l'on ne connaît le lieu, le temps et les circonstances de leur origine. »*

* * *

L'attitude même que Flaubert a prise volontairement, certaines conditions apparentes de sa vie, auxquelles son état de santé, en particulier, n'était pas étranger, des formules, des déclarations auxquelles les nécessités de la polémique l'amenaient à donner un tour paradoxal, — tout a pu contribuer à donner de lui l'idée d'un homme pour qui la littérature seule existe, et l'on est même tenté d'ajouter : un homme pour qui l'art seul, et l'art particulier de la forme écrite, de la phrase, existe. Mais nous n'avons plus le droit, après ce que nous nous sommes efforcés d'établir, de dépouiller l'œuvre considérable de Flaubert, de la matière vivante qui l'a inspirée. Il est aisé de montrer que cette œuvre, malgré son apparente diversité, a une unité profonde, organique, précisément comme une vie humaine ; et il est naturel de chercher dans chaque livre, à côté de l'érudition et du document, la part très grande de l'expérience de la vie, et celle, plus grande encore, de la méditation de la vie.

Cette unité profonde de l'œuvre peut sembler douteuse, si l'on considère les disparates, et même les contradictions de ces livres qui, pendant vingt-cinq ans, vont se succéder dans ce rythme à deux temps, qui a frappé tous les critiques, et qui fait alterner une œuvre d'observation ironique avec une œuvre d'imagination décorative. Et pourtant, cette unité est réelle et l'on n'en pourra douter si,

*parmi les idées maîtresses, les idées vivantes de Flaubert, l'on
s'attache à l'une des plus importantes pour en suivre le développement à travers toute son existence d'écrivain. Sa première œuvre*
imprimée *est un article d'un petit journal local, bien oublié
aujourd'hui,* Le Colibri, journal de la littérature, des théâtres,
des arts et des modes, *qui s'imprima à Rouen de 1836 à 1841.
Cet article est une fantaisie, un essai, une « physiologie », comme
on disait en 1830. Sous la rubrique :* Mœurs rouennaises,
*qu'il faut retenir comme un témoignage de contact avec la réalité,
le jeune écrivain, — il a quinze ans !... étudie la* physiologie
de l'employé. *Le titre exact de son article est :* Une leçon d'histoire naturelle : genre commis. *Dès* 1837, *près de vingt ans
avant* Madame Bovary, *nous voyons apparaître dans cette fantaisie un des thèmes essentiels de l'art de Flaubert ; si essentiel
qu'il est le fond même de sa pensée, de son jugement sur la vie,
et que sa dernière œuvre, quarante ans plus tard, ce* Bouvard
et Pécuchet, *où l'on a voulu voir, tout inachevé qu'il est, un testament spirituel, reprendra, en l'amplifiant, le même thème.*

*Ce thème, c'est l'idée de la puissance et de la fatalité de la
bêtise humaine, sous sa forme privilégiée de la médiocrité bourgeoise.
On sait quel développement Flaubert lui a donné à travers toute
son œuvre, notamment dans* Madame Bovary *et dans* L'Éducation sentimentale. *Or, cette épopée de la bêtise humaine, qui
aboutira à* Bouvard et Pécuchet, *se trouve déjà tout entière
dans l'article du* Colibri. *En annonçant sa* Leçon d'histoire naturelle, *le jeune écrivain déclarait : « J'ai encore dans mes cartons
de nombreuses observations sur les diverses espèces de ce genre. »
Il faut le croire sur parole ; car le sujet qui l'inspire ici, n'est pas
un sujet de fantaisie, c'est un sujet vivant, en contact intime avec
sa vie personnelle, et dont il a toujours porté en lui l'obsession.
Dès l'âge de quinze ans, il a eu, par ses origines et son éducation
bourgeoises, par les milieux qu'il a traversés et où il s'est heurté
aux conventions et aux préjugés les plus contraires à sa nature,
à son tempérament, il a eu la hantise du médiocre et du ridicule,
de la sottise et de la laideur ; aussi a-t-il recueilli avec soin des
observations sur les bourgeois de sa ville, sur les gens et sur les
choses au milieu desquels il vivait. En remontant encore plus loin,
on trouve sa correspondance d'enfant pleine de notes minutieuses*

sur ses professeurs, sur ses camarades et sur les menus événements de sa vie d'écolier. Enfin, tout le monde sait aujourd'hui combien consciencieuse et vécue est la documentation de Madame Bovary et de L'Éducation, dont a pu dire qu'on y sentait « le carnet de notes garni laborieusement pendant des années ».

*Ce thème préféré s'épanouit, magnifiquement orchestré, dans le livre suprême : Bouvard et Pécuchet. Dans ses deux person-nages, qu'il nous peint sans hostilité, mais avec une sorte de neu-tralité bienveillante, nuancée de pitié, Flaubert incarne toutes les victimes de la bêtise et de l'ignorance. Au terme de leurs expériences dérisoires pour s'élever et s'instruire, ils se vengent en quelque sorte de leur insuccès en reprenant leur métier machinal de copistes. Mais le livre de Flaubert n'est pas une déclaration de faillite de la science et de la pensée humaine en général ; c'est plutôt un doute ironique, un conseil de prudence sceptique et d'humilité adressé à l'orgueil de l'homme : « Il faut pratiquer la science avec autant de patience, de respect, de méthode, de désintéresse-ment qu'on doit en avoir pour l'art pur. * »*

* * *

Pour Flaubert, mort en 1880, il y a plus d'un demi-siècle que la postérité a commencé, et il y a quatre-vingts ans qu'éclatait, avec la double soudaineté du génie et du scandale, ce livre illustre, Madame Bovary, dont on a souvent répété, depuis 1856, qu'il avait renouvelé le genre essentiel de la littérature moderne, le roman.

C'est un signe excellent pour la vitalité d'une œuvre qu'on puisse encore batailler autour d'elle, se passionner pour ou contre, qu'il y ait aujourd'hui des flaubertistes, comme il y a des balzaciens et des stendhaliens.

Si l'on entreprend de déterminer quelle est la position de Flaubert devant le public lettré et devant la critique, au XXe siècle, et plus précisément auprès des dernières générations littéraires, on

---

* René DESCHARMES, *Autour de Bouvard et Pécuchet*, 1921. — Cf. la notice dans notre édition de *Bouvard et Pécuchet*.

demeure surpris des contradictions et des jugements qu'a suscités son œuvre.

Pour Edmond Jaloux, « tout le roman naturaliste est né de Madame Bovary », et c'est tout de même un éloge qui compte, si l'on songe que le roman naturaliste est loin d'être mort aujourd'hui, bien qu'on l'ait enterré plusieurs fois.

André Gide laisse tomber dédaigneusement ces mots sans tendresse : « Madame Bovary, nous y goûtons le nombre et l'harmonie de la phrase, sans doute. Mais quelle gageure ! Talent à part, ce sont là pièces rapportées et qui font penser : à quoi bon * ?... »

Mais André Thérive, dans Le Retour d'Amazon, *défend le vieux maître contre l'indifférence injurieuse des jeunes : « J'ose dire que l'influence de Stendhal, quoi qu'en pensent des sectaires, a été complétée par celle de Flaubert, qui a tenté de mener en parallèle exemplaire le roman historique, décoratif, et le roman réaliste le plus trivial, pour montrer que le même souci de styliser, de choisir, convenait aux deux genres. Ce qui rend merveilleux* Madame Bovary *et* L'Éducation sentimentale, *c'est d'abord cette volonté constante et tendue qu'on y sent de ne rien laisser au hasard, à la négligence ; et c'est ensuite le souci de créer des règles en les respectant le premier. Après un Stendhal et un Flaubert, — conclut-il, — le roman entre pour toujours dans le chœur des genres suprêmes. »*

Mais ce souci de perfection, cette religion de l'art pur, qu'André Thérive loue expressément comme la dignité supérieure de l'esprit, apparaît à beaucoup de lecteurs, à beaucoup d'écrivains de notre temps, comme une stérile et froide impuissance : « quelque chose comme de l'eau stérilisée », disait déjà Moréas.

Les romanciers eux-mêmes ne sont pas toujours plus tendres pour Flaubert que les poètes : « Salammbô et Madame Bovary sont assez mal bâtis et beaucoup moins bien écrits qu'on ne l'affirme généralement », prononce avec dédain M. Claude Farrère, dans une conférence où il explique à ses auditeurs « comment un romancier fait ses romans ». Et à l'étranger, en Angleterre, Galsworthy, se couvrant de l'autorité de Tolstoï, plaçait Flaubert

---

* André GIDE, *Incidences*, 1924.

fort au-dessous de Maupassant : « *l'apôtre de l'art pour l'art,* écrit-il, *n'eut jamais l'influence vitale que Tourguéniev exerça sur les écrivains anglais ; une sorte de sensation de renfermé, d'atmosphère étouffée s'attache à ses œuvres.* »

Pourtant, les esprits les plus subtils, les plus épris de recherches rares et de modernités délicates, ne sont pas tous jalousement fermés à cet art hautain. Dans ses Approximations, Charles du Bos salue en Flaubert un génie tout septentrional, plus proche de Jean-Paul ou de Jacobsen que de n'importe quel Français ou ancien, et qui « baigne de toutes parts dans la rêverie ».

On pourrait multiplier les témoignages de ce genre. Ce qui frappe dans ces jugements contradictoires, c'est qu'en général ils sont rendus au nom de l'art, d'une certaine conception de l'art, ou plutôt qu'ils condamnent ou exaltent l'art de Flaubert, plus que la vérité de son inspiration, ce qui est au moins étrange, quand il s'agit de juger un romancier.

Mais Flaubert, par sa propre conception de l'art, n'a-t-il pas quelque peu préparé ces malentendus ? A beaucoup d'écrivains de notre temps, elle doit apparaître comme un dangereux paradoxe ; est-il possible de concilier, comme il a toujours cherché à le faire, le scrupule minutieux de l'information documentaire et la passion tyrannique, presque morbide, pour la perfection harmonieuse de la forme ?

Un romancier français de la dernière génération * s'adressait à lui-même ce bienveillant conseil : « Promène-toi tous les jours dans la foule. Regarde-les. Ils sont beaux. Mais quand tu seras rentré dans ta cellule, ils seront bien plus beaux encore : tu les peindras... » Il n'y a pas une seule de ces paroles que Flaubert n'aurait pu prendre à son compte et où il ne se serait retrouvé lui-même. « Promène-toi tous les jours dans la foule. Regarde-les... » On croit entendre encore celui qui disait à son jeune disciple, Guy de Maupassant, un peu avant 1880 : « Va te promener, mon garçon, observe autour de toi, et tu me raconteras en cent lignes ce que tu auras vu... » L'intention est la même, l'accent presque identique. Il y a toujours eu chez Flaubert, — et il l'a inculquée à Maupassant, — une disposition à considérer la vie

* M. Pierre DRIEU LA ROCHELLE.

comme spécialement faite pour l'art : c'est en observant tout
près de lui la nature et l'homme que l'artiste se formera ; il
devra toujours chercher à découvrir des combinaisons nouvelles
de ces deux éléments, et son investigation ne sera jamais stérile,
car les combinaisons sont inépuisables. Et si Flaubert fit faire
ainsi à Maupassant, comme on l'a dit souvent, son apprentissage
de réaliste, on a moins remarqué qu'il lui apprit aussi, non pas
à écrire, — c'est peut-être dans le métier d'écrivain la seule chose
qui ne se réduise pas en formules ou en recettes, — mais à avoir
de la forme un souci plus haut, une conception plus noble.

Car dans la phrase que nous citions plus haut, c'est surtout
la seconde partie qui eût enchanté Flaubert, qui lui eût arraché
ces rugissements d'allégresse, par lesquels il exprimait volontiers
son plaisir esthétique. « Quand tu seras rentré dans ta cellule,
ils seront bien plus beaux encore ! tu les peindras... » Voilà
bien le mot d'un homme pour qui seule la littérature existe, et
qui a toujours professé, comme un dogme, que créer des personnages,
créer un milieu, donner la vie à Emma Bovary ou à Salammbô,
produire l'atmosphère propre à Yonville-l'Abbaye ou à Carthage,
c'était faire sur l'univers les plus formidables conquêtes.

Aussi, à ceux qui lui reprochent de n'avoir pas vécu ou d'avoir
déserté la vie pour s'enfermer dans son œuvre, Flaubert a répondu
d'avance : « Est-ce que écrire n'est pas une façon de vivre ? Est-ce
que former indéfiniment des êtres et des mondes n'est pas la forme
la plus puissante de la vie ? » Personne peut-être, du moins
avant 1880, n'a senti le pouvoir de l'artiste comme Flaubert.
Mais personne non plus n'a mieux su de quels sacrifices douloureux
ce pouvoir était payé. Entre la foule des êtres, la multiplicité des
apparences et le jaillissement continuel de la vie dans le cœur
de l'écrivain, tout obstacle doit être supprimé ; l'artiste doit se
mettre en état de grâce permanent, de réceptivité totale, et, pour
cela, savoir se renoncer lui-même. Et c'est cette mystique de l'art,
souvent mal comprise, qui a accrédité la légende absurde de l'impassibilité de Flaubert.

Cette conception de l'œuvre d'art, qui prend devant l'esprit
la réalité qu'il lui confère, est aussi éloignée de l'inspiration
romantique que de l'impassible observation naturaliste. Aussi
les créations de Flaubert, expression souveraine de sa sensibilité

*et de son imagination, ont-elles pour nous une réalité propre,
qu'aucun caprice de la mode, qu'aucune atteinte du temps ne peut
leur faire perdre. Flaubert, lui-même, l'a remarqué : « Les grands
génies (et il songe aux grands génies littéraires ou artistiques),
les grands génies apportent à la conscience du genre humain des
personnages nouveaux ; est-ce qu'on ne croit pas à l'existence
de Don Quichotte, comme à celle de César ? » Nous croyons à
l'existence d'Emma Bovary, et nous visitons sans étonnement son
village et sa tombe; de tout le passé de Carthage, si obscur, si
mystérieux pour nous, les seules réalités tangibles sont celles de
Didon et de Salammbô ; nous croyons à l'existence de Bouvard,
à celle de Pécuchet, et un jour d'été, à Paris, sous les ombrages
du boulevard Bourdon, nous verrons venir à nous, en dépit du fracas
des automobiles et du décor d'une vie nouvelle, ces deux silhouettes
immortelles, environnées du cortège de leurs illusions ; et dans
quelque appartement suranné de la plus calme province, si nous
avons senti, en y pénétrant, cette tenace odeur de moisi qui obsé-
dait l'écrivain quand il écrivait son conte, il faudra que la porte
nous ait été ouverte par la servante au cœur simple que son
génie a douée d'une vie éternelle.*

BIBLIOGRAPHIE

PRINCIPAUX OUVRAGES A CONSULTER

Les éditions de Flaubert, soit pour les œuvres séparées, soit pour les œuvres complètes, sont fort nombreuses. Nous nous bornons à signaler quelques-unes de celles qui, par leurs introductions, leurs études historiques ou littéraires, leurs commentaires et leurs notes, offrent un intérêt documentaire évident.

1. *Œuvres complètes* de FLAUBERT en 20 vol. L. Conard. 1910. Une édition de la *Correspondance* en 9 vol. a paru chez le même éditeur, 1926-1933.

2. Édition des *Œuvres complètes*, plus la *Correspondance*, dite « *Édition du Centenaire* » en 9 vol. Librairie de France, 1921-1925.

3. Édition des *Œuvres complètes*. Collection des Textes français de la Société des Belles-Lettres, en 10 vol. 1945-1948. (Textes établis et présentés par RENÉ DUMESNIL.

4. *Un Cœur simple*, précédé des *Mémoires d'un fou* et de *Novembre*. Introduction et Notes par RENÉ DUMESNIL. Éditions du Rocher. Monaco, 1946.

Nous ne pouvons donner ici une bibliographie complète de Flaubert. L'une des plus riches, celle qu'a établie M. René Dumesnil dans son livre excellent, *Gustave Flaubert, l'Homme et l'Œuvre*, atteignait déjà en 1932 le chiffre élevé de 352 numéros. Le même auteur, dans son édition de *Madame Bovary*, à la Société des Belles-Lettres, en 1945, a donné une bibliographie spéciale, qui compte plus de 500 titres.

Nous ne retiendrons ici que les ouvrages essentiels. En outre, on trouvera dans chaque volume de notre édition de Flaubert quelques indications bibliographiques particulières, relatives à chacune des œuvres. Dans le présent volume, voir la bibliographie de *Madame Bovary*, p. 403, note 3.

A. ALBALAT. *Gustave Flaubert et ses amis*, Plon, 1927.

BARBEY D'AUREVILLY. *Le Roman contemporain*. Lemerre, 1902.

CH. BAUDELAIRE. *Gustave Flaubert*. L'art romantique, 1857.

L. BERTRAND. *Gustave Flaubert*. Mercure de France, 1912.

P. BOURGET. *Essais de psychologie contemporaine*. Plon, 1899.

F. BRUNETIÈRE. *Le Roman naturaliste*. Calmann-Lévy, 1883.

Mᵐᵉ C. COMMANVILLE. *Souvenirs intimes*. Charpentier, 1887.

Mᵐᵉ A. DAUDET. *Souvenirs autour d'un groupe littéraire*. Fasquelle, 1910.

D. L. DEMOREST. *L'expression figurée et symbolique dans l'œuvre de G. Flaubert*. Conard, 1931.

R. DESCHARMES. *Flaubert avant 1857*. Ferrond, 1909.

R. DESCHARMES et R. DUMESNIL. *Autour de Flaubert*. Mercure de France, 1912.

C. DIGEON. *Le dernier visage de Flaubert*. Aubier, 1946.

P. DIMOFF. *Autour d'un projet littéraire de Flaubert*. «La Spirale». Revue et histoire littéraire, oct.-déc. 1908.

M. DU CAMP. *Souvenirs littéraires*. Hachette, 1882.

G. DUBOSC. *Trois Normands*. Defontaine, 1917.

R. DUMESNIL. *Flaubert, son hérédité, son milieu, sa méthode*. Société française d'Imprimerie, 1905.

R. DUMESNIL. *La publication de Madame Bovary*. Malfère, 1927.

R. DUMESNIL. *G. Flaubert, l'Homme et l'Œuvre*. Desclée et de Brouwer, 1932.

R. DUMESNIL. *L'Éducation sentimentale de G. Flaubert*. Malfère, 1936.

R. DUMESNIL et D. L. DEMOREST. *Bibliographie de G. Flaubert*, Giraud-Badin, 1939.

Mᵐᵉ J. M. DURRY. *Flaubert et ses projets inédits*. Nizet, 1950.

E. FAGUET. *Flaubert*. Hachette, 1899.

E. L. FERRÈRE. *L'Esthétique de Flaubert*. Conard, 1913.

Mᵐᵉ H. FREJLICH. *Flaubert d'après sa correspondance*. Malfère, 1933.

Mᵐᵉ H. FREJLICH. *Les Amants de Mantes*. Malfère, 1934.

J. DE GAULTIER. *Le Bovarysme*. Mercure de France, 1902.

J. DE GAULTIER. *Le Génie de Flaubert*. Mercure de France, 1913.

GÉRARD-GAILLY. *Flaubert et les fantômes de Trouville*. La Renaissance du Livre, 1930.

GÉRARD-GAILLY. *L'unique passion de Flaubert*. Le Divan, 1932.

GÉRARD-GAILLY. *Les véhémences de Louise Colet*. Mercure de France, 1934.

GÉRARD-GAILLY. *Le grand amour de Flaubert*. Aubier, 1944.

H. GUILLEMIN. *Flaubert devant la vie et devant Dieu*. Plon, 1939.

J. F. JACKSON. *Louise Colet et ses amis littéraires*. Yale University Press, 1937.

J. DE LA VARENDE. *Grands Normands*. Defontaine, 1937.

L. LE SIDANER. *G. Flaubert. Son Œuvre*. Nouvelle Revue Critique, 1930.

P. LIÈVRE. *Flaubert et Pradier*. Nouvelles littéraires, 4 déc. 1932.

P. MARTINO. *Le Roman réaliste sous le second Empire*. Hachette, 1913.

G. DE MAUPASSANT. *Gustave Flaubert* (dans Études, Chronique, Correspondance). Librairie de France, 1938.

E. MAYNIAL. *La Jeunesse de Flaubert*. Mercure de France, 1913,

E. MAYNIAL. *Flaubert et son milieu*. Nouvelle Revue critique. 1927.

E. MAYNIAL. *Gustave Flaubert*. Nouvelle Revue critique, 1943.

Mme DE MESTRAL-COMBREMONT. *Une déesse des romantiques :* Mme *Louise Colet*. Fontesnoing, 1913.

E. MONTÉGUT. *Dramaturges et Romanciers*. Hachette, 1890.

P. NEVEUX. *G. Flaubert*. Préface aux *Œuvres complètes*. Conard, 1910.

J. POMMIER. *Les maladies de G. Flaubert*. Progrès médical, 10-24 août 1947.

SAINTE-BEUVE. *Causeries du lundi*, XIII. Garnier.

SAINTE-BEUVE. *Nouveaux Lundis*, IV et X. Garnier.

R. L. STEVENSON. *Essays on the Art of writing*. Londres, 1905.

I. TOURGUENEFF. *Lettres de Flaubert à Tourgueneff*, publiées par Gérard-Gailly. Éditions du Rocher. Monaco, 1946.

A. VIAL. *Flaubert émule et disciple émancipé de Balzac*. Revue d'Histoire littéraire, juillet-septembre, 1948.

E. ZOLA. *Le Roman expérimental*. Charpentier, 1880.

E. ZOLA. *Les Romanciers naturalistes*. Charpentier, 1881.

MADAME BOVARY

Madame Bovary *est resté aujourd'hui le livre de Flaubert le plus lu, donc son œuvre la plus vivante, et si l'on en juge par ce signe, son œuvre la plus grande. Pourtant, ce grand livre ne fut pas conçu dans l'enthousiasme, ni même dans la joie de créer. L'histoire même de ses origines prouve qu'il est né en quelque sorte malgré Flaubert et que, pour l'écrire, Flaubert a dû faire violence à son tempérament, à son inspiration naturelle.*

La grande pensée de sa jeunesse avait été La Tentation de Saint-Antoine. *Ce livre, qu'il a refait avec amour, et avec désespoir, jusqu'à trois fois, satisfaisait ses instincts romantiques, sa passion pour les grandes compositions décoratives, pleines à la fois de lyrisme et de rêve, de couleur et d'éloquence.*

En 1849, Flaubert a vingt-huit ans. Il a déjà, sans avoir rien publié officiellement, un bagage considérable d'écrivain, toutes ces œuvres de jeunesse, qui forment aujourd'hui la matière de trois gros volumes, et parmi lesquelles il y en a d'aussi remarquables, ou d'aussi significatives, que Novembre *et les* Mémoires d'un fou, *la première* Éducation sentimentale *et la première* Tentation de Saint Antoine. *En septembre 1849, à la veille de partir avec Maxime Du Camp pour son long voyage en Orient, il réunit chez lui, à Croisset, ses meilleurs amis, ceux qui, depuis la mort de Le Poittevin, sont les confidents ou les conseillers de ses rêves d'écrivain, Louis Bouilhet et Maxime Du Camp ; il leur lit le manuscrit de la* Tentation. *L'impression est désastreuse. Les deux amis conseillèrent à Flaubert de renoncer à publier un livre dont l'outrance romantique semblerait un défi au goût régnant, et de transposer en roman l'histoire réelle d'un obscur officier de santé, Delamare, et de sa femme Delphine.*

Ainsi prit naissance la première idée de Madame Bovary *.

Cette idée, Flaubert l'emporta avec lui en voyage, la promena, la caressa, la mûrit dans ses pérégrinations à travers l'Égypte, la Syrie et la Grèce. Quand il revient à Croisset, en octobre 1851, après une nouvelle conférence avec Bouilhet et Du Camp, il se résigne à abandonner la Tentation; *en décembre, il consulte Théophile Gautier, et entreprend d'écrire le roman, dont le sujet lui a été suggéré par ses amis.*

La composition de Madame Bovary *dura de décembre 1851 au 30 avril 1856. Épisode par épisode, chapitre par chapitre, on peut suivre cette création, aussi pathétique qu'un drame, à travers la correspondance de Flaubert, notamment dans les lettres à Louise Colet et à Louis Bouilhet **. Les scrupules de l'écrivain, la conscience qu'il apporte à se documenter, ses luttes courageuses contre la perfection de la forme, ses confidences tour à tour anxieuses et enthousiastes, composent un véritable journal de la création artistique, presque unique dans l'histoire des lettres.*

Le manuscrit du roman est expédié en avril 1856 à la Revue de Paris, *que dirigent Du Camp et Pichat. Après des corrections demandées par la revue, mal acceptées par l'auteur,* Madame Bovary, *dédié à Bouilhet, commence à paraître le 1er octobre. Mais bientôt les directeurs s'effraient des audaces du roman ; ils pratiquent d'eux-mêmes dans le texte d'importantes coupures, contre lesquelles Flaubert proteste avec éclat, mais en vain. L'une de ces coupures, — la scène du fiacre, — attire l'attention du parquet. Les pouvoirs publics saisissent avec empressement l'occasion de brimer une revue suspecte de libéralisme. Le 24 janvier 1857, l'auteur, le directeur et l'imprimeur de la revue, sont cités devant la 6e Chambre corectionnelle, sous l'inculpation d'outrage à la morale. Après une remarquable plaidoirie de l'avocat Sénard, le procès se termina par un acquittement général. A la fin d'avril 1857, le roman parut chez l'éditeur*

---

* Sur l'histoire de ces origines, cf. Maxime Du Camp, *Souvenirs littéraires*, I, 313 et II, 15; — Arsène Houssaye, *Confession*, VI, 95. — Sur les rapports entre le roman et la réalité qui l'inspira, cf. dans les notes du présent volume, la note 3.

** Nous donnons dans les notes les références ou les extraits les plus importants de ces lettres.

Michel Lévy ; à part de légères retouches inspirées par la prudence, Flaubert avait rétabli ou maintenu son texte primitif*.

Telle est l'histoire extérieure de Madame Bovary.

Il faut souligner comme un trait significatif du génie de Flaubert la façon dont le livre fut conçu et écrit. On l'a vu : c'est en Orient, pendant son voyage avec Du Camp, que l'écrivain déçu, désillusionné, ne trouvant pas, une fois de plus, la réalité à la mesure de son rêve, tourne sa pensée pleine de regret vers la Normandie. Sans la riche désillusion qu'il a rencontrée devant le Sphinx ou le temple de Jérusalem, nous n'aurions peut-être pas Madame Bovary, *qui est, essentiellement, une tragédie bourgeoise de l'illusion. Expérience d'autant plus heureuse, qu'à partir de ce jour, Flaubert, qui a entendu condamner sans appel par ses meilleurs amis la première* Tentation de Saint Antoine, *comprend qu'il ne trouvera sa voie qu'en faisant violence à son tempérament romantique, en recoupant en quelque sorte l'illusion romantique par la médiocrité positive du réalisme.*

On connaît sa réponse singulière, — singulière en apparence, — à ceux qui s'enquéraient déjà de la réalité de son héroïne, des modèles ou des événements qui avaient pu l'inspirer : « Madame Bovary, c'est moi... » *La curiosité des questionneurs, comme celle de la critique contemporaine, est justifiée, puisqu'il est établi qu'un banal fait divers (l'empoisonnement de Delphine Delamare) a déclenché l'inspiration de Flaubert, que la part des faits vécus est considérable dans le livre, puisqu'on peut aller rêver sur la tombe d'Emma, se promener dans le village qu'elle a peuplé de ses chimères et de ses passions, puisque enfin Mᵐᵉ Georgette Leblanc a pu écrire tout un délicieux petit livre intitulé :* Un pèlerinage au pays de Madame Bovary, *illustré de photographies, dont on ne peut contester l'authenticité.*

Mais la réponse de Flaubert n'en est pas moins chargée d'une vérité profonde. Quand il dit : « Madame Bovary, c'est moi, » *il fait revivre un mot de Cervantes, qu'il admirait tant. Ce mot*

---

* L'histoire de *Madame Bovary* a été racontée de façon définitive par M. René Dumesnil, dans son livre *La publication de « Madame Bovary »*. Sur le procès, on consultera, à la fin du présent volume, le réquisitoire de Pinard et la plaidoirie de Sénard, auxquels nos notes renvoient, quand il y a lieu.

est rapporté et commenté par A. de Vigny en 1840, *dans son* Journal inédit : « *Lorsque Cervantes mourut, on lui demanda qui il avait voulu peindre dans Don Quichotte. — Moi, dit-il. C'est que, pour Cervantes, comme pour Flaubert, la grande idée du livre était le malheur de l'imagination et de l'enthousiasme déplacés dans une société vulgaire et matérielle.* » *La comparaison des deux livres s'est imposée à l'esprit de tous les critiques. Flaubert était imprégné de Don Quichotte, qu'il lisait assidûment, et qu'il appelait le* livre des livres. « *Ce qu'il y a de prodigieux dans Don Quichotte, écrivait-il, c'est l'absence d'art, et cette perpétuelle fusion de l'illusion et de la réalité qui en fait un livre si comique et si poétique.* » *Dans le livre de Flaubert, comme dans celui de Cervantes, il y a deux figures centrales, qui en font, a-t-on dit, un* « *livre à deux versants* » : *Emma et Monsieur Homais, la défaite d'Emma et le triomphe de Monsieur Homais.*

A travers le développement des caractères et l'évolution réaliste de l'action, Flaubert ne perd jamais de vue l'idée vivante, vécue par lui, sur laquelle on a fondé la philosophie du bovarysme : « *la nécessité psychologique selon laquelle toute activité qui prend conscience de sa propre action la déforme par le geste même dont elle s'en empare dans la connaissance.* » *Nous ne nous connaissons pas tels que nous sommes, mais tels que nous croyons être, et cette erreur fatale du moi sur le moi détourne notre activité de ses fins normales* *. Chez la plupart d'entre nous, comme chez Emma Bovary, l'illusion initiale détermine une série d'illusions accessoires et nécessaires ; l'exacte notion des réalités manque ; une incorrigible illusion d'optique vicie sans cesse nos représentations, et le mensonge gouverne notre vie. En étendant le cas psychologique d'Emma à toute l'humanité, J. de Gaultier en a tiré aussi une esthétique : la perception de cette erreur est à la base de la beauté littéraire, et Flaubert lui-même en est le cas le plus frappant.* « *Une œuvre ne nous émeut que si elle nous donne une impression saisissante de réalité, et l'écrivain ne peut nous donner cette impression qu'en discernant nettement chez les individus le jeu de l'erreur qui les gouverne.* »

---

* Cf. le livre de J. DE GAULTIER, *Le Bovarysme*, 1902. — Dʳ GENIL-PERRIN et Madeleine LEBREUIL, *Don Quichotte paranoïaque et le Bovarysme de Don Quichotte* (« Mercure de France », 15 août 1935).

On ne saurait exagérer la fécondité de cette idée si originale. On la retrouve jusque chez Marcel Proust, dont l'œuvre semble être à l'opposé de celle de Flaubert. Dans Le Temps retrouvé, *Proust a écrit des pages remarquables sur l'extrême différence qu'il y a entre l'impression vraie que nous avons eue d'une chose et l'impression factice que nous nous en donnons quand volontairement nous essayons de nous la représenter. Le cas du héros de Proust est le même que celui d'Emma Bovary.*

Constatons aujourd'hui combien va loin et profond un livre, dans lequel des observateurs superficiels ou malveillants, sous le Second Empire, n'avaient voulu voir qu'une anecdote scandaleuse contée avec talent. Et non seulement pour nous, avec le recul impartial du temps, Madame Bovary *apparaît chargée d'une riche psychologie, mais techniquement, et historiquement, ce grand livre est à l'origine du roman contemporain, parce que, depuis* 1857, *les procédés de Flaubert ont été appliqués par d'innombrables romanciers, en concurrence avec ceux de Balzac, de Stendhal et, plus tard, avec ceux de Zola.*

Ce premier chef-d'œuvre de Flaubert est enfin le premier livre dans lequel il ait appliqué, avec une volonté indéfectible, sa haute, sa difficile conception de l'art du style. Il est aisé, il est banal aussi, de railler aujourd'hui ces « affres du style » qui le tenaient enchaîné à sa table, et ces sublimes « gueulades » de phrases cadencées qui emplissaient la solitude nocturne du cabinet de Croisset.

Flaubert n'avait pas vingt-cinq ans quand il a défini, dans une lettre à son ami Alfred Le Poittevin, son attitude devant la vie, cette sorte d'éthique, qui est à la base de son esthétique : « Je crois avoir compris une chose, une grande chose, c'est que le bonheur, pour les gens de notre race, est dans l'idée, et pas ailleurs... Fais comme moi, romps avec l'extérieur. » *Pour comprendre à quel point ce principe de vie a pénétré son art, regardons-le à l'œuvre, puisque nous pouvons suivre, à travers sa correspondance, la genèse de son livre. C'est en* 1853, *en décembre ; Flaubert est à Croisset, dans son cabinet de travail, au coin de son feu ; il écrit* Madame Bovary *et, très précisément, il compose la scène fameuse de la promenade à cheval de Rodolphe et d'Emma. Quand il a terminé la tâche quotidienne, il rêve un* peu, puis, reprenant la plume, confie à une amie le singulier, l'exaltant état de conscience dans lequel il travaille : « C'est une chose délicieuse que d'écrire, que de ne plus être soi, mais de circuler dans toute la création dont on parle. Aujourd'hui, par exemple, homme et femme tout ensemble, amant et maîtresse à la fois, je me suis promené à cheval dans une forêt par une après-midi d'automne sous les feuilles jaunes, et j'étais les chevaux, les feuilles, le vent, les paroles qu'on se disait et le soleil rouge qui faisait s'entrefermer leurs paupières noyées d'amour. »

Ce que Flaubert décrit ici, c'est l'évanouissement de la conscience personnelle et l'invasion d'une vie étrangère chez l'écrivain. Pour lui, les créations de sa pensée sont une réalité ; s'il se balance avec les feuillages d'automne, au-dessus du couple des cavaliers, s'il ferme à demi les yeux, dans la grise lumière de décembre de son cabinet, c'est qu'il est réellement aveuglé par le soleil rouge, et qu'il vit dans la forêt. Poussant à l'extrême cette invasion de la vie créée par l'imagination dans la vie vécue, Flaubert écrira un autre jour, avec cette verdeur d'expression qui était chez lui le signe d'une conviction fervente : « Je me livre dans le silence du cabinet à de si fortes gueulades et à une telle pantomime que j'en arrive à ressembler à Du Bartas qui, pour faire la description d'un cheval, se mettait à quatre pattes, galopait, hennissait et ruait ! »

Non seulement Flaubert a vécu dans ses créations, a vécu ses créations, mais encore il croyait à leur réalité extérieure, à leur réalité en dehors de lui. Le sentiment de la beauté qu'il réalisait par son art dans ses livres lui donnait une impression profonde d'existence, de réalité ; il sentait qu'il obéissait à une contrainte et qu'il créait, en quelque sorte, sous la dictée, sous l'autorité d'une réalité idéale. C'est cette conviction qui lui a fait écrire un jour : « Tout ce qu'on invente est vrai, sois-en sûre. Ma pauvre Bovary sans doute souffre et pleure dans vingt villages de France à la fois, à cette heure même. » Il commentait ainsi, sans le savoir, le mot profond de Novalis : « La poésie est le réel absolu : plus il y a de poésie, plus il y a de vérité », en donnant au mot poésie son sens le plus large et le plus humain de beauté artistique.

Toujours, chez Flaubert, la forme a été en quelque sorte la

vibration palpitante et visible de la pensée. Les phrases de
Madame Bovary *se déroulent « comme une procession des Pana-*
thénées et vibrent comme de grandes cithares ; » c'est lui qui
applique ces images au style de Renan *; mais elles conviennent*
mieux encore à son propre style. Dans un livre dont la matière
est empruntée à la plus terne réalité, la vision imagée des êtres
et des choses le plus terre-à-terre transparaît à travers le rythme
et la couleur de la phrase comme une réalité nouvelle.

A

MARIE-ANTOINE-JULES SÉNARD

MEMBRE DU BARREAU DE PARIS
EX-PRÉSIDENT DE L'ASSEMBLÉE NATIONALE
ET ANCIEN MINISTRE DE L'INTÉRIEUR [1]

Cher et illustre ami,

Permettez-moi d'inscrire votre nom en tête de ce livre et au-dessus de sa dédicace ; car c'est à vous, surtout, que j'en dois la publication. En passant par votre magnifique plaidoirie, mon œuvre a acquis pour moi-même comme une autorité imprévue. Acceptez donc ici l'hommage de ma gratitude, qui, si grande qu'elle puisse être, ne sera jamais à la hauteur de votre éloquence et de votre dévouement [2].

GUSTAVE FLAUBERT.

Paris, le 12 avril 1857.

MADAME BOVARY

PREMIÈRE PARTIE [3]

I

Nous étions à l'étude, quand le Proviseur entra, suivi d'un *nouveau* [4] habillé en bourgeois et d'un garçon de classe qui portait un grand pupitre. Ceux qui dormaient se réveillèrent, et chacun se leva, comme surpris dans son travail.

Le Proviseur nous fit signe de nous rasseoir; puis, se tournant [5] vers le maître d'études [6] :

— Monsieur Roger, lui dit-il à demi-voix, voici un élève que je vous recommande, il entre en cinquième. Si son travail et sa conduite sont méritoires, il passera *dans les grands*, où l'appelle son âge.

Resté dans l'angle, derrière la porte, si bien qu'on l'apercevait à peine, le *nouveau* était un gars de la campagne, d'une quinzaine d'années environ, et plus haut de taille qu'aucun de nous tous. Il avait les cheveux coupés droit sur le front, comme un chantre de village, l'air raisonnable et fort embarrassé. Quoiqu'il ne fût pas large des épaules, son habit-veste de drap vert à boutons noirs devait le gêner aux entournures et laissait voir, par la fente des parements, des poignets rouges habitués à être nus. Ses jambes, en bas bleus [7], sortaient d'un pantalon jaunâtre très tiré [8] par les bretelles. Il était chaussé de souliers forts, mal cirés, garnis de clous.

On commença la récitation des leçons. Il les écouta de toutes ses oreilles, attentif comme au sermon, n'osant même croiser les cuisses, ni s'appuyer sur le coude, et, à deux heures, quand la cloche sonna, le maître d'études fut obligé de l'avertir, pour qu'il se mît avec nous dans les rangs.

Nous avions l'habitude, en entrant en classe, de jeter

nos casquettes par terre, afin d'avoir ensuite nos mains
plus libres; il fallait, dès le seuil de la porte, les lancer
sous le banc, de façon à frapper contre la muraille, en
faisant beaucoup de poussière; c'était là le *genre*.

Mais, soit qu'il n'eût pas remarqué cette manœuvre ou
qu'il n'eût osé s'y soumettre, la prière était finie que le *nouveau* tenait encore sa casquette sur ses deux genoux. C'était
une de ces coiffures [9] d'ordre composite, où l'on retrouve
les éléments du bonnet à poil, du chapska, du chapeau rond,
de la casquette de loutre et du bonnet de coton, une de
ces pauvres choses, enfin, dont la laideur muette a des
profondeurs d'expression comme le visage d'un imbécile [10].
Ovoïde et renflée de baleines [11], elle commençait par trois
boudins circulaires; puis s'alternaient, séparés par une
bande rouge, des losanges de velours et de poil de lapin;
venait ensuite une façon de sac qui se terminait par un
polygone cartonné, couvert d'une broderie en soutache
compliquée, et d'où pendait, au bout d'un long cordon
trop mince, un petit croisillon de fils d'or en manière de
gland. Elle était neuve; la visière brillait.

— Levez-vous, dit le professeur.

Il se leva : sa casquette tomba [12]. Toute la classe se mit
à rire.

Il se baissa pour la reprendre. Un voisin la fit tomber
d'un coup de coude; il la ramassa [13] encore une fois.

— Débarrassez-vous donc de votre casque, dit le professeur qui était un homme d'esprit.

Il y eut un rire éclatant des écoliers qui décontenança
le pauvre garçon, si bien qu'il ne savait s'il fallait garder
sa casquette à la main [14], la laisser par terre ou la mettre
sur sa tête. Il se rassit et la posa sur ses genoux.

— Levez-vous, dit le professeur, et dites-moi votre nom.

Le *nouveau* articula, d'une voix bredouillante, un nom
inintelligible.

— Répétez.

Le même bredouillement de syllabes se fit entendre,
couvert par les huées de la classe.

— Plus haut ! cria le maître, plus haut !

Le *nouveau*, prenant alors une résolution extrême, ouvrit
une bouche démesurée et lança à pleins poumons, comme
pour appeler quelqu'un, ce mot : *Charbovari*.

Ce fut un vacarme qui s'élança d'un bond, monta en

crescendo, avec des éclats de voix aigus (on hurlait, on aboyait, on trépignait, on répétait : *Charbovari ! Charbovari !*), puis qui roula en notes isolées, se calmant à grand'peine, et parfois qui reprenait tout à coup sur la ligne d'un banc où saillissait encore çà et là, comme un pétard mal éteint, quelque rire étouffé.

Cependant, sous la pluie des pensums, l'ordre peu à peu se rétablit dans la classe, et le professeur, parvenu à saisir le nom de Charles Bovary [15], se l'étant fait dicter, épeler et relire, commanda tout de suite au pauvre diable d'aller s'asseoir sur le banc de paresse, au pied de la chaire. Il se mit en mouvement, mais, avant de partir, hésita.

— Que cherchez-vous ? demanda le professeur.

— Ma cas..., fit timidement le *nouveau*, promenant autour de lui des regards inquiets.

— Cinq cents vers à toute la classe ! exclamé d'une voix furieuse, arrêta, comme le *Quos ego* [16], une bourrasque nouvelle. — Restez donc tranquilles ! continuait le professeur indigné, et s'essuyant le front avec son mouchoir qu'il venait de prendre dans sa toque. Quant à vous, le *nouveau*, vous me copierez vingt fois le verbe *ridiculus sum*.

Puis d'une voix plus douce :

— Eh ! vous la retrouverez, votre casquette, on ne vous l'a pas volée !

Tout reprit son calme. Les têtes se courbèrent sur les cartons, et le *nouveau* resta pendant deux heures dans une tenue exemplaire, quoiqu'il y eût bien, de temps à autre, quelque boulette de papier lancée d'un bec de plume qui vînt s'éclabousser sur sa figure. Mais il s'essuyait avec la main, et demeurait immobile, les yeux baissés.

Le soir, à l'étude, il tira ses bouts de manches [17] de son pupitre, mit en ordre ses petites affaires, régla soigneusement son papier. Nous le vîmes qui travaillait en conscience, cherchant tous les mots dans le dictionnaire et se donnant beaucoup de mal. Grâce, sans doute, à cette bonne volonté dont il fit preuve, il dut de ne pas descendre dans la classe inférieure ; car, s'il savait passablement ses règles, il n'avait guère d'élégance dans les tournures. C'était le curé de son village qui lui avait commencé le latin, ses parents, par économie, ne l'ayant envoyé au collège que le plus tard possible [18].

Son père, M. Charles-Denis-Bartholomé [19] Bovary,

ancien aide-chirurgien-major, compromis, vers 1812, dans
des affaires de conscription, et forcé vers cette époque de
quitter le service, avait alors profité de ses avantages per-
sonnels pour saisir au passage une dot de soixante-mille
francs [20] qui s'offrait en la fille d'un marchand bonnetier,
devenue amoureuse de sa tournure. Bel homme, hâbleur,
faisant sonner haut ses éperons, portant des favoris rejoints
aux moustaches, les doigts toujours garnis de bagues et
habillé de couleurs voyantes, il avait l'aspect d'un brave,
avec l'entrain facile d'un commis voyageur. Une fois marié,
il vécut deux ou trois ans sur la fortune de sa femme [21],
dînant bien, se levant tard, fumant dans de grandes pipes
en porcelaine, ne rentrant le soir qu'après le spectacle et
fréquentant les cafés. Le beau-père mourut et laissa peu
de chose ; il en fut indigné, se lança *dans la fabrique*, y
perdit quelque argent, puis se retira dans la campagne [22],
où il voulut *faire valoir*. Mais comme il ne s'entendait guère
plus en culture qu'en indienne [23], qu'il montait ses chevaux au lieu de les envoyer au labour, buvait son cidre en
bouteilles au lieu de le vendre en barriques, mangeait les plus
belles volailles de sa cour et graissait ses souliers de chasse
avec le lard de ses cochons, il ne tarda point à s'apercevoir [24]
qu'il valait mieux planter là toute spéculation.

Moyennant deux cents francs par an, il trouva donc à
louer dans un village, sur les confins du pays de Caux
et de la Picardie, une sorte de logis moitié ferme, moitié
maison de maître; et, chagrin, rongé de regrets, accusant le ciel, jaloux contre tout le monde, il s'enferma,
dès l'âge de quarante-cinq ans, dégoûté des hommes,
disait-il, et décidé à vivre en paix.

Sa femme avait été folle de lui autrefois; elle l'avait
aimé avec mille servilités qui l'avaient détaché d'elle
encore davantage [25]. Enjouée jadis, expansive et tout
aimante, elle était, en vieillissant, devenue (à la façon
du vin éventé qui se tourne en vinaigre) d'humeur difficile,
piaillarde, nerveuse. Elle avait tant souffert, sans se plaindre,
d'abord, quand elle le voyait courir après toutes les gotons
du village et que vingt mauvais lieux le lui renvoyaient
le soir, blasé et puant l'ivresse [26] ! Puis l'orgueil s'était
révolté. Alors elle s'était tue, avalant sa rage dans un stoïcisme muet, qu'elle garda jusqu'à sa mort. Elle était sans
cesse en courses, en affaires. Elle allait chez les avoués,

chez le président, se rappelait l'échéance des billets, obtenait des retards; et, à la maison, repassait, cousait, blanchissait, surveillait les ouvriers, soldait les mémoires, tandis que, sans s'inquiéter de rien [27], Monsieur, continuellement engourdi dans une somnolence boudeuse dont il ne se réveillait que pour lui dire des choses désobligeantes, restait à fumer au coin du feu, en crachant dans les cendres.

Quand elle eut un enfant, il le fallut mettre en nourrice. Rentré chez eux, le marmot fut gâté [28], comme un prince. Sa mère le nourrissait de confitures; son père le laissait courir sans souliers, et, pour faire le philosophe, disait même qu'il pouvait bien aller tout nu, comme les enfants des bêtes. À l'encontre des tendances maternelles, il avait en tête un certain idéal viril de l'enfance, d'après lequel il tâchait de former son fils, voulant qu'on l'élevât durement, à la spartiate, pour lui faire une bonne constitution. Il l'envoyait se coucher sans feu, lui apprenait à boire de grands coups de rhum et à insulter les processions. Mais, naturellement paisible, le petit répondait mal à ses efforts. Sa mère le traînait toujours après elle; elle lui découpait des cartons, lui racontait des histoires, s'entretenait avec lui dans des monologues sans fin, pleins de gaietés mélancoliques et de chatteries babillardes. Dans l'isolement de sa vie, elle reporta sur cette tête d'enfant toutes ses vanités éparses, brisées. Elle rêvait de hautes positions, elle le voyait déjà grand, beau, spirituel, établi dans les ponts et chaussées [29] ou dans la magistrature. Elle lui apprit à lire et même lui enseigna, sur un vieux piano qu'elle avait, à chanter deux ou trois petites romances. Mais, à tout cela, M. Bovary, peu soucieux des lettres, disait que ce *n'était pas la peine !* Auraient-ils jamais de quoi l'entretenir dans les écoles du gouvernement, lui acheter une charge ou un fonds de commerce ? D'ailleurs, *avec du toupet, un homme réussit toujours dans le monde.* Mme Bovary se mordait les lèvres et l'enfant vagabondait dans le village.

Il suivait les laboureurs, et chassait, à coups de mottes de terre, les corbeaux qui s'envolaient. Il mangeait des mûres le long des fossés, gardait les dindons avec une gaule, fanait à la moisson, courait dans le bois, jouait à la marelle sous le porche de l'église, les jours de pluie, et, aux grandes fêtes, suppliait le bedeau de lui laisser sonner

les cloches, pour se pendre de tout son corps à la grande
corde et se sentir emporter [30] par elle dans sa volée.

Aussi poussa-t-il comme un chêne. Il acquit de fortes
mains, de belles couleurs.

A douze ans, sa mère obtint que l'on commençât ses
études. On en chargea le curé. Mais les leçons étaient
si courtes et si mal suivies, qu'elles ne pouvaient servir
à grand'chose. C'était aux moments perdus qu'elles se
donnaient, dans la sacristie, debout, à la hâte, entre un
baptême et un enterrement; ou bien le curé envoyait
chercher son élève après l'*Angélus*, quand il n'avait pas
à sortir. On montait dans sa chambre, on s'installait;
les moucherons et les papillons de nuit tournoyaient
autour de la chandelle. Il faisait chaud, l'enfant s'endormait;
et le bonhomme, s'assoupissant les mains sur son ventre,
ne tardait pas à ronfler, la bouche ouverte. D'autres fois,
quand M. le curé, revenant de porter le viatique à quelque
malade des environs, apercevait Charles qui polissonnait
dans la campagne, il l'appelait, le sermonnait un quart
d'heure et profitait de l'occasion pour lui faire conjuguer
son verbe au pied d'un arbre. La pluie venait les interrompre, ou une connaissance qui passait. Du reste, il était
toujours content de lui, disait même que le *jeune homme* [31]
avait beaucoup de mémoire.

Charles ne pouvait en rester là. Madame fut énergique.
Honteux, ou fatigué plutôt, Monsieur céda sans résistance,
et l'on attendit encore un an que le gamin eût fait sa première communion.

Six mois se passèrent encore; et, l'année d'après, Charles
fut définitivement envoyé au collège de Rouen, où son
père l'amena lui-même, vers la fin d'octobre, à l'époque
de la foire Saint-Romain.

Il serait maintenant impossible à aucun de nous de
se rien rappeler de lui [32]. C'était un garçon de tempérament
modéré [33], qui jouait aux récréations, travaillait à l'étude,
écoutant en classe [34], dormant bien au dortoir, mangeant
bien au réfectoire. Il avait pour correspondant un quincaillier en gros [35] de la rue Ganterie, qui le faisait sortir
une fois par mois, le dimanche, après que sa boutique
était fermée, l'envoyait se promener sur le port à regarder
les bateaux [36], puis le ramenait au collège dès sept heures,
avant le souper. Le soir de chaque jeudi, il écrivait une

longue lettre à sa mère, avec de l'encre rouge et trois
pains à cacheter; puis il repassait ses cahiers d'histoire
ou bien lisait un vieux volume d'*Anacharsis* qui traînait
dans l'étude. En promenade, il causait avec le domestique,
qui était de la campagne comme lui.

A force de s'appliquer, il se maintint toujours vers le
milieu de la classe; une fois même, il gagna un premier
accessit d'histoire naturelle. Mais, à la fin de sa troisième,
ses parents le retirèrent du collège pour lui faire étudier
la médecine [37], persuadés qu'il pourrait se pousser seul
jusqu'au baccalauréat.

Sa mère lui choisit une chambre, au quatrième, sur
l'Eau-de-Robec [38], chez un teinturier de sa connaissance.
Elle conclut les arrangements pour sa pension [39], se pro-
cura des meubles, une table et deux chaises, fit venir de
chez elle un vieux lit en merisier, et acheta de plus un
petit poêle en fonte, avec la provision de bois qui devait
chauffer son pauvre enfant. Puis elle partit au bout de
la semaine, après mille recommandations de se bien conduire, maintenant qu'il allait être abandonné à lui-même.

Le programme des cours [40], qu'il lut sur l'affiche, lui
fit un effet d'étourdissement; cours d'anatomie, cours de
pathologie, cours de physiologie, cours de pharmacie,
cours de chimie, et de botanique, et de clinique et de thé-
rapeutique, sans compter l'hygiène ni la matière médicale [41],
tous noms dont il ignorait les étymologies et qui étaient
comme autant de portes de sanctuaires pleins d'augustes
ténèbres.

Il n'y comprit rien; il avait beau écouter, il ne saisissait
pas. Il travaillait pourtant, il avait des cahiers reliés, il
suivait tous les cours, il ne perdait pas une seule visite.
Il accomplissait sa petite tâche quotidienne à la manière
du cheval de manège, qui tourne en place les yeux bandés,
ignorant de la besogne qu'il broie.

Pour lui épargner de la dépense, sa mère lui envoyait
chaque semaine, par le messager, un morceau de veau
cuit au four [42], avec quoi il déjeunait le matin, quand il
était rentré de l'hôpital, tout en battant la semelle contre
le mur. Ensuite il fallait courir aux leçons, à l'amphithéâtre,
à l'hospice, et revenir chez lui, à travers toutes les rues. Le
soir, après le maigre dîner de son propriétaire, il remontait
à sa chambre et se remettait au travail, dans ses habits

mouillés qui fumaient sur son corps devant le poêle rougi.

Dans les beaux soirs d'été, à l'heure où les rues tièdes
sont vides, quand les servantes jouent au volant sur le
seuil des portes, il ouvrait sa fenêtre et s'accoudait. La
rivière, qui fait de ce quartier de Rouen comme une
ignoble petite Venise, coulait en bas, sous lui, jaune, violette ou bleue entre ses ponts et ses grilles. Des ouvriers,
accroupis au bord, lavaient leurs bras dans l'eau. Sur des
perches partant du haut des greniers, des écheveaux de
coton séchaient à l'air. En face, au delà des toits, le grand
ciel pur s'étendait, avec le soleil rouge se couchant.
Qu'il devait faire bon là-bas ! Quelle fraîcheur sous la
hêtrée ! Et il ouvrait les narines pour aspirer les bonnes
odeurs de la campagne, qui ne venaient pas jusqu'à lui.

Il maigrit, sa taille s'allongea, et sa figure prit une sorte
d'expression dolente qui la rendit presque intéressante.

Naturellement, par nonchalance, il en vint à se délier
de toutes les résolutions qu'il s'était faites. Une fois, il
manqua la visite, le lendemain son cours, et, savourant
la paresse, peu à peu, n'y retourna plus.

Il prit l'habitude du cabaret, avec la passion des dominos.
S'enfermer chaque soir dans un sale appartement public,
pour y taper sur des tables de marbre de petits os de mouton
marqués de points noirs, lui semblait un acte précieux
de sa liberté, qui le rehaussait d'estime vis-à-vis de lui-
même. C'était comme l'initiation au monde, l'accès des
plaisirs défendus ; et, en entrant, il posait la main sur le
bouton de la porte avec une joie presque sensuelle. Alors,
beaucoup de choses comprimées en lui se dilatèrent ; il
apprit par cœur des couplets [43] qu'il chantait aux bienvenues,
s'enthousiasma pour Béranger, sut faire du punch [44] et
connut enfin l'amour [45].

Grâce à ces travaux préparatoires, il échoua complètement à son examen d'officier de santé. On l'attendait le
soir même à la maison pour fêter son succès [46] !

Il partit à pied et s'arrêta vers l'entrée du village, où
il fit demander sa mère, lui conta tout [47]. Elle l'excusa, [48]
rejetant l'échec sur l'injustice des examinateurs, et le
raffermit un peu, se chargeant d'arranger les choses.
Cinq ans plus tard seulement, M. Bovary connut la vérité ;
elle était vieille, il l'accepta, ne pouvant d'ailleurs supposer
qu'un homme issu de lui fût un sot.

Charles se remit donc au travail et prépara sans discontinuer les matières de son examen, dont il apprit d'avance toutes les questions par cœur. Il fut reçu avec une assez bonne note. Quel beau jour pour sa mère ! On donna un grand dîner.

Où irait-il exercer son art ? A Tostes [49]. Il n'y avait là qu'un vieux médecin. Depuis longtemps, Mme Bovary guettait sa mort, et le bonhomme n'avait point encore plié bagage, que Charles était installé en face [50] comme son successeur.

Mais ce n'était pas tout que d'avoir élevé son fils, de lui avoir fait apprendre la médecine et découvert Tostes pour l'exercer : il lui fallait une femme. Elle lui en trouva une : la veuve d'un huissier de Dieppe, qui avait quarante-cinq ans et douze cents livres de rente.

Quoiqu'elle fût laide, sèche comme un cotret, et bourgeonnée comme un printemps, certes Mme Dubuc ne manquait pas de partis à choisir. Pour arriver à ses fins, la mère Bovary fut obligée de les évincer tous, et elle déjoua même fort habilement les intrigues d'un charcutier qui était soutenu par les prêtres.

Charles avait entrevu par le mariage [51] l'avènement d'une condition meilleure, imaginant qu'il serait plus libre et pourrait disposer de sa personne et de son argent. Mais sa femme fut le maître ; il devait devant le monde dire ceci, ne pas dire cela, faire maigre tous les vendredis, s'habiller comme elle l'entendait, harceler par son ordre les clients qui ne payaient pas. Elle décachetait ses lettres, épiait ses démarches, et l'écoutait, à travers la cloison, donner ses consultations, dans son cabinet, quand il y avait des femmes [52].

Il lui fallait son chocolat tous les matins, des égards à n'en plus finir. Elle se plaignait sans cesse de ses nerfs, de sa poitrine, de ses humeurs. Le bruit des pas lui faisait mal ; on s'en allait, la solitude lui devenait odieuse ; revenait-on près d'elle, c'était pour la voir mourir, sans doute. Le soir, quand Charles rentrait, elle sortait de dessous ses draps ses longs bras maigres, les lui passait autour du cou, et, l'ayant fait asseoir au bord du lit, se mettait à lui parler de ses chagrins : il l'oubliait, il en aimait une autre ! On lui avait bien dit qu'elle serait malheureuse ; et elle finissait en lui demandant quelque sirop pour sa santé et un peu plus d'amour.

II

Une nuit, vers onze heures, ils furent réveillés par le bruit d'un cheval qui s'arrêta juste à la porte. La bonne ouvrit la lucarne du grenier et parlementa quelque temps avec un homme resté en bas, dans la rue. Il venait chercher le médecin; il avait une lettre. Nastasie descendit les marches en grelottant, et alla ouvrir la serrure et les verrous, l'un après l'autre. L'homme laissa son cheval et, suivant la bonne, entra tout à coup derrière elle. Il tira de dedans son bonnet de laine à houppes grises une lettre enveloppée dans un chiffon, et la présenta délicatement à Charles, qui s'accouda sur l'oreiller pour la lire. Nastasie, près du lit, tenait la lumière. Madame, par pudeur, restait tournée vers la ruelle et montrait le dos [53].

Cette lettre, cachetée d'un petit cachet de cire bleue, suppliait M. Bovary de se rendre immédiatement à la ferme des Bertaux, pour remettre une jambe cassée. Or, il y a, de Tostes aux Bertaux, six bonnes lieues de traverse, en passant par Longueville et Saint-Victor [54]. La nuit était noire. Mme Bovary jeune redoutait les accidents pour son mari. Donc, il fut décidé que le valet d'écurie prendrait les devants. Charles partirait trois heures plus tard, au lever de la lune. On enverrait un gamin à sa rencontre, afin de lui montrer le chemin de la ferme et d'ouvrir les clôtures devant lui.

Vers quatre heures du matin, Charles, bien enveloppé dans son manteau, se mit en route pour les Bertaux. Encore endormi par la chaleur du sommeil, il se laissait bercer au trot pacifique de sa bête. Quand elle s'arrêtait d'elle-même devant ces trous entourés d'épine que l'on creuse au bord des sillons, Charles, se réveillant en sursaut, se rappelait vite la jambe cassée, et il tâchait de se remettre en mémoire toutes les fractures qu'il savait. La pluie ne tombait plus; le jour commençait à venir, et, sur les branches des pommiers sans feuilles, des oiseaux se tenaient immobiles, hérissant leurs petites plumes au vent froid du matin. La plate campagne s'étalait à perte de vue, et les bouquets d'arbres autour des fermes faisaient, à intervalles éloignés, des taches d'un violet noir sur cette grande surface grise qui se perdait

à l'horizon dans le ton morne du ciel. Charles, de temps
à autre, ouvrait les yeux; puis, son esprit se fatiguant et
le sommeil revenant de soi-même, bientôt il entrait dans
une sorte d'assoupissement où, ses sensations récentes se
confondant avec des souvenirs, lui-même se percevait
double, à la fois, étudiant et marié, couché dans son lit
comme tout à l'heure, traversant une salle d'opérés comme
autrefois. L'odeur chaude des cataplasmes se mêlait dans
sa tête à la verte odeur de la rosée; il entendait rouler
sur leur tringle les anneaux de fer des lits et sa femme
dormir... [55]. Comme il passait par Vassonville, il aperçut,
au bord d'un fossé, un jeune garçon assis sur l'herbe.

— Etes-vous le médecin ? demanda l'enfant.

Et, sur la réponse de Charles, il prit ses sabots à ses
mains et se mit à courir devant lui.

L'officier de santé, chemin faisant, comprit aux discours
de son guide que M. Rouault devait être un cultivateur
des plus aisés. Il s'était cassé la jambe, la veille au soir,
en revenant de *faire les Rois* chez un voisin. La femme
était morte depuis deux ans. Il n'avait avec lui que sa
demoiselle, qui l'aidait à tenir la maison.

Les ornières devinrent plus profondes. On approchait
des Bertaux. Le petit gars, se coulant alors par un trou de
haie, disparut, puis il revint au bout d'une cour en ouvrir
la barrière. Le cheval glissait sur l'herbe mouillée; Charles
se baissait pour passer sous les branches. Les chiens de
garde à la niche aboyaient en tirant sur leur chaîne. Quand
il entra dans les Bertaux, son cheval eut peur et fit un grand
écart [56].

C'était une ferme de bonne apparence. On voyait dans
les écuries, par le dessus des portes ouvertes [57], de gros
chevaux de labour qui mangeaient tranquillement dans
des râteliers neufs. Le long des bâtiments s'étendait un
large fumier; de la buée s'en élevait, et, parmi les poules
et les dindons, picoraient dessus cinq ou six paons [53],
luxe des basses-cours cauchoises. La bergerie était longue,
la grange était haute, à murs lisses comme la main. Il y
avait sous le hangar deux grandes charrettes et quatre
charrues, avec leurs fouets, leurs colliers, leurs équipages
complets, dont les toisons de laine bleue se salissaient à la
poussière fine qui tombait des greniers. La cour allait en
montant, plantée d'arbres symétriquement espacés, et le

bruit gai d'un troupeau d'oies retentissait près de la mare.

Une jeune femme, en robe de mérinos bleu garnie de trois volants, vint sur le seuil de la maison pour recevoir M. Bovary, qu'elle fit entrer dans la cuisine, où flambait un grand feu. Le déjeuner des gens bouillonnait alentour [59], dans des petits pots de taille inégale. Des vêtements humides séchaient dans l'intérieur de la cheminée. La pelle, les pincettes et le bec du soufflet, tous de proportion colossale, brillaient comme de l'acier poli, tandis que le long des murs s'étendait une abondante batterie de cuisine, où miroitait inégalement la flamme claire du foyer, jointe aux premières lueurs du soleil arrivant par les carreaux.

Charles monta, au premier, voir le malade. Il le trouva dans son lit, suant sous ses couvertures [60] et ayant rejeté bien loin son bonnet de coton. C'était un gros petit homme de cinquante ans [61], à la peau blanche, à l'œil bleu, chauve sur le devant de la tête, et qui portait des boucles d'oreilles. Il avait à ses côtés, sur une chaise, une grande carafe d'eau-de-vie, dont il se versait de temps à autre pour se donner du cœur au ventre; mais, dès qu'il vit le médecin, son exaltation tomba, et, au lieu de sacrer comme il faisait depuis douze heures [62], il se prit à geindre faiblement.

La fracture était simple, sans complication d'aucune espèce. Charles n'eût osé en souhaiter de plus facile. Alors, se rappelant les allures de ses maîtres auprès du lit des blessés, il réconforta le patient avec toutes sortes de bons mots, caresses chirurgicales qui sont comme l'huile dont on graisse les bistouris. Afin d'avoir des attelles, on alla chercher, sous la charretterie, un paquet de lattes. Charles en choisit une, la coupa en morceaux et la polit avec un éclat de vitre, tandis que la servante déchirait des draps pour faire des bandes, et que Mlle Emma tâchait à coudre des coussinets. Comme elle fut longtemps avant de trouver son étui, son père s'impatienta; elle ne répondit rien; mais, tout en cousant, elle se piquait les doigts, qu'elle portait ensuite à sa bouche pour les sucer.

Charles fut surpris de la blancheur de ses ongles. Ils étaient brillants, fins du bout, plus nettoyés que les ivoires de Dieppe, et taillés en amande. Sa main pourtant n'était pas belle, point assez pâle, peut-être, et un peu sèche aux phalanges; elle était trop longue aussi et sans molles inflexions de lignes sur les contours. Ce qu'elle avait de beau, c'étaient les yeux : quoiqu'ils fussent bruns [63], ils semblaient noirs à cause des cils, et son regard arrivait franchement à vous avec une hardiesse candide.

Une fois le pansement fait, le médecin fut invité, par M. Rouault lui-même, à *prendre un morceau*, avant de partir.

Charles descendit dans la salle, au rez-de-chaussée. Deux couverts, avec des timbales d'argent, y étaient mis sur une petite table, au pied d'un grand lit à baldaquin revêtu d'une indienne à personnages représentant des Turcs. On sentait une odeur d'iris et de draps humides qui s'échappait de la haute armoire en bois de chêne faisant face à la fenêtre. Par terre, dans les angles, étaient rangés, debout, des sacs de blé. C'était le trop-plein [64] du grenier proche, où l'on montait par trois marches de pierre. Il y avait, pour décorer l'appartement, accrochée à un clou, au milieu du mur dont la peinture verte s'écaillait sous le salpêtre, une tête de Minerve au crayon noir, encadrée de dorure, et qui portait au bas, écrit en lettres gothiques : « A mon cher papa. »

On parla d'abord du malade, puis du temps qu'il faisait, des grands froids, des loups qui couraient les champs la nuit. Mlle Rouault ne s'amusait guère à la campagne, maintenant surtout qu'elle était chargée presque à elle seule des soins de la ferme. Comme la salle était fraîche, elle grelottait tout en mangeant, ce qui découvrait un peu ses lèvres charnues, qu'elle avait coutume de mordillonner à ses moments de silence.

Son cou sortait d'un col blanc, rabattu. Ses cheveux, dont les deux bandeaux noirs semblaient chacun d'un seul morceau, tant ils étaient lisses, étaient séparés sur le milieu de la tête par une raie fine, qui s'enfonçait légèrement selon la courbe du crâne; et, laissant voir à peine le bout de l'oreille, ils allaient se confondre par derrière en un chignon abondant, avec un mouvement ondé vers les tempes, que le médecin de campagne remarqua là pour la première fois de sa vie. Ses pommettes étaient roses. Elle portait, comme un homme, passé entre deux boutons de son corsage, un lorgnon d'écaille.

Quand Charles, après être monté dire adieu au père Rouault, rentra dans la salle avant de partir, il la trouva debout, le front contre la fenêtre, et qui regardait dans

le jardin, où les échalas des haricots avaient été renversés
par le vent. Elle se retourna.

— Cherchez-vous quelque chose ? demanda-t-elle.

— Ma cravache, s'il vous plaît, répondit-il.

Et il se mit à fureter sur le lit, derrière les portes, sous
les chaises; elle était tombée à terre [65], entre les sacs et la
muraille. Mlle Emma l'aperçut; elle se pencha sur les sacs
de blé. Charles, par galanterie, se précipita, et, comme il
allongeait aussi son bras dans le même mouvement, il
sentit sa poitrine effleurer le dos de la jeune fille, courbée
sous lui. Elle se redressa toute rouge et le regarda par-dessus
l'épaule, en lui tendant son nerf de bœuf.

Au lieu de revenir aux Bertaux trois jours après, comme
il l'avait promis, c'est le lendemain même [66] qu'il y retourna,
puis deux fois la semaine régulièrement, sans compter
les visites inattendues qu'il faisait de temps à autre, comme
par mégarde.

Tout, du reste, alla bien; la guérison s'établit selon les
règles, et, quand, au bout de quarante-six jours, on vit
le père Rouault qui s'essayait à marcher seul dans sa *masure*,
on commença à considérer M. Bovary comme un homme
de grande capacité. Le père Rouault disait qu'il n'aurait
pas mieux été guéri par les premiers médecins d'Yvetot
ou même de Rouen.

Quant à Charles, il ne chercha point à se demander
pourquoi il venait aux Bertaux avec plaisir. Y eût-il songé,
qu'il aurait sans doute attribué son zèle à la gravité du
cas, ou peut-être au profit qu'il en espérait. Était-ce pour
cela, cependant, que ses visites à la ferme faisaient, parmi
les pauvres occupations de sa vie, une exception charmante ?
Ces jours-là il se levait de bonne heure, partait au galop,
poussait sa bête; puis il descendait pour s'essuyer les pieds
sur l'herbe, et passait ses gants noirs avant d'entrer. Il
aimait à se voir arriver dans la cour, à sentir contre son
épaule la barrière qui tournait, et le coq qui chantait sur
le mur, les garçons qui venaient à sa rencontre. Il aimait la
grange et les écuries; il aimait le père Rouault, qui lui tapait
dans la main en l'appelant son sauveur; il aimait les petits
sabots de Mlle Emma sur les dalles lavées de la cuisine [67];
ses talons hauts la grandissaient un peu, et, quand elle
marchait devant lui, les semelles de bois, se relevant vite,
claquaient avec un bruit sec contre le cuir de la bottine.

Elle le reconduisait toujours jusqu'à la première marche du perron. Lorsqu'on n'avait pas encore amené son cheval, elle restait là. On s'était dit adieu, on ne parlait plus; le grand air l'entourait, levant pêle-mêle les petits cheveux follets de sa nuque, ou secouant sur sa hanche les cordons de son tablier, qui se tortillaient comme des banderoles. Une fois, par un temps de dégel, l'écorce des arbres suintait dans la cour, la neige sur les couvertures des bâtiments se fondait. Elle était sur le seuil; elle alla chercher son ombrelle; elle l'ouvrit. L'ombrelle, de soie gorge-de-pigeon [68], que traversait le soleil, éclairait de reflets mobiles la peau blanche de sa figure. Elle souriait là-dessous à la chaleur tiède; et on entendait les gouttes d'eau, une à une, tomber sur la moire tendue.

Dans les premiers temps que Charles fréquentait les Bertaux, Mme Bovary jeune ne manquait pas de s'informer du malade, et même, sur le livre qu'elle tenait en partie double, elle avait choisi pour M. Rouault une belle page blanche. Mais quand elle sut qu'il avait une fille, elle alla aux informations; et elle apprit que Mlle Rouault, élevée au couvent, chez les Ursulines, avait reçu, comme on dit, *une belle éducation*, qu'elle savait, en conséquence, la danse, la géographie, le dessin, faire de la tapisserie et toucher du piano. Ce fut le comble !

— C'est donc pour cela, se disait-elle, qu'il a la figure si épanouie quand il va la voir, et qu'il met son gilet neuf, au risque de l'abimer à la pluie ? Ah ! cette femme ! cette femme !...

Et elle la détesta, d'instinct. D'abord, elle se soulagea par des allusions. Charles ne les comprit pas; ensuite, par des réflexions incidentes qu'il laissait passer de peur de l'orage; enfin, par des apostrophes à brûle-pourpoint auxquelles il ne savait que répondre. — D'où vient qu'il retournait aux Bertaux, puisque M. Rouault était guéri et que ces gens-là n'avaient pas encore payé ? Ah ! c'est qu'il y avait là-bas *une personne*, quelqu'un qui savait causer, une brodeuse, un bel esprit. C'était là ce qu'il aimait : il lui fallait des demoiselles !de ville ! Et elle reprenait :

— La fille au père Rouault, une demoiselle de ville ! Allons donc ! leur grand-père était berger, et ils ont un cousin qui a failli passer par les assises pour un mauvais

coup, dans une dispute. Ce n'est pas la peine de faire tant
de fla-fla [69], ni de se montrer le dimanche à l'église avec
une robe de soie, comme une comtesse. Pauvre bonhomme
d'ailleurs, qui, sans les colzas de l'an passé, eût été bien
embarrassé de payer ses arrérages !

Par lassitude, Charles cessa de retourner aux Bertaux.
Héloïse lui avait fait jurer qu'il n'irait plus, la main sur
son livre de messe, après beaucoup de sanglots et de baisers,
dans une grande explosion d'amour. Il obéit donc; mais
la hardiesse de son désir protesta contre la servilité de sa
conduite et, par une sorte d'hypocrisie naïve, il estima que
cette défense de la voir était pour lui comme un droit de
l'aimer [70]. Et puis la veuve était maigre; elle avait les dents
longues; elle portait en toute saison un petit châle noir
dont la pointe lui descendait entre les omoplates; sa taille
dure était engainée dans des robes en façon de fourreau,
trop courtes, qui découvraient ses chevilles avec les rubans
de ses souliers larges s'entre-croisant sur des bas gris.

La mère de Charles venait les voir de temps à autre;
mais, au bout de quelques jours, la bru semblait l'aiguiser
à son fil; et alors, comme deux couteaux, elles étaient à le
scarifier [71] par leurs réflexions et leurs observations. Il
avait tort de tant manger ! Pourquoi toujours offrir la
goutte au premier venu ? Quel entêtement que de ne
pas vouloir porter de flanelle !

Il arriva qu'au commencement du printemps, un notaire
d'Ingouville, détenteur de fonds à la veuve Dubuc, s'embarqua par une belle marée, emportant avec lui tout l'argent
de son étude. Héloïse, il est vrai, possédait encore, outre
une part de bateau évaluée six mille francs, sa maison de
la rue Saint-François; et cependant, de toute cette fortune
que l'on avait fait sonner si haut, rien, si ce n'est un peu
de mobilier et quelques nippes, n'avait paru dans le ménage.
Il fallut tirer la chose au clair. La maison de Dieppe se
trouva vermoulue d'hypothèques jusque dans ses pilotis;
ce qu'elle avait mis chez le notaire, Dieu seul le savait,
et la part de barque n'excéda point mille écus. Elle avait
donc menti, la bonne dame ! Dans son exaspération, M. Bovary père, brisant une chaise contre les pavés, accusa sa
femme d'avoir fait le malheur de leur fils en l'attelant à
une haridelle semblable, dont les harnais ne valaient pas
la peau. Ils vinrent à Tostes. On s'expliqua. Il y eut des

scènes. Héloïse, en pleurs, se jetant dans les bras de son
mari, le conjura de la défendre de ses parents. Charles
voulut parler pour elle. Ceux-ci se fâchèrent, et ils partirent.

Mais *le coup était porté*. Huit jours après, comme elle
étendait du linge dans sa cour, elle fut prise d'un crachement de sang, et le lendemain, tandis que Charles avait
le dos tourné pour fermer le rideau de la fenêtre, elle dit :
« Ah ! mon Dieu ! » poussa un soupir et s'évanouit. Elle
était morte [72] ! Quel étonnement !

Quand tout fut fini au cimetière, Charles rentra chez lui.
Il ne trouva personne en bas; il monta au premier, dans
la chambre, vit sa robe encore accrochée au pied de l'alcôve;
alors, s'appuyant contre le secrétaire, il resta jusqu'au soir
perdu dans une rêverie douloureuse. Elle l'avait aimé,
après tout.

<h1 style="text-align:center">III</h1>

Un matin, le père Rouault vint apporter à Charles le
payement de sa jambe remise [73] : soixante et quinze francs [74]
en pièce de quarante sous, et une dinde. Il avait appris son
malheur et l'en consola tant qu'il put.

— Je sais ce que c'est ! disait-il en lui frappant sur
l'épaule; j'ai été comme vous, moi aussi ! Quand j'ai eu
perdu ma pauvre défunte, j'allais dans les champs pour
être tout seul; je tombais au pied d'un arbre, je pleurais,
j'appelais le bon Dieu, je lui disais des sottises; j'aurais
voulu être comme les taupes que je voyais aux branches
qui avaient des vers leur grouillant dans le ventre, crevé,
enfin. Et quand je pensais que d'autres, à ce moment-là,
étaient avec leurs bonnes petites femmes à les tenir embras-
sées contre eux, je tapais de grands coups par terre avec
mon bâton; j'étais quasiment fou, que je ne mangeais plus;
l'idée d'aller seulement au café [75] me dégoûtait, vous ne
croiriez pas. Eh bien, tout doucement, un jour chassant
l'autre, un printemps sur un hiver et un automne par-dessus
un été, ça a coulé brin à brin, miette à miette; ça s'en est
allé, c'est parti, c'est descendu, je veux dire, car il vous
reste toujours quelque chose au fond, comme qui dirait...

un poids, là, sur la poitrine ! Mais puisque c'est notre
sort à tous, on ne doit pas non plus se laisser dépérir, et,
parce que d'autres sont morts, vouloir mourir... Il faut
vous secouer, monsieur Bovary; ça se passera ! Venez nous
voir; ma fille pense à vous de temps à autre, savez-vous
bien, et elle dit comme ça que vous l'oubliez. Voilà le
printemps bientôt; nous vous ferons tirer un lapin dans
la garenne, pour vous dissiper un peu [76].

Charles suivit son conseil. Il retourna aux Bertaux. Il
retrouva tout comme la veille, comme il y avait cinq mois,
c'est-à-dire. Les poiriers déjà étaient en fleur [77], et le
bonhomme Rouault, debout maintenant, allait et venait,
ce qui rendait la ferme plus animée.

Croyant qu'il était de son devoir de prodiguer au médecin
le plus de politesses possible, à cause de sa position douloureuse, il le pria de ne point se découvrir la tête, lui
parla à voix basse, comme s'il eût été malade, et même
fit semblant de se mettre en colère de ce que l'on n'avait
pas apprêté à son intention quelque chose d'un peu plus
léger que tout le reste, tels que [78] des petits pots de crème
ou des poires cuites. Il conta des histoires. Charles se surprit
à rire; mais le souvenir de sa femme, lui revenant tout à
coup, l'assombrit. On apporta le café; il n'y pensa plus.

Il y pensa moins, à mesure qu'il s'habituait à vivre seul.
L'agrément nouveau de l'indépendance lui rendit bientôt
la solitude plus supportable. Il pouvait changer maintenant les heures de ses repas, rentrer ou sortir sans donner
de raisons, et, lorsqu'il était bien fatigué, s'étendre de ses
quatre membres, tout en large dans son lit. Donc, il se
choya, se dorlota et accepta les consolations qu'on lui
donnait. D'autre part, la mort de sa femme ne l'avait pas
mal servi dans son métier, car on avait répété durant un
mois : « Ce pauvre jeune homme ! quel malheur ! » Son
nom s'était répandu, sa clientèle s'était accrue; et puis il
allait aux Bertaux tout à son aise [79]. Il avait un espoir sans
but, un bonheur vague; il se trouvait la figure plus agréable
en brossant ses favoris devant son miroir.

Il arriva un jour vers trois heures; tout le monde était
aux champs; il entra dans la cuisine, mais n'aperçut point
d'abord Emma; les auvents étaient fermés. Par les fentes
du bois, le soleil allongeait sur les pavés de grandes raies
minces, qui se brisaient à l'angle des meubles et tremblaient

au plafond. Des mouches, sur la table, montaient le long des verres qui avaient servi, et bourdonnaient en se noyant au fond, dans le cidre resté. Le jour qui descendait par la cheminée, veloutant la suie de la plaque, bleuissait un peu les cendres froides. Entre la fenêtre et le foyer, Emma cousait; elle n'avait point de fichu, on voyait sur ses épaules nues de petites gouttes de sueur.

Selon la mode de la campagne, elle lui proposa de boire quelque chose. Il refusa, elle insista, et enfin lui offrit, en riant, de prendre un verre de liqueur avec elle. Elle alla donc chercher dans l'armoire une bouteille de curaçao, atteignit deux petits verres, emplit l'un jusqu'au bord, versa à peine dans l'autre et, après avoir trinqué, le porta à sa bouche. Comme il était presque vide, elle se renversait pour boire; et la tête en arrière, les lèvres avancées, le cou tendu, elle riait de ne rien sentir, tandis que le bout de sa langue, passant entre ses dents fines, léchait à petits coups le fond du verre.

Elle se rassit et elle reprit son ouvrage, qui était un bas de coton blanc où elle faisait des reprises; elle travaillait le front baissé; elle ne parlait pas. Charles non plus. L'air, passant par le dessous de la porte, poussait un peu de poussière sur les dalles; il la regardait se traîner, et il entendait seulement le battement intérieur de sa tête, avec le cri d'une poule, au loin, qui pondait dans les cours. Emma, de temps à autre, se rafraîchissait les joues en y appliquant la paume de ses mains [80], qu'elle refroidissait après cela sur la pomme de fer des grands chenets [81].

Elle se plaignait [82] d'éprouver, depuis le commencement de la saison, des étourdissements; elle demanda si les bains de mer lui seraient utiles; elle se mit à causer du couvent, Charles de son collège [83], les phrases leur vinrent. Ils montèrent dans sa chambre. Elle lui fit voir ses anciens cahiers de musique, les petits livres qu'on lui avait donnés en prix et les couronnes en feuilles de chêne, abandonnées dans un bas d'armoire. Elle lui parla encore de sa mère, du cimetière, et même lui montra dans le jardin la plate-bande dont elle cueillait les fleurs, tous les premiers vendredis de chaque mois, pour les aller mettre sur sa tombe. Mais le jardinier qu'ils avaient n'y entendait rien; on était si mal servi ! Elle eût bien voulu, ne fût-ce au moins que pendant l'hiver, habiter la ville, quoique la longueur des beaux

jours rendît peut-être la campagne plus ennuyeuse encore
durant l'été; — et, selon ce qu'elle disait, sa voix était
claire, aiguë, ou, se couvrant de langueur tout à coup,
traînait des modulations qui finissaient presque en mur-
mures, quand elle se parlait à elle-même, — tantôt joyeuse
ouvrant des yeux naïfs, puis les paupières à demi closes,
le regard noyé d'ennui, la pensée vagabondant.

Le soir, en s'en retournant, Charles reprit une à une
les phrases qu'elle avait dites, tâchant de se les rappeler,
d'en compléter le sens, afin de se faire la portion d'existence
qu'elle avait vécu [84] dans le temps qu'il ne la connaissait
pas encore. Mais jamais il ne put la voir en sa pensée,
différemment qu'il ne l'avait vue la première fois, ou telle
qu'il venait de la quitter tout à l'heure. Puis il se demanda
ce qu'elle deviendrait, si elle se marierait, et à qui ? Hélas !
le père Rouault était bien riche, et elle !... si belle ! Mais la
figure d'Emma revenait toujours se placer devant ses yeux,
et quelque chose de monotone comme le ronflement d'une
toupie bourdonnait à ses oreilles : « Si tu te mariais, pourtant ! si tu te mariais ! » La nuit, il ne dormit pas, sa gorge
était serrée, il avait soif; il se leva pour aller boire à son pot
à l'eau [85] et il ouvrit la fenêtre; le ciel était couvert d'étoiles,
un vent chaud passait; au loin des chiens aboyaient. Il
tourna la tête du côté des Bertaux.

Pensant qu'après tout l'on ne risquait rien, Charles se
promit de faire la demande quand l'occasion s'en offri-
rait; mais, chaque fois qu'elle s'offrit [86], la peur de ne point
trouver les mots convenables lui collait les lèvres.

Le père Rouault n'eût pas été fâché qu'on le débarrassât
de sa fille, qui ne lui servait guère dans sa maison. Il l'excu-
sait intérieurement, trouvant qu'elle avait trop d'esprit
pour la culture, métier maudit du ciel, puisqu'on n'y voyait
jamais de millionnaire [87]. Loin d'y avoir fait fortune, le
bonhomme y perdait tous les ans [88] : car, s'il excellait dans
les marchés, où il se plaisait aux ruses du métier, en revanche
la culture proprement dite, avec le gouvernement intérieur
de la ferme, lui convenait moins qu'à personne. Il ne retirait
pas volontiers ses mains de dedans ses poches, et n'épargnait
point la dépense pour tout ce qui regardait sa vie, voulant
être bien nourri, bien chauffé, bien couché. Il aimait le
gros cidre, les gigots saignants, les *glorias* longuement
battus. Il prenait ses repas dans la cuisine, seul, en face

du feu, sur une petite table qu'on lui apportait toute servie comme au théâtre.

Lorsqu'il s'aperçut donc que Charles avait les pommettes rouges près de sa fille, ce qui signifiait qu'un de ces jours on la lui demanderait en mariage, il rumina d'avance toute l'affaire. Il le trouvait bien un peu gringalet [89], et ce n'était pas là un gendre comme il l'eût souhaité; mais on le disait de bonne conduite, économe, fort instruit, et sans doute qu'il ne chicanerait pas trop sur la dot. Or, comme le père Rouault allait être forcé de vendre vingt-deux acres de *son bien*, qu'il devait beaucoup au maçon, beaucoup au bourrelier, que l'arbre du pressoir était à remettre :

— S'il me la demande [90], se dit-il, je la lui donne.

A l'époque de la Saint-Michel, Charles était venu passer trois jours aux Bertaux. La dernière journée s'était écoulée comme les précédentes, à reculer de quart d'heure en quart d'heure. Le père Rouault lui fit la conduite; ils marchaient dans un chemin creux, ils s'allaient quitter; c'était le moment. Charles se donna jusqu'au coin de la haie, et enfin, quand on l'eut dépassée :

— Maître Rouault, murmura-t-il, je voudrais bien vous dire quelque chose.

Ils s'arrêtèrent. Charles se taisait.

— Mais contez-moi votre histoire ! Est-ce que je ne sais pas tout ! dit le père Rouault, en riant doucement.

— Père Rouault... père Rouault [91], balbutia Charles.

— Moi, je ne demande pas mieux, continua le fermier. Quoique sans doute la petite soit de mon idée, il faut pourtant lui demander son avis. Allez-vous-en donc; je m'en vais retourner chez nous. Si c'est oui, entendez-moi bien, vous n'aurez pas besoin de revenir, à cause du monde, et, d'ailleurs, ça la saisirait trop. Mais pour que vous ne vous mangiez pas le sang, je pousserai tout grand l'auvent de la fenêtre contre le mur : vous pourrez le voir par derrière, en vous penchant sur la haie.

Et il s'éloigna.

Charles attacha son cheval à un arbre. Il courut se mettre dans le sentier; il attendit. Une demi-heure se passa, puis il compta dix-neuf minutes à sa montre. Tout à coup un bruit se fit contre le mur; l'auvent s'était rabattu, la cliquette tremblait encore.

Le lendemain, dès neuf heures, il était à la ferme. Emma rougit quand il entra, tout en s'efforçant de rire un peu, par contenance. Le père Rouault embrassa son futur gendre. On remit à causer des arrangements d'intérêt; on avait, d'ailleurs, du temps devant soi, puisque le mariage ne pouvait décemment avoir lieu avant la fin du deuil de Charles, c'est-à-dire vers le printemps de l'année prochaine.

L'hiver se passa dans cette attente. Mlle Rouault s'occupa de son trousseau. Une partie en fut commandée à Rouen, et elle se confectionna des chemises et des bonnets de nuit, d'après des dessins de modes qu'elle emprunta. Dans les visites que Charles faisait à la ferme [92], on causait des préparatifs de la noce, on se demandait dans quel appartement se donnerait le dîner; on rêvait à la quantité de plats qu'il faudrait et quelles seraient les entrées.

Emma eût, au contraire, désiré se marier à minuit, aux flambeaux; mais le père Rouault ne comprit rien à cette idée. Il y eut donc une noce, où vinrent quarante-trois personnes, où l'on resta seize heures à table, qui recommença le lendemain et quelque peu les jours suivants.

IV

Les conviés arrivèrent [93] de bonne heure dans des voitures, carrioles à un cheval, chars à bancs à deux roues, vieux cabriolets sans capote, tapissières à rideaux de cuir, et les jeunes gens des villages les plus voisins dans des charrettes où ils se tenaient debout, en rang, les mains appuyées sur les ridelles pour ne pas tomber, allant au trot et secoués dur. Il en vint de dix lieues loin, de Goderville, de Normanville et de Cany. On avait invité tous les parents des deux familles; on s'était raccommodé avec les amis brouillés; on avait écrit à des connaissances perdues de vue depuis longtemps [94].

De temps à autre, on entendait des coups de fouet derrière la haie; bientôt la barrière s'ouvrait : c'était une carriole qui entrait. Galopant jusqu'à la première marche du perron, elle s'y arrêtait court, et vidait son monde, qui sortait par tous les côtés en se frottant les genoux et en s'étirant les bras. Les dames, en bonnet, avaient des robes à la façon de la ville, des chaînes de montre en or, des pèlerines à bouts croisés dans la ceinture, ou de petits fichus de couleur attachés dans le dos avec une épingle, et qui leur découvraient le cou par derrière. Les gamins, vêtus pareillement à leurs papas, semblaient incommodés par leurs habits neufs (beaucoup même étrennèrent ce jour-là la première paire de bottes de leur existence), et l'on voyait à côté d'eux, ne soufflant mot, dans la robe blanche de sa première communion rallongée pour la circonstance, quelque grande fillette de quatorze ou seize ans [95], leur cousine ou leur sœur aînée sans doute, rougeaude, ahurie, les cheveux gras de pommade à la rose, et ayant bien peur de salir ses gants. Comme il n'y avait point assez de valets d'écurie pour dételer toutes les voitures, les messieurs retroussaient leurs manches et s'y mettaient eux-mêmes. Suivant leur position sociale différente, ils avaient des habits, des redingotes, des vestes, des habits-vestes; — bons habits, entourés de toute la considération d'une famille, et qui ne sortaient de l'armoire que pour les solennités; redingotes à grandes basques flottant au vent, à collet cylindrique, à poches larges comme des sacs; vestes de gros drap, qui accompagnaient ordinairement quelque casquette cerclée de cuivre à sa visière; habits-vestes très courts, ayant dans le dos deux boutons rapprochés comme une paire d'yeux, et dont les pans semblaient avoir été coupés à même un seul bloc par la hache du charpentier. Quelques-uns encore (mais ceux-là, bien sûr, devaient dîner au bas bout de la table) portaient des blouses de cérémonie, c'est-à-dire dont le col était rabattu sur les épaules, le dos froncé à petits plis et la taille attachée très bas par une ceinture cousue.

Et les chemises sur les poitrines bombaient comme des cuirasses ! Tout le monde était tondu à neuf, les oreilles s'écartaient des têtes, on était rasé de près; quelques-uns même, qui s'étaient levés dès avant l'aube, n'ayant pas vu clair à se faire la barbe, avaient des balafres en diagonale sous le nez, ou, le long des mâchoires, des pelures d'épiderme larges comme des écus de trois francs, et qu'avait enflammées le grand air pendant la route, ce qui marbrait un peu de plaques roses toutes ces grosses faces blanches épanouies.

La mairie se trouvant à une demi-lieue de la ferme, on s'y rendit à pied, et l'on revint de même, une fois la cérémonie faite à l'église. Le cortège d'abord uni comme une seule écharpe de couleur [96], qui ondulait dans la campagne, le long de l'étroit sentier serpentant entre les blés verts, s'allongea bientôt et se coupa en groupes différents, qui s'attardaient à causer. Le ménétrier allait en avant [97] avec son violon empanaché de rubans à la coquille; les mariés venaient ensuite [98], les parents, les amis tout au hasard; et les enfants restaient derrière, s'amusant à arracher les clochettes des brins d'avoine, ou à se jouer entre eux, sans qu'on les vît. La robe d'Emma, trop longue, traînait un peu par le bas; de temps à autre, elle s'arrêtait pour la tirer, et alors, délicatement, de ses doigts gantés, elle enlevait les herbes rudes avec les petits dards des chardons, pendant que Charles, les mains vides, attendait qu'elle eût fini. Le père Rouault, un chapeau de soie neuf sur la tête et les parements de son habit noir lui couvrant les mains jusqu'aux ongles, donnait le bras à Mme Bovary mère. Quant à M. Bovary père, qui, méprisant au fond tout ce monde-là, était venu simplement avec une redingote à un rang de boutons d'une coupe militaire, il débitait des galanteries d'estaminet à une jeune paysanne blonde. Elle saluait, rougissait, ne savait que répondre. Les autres gens de la noce causaient de leurs affaires ou se faisaient des niches dans le dos, s'excitant d'avance à la gaieté; et, en y prêtant l'oreille, on entendait toujours le crin-crin [99] du ménétrier qui continuait à jouer dans la campagne. Quand il s'apercevait qu'on était [100] loin derrière lui, il s'arrêtait à reprendre haleine, cirait longuement de colophane son archet, afin que les cordes grinçassent mieux, et puis il se remettait à marcher, abaissant et levant tour à tour le manche de son violon, pour se bien marquer la mesure à lui-même. Le bruit de l'instrument faisait partir de loin les petits oiseaux.

C'était sous le hangar de la charretterie que la table était dressée. Il y avait dessus quatre aloyaux, six fricassées de poulets [101], du veau à la casserole, trois gigots et, au milieu, un joli cochon de lait rôti, flanqué de quatre andouilles à l'oseille. Aux angles, se dressait l'eau-de-vie, dans des carafes. Le cidre doux en bouteilles poussait sa mousse épaisse autour des bouchons [102] et tous les verres, d'avance, avaient été remplis de vin jusqu'au bord. De grands plats de crème jaune, qui flottaient d'eux-mêmes au moindre choc de la table, présentaient, dessinés sur leur surface unie, les chiffres des nouveaux époux en arabesques de nonpareille. On avait été chercher un pâtissier à Yvetot pour les tourtes et les nougats. Comme il débutait dans le pays, il avait soigné les choses; et il apporta, lui-même, au dessert, une pièce montée qui fit pousser des cris. A la base, d'abord, c'était un carré de carton bleu figurant un temple avec portiques, colonnades et statuettes de stuc tout autour, dans des niches constellées d'étoiles en papier doré; puis se tenait au second étage un donjon en gâteau de Savoie, entouré de menues fortifications en angélique [103], amandes, raisins secs, quartiers d'oranges [104]; et enfin, sur la plate-forme supérieure, qui était une prairie verte où il y avait des rochers avec des lacs de confiture et des bateaux en écales de noisettes, on voyait un petit Amour, se balançant à une escarpolette de chocolat, dont les deux poteaux étaient terminés par deux boutons de rose naturelle, en guise de boules, au sommet.

Jusqu'au soir, on mangea. Quand on était trop fatigué d'être assis, on allait se promener dans les cours ou jouer une partie de bouchon dans la grange, puis on revenait à table. Quelques-uns, vers la fin, s'y endormirent et ronflèrent. Mais, au café, tout se ranima; alors on entonna des chansons, on fit des tours de force, on portait des poids, on passait sous son pouce, on essayait à soulever les charrettes sur ses épaules, on disait des gaudrioles [105], on embrassait les dames. Le soir, pour partir, les chevaux gorgés d'avoine jusqu'aux naseaux eurent du mal à entrer dans les brancards; ils ruaient, se cabraient, les harnais se cassaient, leurs maîtres juraient ou riaient; et toute la nuit, au clair de la lune, par les routes du pays, il y eut des carrioles emportées qui couraient au grand galop, bondissant dans les saignées, sautant par-dessus les mètres de cailloux, s'accrochant aux talus, avec des femmes qui se penchaient en dehors de la portière pour saisir les guides.

Ceux qui restèrent aux Bertaux passèrent la nuit à boire dans la cuisine. Les enfants s'étaient endormis sous les bancs.

La mariée avait supplié son père qu'on lui épargnât les plaisanteries d'usage. Cependant, un mareyeur de

leurs cousins (qui même avait apporté comme présent de
noces, une paires de soles) commençait à souffler de l'eau
avec sa bouche par le trou de la serrure, quand le père
Rouault arriva juste à temps pour l'en empêcher, et lui
expliqua que la position grave de son gendre ne permettait pas de telles inconvenances. Le cousin, toutefois,
céda difficilement à ces raisons. En dedans de lui-même,
il accusa le père Rouault d'être fier, et il alla se joindre dans
un coin à quatre ou cinq autres des invités qui, ayant eu
par hasard plusieurs fois de suite à table les bas morceaux
des viandes, trouvaient aussi qu'on les avait mal reçus,
chuchotaient sur le compte de leur hôte et souhaitaient
sa ruine à mots couverts.

Mᵐᵉ Bovary mère n'avait pas desserré les dents de la
journée. On ne l'avait consultée ni sur la toilette de la
bru, ni sur l'ordonnance du festin; elle se retira de bonne
heure. Son époux, au lieu de la suivre, envoya chercher
des cigares à Saint-Victor et fuma jusqu'au jour, tout en
buvant des grogs au kirsch, mélange inconnu à la compagnie, et qui fut pour lui comme la source d'une considération plus grande encore.

Charles n'était point de complexion facétieuse, il n'avait
pas brillé pendant la noce. Il répondit médiocrement aux
pointes, calembours, mots à double entente, compliments
et gaillardises que l'on se fit un devoir de lui décocher dès
le potage.

Le lendemain [106], en revanche, il semblait un autre
homme. C'était lui [107] plutôt que l'on eût pris pour la
vierge de la veille, tandis que la mariée ne laissait rien découvrir où l'on pût deviner quelque chose. Les plus malins
ne savaient que répondre, et ils la considéraient, quand
elle passait près d'eux, avec des tensions d'esprit démesurées. Mais Charles ne dissimulait rien. Il l'appelait
ma femme, la tutoyait, s'informait d'elle à chacun, la
cherchait partout, et souvent il l'entraînait dans les cours,
où on l'apercevait de loin, entre les arbres, qui lui passait
le bras sous la taille et continuait à marcher à demi penché
sur elle, en lui chiffonnant avec sa tête la guimpe de son
corsage.

Deux jours après la noce, les époux s'en allèrent : Charles,
à cause de ses malades, ne pouvait s'absenter plus longtemps. Le père Rouault les fit reconduire dans sa carriole

et les accompagna lui-même jusqu'à Vassonville. Là, il
embrassa sa fille une dernière fois, mit pied à terre et reprit
sa route. Lorsqu'il eut fait cent pas environ, il s'arrêta, et,
comme il vit la carriole s'éloignant, dont les roues tournaient dans la poussière, il poussa un gros soupir. Puis il
se rappela ses noces, son temps d'autrefois, la première
grossesse de sa femme [108]; il était bien joyeux, lui aussi, le
jour qu'il l'avait emmenée de chez son père dans sa maison,
quand il la portait en croupe en trottant sur la neige; car
on était aux environs de Noël et la campagne était toute
blanche; elle le tenait par un bras; à l'autre était accroché
son panier; le vent agitait les longues dentelles de sa
coiffure cauchoise qui lui passaient quelquefois sur la
bouche, et, lorsqu'il tournait la tête, il voyait près de lui,
sur son épaule, sa petite mine rosée qui souriait silencieusement, sous la plaque d'or de son bonnet. Pour se réchauffer
les doigts, elle les lui mettait de temps en temps dans la
poitrine. Comme c'était vieux, tout cela ! Leur fils, à
présent, aurait trente ans ! Alors il regarda derrière lui,
il n'aperçut rien sur la route. Il se sentit triste comme
une maison démeublée; et les souvenirs tendres se mêlant
aux pensées noires dans sa cervelle obscurcie par les vapeurs
de la bombance, il eut bien envie un moment d'aller faire
un tour du côté de l'église. Comme il eut peur, cependant,
que cette vue [109] ne le rendît plus triste encore, il s'en revint
tout droit chez lui.

M. et Mme Charles arrivèrent à Tostes vers six heures.
Les voisins se mirent aux fenêtres pour voir la nouvelle
femme de leur médecin.

La vieille bonne se présenta, lui fit ses salutations, s'excusa
de ce que le dîner n'était pas prêt, et engagea Madame,
en attendant, à prendre connaissance de sa maison.

V

La façade de briques était juste à l'alignement de la
rue, ou de la route plutôt. Derrière la porte se trouvaient
accrochés un manteau à petit collet, une bride, une casquette de cuir noir, et, dans un coin, à terre [110], une paire

de houseaux encore couverts de boue sèche [111]. A droite
était la salle, c'est-à-dire l'appartement où l'on mangeait
et où l'on se tenait. Un papier jaune serin, relevé dans
le haut par une guirlande de fleurs pâles, tremblait tout
entier sur sa toile mal tendue; des rideaux de calicot blanc,
bordés d'un galon rouge, s'entre-croisaient le long des
fenêtres, et sur l'étroit chambranle de la cheminée res-
plendissait une pendule à tête d'Hippocrate, entre deux
flambeaux d'argent plaqué, sous des globes de forme
ovale. De l'autre côté du corridor était le cabinet de Charles,
petite pièce de six pas de large environ, avec une table,
trois chaises et un fauteuil de bureau. Les tomes du *Dic-*
tionnaire des sciences médicales, non coupés, mais dont la
brochure avait souffert dans toutes les ventes successives
par où ils avaient passé, garnissaient presque à eux seuls
les six rayons d'une bibliothèque en bois de sapin. L'odeur
des roux pénétrait à travers la muraille, pendant les consultations, de même que l'on entendait de la cuisine les
malades tousser [112] dans le cabinet et débiter toute leur
histoire. Venait ensuite, s'ouvrant immédiatement sur la
cour, où se trouvait l'écurie, une grande pièce délabrée
qui avait un four, et qui servait maintenant de bûcher,
de cellier, de garde-magasin, pleine de vieilles ferrailles,
de tonneaux vides, d'instruments de culture hors de
service, avec quantité d'autres choses poussiéreuses dont
il était impossible de deviner l'usage.

Le jardin, plus long que large, allait, entre deux murs
de bauge couverts d'abricots en espalier, jusqu'à une
haie d'épine [113] qui le séparait des champs. Il y avait, au
milieu, un cadran solaire en ardoise, sur un piédestal
de maçonnerie [114]; quatre plates-bandes garnies d'églantiers maigres entouraient symétriquement le carré plus
utile des végétations sérieuses. Tout au fond, sous les
sapinettes, un curé de plâtre lisait son bréviaire.

Emma monta dans les chambres. La première n'était
point meublée; mais la seconde, qui était la chambre
conjugale [115], avait un lit d'acajou dans une alcôve à draperie rouge. Une boîte en coquillages décorait la commode;
et, sur le secrétaire, près de la fenêtre, il y avait, dans
une carafe, un bouquet de fleurs d'oranger, noué par des
rubans de satin blanc. C'était un bouquet de mariée, le
bouquet de l'autre ! Elle le regarda. Charles s'en aper-

çut, il le prit et l'alla porter au grenier, tandis qu'assise
dans un fauteuil (on disposait ses affaires autour d'elle),
Emma songeait à son bouquet de mariage, qui était emballé
dans un carton, et se demandait, en rêvant, ce qu'on en
ferait, si par hasard elle venait à mourir.

Elle s'occupa, les premiers jours, à méditer des chan-
gements dans sa maison. Elle retira les globes des flambeaux, fit coller des papiers neufs, repeindre l'escalier et
faire des bancs dans le jardin, tout autour du cadran solaire;
elle demanda même comment s'y prendre pour avoir un
bassin à jet d'eau avec des poissons. Enfin son mari, sachant
qu'elle aimait à se promener en voiture, trouva un *boc*
d'occasion, qui, ayant une fois des lanternes neuves et
des garde-crotte en cuir piqué, ressembla presque à un
tilbury.

Il était donc heureux et sans souci de rien au monde.
Un repas en tête-à-tête, une promenade le soir sur la grande
route, un geste de sa main sur ses bandeaux, la vue de
son chapeau de paille accroché à l'espagnolette d'une
fenêtre, et bien d'autres choses encore où Charles n'avait
jamais soupçonné de plaisir [116], composaient maintenant
la continuité de son bonheur. Au lit [117], le matin, et côte
à côte sur l'oreiller, il regardait la lumière du soleil passer
parmi le duvet de ses joues blondes, que couvraient à
demi les pattes escalopées de son bonnet. Vus de si près [118],
ses yeux lui paraissaient agrandis, surtout quand elle ouvrait
plusieurs fois de suite ses paupières en s'éveillant; noirs
à l'ombre et bleu foncé au grand jour, ils avaient comme
des couches de couleurs successives [119], et qui, plus épaisses
dans le fond, allaient en s'éclaircissant vers la surface de
l'émail. Son œil, à lui, se perdait dans ces profondeurs, et
il s'y voyait en petit jusqu'aux épaules, avec le foulard
qui le coiffait et le haut de sa chemise entr'ouvert. Il se
levait. Elle se mettait à la fenêtre pour le voir partir;
et elle restait accoudée sur le bord, entre deux pots de
géraniums, vêtue de son peignoir, qui était lâche autour
d'elle. Charles, dans la rue, bouclait ses éperons sur la
borne; et elle continuait à lui parler [120] d'en haut, tout
en arrachant avec sa bouche quelque bribe de fleur ou
de verdure qu'elle soufflait vers lui et qui, voltigeant, se
soutenant, faisant dans l'air des demi-cercles comme un
oiseau, allait, avant de tomber, s'accrocher aux crins

mal peignés de la vieille jument blanche, immobile à la
porte. Charles, à cheval, lui envoyait un baiser; elle répondait par un signe, elle refermait la fenêtre, il partait [121].
Et alors, sur la grande route qui étendait sans en finir
son long ruban de poussière, par les chemins creux où
les arbres se courbaient en berceaux, dans les sentiers dont
les blés lui montaient jusqu'aux genoux, avec le soleil sur
ses épaules et l'air du matin à ses narines, le cœur plein
des félicités de la nuit, l'esprit tranquille, la chair contente,
il s'en allait ruminant son bonheur, comme ceux qui mâchent
encore, après dîner, le goût des truffes qu'ils digèrent [122].

   Jusqu'à présent, qu'avait-il eu de bon dans l'existence ?
Était-ce son temps de collège, où il restait enfermé entre
ces hauts murs, seul au milieu de ses camarades plus riches
ou plus forts que lui dans leurs classes, qu'il faisait rire
par son accent, qui se moquaient de ses habits, et dont les
mères venaient au parloir avec des pâtisseries dans leur
manchon ? Était-ce plus tard, lorsqu'il étudiait la médecine et n'avait jamais la bourse assez ronde pour payer
la contredanse à quelque petite ouvrière qui fût devenue
sa maîtresse ? Ensuite il avait vécu pendant quatorze mois
avec la veuve, dont les pieds, dans le lit, étaient froids
comme des glaçons. Mais, à présent, il possédait pour la
vie cette jolie femme qu'il adorait. L'univers, pour lui,
n'excédait pas le tour soyeux de son jupon; et il se reprochait
de ne pas l'aimer, il avait envie de la revoir; il s'en revenait
vite, montait l'escalier, le cœur battant. Emma, dans sa
chambre, était à faire sa toilette; il arrivait à pas muets,
il la baisait dans le dos, elle poussait un cri.

   Il ne pouvait se retenir de toucher continuellement à
son peigne, à ses bagues, à son fichu; quelquefois, il lui
donnait sur les joues de gros baisers à pleine bouche, ou
c'étaient de petits baisers à la file tout le long de son bras
nu, depuis le bout des doigts jusqu'à l'épaule; et elle le
repoussait, à demi souriante et ennuyée, comme on fait
à un enfant qui se pend après vous.

   Avant qu'elle se mariât, elle avait cru avoir de l'amour;
mais le bonheur qui aurait dû résulter de cet amour n'étant
pas venu, il fallait qu'elle se fût trompée, songeait-elle.
Et Emma cherchait à savoir ce que l'on entendait au juste
dans la vie par les mots de *félicité*, de *passion* et *d'ivresse*, qui
lui avaient paru si beaux dans les livres.

VI

Elle avait lu *Paul et Virginie* [123] et elle avait rêvé la
maisonnette de bambous, le nègre Domingo, le chien
Fidèle, mais surtout l'amitié douce de quelque bon petit
frère, qui va chercher pour vous des fruits rouges dans
des grands arbres [124] plus hauts que des clochers, ou qui
court pieds nus sur le sable, vous apportant un nid
d'oiseau.

Lorsqu'elle eut treize ans, son père l'amena lui-même
à la ville, pour la mettre au couvent. Ils descendirent
dans une auberge du quartier Saint-Gervais, où ils eurent
à leur souper des assiettes peintes qui représentaient l'histoire de Mlle de La Vallière. Les explications légendaires,
coupées çà et là par l'égratignure des couteaux, glori-
fiaient toutes la religion, les délicatesses de cœur et les
pompes de la Cour [125].

Loin de s'ennuyer au couvent les premiers temps, elle
se plut dans la société des bonnes sœurs, qui, pour l'amuser,
la conduisaient dans la chapelle, où l'on pénétrait du
réfectoire par un long corridor. Elle jouait fort peu durant
les récréations [126], comprenait bien le catéchisme, et c'est
elle qui répondait toujours [127] à M. le vicaire, dans les
questions difficiles. Vivant donc sans jamais sortir de la
tiède atmosphère des classes et parmi ces femmes au teint
blanc portant des chapelets à croix de cuivre, elle s'assoupit
doucement à la langueur mystique qui s'exhale des parfums de l'autel, de la fraîcheur des bénitiers et du rayonnement des cierges. Au lieu de suivre la messe, elle regardait
dans son livre les vignettes pieuses bordées d'azur, et elle
aimait la brebis malade, le sacré cœur [128] percé de flèches
aiguës, ou le pauvre Jésus qui tombe en marchant sur sa
croix [129]. Elle essaya, par mortification, de rester tout un
jour sans manger. Elle cherchait dans sa tête quelque vœu
à accomplir [130].

Quand elle allait à confesse [131], elle inventait de petits
péchés, afin de rester là plus longtemps, à genoux dans
l'ombre, les mains jointes, le visage à la grille sous le
chuchotement du prêtre. Les comparaisons de fiancé,
d'époux, d'amant céleste et de mariage éternel qui reviennent

dans les sermons lui soulevaient au fond de l'âme des
douceurs inattendues.

Le soir, avant la prière, on faisait dans l'étude une
lecture religieuse. C'était, pendant la semaine, quelque
résumé d'Histoire sainte ou les *Conférences* de l'abbé Frayssinous, et, le dimanche, des passages du *Génie du Christianisme*, par récréation. Comme elle écouta, les premières
fois, la lamentation sonore des mélancolies romantiques
se répétant à tous les échos de la terre et de l'éternité !
Si son enfance se fût écoulée dans l'arrière-boutique [132]
d'un quartier marchand, elle se serait peut-être ouverte [133]
alors aux envahissements lyriques de la nature, qui, d'ordinaire, ne nous arrivent que par la traduction des écrivains.
Mais elle connaissait trop la campagne; elle savait le bêlement des troupeaux, les laitages, les charrues. Habituée
aux aspects calmes, elle se tournait au contraire vers les
accidentés. Elle n'aimait la mer qu'à cause de ses tempêtes,
et la verdure seulement lorsqu'elle était clairsemée parmi
les ruines. Il fallait qu'elle pût retirer des choses une sorte
de profit personnel; et elle rejetait comme inutile tout ce
qui ne contribuait pas à la consommation immédiate de
son cœur [134], — étant de tempérament plus sentimentale
qu'artiste [135], cherchant des émotions et non des paysages.

Il y avait au couvent une vieille fille qui venait tous
les mois, pendant huit jours, travailler à la lingerie. Protégée par l'archevêché comme appartenant à une ancienne
famille de gentilshommes ruinés [136] sous la Révolution,
elle mangeait au réfectoire à la table des bonnes sœurs,
et faisait avec elles, après le repas, un petit bout de causette
avant de remonter à son ouvrage. Souvent les pensionnaires
s'échappaient de l'étude pour l'aller voir. Elle savait par
cœur des chansons galantes du siècle passé, qu'elle chantait
à demi-voix, tout en poussant son aiguille. Elle contait
des histoires, vous apprenait des nouvelles, faisait en ville
vos commissions, et prêtait aux grandes, en cachette,
quelque roman qu'elle avait toujours dans les poches de
son tablier, et dont la bonne demoiselle elle-même avalait
de longs chapitres, dans les intervalles de sa besogne [137].
Ce n'étaient qu'amours, amants, amantes, dames persécutées
s'évanouissant dans des pavillons solitaires [138], postillons
qu'on tue à tous les relais, chevaux qu'on crève à toutes
les pages, forêts sombres, troubles du cœur, serments,

sanglots, larmes et baisers, nacelles au clair de lune, rossignols dans les bosquets, *messieurs* braves comme des lions, doux comme des agneaux, vertueux comme on ne l'est pas, toujours bien mis, et qui pleurent comme des urnes. Pendant six mois, à quinze ans, Emma se graissa donc les mains à cette poussière des vieux cabinets de lecture. Avec Walter Scott, plus tard, elle s'éprit de choses historiques, rêva bahuts, salle des gardes et ménestrels. Elle aurait voulu vivre dans quelque vieux manoir, comme ces châtelaines au long corsage qui, sous le trèfle des ogives, passaient leurs jours, le coude sur la pierre et le menton dans la main, à regarder venir du fond de la campagne un cavalier à plume blanche qui galope sur un cheval noir. Elle eut dans ce temps-là le culte de Marie Stuart et des vénérations enthousiastes à l'endroit des femmes illustres ou infortunées. Jeanne d'Arc, Héloïse, Agnès Sorel, la belle Ferronnière et Clémence Isaure, pour elle, se détachaient comme des comètes sur l'immensité ténébreuse de l'histoire, où saillissaient encore çà et là, mais plus perdus dans l'ombre et sans aucun rapport entre eux, saint Louis avec son chêne, Bayard mourant, quelques férocités de Louis XI, un peu de Saint-Barthélemy, le panache du Béarnais, et toujours le souvenir des assiettes peintes où Louis XIV était vanté.

A la classe de musique, dans les romances qu'elle chantait, il n'était question que de petits anges aux ailes d'or, de madones, de lagunes, de gondoliers, pacifiques compositions qui lui laissaient entrevoir, à travers la niaiserie du style et les imprudences de la note [139], l'attirante fantasmagorie des réalités sentimentales. Quelques-unes de ses camarades apportaient au couvent les keepsakes [140] qu'elles avaient reçus en étrennes. Il les fallait cacher; c'était une affaire; on les lisait au dortoir. Maniant délicatement leurs belles reliures de satin, Emma fixait ses regards éblouis sur le nom des auteurs inconnus qui avait signé, le plus souvent, comtes ou vicomtes, au bas de leurs pièces.

Elle frémissait, en soulevant de son haleine le papier de soie des gravures, qui se levait à demi plié et retombait doucement contre la page. C'était, derrière la balustrade d'un balcon, un jeune homme en court manteau qui serrait dans ses bras une jeune fille en robe blanche,

portant une aumônière à sa ceinture; ou bien les portraits
anonymes des ladies anglaises à boucles blondes qui,
sous leur chapeau de paille rond [141], vous regardent avec
leurs grands yeux clairs. On en voyait d'étalées dans des
voitures, glissant au milieu des parcs, où un lévrier sautait
devant l'attelage que conduisaient au trot deux petits postillons en culotte blanche. D'autres, rêvant sur des sofas
près d'un billet décacheté, contemplaient la lune, par la
fenêtre entr'ouverte, à demi drapée d'un rideau noir. Les
naïves, une larme sur la joue, becquetaient une tourterelle
à travers les barreaux d'une cage gothique, ou, souriant,
la tête sur l'épaule, effeuillaient une marguerite de leurs
doigts pointus, retroussés comme des souliers à la poulaine.
Et vous y étiez aussi, sultans à longues pipes, pâmés sous
des tonnelles aux bras des bayadères, djiaours, sabres turcs,
bonnets grecs, et vous surtout, paysages blafards des
contrées dithyrambiques, qui souvent nous montrez à la
fois des palmiers, des sapins, des tigres à droite, un lion
à gauche, des minarets tartares à l'horizon, au premier
plan des ruines romaines, puis des chameaux accroupis; —
le tout encadré d'une forêt vierge bien nettoyée, et avec
un grand rayon de soleil perpendiculaire tremblotant dans
l'eau, où se détachent en écorchures blanches, sur un fond
d'acier gris, de loin en loin, des cygnes qui nagent.

Et l'abat-jour du quinquet, accroché dans la muraille
au-dessus de la tête d'Emma, éclairait tous ces tableaux
du monde, qui passaient devant elle les uns après les
autres [142], dans le silence du dortoir et au bruit lointain
de quelque fiacre attardé qui roulait encore sur les boulevards.

Quand sa mère mourut, elle pleura beaucoup les premiers jours. Elle se fit faire un tableau funèbre avec les
cheveux de la défunte, et, dans une lettre qu'elle envoyait
aux Bertaux, toute pleine de réflexions tristes sur la vie,
elle demandait qu'on l'ensevelît plus tard dans le même
tombeau. Le bonhomme la crut malade et vint la voir.
Emma fut intérieurement satisfaite de se sentir arrivée
du premier coup [143] à ce rare idéal des existences pâles,
où ne parviennent jamais les cœurs médiocres. Elle se
laissa donc glisser dans les méandres lamartiniens, écouta
les harpes sur les lacs, tous les chants des cygnes mourants, toutes les chutes de feuilles, les vierges pures qui

montent au ciel, et la voix de l'Éternel discourant dans
les vallons. Elle s'en ennuya, n'en voulut point convenir,
continua par habitude, ensuite par vanité, et fut enfin
surprise de se sentir apaisée, et sans plus de tristesse au
cœur que de rides sur son front.

Les bonnes religieuses, qui avaient si bien présumé
de sa vocation, s'aperçurent avec de grands étonnements
que Mlle Rouault semblait échapper à leur soin [144]. Elles
lui avaient, en effet, tant prodigué les offices, les retraites,
les neuvaines, les sermons [145], si bien prêché le respect
que l'on doit aux saints et aux martyrs, et donné tant de
bons conseils pour la modestie du corps et le salut de
son âme, qu'elle fit comme les chevaux que l'on tire par
la bride : elle s'arrêta court et le mors lui sortit des dents.
Cet esprit, positif au milieu de ses enthousiasmes, qui
avait aimé l'église pour ses fleurs, la musique pour les
paroles de romances, et la littérature pour ses excitations
passionnelles, s'insurgeait devant les mystères de la foi,
de même qu'elle s'irritait davantage contre la discipline,
qui était quelque chose d'antipathique à sa constitution.
Quand son père la retira de pension, on ne fut point fâché
de la voir partir. La supérieure trouvait même qu'elle
était devenue, dans les derniers temps, peu révérencieuse
envers la communauté [146].

Emma, rentrée chez elle, se plut d'abord au commandement des domestiques, prit ensuite la campagne en dégoût
et regretta son couvent. Quand Charles vint aux Bertaux
pour la première fois, elle se considérait comme fort
désillusionnée, n'ayant plus rien à apprendre, ne devant
plus rien sentir.

Mais l'anxiété d'un état nouveau, ou peut-être l'irritation
causée par la présence de cet homme, avait suffi à lui
faire croire qu'elle possédait enfin cette passion merveil-
leuse qui jusqu'alors s'était tenue comme un grand oiseau
au plumage rose planant dans la splendeur des ciels poé-
tiques ; — et elle ne pouvait s'imaginer à présent que ce
calme où elle vivait fût le bonheur qu'elle avait rêvé.

VII

Elle songeait quelquefois que c'étaient là pourtant les plus beaux jours de sa vie [147], la lune de miel, comme on disait. Pour en goûter la douceur, il eût fallu, sans doute, s'en aller vers ces pays à noms sonores [148] où les lendemains de mariage ont de plus suaves paresses ! Dans des chaises de poste, sous des stores de soie bleue, on monte au pas des routes escarpées, écoutant la chanson du postillon, qui se répète dans la montagne avec les clochettes des chèvres et le bruit sourd de la cascade [149]. Quand le soleil se couche, on respire au bord des golfes le parfum des citronniers; puis, le soir, sur la terrasse des villas, seuls et les doigts confondus, on regarde les étoiles en faisant des projets. Il lui semblait que certains lieux sur la terre devaient produire du bonheur, comme une plante particulière au sol et qui pousse mal tout autre part. Que ne pouvait-elle s'accouder sur le balcon des chalets suisses ou enfermer sa tristesse dans un cottage écossais, avec un mari vêtu d'un habit de velours noir à longues basques, et qui porte des bottes molles un chapeau pointu et des manchettes !

Peut-être aurait-elle souhaité faire à quelqu'un la confidence de toutes ces choses. Mais comment dire un insaisissable malaise, qui change d'aspect comme les nuées, qui tourbillonne comme le vent ? Les mots lui manquaient donc, l'occasion, la hardiesse.

Si Charles l'avait voulu, cependant, s'il s'en fût douté, si son regard, une seule fois, fût venu à la rencontre de sa pensée, il lui semblait qu'une abondance subite se serait détachée de son cœur, comme tombe la récolte d'un espalier, quand on y porte la main. Mais, à mesure que se serrait davantage l'intimité de leur vie, un détachement intérieur se faisait qui la déliait de lui.

La conversation de Charles était plate comme un trottoir de rue, et les idées de tout le monde y défilaient, dans leur costume ordinaire, sans exciter d'émotion, de rire ou de rêverie. Il n'avait jamais été curieux, disait-il, pendant qu'il habitait Rouen, d'aller voir au théâtre les acteurs de Paris. Il ne savait ni nager, ni faire des armes, ni tirer le pistolet, et il ne put, un jour, lui expliquer un terme d'équitation qu'elle avait rencontré dans un roman.

Un homme, au contraire, ne devait-il pas tout connaître, exceller en des activités multiples, vous initier aux énergies de la passion, aux raffinements de la vie, à tous les mystères [150] ? Mais il n'enseignait rien, celui-là, ne savait rien, ne souhaitait rien. Il la croyait heureuse; et elle lui en voulait de ce calme si bien assis, de cette pesanteur sereine, du bonheur même qu'elle lui donnait.

Elle dessinait quelquefois; et c'était pour Charles un grand amusement que de rester là, tout debout, à la regarder penchée sur son carton, clignant des yeux, afin de mieux voir son ouvrage, ou arrondissant, sur son pouce, des boulettes de mie de pain. Quant au piano, plus ses doigts y couraient vite [151], plus il s'émerveillait. Elle frappait sur les touches avec aplomb, et parcourait du haut en bas tout le clavier sans s'interrompre. Ainsi secoué par elle, le vieil instrument, dont les cordes frisaient [152], s'entendait jusqu'au bout du village si la fenêtre était ouverte, et souvent le clerc de l'huissier qui passait sur la grande route, nu-tête et en chaussons, s'arrêtait à l'écouter, sa feuille de papier à la main [153].

Emma, d'autre part, savait conduire sa maison. Elle envoyait aux malades le compte des visites, dans des lettres bien tournées qui ne sentaient pas la facture. Quand ils avaient, le dimanche, quelque voisin à dîner, elle trouvait le moyen [154] d'offrir un plat coquet, s'entendait à poser sur des feuilles de vigne les pyramides de reines-Claude servait renversés les pots de confitures dans une assiette, et même elle parlait d'acheter des rince-bouche pour le dessert [155]. Il rejaillissait de tout cela beaucoup de considération sur Bovary.

Charles finissait par s'estimer davantage de ce qu'il possédait une pareille femme. Il montrait avec orgueil, dans la salle, deux petits croquis d'elle à la mine de plomb, qu'il avait fait encadrer de cadres très larges et suspendus contre le papier de la muraille à de longs cordons verts. Au sortir de la messe, on le voyait sur sa porte avec de belles pantoufles en tapisserie.

Il rentrait tard, à dix heures, minuit quelquefois. Alors il demandait à manger, et, comme la bonne était couchée, c'était Emma qui le servait. Il retirait sa redingote

pour dîner plus à son aise. Il disait les uns après le
autres [156] tous les gens qu'il avait rencontrés, les villages
où il avait été, les ordonnances qu'il avait écrites et, satisfait de lui-même, il mangeait le reste du miroton, éplu-
chait son fromage, croquait une pomme, vidait sa carafe,
puis s'allait mettre au lit, se couchait sur le dos et ronflait [157].

Comme il avait eu longtemps l'habitude du bonnet de
coton, son foulard ne lui tenait pas aux oreilles; aussi
ses cheveux, le matin, étaient rabattus pêle-mêle sur sa
figure et blanchis par le duvet de son oreiller, dont les
cordons se dénouaient pendant la nuit. Il portait toujours de fortes bottes, qui avaient au cou-de-pied deux
plis épais obliquant vers les chevilles, tandis que le reste
de l'empeigne se continuait en ligne droite, tendu comme
par un pied de bois. Il disait que *c'était bien assez bon pour
la campagne.*

Sa mère l'approuvait en cette économie; car elle le
venait voir comme autrefois, lorsqu'il y avait eu chez
elle quelque bourrasque un peu violente; et cependant
Mme Bovary mère semblait prévenue contre sa bru. Elle
lui trouvait *un genre trop relevé pour leur position de fortune ;*
le bois, le sucre et la chandelle *filaient comme dans une grande
maison,* et la quantité de braise qui se brûlait à la cuisine
aurait suffi pour vingt-cinq plats ! Elle rangeait son linge
dans ses armoires et lui apprenait à surveiller le boucher
quand il apportait la viande. Emma recevait ces leçons;
Mme Bovary les prodiguait; et les mots de *ma fille* et de
ma mère s'échangeaient tout le long du jour, accompagnés
d'un petit frémissement des lèvres, chacune lançant des
paroles douces d'une voix tremblante de colère.

Du temps de Mme Dubuc, la vieille femme se sentait
encore la préférée; mais, à présent, l'amour de Charles
pour Emma lui semblait une désertion de sa tendresse,
un envahissement sur ce qui lui appartenait; et elle
observait le bonheur de son fils avec un silence triste,
comme quelqu'un de ruiné qui regarde à travers les carreaux des gens attablés dans son ancienne maison. Elle
lui rappelait, en manière de souvenirs, ses peines et ses
sacrifices, et, les comparant aux négligences d'Emma,
concluait qu'il n'était point raisonnable de l'adorer d'une
façon si exclusive [158].

Charles ne savait que répondre; il respectait sa mère, et il aimait infiniment sa femme; il considérait le jugement de l'une comme infaillible, et cependant il trouvait l'autre irréprochable. Quand Mme Bovary était partie il essayait de hasarder timidement, et dans les mêmes termes, une ou deux des plus anodines observations qu'il avait entendu faire à sa maman; Emma, lui prouvant d'un mot qu'il se trompait, le renvoyait à ses malades.

Cependant, d'après les théories [159] qu'elle croyait bonnes, elle voulut se donner de l'amour. Au clair de lune, dans le jardin, elle récitait [160] tout ce qu'elle savait par cœur de rimes passionnées et lui chantait en soupirant des adagios mélancoliques; mais elle se trouvait ensuite aussi calme qu'auparavant, et Charles n'en paraissait ni plus amoureux, ni plus remué.

Quand elle eut ainsi un peu battu le briquet sur son cœur sans en faire jaillir une étincelle, incapable, du reste, de comprendre [161] ce qu'elle n'éprouvait pas, comme de croire à tout ce qui ne se manifestait point par des formes convenues, elle se persuada sans peine que la passion de Charles n'avait plus rien d'exorbitant. Ses expansions étaient devenues régulières; il l'embrassait à de certaines heures. C'était une habitude parmi les autres, et comme un dessert prévu d'avance, après la monotonie du dîner.

Un garde-chasse, guéri par Monsieur d'une fluxion de poitrine, avait donné à Madame une petite levrette d'Italie; elle la prenait pour se promener, car elle sortait quelquefois, afin d'être seule un instant et de n'avoir plus sous les yeux l'éternel jardin avec la route poudreuse [162].

Elle allait jusqu'à la hêtrée de Banneville, près du pavillon abandonné qui fait l'angle du mur, du côté des champs. Il y a dans le saut-de-loup, parmi les herbes, de longs roseaux à feuilles coupantes.

Elle commençait par regarder tout alentour, pour voir si rien n'avait changé depuis la dernière fois qu'elle était venue. Elle retrouvait aux mêmes places les digitales et les ravenelles, les bouquets d'orties entourant les gros cailloux, et les plaques de lichen le long des trois fenêtres dont les volets toujours clos s'égrenaient de pourriture, sur leurs barres de fer rouillées. Sa pensée, sans but d'abord, vagabondait au hasard, comme sa levrette, qui faisait des cercles dans la campagne, jappait après les papillons jaunes,

donnait la chasse aux musaraignes en mordillant les coquelicots [163] sur le bord d'une pièce de blé. Puis ses idées
peu à peu se fixaient et, assise [164] sur le gazon, qu'elle fouil-
lait à petits coups avec le bout de son ombrelle, Emma se
répétait :

— Pourquoi, mon Dieu [165], me suis-je mariée ?

Elle se demandait s'il n'y aurait pas eu moyen, par d'autres
combinaisons du hasard, de rencontrer un autre homme ;
et elle cherchait à imaginer quels eussent été ces événements
non survenus, cette vie différente, ce mari qu'elle ne connaissait pas. Tous, en effet, ne ressemblaient pas à celui-là. Il
aurait pu être beau, spirituel, distingué, attirant, tels qu'ils
étaient sans doute, ceux qu'avaient épousés ses anciennes
camarades du couvent. Que faisaient-elles maintenant ?
A la ville, avec le bruit des rues, le bourdonnement des
théâtres et les clartés du bal, elles avaient des existences où
le cœur se dilate, où les sens s'épanouissent. Mais elle, sa
vie était froide comme un grenier dont la lucarne est au nord,
et l'ennui, araignée silencieuse, filait sa toile dans l'ombre,
à tous les coins de son cœur. Elle se rappelait les jours de
distribution de prix, où elle montait sur l'estrade pour
aller chercher ses petites couronnes. Avec ses cheveux
en tresse, sa robe blanche et ses souliers de prunelle décou-
verts, elle avait une façon gentille, et les messieurs, quand
elle regagnait sa place, se penchaient pour lui faire des
compliments ; la cour était pleine de calèches, on lui disait
adieu par les portières, le maître de musique passait en
saluant, avec sa boîte à violon. Comme c'était loin, tout
cela ! comme c'était loin !

Elle appelait Djali, la prenait entre ses genoux, passait
ses doigts sur sa longue tête fine et lui disait :

— Allons, baisez maîtresse [166], vous qui n'avez pas de
chagrins [167].

Puis, considérant la mine mélancolique du svelte animal
qui bâillait avec lenteur, elle s'attendrissait, et, le comparant
à elle-même, lui parlait tout haut, comme à quelqu'un
d'affligé que l'on console.

Il arrivait parfois des rafales de vent, brises de la mer
qui, roulant d'un bond sur tout le plateau du pays de
Caux, apportaient, jusqu'au loin dans les champs, une fraîcheur salée. Les joncs sifflaient à ras de terre et les feuilles
des hêtres bruissaient en un frisson rapide, tandis que les

cimes, se balançant toujours, continuaient leur grand
murmure. Emma serrait son châle contre ses épaules et se
levait.

Dans l'avenue, un jour vert [168], rabattu par le feuillage,
éclairait la mousse rase qui craquait doucement sous ses
pieds. Le soleil se couchait; le ciel était rouge entre les
branches, et les troncs pareils des arbres plantés en ligne
droite semblaient une colonnade brune se détachant sur
un fond d'or; une peur la prenait, elle appelait Djali, s'en
retournait vite à Tostes par la grande route, s'affaissait
dans un fauteuil, et de toute la soirée ne parlait pas.

Mais, vers la fin de septembre, quelque chose d'extraordinaire tomba dans sa vie [169]; elle fut invitée à la Vaubyessard, chez le marquis d'Andervilliers.

Secrétaire d'État sous la Restauration, le marquis [170],
cherchant à rentrer dans la vie politique, préparait de
longue main sa candidature à la Chambre des députés. Il
faisait, l'hiver, de nombreuses distributions de fagots, et,
au Conseil général, réclamait avec exaltation toujours
des routes pour son arrondissement. Il avait eu, lors des
grandes chaleurs, un abcès dans la bouche, dont Charles
l'avait soulagé comme par miracle, en y donnant à point
un coup de lancette. L'homme d'affaires, envoyé à Tostes
pour payer l'opération, conta, le soir, qu'il avait vu dans
le jardinet du médecin des cerises superbes. Or, les cerisiers
poussaient mal à la Vaubyessard, M. le marquis demanda
quelques boutures à Bovary, se fit un devoir de l'en remercier lui-même, aperçut Emma, trouva qu'elle avait une jolie
taille [171] et qu'elle ne saluait point en paysanne; si bien
qu'on ne crut pas au château outrepasser les bornes de la
condescendance ni, d'autre part, commettre une maladresse,
en invitant le jeune ménage.

Un mercredi, à trois heures, M. et Mme Bovary, montés
dans leur *boc*, partirent pour la Vaubyessard, avec une grande
malle attachée par derrière et une boîte à chapeau [172] qui
était posée devant le tablier. Charles avait, de plus, un
carton entre les jambes.

Ils arrivèrent à la nuit tombante, comme on [173] commençait à allumer des lampions dans le parc, afin d'éclairer les
voitures.

VIII

Le château [174], de construction moderne, à l'italienne, avec deux ailes avançant et trois perrons, se déployait au bas d'une immense pelouse où paissaient quelques vaches, entre des bouquets de grands arbres espacés, tandis que des bannettes d'arbustes, rhododendrons, seringas [175] et boules-de-neige bombaient leurs touffes de verdure inégales sur la ligne courbe du chemin sablé. Une rivière passait sous un pont; à travers la brume [17]; on distinguait des bâtiments à toit de chaume [174], éparpillés dans la prairie, que bordaient en pente douce deux coteaux couverts de bois, et par derrière, dans les massifs, se tenaient, sur deux lignes parallèles, les remises et les écuries, restes conservés de l'ancien château démoli.

Le *boc* de Charles s'arrêta devant le perron du milieu; des domestiques parurent; le marquis s'avança et, offrant son bras à la femme du médecin, l'introduisit dans le vestibule.

Il était pavé de dalles en marbre, très haut, et le bruit des pas avec celui des voix y retentissait comme dans une église. En face montait un escalier droit, et à gauche une galerie donnant sur le jardin conduisait à la salle de billard, dont on entendait, dès la porte, caramboler les boules d'ivoire. Comme elle la traversait pour aller au salon, Emma vit autour du jeu des hommes à figure grave, le menton posé sur de hautes cravates, décorés tous, et qui souriaient silencieusement en poussant leur queue [178]. Sur la boiserie sombre du lambris, de grands cadres dorés portaient, au bas de leur bordure, des noms écrits en lettres noires. Elle lut : « Jean-Antoine d'Andervilliers d'Yverbonville, comte de la Vaubyessard et baron de la Fresnaye, tué à la bataille de Coutras le 20 octobre 1587. » Et sur un autre : « Jean-Antoine-Henry-Guy d'Andervilliers de la Vaubyessard, amiral de France et chevalier de l'ordre de Saint-Michel, blessé au combat de la Hougue-Saint-Vaast le 29 mai 1692, mort à la Vaubyessard le 23 janvier 1693 [179]. » Puis on distinguait [180] à peine ceux qui suivaient, car la lumière des lampes, rabattue sur le tapis vert du billard, laissait flotter une ombre dans l'appartement. Brunissant les toiles horizontales, elle se brisait contre elles en arêtes fines, selon les

craquelures du vernis; et de tous ces grands carrés noirs
bordés d'or sortaient, çà et là, quelque portion plus claire
de la peinture, un front pâle, deux yeux qui vous regardaient,
des perruques se déroulant sur l'épaule poudrée des habits
rouges, ou bien la boucle d'une jarretière en haut d'un
mollet rebondi [181].

Le marquis ouvrit la porte du salon; une des dames se
leva (la marquise elle-même), vint à la rencontre d'Emma
et la fit asseoir près d'elle, sur une causeuse, où elle se mit
à lui parler amicalement, comme si elle la connaissait
depuis longtemps. C'était une femme de la quarantaine
environ, à belles épaules, à nez busqué, à la voix traînante [182],
et portant, ce soir-là, sur ses cheveux châtains, un simple
fichu de guipure qui retombait par derrière en triangle.
Une jeune personne blonde se tenait à côté, dans une chaise
à dossier long; et des messieurs [182], qui avaient une petite
fleur à la boutonnière de leur habit, causaient avec les
dames, tout autour de la cheminée.

A sept heures, on servit le dîner. Les hommes, plus nombreux, s'assirent à la première table dans le vestibule, et
les dames à la seconde, dans la salle à manger, avec le marquis
et la marquise.

Emma se sentit, en entrant, enveloppée par un air chaud,
mélange du parfum des fleurs et du beau linge, du fumet des
viandes et de l'odeur des truffes. Les bougies des candélabres allongeaient des flammes sur les cloches d'argent; les
cristaux à facettes, couverts d'une buée mate, se renvoyaient
des rayons pâles; des bouquets étaient en ligne sur toute
la longueur de la table, et, dans les assiettes à large bordure,
les serviettes, arrangées en manière de bonnet d'évêque,
tenaient entre le bâillement de leurs deux plis chacune un
petit pain de forme ovale. Les pattes rouges des homards
dépassaient les plats; de gros fruits dans des corbeilles
à jour [184] s'étageaient sur la mousse; les cailles avaient leurs
plumes, des fumées montaient [185]; et, en bas de soie, en
culotte courte, en cravate blanche, en jabot, grave comme
un juge, le maître d'hôtel, passant entre les épaules des
convives les plats tout découpés, faisait d'un coup de sa
cuiller [186] sauter pour vous le morceau qu'on choisissait.
Sur le grand poêle de porcelaine à baguettes de cuivre, une
statue de femme drapée jusqu'au menton regardait immobile
la salle pleine de monde.

Mme Bovary remarqua que plusieurs dames n'avaient pas mis leurs gants dans leur verre [187].

Cependant, au haut bout de la table, seul parmi toutes ces femmes, courbé sur son assiette remplie et la serviette nouée dans le dos comme un enfant, un vieillard mangeait, laissant tomber de sa bouche des gouttes de sauce [188]. Il avait les yeux éraillés et portait une petite queue enroulée d'un ruban noir. C'était le beau-père du marquis, le vieux duc de Laverdière, l'ancien favori du comte d'Artois, dans le temps des parties de chasse au Vaudreuil, chez le marquis de Conflans, et qui avait été, disait-on, l'amant de la reine Marie-Antoinette entre MM. de Coigny et de Lauzun. Il avait mené une vie bruyante de débauches, pleine de duels, de paris, de femmes enlevées, avait dévoré sa fortune et effrayé toute sa famille. Un domestique, derrière sa chaise, lui nommait tout haut, dans l'oreille, les plats qu'il désignait du doigt en bégayant; et sans cesse les yeux d'Emma revenaient d'eux-mêmes sur ce vieil homme à lèvres pendantes, comme sur quelque chose d'extraordinaire et d'auguste. Il avait vécu à la Cour [189] et couché dans le lit des reines [190] !

On versa du vin de Champagne à la glace. Emma frissonna de toute sa peau en sentant ce froid dans sa bouche. Elle n'avait jamais vu de grenades ni mangé d'ananas. Le sucre en poudre même lui parut plus blanc et plus fin qu'ailleurs.

Les dames, ensuite, montèrent dans leurs chambres s'apprêter pour le bal.

Emma fit sa toilette avec la conscience méticuleuse d'une actrice à son début. Elle disposa ses cheveux d'après les recommandations du coiffeur, et elle entra dans sa robe de barège, étalée sur le lit. Le pantalon de Charles le serrait au ventre.

— Les sous-pieds vont me gêner pour danser, dit-il.

— Danser ? reprit Emma.

— Oui !

— Mais tu as perdu la tête ! on se moquerait de toi [191], reste à ta place. D'ailleurs, c'est plus convenable pour un médecin, ajouta-t-elle.

Charles se tut. Il marchait de long en large, attendant qu'Emma fût habillée.

Il la voyait par derrière, dans la glace, entre deux flam-

beaux. Ses yeux noirs semblaient plus noirs. Ses bandeaux,
doucement bombés vers les oreilles, luisaient d'un éclat
bleu ; une rose à son chignon tremblait sur une tige mobile,
avec des gouttes d'eau factices au bout de ses feuilles. Elle
avait une robe de safran pâle, relevée par trois bouquets
de roses pompon mêlées de verdure.

Charles vint l'embrasser sur l'épaule.

— Laisse-moi ! dit-elle [192], tu me chiffonnes.

On entendit une ritournelle de violon et les sons d'un
cor. Elle descendit l'escalier, se retenant de courir.

Les quadrilles étaient commencés. Il arrivait du monde.
On se poussait. Elle se plaça près de la porte, sur une
banquette.

Quand la contredanse fut finie, le parquet resta libre
pour les groupes d'hommes causant debout et les domestiques en livrée [193] qui apportaient de grands plateaux.
Sur la ligne des femmes assises, les éventails peints s'agitaient, les bouquets cachaient à demi le sourire des visages,
et les flacons à bouchon d'or tournaient dans des mains
entr'ouvertes dont les gants blancs marquaient la forme
des ongles et serraient la chair au poignet. Les garnitures
de dentelles, les broches de diamants, les bracelets à médail-
lon frissonnaient aux corsages, scintillaient aux poitrines,
bruissaient sur les bras nus. Les chevelures, bien collées sur
les fronts et tordues à la nuque, avaient, en couronnes, en
grappes ou en rameaux, des myosotis, du jasmin, des fleurs
de grenadier, des épis ou des bluets. Pacifiques à leurs places,
des mères à figure renfrognée portaient des turbans rouges.

Le cœur d'Emma lui battit un peu lorsque, son cavalier
la tenant par le bout des doigts, elle vint se mettre en ligne
et attendit le coup d'archet pour partir. Mais bientôt l'émotion disparut ; et, se balançant au rythme de l'orchestre,
elle glissait en avant, avec des mouvements légers du cou [194].
Un sourire lui montait aux lèvres à certaines délicatesses
du violon, qui jouait seul, quelquefois, quand les autres
instruments se taisaient ; on entendait le bruit clair des louis
d'or qui se versaient à côté, sur le tapis des tables ; puis
tout reprenait à la fois, le cornet à piston lançant un éclat
sonore [195]. Les pieds retombaient en mesure, les jupes se
bouffaient [196] et frôlaient, les mains se donnaient, se quit-
taient ; les mêmes yeux, s'abaissant devant vous, revenaient
se fixer sur les vôtres.

Quelques hommes (une quinzaine) de vingt-cinq à quarante ans, disséminés parmi les danseurs ou causant à l'entrée des portes, se distinguaient de la foule par un air de famille, quelles que fussent leur différences d'âge, de toilette ou de figure.

Leurs habits, mieux faits, semblaient d'un drap plus souple, et leurs cheveux, ramenés en boucles vers les tempes, lustrés par des pommades plus fines. Ils avaient le teint de la richesse, ce teint blanc que rehaussent la pâleur des porcelaines, les moires du satin, le vernis des beaux meubles, et qu'entretient dans sa santé un régime discret de nourritures exquises. Leur cou tournait à l'aise sur des cravates basses; leurs favoris longs tombaient [197] sur des cols rabattus; ils s'essuyaient les lèvres à des mouchoirs brodés d'un large chiffre, d'où sortait une odeur suave [198]. Ceux qui commençaient à vieillir avaient l'air jeune, tandis que quelque chose de mûr s'étendait sur le visage des jeunes. Dans leurs regards indifférents flottait la quiétude de passions journellement assouvies; et, à travers leurs manières douces, perçait cette brutalité particulière que communique la domination de choses [199] à demi faciles, dans lesquelles la force s'exerce et où la vanité s'amuse, le maniement des chevaux de race [200] et la société des femmes perdues.

A trois pas d'Emma [201], un cavalier en habit bleu causait Italie avec une jeune femme pâle, portant une parure de perles. Ils vantaient la grosseur des piliers de Saint-Pierre, Tivoli, le Vésuve, Castellamare et les Cassines [202], les roses de Gênes, le Colisée [203] au clair de lune. Emma écoutait de son autre oreille une conversation pleine de mots qu'elle ne comprenait pas. On entourait un tout jeune homme qui avait battu, la semaine d'avant, *Miss Arabelle et Romulus*, et gagné deux mille louis à sauter un fossé, en Angleterre. L'un se plaignait de ses coureurs qui engraissaient; un autre, des fautes d'impression qui avaient dénaturé le nom de son cheval.

L'air du bal était lourd; les lampes pâlissaient. On refluait dans la salle de billard. Un domestique monta sur une chaise et cassa deux vitres; au bruit [204] des éclats de verre, Mᵐᵉ Bovary tourna la tête et aperçut dans le jardin, contre les barreaux, des faces de paysans qui regardaient. Alors le souvenir des Bertaux lui arriva. Elle revit la ferme, la mare bourbeuse, son père en blouse sous les pommiers, et elle se revit elle-même, comme autrefois, écrémant avec son doigt les terrines de lait dans la laiterie. Mais, aux fulgurations de l'heure présente, sa vie passée, si nette jusqu'alors, s'évanouissait tout entière, et elle doutait presque de l'avoir vécue. Elle était là; puis, autour du bal, il n'y avait plus que de l'ombre, étalée sur tout le reste. Elle mangeait alors une glace au marasquin, qu'elle tenait de la main gauche dans une coquille de vermeil, et fermait à demi les yeux, la cuiller [205] entre les dents.

Une dame, près d'elle, laissa tomber son éventail. Un danseur passait.

— Que vous seriez bon, monsieur, dit la dame, de vouloir bien ramasser mon éventail, qui est derrière ce canapé !

Le monsieur s'inclina, et, pendant qu'il faisait le mouvement d'étendre son bras, Emma vit la main de la jeune dame qui jetait dans son chapeau quelque chose de blanc, plié en triangle. Le monsieur ramenant l'éventail, l'offrit à la dame, respectueusement; elle le remercia d'un signe de tête et se mit à respirer son bouquet.

Après le souper, où il y eut beaucoup de vins d'Espagne et de vins du Rhin, des potages à la bisque et au lait d'amandes, des puddings à la Trafalgar et toutes sortes de viandes froides avec des gelées alentour [206] qui tremblaient dans les plats, les voitures, les unes après les autres [207], commencèrent à s'en aller. En écartant du coin le rideau [208] de mousseline, on voyait glisser dans l'ombre la lumière de leurs lanternes. Les banquettes s'éclaircirent; quelques joueurs restaient encore; les musiciens rafraîchissaient, sur leur langue, le bout de leurs doigts; Charles dormait à demi, le dos appuyé contre une porte.

A trois heures du matin, le cotillon commença. Emma ne savait pas valser. Tout le monde valsait, Mlle d'Andervilliers elle-même et la marquise; il n'y avait plus que les hôtes du château, une douzaine de personnes à peu près.

Cependant, un des valseurs qu'on appelait familièrement *Vicomte* [209], dont le gilet [210] très ouvert semblait moulé sur la poitrine, vint une seconde fois encore inviter Mme Bovary, l'assurant qu'il la guiderait et qu'elle s'en tirerait bien.

Ils commencèrent lentement [211], puis allèrent plus vite.

Ils tournaient : tout tournait autour d'eux, les lampes,
les meubles, les lambris, et le parquet, comme un disque
sur un pivot. En passant auprès des portes, la robe d'Emma,
par le bas, s'ériflait au pantalon [212]; leurs jambes entraient
l'une dans l'autre [213]; il baissait ses regards vers elle, elle
levait les siens vers lui; une torpeur la prenait, elle s'arrêta.
Ils repartirent; et, d'un mouvement plus rapide, le vicomte,
l'entraînant, disparut avec elle jusqu'au bout de la galerie,
où, haletante, elle faillit tomber, et, un instant, s'appuya
la tête sur sa poitrine. Et puis, tournant toujours, mais
plus doucement, il la reconduisit à sa place; elle se renversa
contre la muraille et mit la main devant ses yeux.

Quand elle les rouvrit, au milieu du salon, une dame
assise sur un tabouret avait devant elle trois valseurs
agenouillés. Elle choisit le vicomte, et le violon recommença.

On les regardait. Ils passaient et revenaient, elle immobile du corps et le menton baissé, et lui toujours dans
sa même pose, la taille cambrée, le coude arrondi, la bouche
en avant. Elle savait valser, celle-là ! Ils continuèrent longtemps et fatiguèrent tous les autres.

On causa quelques minutes encore, et, après les adieux,
ou plutôt le bonjour, les hôtes du château s'allèrent
coucher.

Charles se traînait à la rampe, les genoux *lui rentraient
dans le corps*. Il avait passé cinq heures de suite, tout debout
devant les tables, à regarder jouer au whist, sans y rien
comprendre. Aussi poussa-t-il un grand soupir de satisfaction lorsqu'il eut retiré ses bottes.

Emma mit un châle sur ses épaules, ouvrit la fenêtre et
s'accouda.

La nuit était noire. Quelques gouttes de pluie tombaient. Elle aspira le vent humide [214] qui lui rafraîchissait
les paupières. La musique du bal bourdonnait encore à
ses oreilles [215], et elle faisait des efforts pour se tenir éveillée,
afin de prolonger l'illusion de cette vie luxueuse qu'il
lui faudrait tout à l'heure abandonner.

Le petit jour parut. Elle regarda les fenêtres du château, longuement, tâchant de deviner quelles étaient les
chambres de tous ceux qu'elle avait remarqués la veille.
Elle aurait voulu savoir leurs existences, y pénétrer, s'y
confondre.

Mais elle grelottait de froid. Elle se déshabilla et se blottit entre les draps, contre Charles qui dormait.

Il y eut beaucoup de monde au déjeuner [216]. Le repas dura dix minutes; on ne servit aucune liqueur, ce qui étonna le médecin. Ensuite Mlle d'Andervilliers ramassa des morceaux de brioche dans une bannette, pour les porter aux cygnes sur la pièce d'eau, et on s'alla promener dans la serre chaude, où les plantes bizarres [217], hérissées de poils, s'étageaient en pyramides sous des vases suspendus, qui, pareils à des nids de serpents trop pleins, laissaient retomber de leurs bords, de longs cordons verts entrelacés [218]. L'orangerie, que l'on trouvait au bout, menait à couvert jusqu'aux communs du château. Le marquis, pour amuser la jeune femme, la mena voir les écuries. Au-dessus des râteliers en forme de corbeille [219], des plaques de porcelaine portaient en noir le nom des chevaux. Chaque bête s'agitait dans sa stalle quand on passait près d'elle en claquant de la langue. Le plancher de la sellerie luisait à l'œil comme le parquet d'un salon. Des harnais de voiture étaient dressés dans le milieu sur deux colonnes tournantes, et les mors, les fouets, les étriers, les gourmettes, rangés en ligne tout le long de la muraille.

Charles, cependant, alla prier un domestique d'atteler son *boc*. On l'amena devant le perron, et, tous les paquets y étant fourrés, les époux Bovary firent leurs politesses au marquis et à la marquise, et repartirent pour Tostes.

Emma, silencieuse, regardait tourner les roues. Charles, posé sur le bord extrême de la banquette, conduisait les deux bras écartés, et le petit cheval trottait l'amble dans les brancards, qui étaient trop larges pour lui [229]. Les guides molles battaient sur sa croupe en s'y trempant d'écume, et la boîte ficelée derrière le *boc* donnait contre la caisse de grands coups réguliers.

Ils étaient sur les hauteurs de Thibourville, lorsque devant eux, tout à coup, des cavaliers passèrent en riant, avec des cigares à la bouche. Emma crut reconnaître le vicomte; elle se détourna, et n'aperçut à l'horizon que le mouvement des têtes s'abaissant et montant, selon la cadence inégale du trot ou du galop [221]

Un quart de lieue plus loin, il fallut s'arrêter pour raccommoder, avec de la corde, le reculement qui était rompu.

Mais Charles, donnant [222] au harnais un dernier coup d'œil, vit quelque chose par terre, entre les jambes de son cheval; et il ramassa un porte-cigares tout bordé de soie verte [223] et blasonné à son milieu, comme la portière d'un carrosse.

— Il y a même deux cigares dedans, dit-il; ce sera pour ce soir après dîner.

— Tu fumes donc ? demanda-t-elle.

— Quelquefois, quand l'occasion se présente.

Il mit sa trouvaille dans sa poche et fouetta le bidet.

Quand ils arrivèrent chez eux, le dîner n'était point prêt. Madame s'emporta. Nastasie répondit insolemment.

— Partez ! dit Emma. C'est se moquer, je vous chasse.

Il y avait pour dîner de la soupe à l'oignon, avec un morceau de veau à l'oseille. Charles, assis devant Emma, dit en se frottant les mains d'un air heureux :

— Cela fait plaisir de se retrouver chez soi !

On entendait Nastasie qui pleurait. Il aimait un peu cette pauvre fille. Elle lui avait, autrefois, tenu société [224] pendant bien des soirs, dans les désœuvrements de son veuvage. C'était sa première pratique, sa plus ancienne connaissance du pays.

— Est-ce que tu l'as renvoyée pour tout de bon ? dit-il enfin.

— Oui. Qui m'en empêche ? répondit-elle.

Puis ils se chauffèrent dans la cuisine, pendant qu'on apprêtait leur chambre. Charles se mit à fumer. Il fumait en avançant les lèvres, crachant à toute minute, se reculant à chaque bouffée.

— Tu vas te faire mal, dit-elle dédaigneusement.

Il déposa son cigare, et courut avaler à la pompe un verre d'eau froide. Emma, saisissant le porte-cigares, le jeta vivement au fond de l'armoire.

La journée fut longue, le lendemain [225]. Elle se promena dans son jardinet, passant et revenant par les mêmes allées, s'arrêtant devant les plates-bandes, devant l'espalier, devant le curé de plâtre, considérant avec ébahissement toutes ces choses d'autrefois qu'elle connaissait si bien. Comme le bal déjà lui semblait loin ! Qui donc écartait, à tant de distance, le matin d'avant-hier et le soir d'aujourd'hui ? Son voyage à la Vaubyessard avait fait un trou dans sa vie, à la manière de ces grandes crevasses qu'un orage, en une seule nuit, creuse quelquefois dans les montagnes. Elle se résigna pourtant : elle serra pieusement dans la commode sa belle toilette et jusqu'à ses souliers de satin, dont la semelle s'était jaunie à la cire glissante du parquet. Son cœur était comme eux : au frottement [226] de la richesse, il s'était placé dessus quelque chose qui ne s'effacerait pas.

Ce fut donc une occupation pour Emma que le souvenir de ce bal. Toutes les fois que revenait le mercredi, elle se disait en s'éveillant : « Ah ! il y a huit jours... il y a quinze jours... il y a trois semaines, j'y étais [227] ! » Et peu à peu, les physionomies se confondirent dans sa mémoire ; elle oublia l'air des contredanses ; elle ne vit plus si nettement les livrées et les appartements ; quelques détails s'en allèrent, mais le regret lui resta.

IX

Souvent, lorsque Charles était sorti, elle allait prendre dans l'armoire, entre les plis du linge où elle l'avait laissé, le porte-cigares en soie verte [228].

Elle le regardait, l'ouvrait, et même elle flairait l'odeur de sa doublure, mêlée de verveine et de tabac. A qui appartenait-il ?... Au vicomte. C'était peut-être un cadeau de sa maîtresse. On avait brodé cela sur quelque métier de palissandre, meuble mignon que l'on cachait à tous les yeux, qui avait occupé bien des heures et où s'étaient penchées les boucles molles de la travailleuse pensive. Un souffle d'amour avait passé parmi les mailles du canevas ; chaque coup d'aiguille avait fixé là une espérance ou un souvenir, et tous ces fils de soie entrelacés n'étaient que la continuité de la même passion silencieuse. Et puis le vicomte, un matin, l'avait emporté avec lui. De quoi avait-on parlé, lorsqu'il restait sur les cheminées à large chambranle, entre les vases de fleurs et les pendules Pompadour ? Elle était à Tostes. Lui, il était à Paris, maintenant ; là-bas ! Comment était ce Paris [229] ? Quel nom démesuré ! Elle se le répétait à demi-voix, pour se faire plaisir ; il sonnait à ses oreilles comme un bourdon de cathédrale ; il flamboyait à ses yeux jusque sur l'étiquette de ses pots de pommade [230].

La nuit, quand les mareyeurs, dans leurs charrettes, passaient sous ses fenêtres en chantant la *Marjolaine*, elle s'éveillait; et, écoutant le bruit des roues ferrées qui, à la sortie du pays, s'amortissait vite sur la terre [231] :

— Ils y seront demain ! se disait-elle [232].

Et elle les suivait dans sa pensée, montant et descendant les côtes, traversant les villages, filant sur la grande route à la clarté des étoiles. Au bout d'une distance [233] indéterminée, il se trouvait toujours une place confuse où expirait son rêve.

Elle s'acheta un plan de Paris, et, du bout de son doigt, sur la carte, elle faisait des courses dans la capitale. Elle remontait les boulevards, s'arrêtant à chaque angle, entre les lignes des rues, devant les carrés blancs qui figurent les maisons. Les yeux fatigués, à la fin, elle fermait ses paupières, et elle voyait dans les ténèbres se tordre au vent des becs de gaz, avec des marchepieds de calèches, qui se déployaient à grand fracas devant le péristyle des théâtres.

Elle s'abonna à la *Corbeille*, journal des femmes, et au *Sylphe des Salons*. Elle dévorait, sans en rien passer [234], tous les comptes rendus de premières représentations, de courses et de soirées, s'intéressait au début d'une chanteuse [235], à l'ouverture d'un magasin. Elle savait les modes nouvelles, l'adresse des bons tailleurs, les jours de Bois ou d'Opéra. Elle étudia, dans Eugène Suë [236], des descriptions d'ameublements [237]; elle lut Balzac et George Sand, y cherchant des assouvissements imaginaires pour ses convoitises personnelles. A table même, elle apportait son livre, et elle tournait les feuillets, pendant que Charles mangeait en lui parlant. Le souvenir du vicomte revenait toujours dans ses lectures. Entre lui et les personnages inventés, elle établissait des rapprochements. Mais le cercle dont il était le centre peu à peu s'élargit autour de lui, et cette auréole qu'il avait, s'écartant de sa figure, s'étala plus au loin, pour illuminer d'autres rêves.

Paris, plus vaste que l'Océan [238], miroitait donc aux yeux d'Emma dans une atmosphère vermeille. La vie nombreuse qui s'agitait en ce tumulte y était cependant divisée par parties, classée en tableaux distincts. Emma n'en apercevait que deux ou trois, qui lui cachaient tous les autres et représentaient à eux seuls l'humanité complète. Le monde des ambassadeurs marchait sur des parquets luisants, dans des salons lambrissés de miroirs, autour de tables ovales couvertes d'un tapis de velours à crépines d'or. Il y avait là des robes à queue, de grands mystères, des angoisses dissimulées sous des sourires. Venait ensuite la société des duchesses : on y était pâle ; on se levait à quatre heures ; les femmes, pauvres anges ! portaient du point d'Angleterre au bas de leur jupon [239], et les hommes, capacités méconnues sous des dehors futiles, crevaient leurs chevaux par partie de plaisir, allaient passer à Bade la saison d'été, et, vers la quarantaine enfin, épousaient des héritières. Dans les cabinets de restaurants où l'on soupe après minuit riait, à la clarté des bougies, la foule bigarrée des gens de lettres et des actrices. Ils étaient, ceux-là, prodigues comme des rois, pleins d'ambitions idéales et de délires fantastiques. C'était une existence au-dessus des autres, entre ciel et terre, dans les orages, quelque chose de sublime. Quant au reste du monde, il était perdu, sans place précise et comme n'existant pas. Plus les choses, d'ailleurs, étaient voisines, plus sa pensée s'en détournait. Tout ce qui l'entourait immédiatement, campagne ennuyeuse, petits bourgeois imbéciles, médiocrité de l'existence, lui semblait une exception dans le monde, un hasard particulier où elle se trouvait prise, tandis qu'au delà s'étendait à perte de vue l'immense pays des félicités et des passions. Elle confondait, dans son désir, les sensualités du luxe avec les joies du cœur, l'élégance des habitudes et les délicatesses du sentiment. Ne fallait-il pas à l'amour, comme aux plantes indiennes, des terrains préparés, une température particulière ? Les soupirs au clair de lune, les longues étreintes, les larmes qui coulent sur les mains qu'on abandonne, toutes les fièvres de la chair et les langueurs de la tendresse ne se séparaient donc pas du balcon des grands châteaux qui sont pleins de loisirs, d'un boudoir à stores de soie, avec un tapis bien épais, des jardinières remplies, un lit monté sur une estrade [240], ni du scintillement des pierres précieuses et des aiguillettes de la livrée.

Le garçon de la poste, qui, chaque matin, venait [241] panser la jument, traversait le corridor avec ses gros sabots ; sa blouse avait des trous, ses pieds étaient nus

dans des chaussons. C'était là le groom en culotte courte
dont il fallait se contenter ! Quand son ouvrage était fini,
il ne revenait plus de la journée; car Charles, en rentrant,
mettait lui-même son cheval à l'écurie, retirait la selle
et passait le licou, pendant que la bonne apportait une
botte de paille et la jetait, comme elle le pouvait, dans
la mangeoire.

Pour remplacer Nastasie (qui, enfin, partit de Tostes [242]
en versant des ruisseaux de larmes), Emma prit à son service une jeune fille de quatorze ans, orpheline et de physionomie douce. Elle lui interdit les bonnets de coton,
lui apprit qu'il fallait vous parler à la troisième personne,
apporter un verre d'eau dans une assiette, frapper aux
portes avant d'entrer, et à repasser, à empeser, à l'habiller,
voulut en faire sa femme de chambre. La nouvelle bonne
obéissait sans murmure pour n'être point renvoyée; et,
comme Madame, d'habitude, laissait la clef au buffet, Félicité, chaque soir, prenait une petite provision de sucre
qu'elle mangeait toute seule, dans son lit, après avoir fait
sa prière [243].

L'après-midi, quelquefois, elle allait causer en face avec
les postillons. Madame se tenait en haut, dans son appartement.

Elle portait une robe de chambre tout ouverte, qui
laissait voir, entre les revers à châle du corsage, une che-
misette plissée avec trois boutons d'or. Sa ceinture était
une cordelière à gros glands, et ses petites pantoufles de
couleur grenat avaient une touffe de rubans larges, qui
s'étalait sur le cou-de-pied. Elle s'était acheté un buvard,
une papeterie, un porte-plume et des enveloppes, quoi
qu'elle n'eût personne à qui écrire; elle époussetait son
étagère, se regardait dans la glace, prenait un livre, puis,
rêvant entre les lignes, le laissait tomber sur ses genoux.
Elle avait envie de faire des voyages ou de retourner
vivre à son couvent. Elle souhaitait à la fois mourir et
habiter Paris.

Charles, à la neige, à la pluie [244], chevauchait par les
chemins de traverse. Il mangeait des omelettes sur la
table des fermes, entrait son bras dans des lits humides,
recevait au visage le jet tiède des saignées, écoutait des
râles [245], examinait des cuvettes, retroussait bien du linge
sale; mais il trouvait, tous les soirs, un feu flambant, la

table servie, des meubles souples, et une femme en toilette fine, charmante et sentant frais, à ne savoir même
d'où venait cette odeur [246], ou si ce n'était pas sa peau qui
parfumait sa chemise.

Elle le charmait par quantité de délicatesses; c'était
tantôt une manière nouvelle de façonner pour les bougies
des bobèches de papier, un volant qu'elle changeait à
sa robe, ou le nom extraordinaire d'un mets bien simple
et que la bonne avait manqué, mais que Charles jusqu'au
bout, avalait avec plaisir. Elle vit à Rouen des dames
qui portaient à leur montre un paquet de breloques;
elle acheta des breloques. Elle voulut sur sa cheminée
deux grands vases de verre bleu, et, quelque temps après,
un nécessaire d'ivoire, avec un dé de vermeil. Moins
Charles comprenait ces élégances, plus il en subissait la
séduction. Elles ajoutaient quelque chose au plaisir de
ses sens et à la douceur de son foyer. C'était comme une
poussière d'or qui sablait tout du long le petit sentier de
sa vie.

Il se portait bien, il avait bonne mine; sa réputation
était établie tout à fait. Les campagnards le chérissaient
parce qu'il n'était pas fier. Il caressait les enfants, n'entrait
jamais au cabaret, et, d'ailleurs, inspirait de la confiance [247]
par sa moralité. Il réussissait particulièrement dans les
catarrhes et maladies de poitrine [248]. Craignant beaucoup
de tuer son monde, Charles, en effet, n'ordonnait guère
que des potions calmantes, de temps à autre de l'émétique,
un bain de pieds ou des sangsues. Ce n'est pas que la
chirurgie [249] lui fît peur; il vous saignait les gens largement,
comme des chevaux, et il avait pour l'extraction des dents
une *poigne d'enfer*.

Enfin, *pour se tenir au courant*, il prit un abonnement
à la *Ruche médicale*, journal nouveau dont il avait reçu
le prospectus. Il en lisait un peu après son dîner, mais
la chaleur de l'appartement, jointe à la digestion, faisait
qu'au bout de cinq minutes il s'endormait; et il restait
là, le menton sur ses deux mains, et les cheveux étalés
comme une crinière jusqu'au pied de la lampe. Emma le
regardait en haussant les épaules. Que n'avait-elle, au
moins, pour mari un de ces hommes d'ardeurs taciturnes
qui travaillent la nuit dans des livres [250], et portent enfin,
à soixante ans, quand vient l'âge des rhumatismes, une

brochette en croix [251], sur leur habit noir, mal fait. Elle
aurait voulu que ce nom de Bovary, qui était le sien,
fût illustre, le voir étalé chez des libraires [252], répété dans
les journaux, connu par toute la France. Mais Charles
n'avait point d'ambition ! Un médecin d'Yvetot, avec qui
dernièrement il s'était trouvé en consultation, l'avait
humilié quelque peu, au lit même du malade, devant les
parents assemblés. Quand Charles lui raconta, le soir, cette
anecdote, Emma s'emporta bien haut contre le confrère.
Charles en fut attendri. Il la baisa au front avec une larme.
Mais elle était exaspérée de honte; elle avait envie de le
battre. elle alla dans le corridor ouvrir la fenêtre et huma
l'air frais pour se calmer.

— Quel pauvre homme ! quel pauvre homme ! disait-
elle tout bas, en se mordant les lèvres.

Elle se sentait, d'ailleurs, plus irritée de lui. Il prenait,
avec l'âge, des allures épaisses; il coupait, au dessert,
le bouchon des bouteilles vides; il se passait, après manger,
la langue sur les dents; il faisait, en avalant sa soupe [253],
un gloussement à chaque gorgée, et, comme il commençait d'engraisser [254], ses yeux, déjà petits, semblaient
remonter vers les tempes par la bouffissure de ses pommettes [255].

Emma, quelquefois, lui rentrait dans son gilet la bordure rouge de ses tricots, rajustait sa cravate, ou jetait
à l'écart les gants déteints qu'il se disposait à passer;
et ce n'était pas, comme il croyait, pour lui; c'était pour
elle-même [256], par expansion d'égoïsme, agacement nerveux. Quelquefois aussi, elle lui parlait des choses qu'elle
avait lues, comme d'un passage de roman, d'une pièce
nouvelle ou de l'anecdote du *grand monde* que l'on racontait
dans le feuilleton; car, enfin, Charles était quelqu'un,
une oreille toujours ouverte, une approbation toujours
prête. Elle faisait bien des confidences à sa levrette ! Elle
en eût fait aux bûches de la cheminée et au balancier de
la pendule.

Au fond de son âme, cependant, elle attendait un événement. Comme les matelots en détresse, elle promenait
sur la solitude de sa vie des yeux désespérés, cherchant
au loin quelque voile blanche dans les brumes de l'horizon.
Elle ne savait pas quel serait ce hasard, le vent qui le
pousserait jusqu'à elle, vers quel rivage il la mènerait,

s'il était chaloupe où vaisseau à trois ponts, chargé d'angoisses ou plein de félicités jusqu'aux sabords. Mais, chaque matin, à son réveil, elle l'espérait pour la journée, et elle écoutait tous les bruits, se levait en sursaut [257], s'étonnait qu'il ne vînt pas; puis, au coucher du soleil, toujours plus triste, désirait être au lendemain.

Le printemps reparut. Elle eut des étouffements aux premières chaleurs, quand les poiriers fleurirent.

Dès le commencement de juillet, elle compta sur ses doigts combien de semaines lui restaient pour arriver au mois d'octobre, pensant que le marquis d'Andervilliers, peut-être, donnerait encore un bal à la Vaubyessard. Mais tout septembre s'écoula sans lettres ni visites [258].

Après l'ennui de cette déception, son cœur, de nouveau, resta vide, et alors la série des mêmes journées recommença.

Elles allaient donc maintenant se suivre ainsi à la file, toujours pareilles, innombrables, et n'apportant rien ! Les autres existences, si plates qu'elles fussent, avaient du moins la chance d'un événement. Une aventure amenait parfois des péripéties à l'infini, et le décor changeait. Mais, pour elle, rien n'arrivait [259], Dieu l'avait voulu ! L'avenir était un corridor tout noir, et qui avait au fond sa porte bien fermée.

Elle abandonna la musique. Pourquoi jouer ? Qui l'entendrait ? Puisqu'elle ne pourrait jamais, en robe de velours à manches courtes, sur un piano d'Érard, dans un concert, battant de ses doigts légers les touches d'ivoire, sentir, comme une brise, circuler autour d'elle un murmure d'extase, ce n'était pas la peine de s'ennuyer à étudier. Elle laissa dans l'armoire ses cartons à dessin et la tapisserie. A quoi bon ? A quoi bon [260] ? La couture l'irritait.

— J'ai tout lu, se disait-elle [261].

Et elle restait à faire rougir les pincettes, ou regardant la pluie tomber.

Comme elle était triste, le dimanche, quand on sonnait les vêpres ! Elle écoutait, dans un hébétement attentif, tinter un à un les coups fêlés de la cloche. Quelque chat sur les toits, marchant lentement, bombait son dos aux rayons pâles du soleil. Le vent, sur la grande route, soufflait des traînées de poussière. Au loin, parfois, un chien hur-

lait; et la cloche, à temps égaux, continuait sa sonnerie
monotone qui se perdait dans la campagne.

Cependant on sortait de l'église. Les femmes [262] en
sabots cirés, les paysans en blouse neuve, les petits enfants
qui sautillaient nu-tête devant eux, tout rentrait chez soi.
Et jusqu'à la nuit, cinq ou six hommes [263], toujours les
mêmes, restaient à jouer au bouchon, devant la grande
porte de l'auberge.

L'hiver fut froid. Les carreaux, chaque matin, étaient
chargés de givre, et la lumière, blanchâtre à travers eux,
comme par des verres dépolis, quelquefois ne variait pas
de la journée. Dès quatre heures du soir, il fallait allumer
la lampe.

Les jours qu'il faisait beau, elle descendait dans le jardin.
La rosée avait laissé sur les choux des guipures d'argent
avec de longs fils clairs qui s'étendaient de l'un à l'autre.
On n'entendait pas d'oiseaux, tout semblait dormir, l'espalier couvert de paille et la vigne comme un grand serpent malade sous le chaperon du mur, où l'on voyait, en
s'approchant, se traîner des cloportes à pattes nombreuses.
Dans les sapinettes, près de la haie, le curé en tricorne qui
lisait son bréviaire avait perdu le pied droit, et même le
plâtre, s'écaillant à la gelée, avait fait des gales blanches
sur sa figure.

Puis elle remontait, fermait la porte, étalait les charbons,
et, défaillant à la chaleur du foyer, sentait l'ennui plus
lourd qui retombait sur elle. Elle serait bien descendue
causer avec la bonne, mais une pudeur la retenait.

Tous les jours, à la même heure, le maître d'école, en
bonnet de soie noire, ouvrait les auvents de sa maison,
et le garde champêtre passait, portant son sabre sur sa
blouse. Soir et matin, les chevaux de la poste, trois par
trois, traversaient la rue pour aller boire à la mare. De
temps à autre, la porte d'un cabaret faisait tinter sa sonnette;
et, quand il y avait du vent, l'on entendait grincer sur les
deux tringles [264] les petites cuvettes en cuivre du perruquier, qui servaient d'enseigne à sa boutique. Elle avait
pour décoration une vieille gravure de modes collée contre
un carreau et un buste de femme en cire, dont les cheveux
étaient jaunes. Lui aussi, le perruquier, il se lamentait de
sa vocation arrêtée, de son avenir perdu, et, rêvant quelque
boutique dans une grande ville, comme à Rouen, par

exemple, sur le port, près du théâtre, il restait toute la journée à se promener en long, depuis la mairie jusqu'à l'église, sombre, et attendant la clientèle. Lorsque Mᵐᵉ Bovary levait les yeux, elle le voyait toujours là, comme une sentinelle en faction, avec son bonnet grec sur l'oreille et sa veste de lasting.

Dans l'après-midi, quelquefois, une tête d'homme apparaissait derrière les vitres de la salle, tête hâlée, à favoris noirs, et qui souriait lentement, d'un large sourire doux à dents blanches. Une valse aussitôt commençait, et, sur l'orgue, dans un petit salon, des danseurs hauts comme le doigt, femmes en turban rose [265], Tyroliens [266] en jaquette, singes en habit noir, messieurs en culotte courte, tournaient, tournaient entre les fauteuils, les canapés, les consoles, se répétant dans les morceaux de miroir que raccordait à leurs angles un filet de papier doré. L'homme faisait aller sa manivelle, regardant à droite, à gauche, et vers les fenêtres. De temps à autre, tout en lançant contre la borne un long jet de salive [267] brune, il soulevait du genou son instrument, dont la bretelle dure lui fatiguait l'épaule; et, tantôt dolente et traînarde, ou joyeuse et précipitée, la musique de la boîte s'échappait en bourdonnant à travers un rideau de taffetas rose, sous une griffe de cuivre en arabesque [268]. C'étaient des airs que l'on jouait ailleurs, sur les théâtres, que l'on chantait dans les salons, que l'on dansait le soir sous des lustres éclairés, échos du monde qui arrivaient jusqu'à Emma. Des sarabandes à n'en plus finir se déroulaient dans sa tête, et, comme une bayadère sur les fleurs d'un tapis, sa pensée bondissait avec les notes [269], se balançait de rêve en rêve, de tristesse en tristesse. Quand l'homme avait reçu l'aumône dans sa casquette, il rabattait une vieille couverture de laine bleue, passait son orgue sur son dos et s'éloignait d'un pas lourd. Elle le regardait partir.

Mais c'était surtout aux heures des repas qu'elle n'en pouvait plus, dans cette petite salle au rez-de-chaussée, avec le poêle qui fumait, la porte qui criait [270], les murs qui suintaient, les pavés humides [271]; toute l'amertume de l'existence lui semblait servie sur son assiette, et, à la fumée du bouilli, il montait du fond de son âme comme d'autres bouffées d'affadissement. Charles était long à manger; elle grignotait quelques noisettes, ou bien, appuyée du coude s'amusait, avec la pointe de son couteau, à faire des raies sur la toile cirée.

Elle laissait maintenant tout aller dans son ménage, et Mme Bovary mère, lorsqu'elle vint passer à Tostes une partie du carême, s'étonna fort de ce changement. Elle, en effet, si soigneuse autrefois et délicate, elle restait à présent des journées entières sans s'habiller, portait des bas de coton gris, s'éclairait à la chandelle. Elle répétait qu'il fallait économiser, puisqu'ils n'étaient pas riches, ajoutant qu'elle était très contente, très heureuse, que Tostes lui plaisait beaucoup, et autres discours nouveaux qui fermaient la bouche à la belle-mère. Du reste, Emma ne semblait plus disposée à suivre ses conseils; une fois même, Mme Bovary s'étant avisée de prétendre que les maîtres devaient surveiller la religion de leurs domestiques, elle lui avait répondu d'un œil si colère et avec un sourire tellement froid, que la bonne femme ne s'y frotta plus [272].

Emma devenait difficile, capricieuse. Elle se commandait des plats pour elle, n'y touchait point, un jour ne buvait que du lait pur, et, le lendemain, des tasses de thé à la douzaine. Souvent, elle s'obstinait à ne pas sortir, puis elle suffoquait, ouvrait les fenêtres, s'habillait en robe légère. Lorsqu'elle avait bien rudoyé sa servante, elle lui faisait des cadeaux ou l'envoyait se promener chez les voisines, de même qu'elle jetait parfois aux pauvres toutes les pièces blanches de sa bourse, quoiqu'elle ne fût guère tendre cependant, ni facilement accessible à l'émotion d'autrui, comme la plupart des gens issus de campagnards, qui gardent toujours à l'âme [273] quelque chose de la callosité des mains paternelles.

Vers la fin de février, le père Rouault, en souvenir de sa guérison, apporta lui-même à son gendre une dinde superbe, et il resta trois jours à Tostes. Charles étant à ses malades, Emma lui tint compagnie. Il fuma dans la chambre, cracha sur les chenets, causa culture, veaux, vaches, volailles et conseil municipal; si bien qu'elle referma la porte, quand il fut parti, avec un sentiment de satisfaction qui la surprit elle-même. D'ailleurs, elle ne cachait plus son mépris pour rien, ni pour personne; et elle se mettait quelquefois à exprimer des opinions singulières, blâmant ce que l'on approuvait, et approu-

vant des choses perverses ou immorales : ce qui faisait
ouvrir [274] de grands yeux à son mari.

Est-ce que cette misère durerait toujours ? Est-ce qu'elle
n'en sortirait pas ? Elle valait bien, cependant, toutes celles
qui vivaient heureuses ! Elle avait vu des duchesses à la
Vaubyessard qui avaient la taille plus lourde et les façons
plus communes, et elle exécrait l'injustice de Dieu ; elle
s'appuyait la tête aux murs pour pleurer ; elle enviait les
existences tumultueuses, les nuits masquées, les insolents
plaisirs avec tous les éperduments qu'elle ne connaissait
pas et qu'ils devaient donner.

Elle pâlissait et avait des battements de cœur. Charles
lui administra de la valériane et des bains de camphre.
Tout ce que l'on essayait semblait l'irriter davantage.

En de certains jours, elle bavardait avec une abondance fébrile ; à ces exaltations [275] succédaient tout à coup
des torpeurs où elle restait sans parler, sans bouger. Ce
qui la ranimait alors, c'était de se répandre sur les bras un
flacon d'eau de Cologne.

Comme elle se plaignait de Tostes continuellement,
Charles imagina que la cause de sa maladie était sans
doute dans quelque influence locale [276], et, s'arrêtant à
cette idée, il songea sérieusement à aller s'établir ailleurs.

Dès lors, elle but du vinaigre pour se faire maigrir,
contracta une petite toux sèche et perdit complètement
l'appétit.

Il en coûtait à Charles d'abandonner Tostes, après
quatre ans de séjour et au moment *ou il commençait à s'y poser*.
S'il le fallait, cependant ! Il la conduisit à Rouen, voir son
ancien maître [277]. C'était une maladie nerveuse : on devait la
changer d'air [278].

Après s'être tourné de côté et d'autre, Charles apprit
qu'il y avait, dans l'arrondissement de Neufchâtel, un fort
bourg, nommé Yonville-l'Abbaye, dont le médecin, qui
était un réfugié polonais, venait de décamper la semaine
précédente. Alors, il écrivit au pharmacien de l'endroit
pour savoir quel était le chiffre de la population, la distance
où se trouvait le confrère le plus voisin, combien par année
gagnait son prédécesseur, etc. ; et, les réponses ayant été
satisfaisantes, il se résolut à déménager vers le printemps, si
la santé d'Emma ne s'améliorait pas.

Un jour qu'en prévision de son départ elle faisait des

rangements dans un tiroir, elle se piqua les doigts à quelque chose. C'était un fil de fer de son bouquet de mariage. Les boutons d'oranger étaient jaunes de poussière, et les rubans de satin, à liseré d'argent, s'effiloquaient par le bord. Elle le jeta dans le feu. Il s'enflamma plus vite qu'une paille sèche. Puis ce fut comme un buisson rouge sur les cendres, et qui se rongeait lentement. Elle le regarda brûler. Les petites baies de carton éclataient, les fils d'archal se tordaient, le galon se fondait; et les corolles de papier, racornies, se balançant le long de la plaque comme des papillons noirs, enfin s'envolèrent par la cheminée.

Quand on partit de Tostes, au mois de mars, Mme Bovary était enceinte [279].

DEUXIÈME PARTIE

I

Yonville-l'Abbaye [280] (ainsi nommé à cause d'une ancienne abbaye de Capucins [281] dont les ruines n'existent même plus) est un bourg à huit lieues de Rouen, entre la route d'Abbeville et celle de Beauvais, au fond d'une vallée qu'arrose la Rieule, petite rivière qui se jette dans l'Andelle, après avoir fait tourner trois moulins vers son embouchure, et où il y a quelques truites, que les garçons, le dimanche, s'amusent à pêcher à la ligne.

On quitte la grande route à la Boissière [282] et l'on continue à plat jusqu'au haut de la côte des Leux, d'où l'on découvre la vallée. La rivière qui la traverse en fait comme deux régions de physionomie distincte : tout ce qui est à gauche [283] est en herbage, tout ce qui est à droite est en labour. La prairie s'allonge sous un bourrelet de collines basses pour se rattacher par derrière aux pâturages du pays de Bray, tandis que, du côté de l'est, la plaine, montant doucement, va s'élargissant et étale à perte de vue ses blondes pièces de blé. L'eau qui court au bord de l'herbe sépare d'une raie blanche [284] la couleur des prés et celle des sillons, et la campagne ainsi ressemble à un grand manteau déplié qui a un collet de velours bordé d'un galon d'argent.

Au bout de l'horizon, lorsqu'on arrive, on a devant soi les chênes de la forêt d'Argueil, avec les escarpements de la côte Saint-Jean, rayés du haut en bas par de longues traînées rouges, inégales; ce sont les traces des pluies, et ces tons de brique, tranchant en filets minces sur la couleur grise de la montagne, viennent de la quantité de sources ferrugineuses qui coulent au delà dans le pays d'alentour.

On est ici sur les confins de la Normandie, de la Picardie et de l'Ile-de-France, contrée bâtarde où le langage est sans accentuation, comme le paysage sans caractère. C'est là que l'on fait les pires fromages de Neufchâtel de tout l'arrondissement, et, d'autre part, la culture y est coûteuse, parce qu'il faut beaucoup de fumier pour engraisser ces terres friables pleines de sable et de cailloux.

Jusqu'en 1835, il n'y avait point de route praticable pour arriver à Yonville; mais on a établi vers cette époque un chemin de *grande vicinalité* qui relie la route d'Abbeville à celle d'Amiens, et sert quelquefois aux rouliers allant de Rouen dans les Flandres. Cependant, Yonville-l'Abbaye est demeuré stationnaire, malgré ses *débouchés nouveaux*. Au lieu d'améliorer les cultures, on s'y obstine encore aux herbages, quelque dépréciés qu'ils soient, et le bourg paresseux, s'écartant de la plaine, a continué naturellement à s'agrandir vers la rivière. On l'aperçoit de loin, tout couché en long sur la rive, comme un gardeur de vaches qui fait la sieste au bord de l'eau.

Au bas de la côte, après le pont, commence une chaussée plantée de jeunes trembles, qui vous mène en droite ligne jusqu'aux premières maisons du pays. Elles sont encloses de haies, au milieu de cours pleines de bâtiments épars, pressoirs, charretteries et bouilleries disséminés sous les arbres touffus portant des échelles, des gaules ou des faux accrochées dans leur branchage. Les toits de chaume, comme des bonnets de fourrure rabattus sur des yeux, descendent jusqu'au tiers à peu près des fenêtres basses, dont les gros verres bombés sont garnis d'un nœud dans le milieu, à la façon des culs de bouteilles [285]. Sur le mur de plâtre, que traversent en diagonale des lambourdes noires, s'accroche parfois quelque maigre poirier, et les rez-de-chaussée ont à leur porte une petite barrière tournante pour les défendre des poussins, qui viennent picorer, sur le seuil, des miettes de pain bis trempé de cidre. Cependant les cours se font plus étroites, les habitations se rapprochent, les haies disparaissent; un fagot de fougères se balance sous une fenêtre au bout d'un manche à balai; il y a la forge d'un maréchal et ensuite un charron avec deux ou trois charrettes neuves, en dehors, qui empiètent sur la route. Puis, à travers une claire-voie, apparaît une maison blanche au delà d'un rond de gazon que décore un Amour, le doigt posé sur la bouche; deux vases en fonte sont à chaque bout du perron; des panonceaux brillent à la porte ; c'est la maison du notaire, et la plus belle du pays.

L'église est de l'autre côté de la rue, vingt pas plus loin, à l'entrée de la place. Le petit cimetière [286] qui l'entoure, clos d'un mur à hauteur d'appui, est si bien rempli de tombeaux, que les vieilles pierres à ras du sol font un dallage continu, où l'herbe a dessiné de soi-même des carrés verts réguliers. L'église a été rebâtie à neuf dans les dernières années du règne de Charles X. La voûte en bois commence à pourrir [287] par le haut et, de place en place, a des enfonçures noires dans sa couleur bleue. Au-dessus de la porte où seraient les orgues, se tient un jubé pour les hommes, avec un escalier tournant qui retentit sous les sabots.

Le grand jour, arrivant par les vitraux tout unis, éclaire obliquement les bancs rangés en travers de la muraille, que tapisse çà et là quelque paillasson cloué, ayant au-dessous de lui ces mots en grosses lettres : « Banc de M. un tel. » Plus loin, à l'endroit où le vaisseau se rétrécit, le confessionnal fait pendant à une statuette de la Vierge, vêtue d'une robe de satin, coiffée d'un voile de tulle semé d'étoiles d'argent, et tout empourprée aux pommettes comme une idole des îles Sandwich ; enfin une copie de la *Sainte Famille, envoi du ministre de l'Intérieur,* dominant le maître-autel entre quatre chandeliers, termine au fond la perspective. Les stalles du chœur, en bois de sapin [288], sont restées sans être peintes.

Les halles, c'est-à-dire un toit de tuiles supporté par une vingtaine de poteaux, occupent à elles seules la moitié environ de la grande place d'Yonville. La mairie, construite *sur les dessins d'un architecte de Paris*, est une manière de temple grec qui fait l'angle, à côté de la maison du pharmacien. Elle a, au rez-de-chaussée, trois colonnes ioniques et, au premier étage, une galerie à plein cintre, tandis que le tympan qui la termine est rempli par un coq gaulois, appuyé d'une patte sur la Charte et tenant de l'autre les balances de la justice.

Mais ce qui attire le plus les yeux, c'est, en face de l'auberge du *Lion d'or*, la pharmacie de M. Homais ! Le soir [289], principalement, quand son quinquet est allumé et que les bocaux rouges et verts qui embellissent sa devanture allongent au loin, sur le sol, leurs deux clartés de couleur, alors [290], à travers elles, comme dans des feux de Bengale [291], s'entrevoit l'ombre du pharmacien accoudé sur son pupitre.

Sa maison, du haut en bas, est placardée d'inscriptions écrites en anglaise, en ronde, en moulée : « Eaux de Vichy, de Seltz et de Barèges, robs dépuratifs, médecine Raspail, racahout des Arabes, pastilles Darcet, pâte Regnault, bandages [292], bains, chocolats de santé, etc. » Et l'enseigne, qui tient toute la largeur de la boutique, porte en lettres d'or : *Homais, pharmacien* [293]. Puis, au fond de la boutique, derrière les grandes balances scellées sur le comptoir, le mot *laboratoire* se déroule au-dessus d'une porte vitrée qui, à moitié de sa hauteur, répète encore une fois *Homais*, en lettres d'or, sur un fond noir.

Il n'y a plus ensuite rien à voir dans Yonville. La rue (la seule), longue d'une portée de fusil et bordée de quelques boutiques, s'arrête court au tournant de la route. Si on la laisse sur la droite et que l'on suive le bas de la côte Saint-Jean, bientôt on arrive au cimetière.

Lors du choléra, pour l'agrandir, on a abattu un pan de mur et acheté trois acres de terre à côté; mais toute cette portion nouvelle est presque inhabitée, les tombes, comme autrefois, continuant à s'entasser vers la porte. Le gardien, qui est en même temps fossoyeur et bedeau à l'église (tirant ainsi des cadavres de la paroisse un double bénéfice), a profité du terrain vide pour y semer des pommes de terre. D'année en année, cependant, son petit champ se rétrécit, et, lorsqu'il survient une épidémie, il ne sait pas s'il doit se réjouir des décès ou s'affliger des sépultures.

— Vous vous nourrissez des morts, Lestiboudois ! lui dit enfin, un jour, M. le curé.

Cette parole sombre le fit réfléchir; elle l'arrêta pour quelque temps; mais, aujourd'hui encore, il continue la culture de ses tubercules, et même soutient avec aplomb qu'ils poussent naturellement.

Depuis les événements que l'on va raconter, rien, en effet, n'a changé à Yonville. Le drapeau tricolore de fer-blanc tourne toujours au haut du clocher de l'église; la boutique du marchand de nouveautés agite encore au vent ses deux banderoles [294] d'indienne; les fœtus du pharmacien, comme des paquets d'amadou blanc, se pourrissent de plus en plus dans leur alcool bourbeux, et, au-dessus de la grande porte de l'auberge, le vieux lion d'or, déteint par les pluies, montre toujours aux passants sa frisure de caniche.

Le soir que les époux Bovary [295] devaient arriver à
Yonville, Mme veuve Lefrançois, la maîtresse de cette
auberge, était si fort affairée, qu'elle suait à grosses gouttes
en remuant ses casseroles. C'était, le lendemain, jour de
marché dans le bourg. Il fallait d'avance tailler les viandes,
vider les poulets, faire de la soupe et du café. Elle avait,
de plus, le repas de ses pensionnaires, celui du médecin, de
sa femme et de leur bonne; le billard retentissait d'éclats
de rire; trois meuniers, dans la petite salle, appelaient pour
qu'on leur apportât de l'eau-de-vie; le bois flambait, la
braise craquait, et, sur la longue table de la cuisine, parmi
les quartiers de mouton cru, s'élevaient des piles d'assiettes qui tremblaient aux secousses du billot où l'on hachait
des épinards. On entendait, dans la basse-cour, crier les
volailles que la servante poursuivait [296] pour leur couper
le cou.

Un homme en pantoufles de peau verte, quelque peu
marqué de petite vérole et coiffé d'un bonnet de velours
à gland d'or, se chauffait le dos contre la cheminée. Sa
figure n'exprimait rien que la satisfaction de soi-même, et
il avait l'air aussi calme dans la vie que le chardonneret
suspendu au-dessus de sa tête, dans une cage d'osier:
c'était le pharmacien [297].

— Artémise! criait la maîtresse d'auberge, casse de la
bourrée, emplis les carafes, apporte de l'eau-de-vie, dépêche-
toi! Au moins, si je savais quel dessert offrir à la société
que vous attendez! Bonté divine! les commis du déménagement recommencent leur tintamarre dans le billard!
Et leur charrette qui est restée sous la grande porte!
L'*Hirondelle* est capable de la défoncer en arrivant! Appelle
Polyte pour qu'il la remise!... Dire que, depuis le matin,
monsieur Homais, ils ont peut-être fait quinze parties et
bu huit pots de cidre!... Mais ils vont me déchirer le tapis,
continuait-elle en les regardant de loin, son écumoire à la
main.

— Le mal ne serait pas grand, répondit M. Homais [298],
vous en achèteriez un autre!

— Un autre billard! exclama la veuve.

— Puisque celui-là ne tient plus, madame Lefrançois;
je vous le répète, vous vous faites tort! vous vous faites
grand tort! Et puis les amateurs, à présent, veulent des
blouses étroites et des queues lourdes. On ne joue plus la

bille; tout est changé ! Il faut marcher avec son siècle !
Regardez Tellier, plutôt...

L'hôtesse devint rouge de dépit. Le pharmacien ajouta :

— Son billard, vous avez beau dire, est plus mignon
que le vôtre; et qu'on ait l'idée, par exemple, de monter
une poule patriotique pour la Pologne ou les inondés de
Lyon...

— Ce ne sont pas des gueux comme lui qui nous font
peur ! interrompit l'hôtesse, en haussant ses grosses épaules.
Allez ! allez ! monsieur Homais [299], tant que le *Lion d'or*
vivra, on y viendra. Nous avons du foin dans nos bottes,
nous autres ! Au lieu qu'un de ces matins vous verrez le
Café français fermé, et avec une belle affiche sur les auvents !..
Changer mon billard, continuait-elle en se parlant à elle-
même, lui qui m'est si commode pour ranger ma lessive,
et sur lequel, dans le temps de la chasse, j'ai mis coucher
jusqu'à six voyageurs !... Mais ce lambin d'Hivert qui
n'arrive pas !

— L'attendez-vous pour le dîner de vos messieurs ?
demanda le pharmacien.

— L'attendre [300] ? Et M. Binet donc ! A six heures
battant vous allez le voir entrer, car son pareil n'existe pas
sur la terre pour l'exactitude. Il lui faut toujours sa place
dans la petite salle ! On le tuerait plutôt que de le faire
dîner ailleurs ! et dégoûté qu'il est ! et si difficile pour le
cidre ! Ce n'est pas comme M. Léon; lui, il arrive quelquefois à sept heures, sept heures et demie même; il ne
regarde seulement pas à ce qu'il mange. Quel bon jeune
homme ! Jamais un mot plus haut que l'autre.

— C'est qu'il y a bien de la différence [301], voyez-vous
entre quelqu'un qui a reçu de l'éducation et un ancien
carabinier qui est percepteur.

Six heures sonnèrent. Binet entra.

Il était vêtu d'une redingote bleue, tombant droit d'elle-
même tout autour de son corps maigre, et sa casquette de
cuir, à pattes nouées par des cordons sur le sommet de sa
tête, laissait voir, sous la visière relevée, un front chauve,
qu'avait déprimé [302] l'habitude du casque. Il portait un
gilet de drap noir, un col de crin, un pantalon gris, et,
en toute saison, des bottes bien cirées qui avaient deux
renflements parallèles, à cause de la saillie de ses orteils.
Pas un poil ne dépassait la ligne de son collier blond, qui,

contournant la mâchoire, encadrait comme la bordure
d'une plate-bande sa longue figure terne, dont les yeux
étaient petits et le nez busqué. Fort à tous les jeux de cartes,
bon chasseur et possédant une belle écriture, il avait chez
lui un tour [303], où il s'amusait à tourner des ronds de serviette dont il encombrait sa maison, avec la jalousie d'un
artiste et l'égoïsme d'un bourgeois.

Il se dirigea vers la petite salle; mais il fallut d'abord
en faire sortir les trois meuniers; et, pendant tout le temps
que l'on fut à mettre son couvert, Binet resta silencieux
à sa place, auprès du poêle; puis il ferma la porte et retira
sa casquette, comme d'usage [304].

— Ce ne sont pas les civilités qui lui useront la langue !
dit le pharmacien, dès qu'il fut seul [305] avec l'hôtesse.

— Jamais il ne cause davantage, répondit-elle; il est
venu ici, la semaine dernière, deux voyageurs en draps [306],
des garçons pleins d'esprit qui contaient, le soir, un tas
de farces que j'en pleurais de rire : eh bien [307] ! il restait
là, comme une alose, sans dire un mot.

— Oui, fit le pharmacien [308], pas d'imagination, pas de
saillies, rien de ce qui constitue l'homme de société !

— On dit pourtant qu'il a des moyens, objecta l'hôtesse.

— Des moyens ! répliqua M. Homais; lui ! des
moyens [309] ? Dans sa partie, c'est possible, ajouta-t-il d'un
ton plus calme.

Et il reprit :

— Ah ! qu'un négociant qui a des relations considérables, qu'un jurisconsulte, un médecin, un pharmacien
soient tellement absorbés qu'ils en deviennent fantasques
et bourrus même, je le comprends; on en cite des traits
dans l'histoire [310] ! Mais, au moins, c'est qu'ils pensent à
quelque chose. Moi, par exemple, combien de fois m'est-il
arrivé de chercher ma plume sur mon bureau pour écrire
une étiquette, et de trouver, en définitive, que je l'avais
placée à mon oreille !

Cependant, Mᵐᵉ Lefrançois alla sur le seuil regarder si
l'*Hirondelle* n'arrivait pas. Elle tressaillit. Un homme vêtu
de noir entra tout à coup dans la cuisine. On distinguait,
aux dernières lueurs du crépuscule, qu'il avait une figure
rubiconde [311] et le corps athlétique.

— Qu'y a-t-il pour votre service, monsieur le curé ?
demanda la maîtresse d'auberge, tout en atteignant sur la

cheminée un des flambeaux de cuivre qui s'y trouvaient rangés en colonnade avec leurs chandelles [312]; voulez-vous prendre quelque chose ? Un doigt de cassis, un verre de vin ?

L'ecclésiastique refusa fort civilement. Il venait chercher son parapluie, qu'il avait oublié l'autre jour au couvent d'Ernemont; et, après avoir prié Mme Lefrançois de le lui faire remettre au presbytère dans la soirée, il sortit pour se rendre à l'église, où sonnait l'*Angelus* [313].

Quand le pharmacien n'entendit plus sur la place le bruit de ses souliers, il trouva fort inconvenante sa conduite de tout à l'heure. Ce refus d'accepter un rafraîchissement lui semblait une hypocrisie des plus odieuses; les prêtres godaillaient tous sans qu'on les vît, et cherchaient à ramener le temps de la dîme.

L'hôtesse prit la défense de son curé :

— D'ailleurs, il en plierait quatre comme vous sur son genou. Il a, l'année dernière, aidé nos gens à rentrer la paille; il en portait jusqu'à six bottes à la fois tant il est fort !

— Bravo ! dit le pharmacien [314]. Envoyez donc vos filles à confesse [315] à des gaillards d'un tempérament pareil ! Moi, si j'étais le gouvernement, je voudrais qu'on saignât les prêtres une fois par mois. Oui, madame Lefrançois, tous les mois, une large phlébotomie, dans l'intérêt de la police et des mœurs !

— Taisez-vous donc, monsieur Homais ! vous êtes un impie ! vous n'avez pas de religion !

Le pharmacien répondit :

— J'ai une religion, ma religion, et même j'en ai plus qu'eux tous, avec leurs mômeries et leurs jongleries [316] ! J'adore Dieu, au contraire ! Je crois en l'Être suprême, à un Créateur, quel qu'il soit, peu m'importe, qui nous a placés ici-bas pour y remplir nos devoirs de citoyen et de père de famille; mais je n'ai pas besoin d'aller, dans une église, baiser des plats d'argent [317] et engraisser de ma poche un tas de farceurs [318] qui se nourrissent mieux que nous [319] ! Car on peut l'honorer aussi bien dans un bois, dans un champ, ou même en contemplant la voûte éthérée, comme les anciens. Mon Dieu, à moi, c'est le Dieu de Socrate, de Franklin, de Voltaire et de Béranger ! Je suis pour la *Profession de foi du vicaire savoyard* et les immortels

principes de 89 ! Aussi je n'admets pas un bonhomme
de bon Dieu qui se promène dans son parterre la canne
à la main, loge ses amis dans le ventre des baleines, meurt
en poussant un cri et ressuscite au bout de trois jours :
choses absurdes [320] en elles-mêmes et complètement
opposées, d'ailleurs, à toutes les lois de la physique; ce
qui nous démontre [321], en passant, que les prêtres ont toujours croupi dans une ignorance turpide, où ils s'efforcent
d'engloutir avec eux les populations.

Il se tut, cherchant des yeux un public autour de lui,
car, dans son effervescence, le pharmacien, un moment,
s'était cru en plein conseil municipal. Mais la maîtresse
d'auberge ne l'écoutait plus : elle tendait [322] son oreille à
un roulement éloigné. On distingua le bruit d'une voiture mêlé à un claquement de fers lâches qui battaient
la terre, et l'*Hirondelle*, enfin, s'arrêta devant la porte.

C'était un coffre jaune porté par deux grandes roues
qui, montant jusqu'à la hauteur de la bâche, empêchaient
les voyageurs de voir la route et leur salissaient les épaules.
Les petits carreaux de ses vasistas étroits tremblaient
dans leur châssis quand la voiture était fermée, et gardaient des taches de boue, çà et là, parmi leur vieille couche
de poussière, que les pluies d'orage même ne lavaient pas
tout à fait. Elle était attelée de trois chevaux, dont le
premier en arbalète, et, lorsqu'on descendait les côtes, elle
touchait du fond en cahotant.

Quelques bourgeois d'Yonville arrivèrent sur la place;
ils parlaient tous à la fois, demandant des nouvelles, des
explications et des bourriches : Hivert [323] ne savait auquel
répondre. C'était lui qui faisait à la ville les commissions
du pays. Il allait dans les boutiques, rapportait des rou-
leaux de cuir au cordonnier, de la ferraille au maréchal,
un baril de harengs pour sa maîtresse, des bonnets de
chez la modiste, des toupets de chez le coiffeur; et, le long
de la route, en s'en revenant, il distribuait ses paquets,
qu'il jetait par-dessus les clôtures des cours, debout sur
son siège, et criant à pleine poitrine, pendant que ses
chevaux allaient tout seuls.

Un accident l'avait retardé; la levrette [324] de Mme Bovary
s'était enfuie à travers champs. On l'avait sifflée [325] un
grand quart d'heure. Hivert même était retourné d'une
demie-lieue en arrière, croyant l'apercevoir à chaque

minute; mais il avait fallu continuer la route. Emma
avait pleuré, s'était emportée; elle avait accusé Charles
de ce malheur. M. Lheureux [326], marchand d'étoffes,
qui se trouvait avec elle dans la voiture, avait essayé de
la consoler par quantité d'exemples de chiens perdus,
reconnaissant leur maître au bout de longues années.
On en citait un, disait-il, qui était revenu de Constanti-
nople à Paris. Un autre avait fait cinquante lieues en ligne
droite et passé quatre rivières à la nage; et son père à
lui-même avait possédé un caniche qui, après douze ans
d'absence, lui avait tout à coup sauté sur le dos, un soir,
dans la rue, comme il allait dîner en ville.

II

Emma descendit la première, puis Félicité, M. Lheureux,
une nourrice, et l'on fut obligé [327] de réveiller Charles
dans son coin, où il s'était endormi complètement, dès
que la nuit était venue.

Homais se présenta; il offrit ses hommages à Madame,
ses civilités à Monsieur, dit qu'il était charmé d'avoir pu
leur rendre quelque service [328], et ajouta d'un air cordial
qu'il avait osé s'inviter lui-même, sa femme, d'ailleurs,
étant absente.

Mme Bovary, quand elle fut dans la cuisine, s'approcha
de la cheminée. Du bout de ses deux doigts elle prit sa
robe à la hauteur du genou, et, l'ayant ainsi remontée
jusqu'aux chevilles, elle tendit à la flamme, par-dessus le
gigot qui tournait, son pied chaussé d'une bottine noire.
Le feu l'éclairait en entier, pénétrant d'une lumière crue la
trame de sa robe, les pores égaux de sa peau blanche et
même les paupières de ses yeux [329] qu'elle clignait de
temps à autre. Une grande couleur rouge passait sur elle,
selon le souffle du vent qui venait par la porte entr'ouverte.

De l'autre côté de la cheminée, un jeune homme à chevelure blonde la regardait silencieusement.

Comme il s'ennuyait beaucoup à Yonville, où il était
clerc chez maître Guillaumin, souvent M. Léon Dupuis [330]
(c'était lui, le second habitué du *Lion d'or*) reculait l'instant

de son repas, espérant qu'il viendrait quelque voyageur à l'auberge [331] avec qui causer dans la soirée. Les jours que sa besogne [332] était finie, il lui fallait bien, faute de savoir que faire, arriver à l'heure exacte, et subir depuis la soupe jusqu'au fromage le tête-à-tête de Binet [333]. Ce fut donc avec joie qu'il accepta le proposition de l'hôtesse de dîner en la compagnie des nouveaux venus, et l'on passa dans la grande salle où Mme Lefrançois, par pompe, avait fait dresser les quatre couverts.

Homais demanda la permission de garder son bonnet grec, de peur des coryzas [334].

Puis, se tournant vers sa voisine :

— Madame, sans doute, est un peu lasse ? On est si épouvantablement cahoté dans notre *Hirondelle !*

— Il est vrai, répondit Emma; mais le dérangement m'amuse toujours; j'aime à changer de place.

— C'est une chose si maussade, soupira le clerc, que de vivre cloué aux mêmes endroits !

— Si vous étiez comme moi, dit Charles, sans cesse obligé d'être à cheval...

— Mais, reprit Léon, s'adressant à Mme Bovary, rien n'est plus agréable, il me semble; quand on le peut, ajouta-t-il.

— Du reste, disait l'apothicaire, l'exercice de la médecine n'est pas fort pénible en nos contrées; car l'état de nos routes permet l'usage du cabriolet, et, généralement, l'on paye assez bien, les cultivateurs étant aisés. Nous avons, sous le rapport médical, à part les cas ordinaires d'entérite, bronchite, affections bilieuses, etc., de temps à autre quelques fièvres intermittentes à la moisson; mais, en somme, peu de choses graves, rien de spécial à noter, si ce n'est beaucoup d'humeurs froides, et qui tiennent sans doute aux déplorables conditions hygiéniques de nos logements de paysans [335]. Ah ! vous trouverez bien des préjugés à combattre [336], monsieur Bovary; bien des entêtements de routine [337], où se heurteront quotidiennement tous les efforts de votre science; car on a recours encore aux neuvaines, aux reliques, au curé, plutôt que de venir naturellement chez le médecin ou chez le pharmacien. Le climat, pourtant, n'est point, à vrai dire, mauvais, et même nous comptons dans la commune quelques nonagénaires. Le thermomètre (j'en ai fait les observations) descend en hiver jusqu'à quatre degrés et, dans la forte saison, touche vingt-cinq, trente centigrades tout au plus, ce qui nous donne vingt-quatre Réaumur au maximum, ou autrement cinquante-quatre Fahrenheit [338] (mesure anglaise), pas davantage [339] ! — et, en effet, nous sommes abrités des vents du nord par la forêt d'Argueil d'une part; des vents d'ouest par la côte Saint-Jean de l'autre; et cette chaleur, cependant, qui à cause de la vapeur d'eau dégagée par la rivière et la présence considérable de bestiaux dans les prairies, lesquels exhalent, comme vous savez, beaucoup d'ammoniaque, c'est-à-dire azote, hydrogène et oxygène (non, azote et hydrogène seulement), et qui, pompant à elle l'humus de la terre, confondant toutes ces émanations différentes, les réunissant en un faisceau, pour ainsi dire, et se combinant de soi-même avec l'électricité répandue dans l'atmosphère, lorsqu'il y en a, pourrait à la longue, comme dans les pays tropicaux, engendrer des miasmes insalubres; — cette chaleur, dis-je, se trouve justement tempérée du côté d'où elle vient, ou plutôt d'où elle viendrait, c'est-à-dire du côté sud, par les vents de sud-est, lesquels, s'étant rafraîchis d'eux-mêmes en passant sur la Seine, nous arrivent quelquefois tout d'un coup, comme des brises de Russie !

— Avez-vous du moins quelques promenades [340] dans les environs ? continuait Mme Bovary, parlant au jeune homme.

— Oh ! fort peu, répondit-il. Il y a un endroit que l'on nomme la Pâture, sur le haut de la côte, à la lisière de la forêt. Quelquefois, le dimanche, je vais là, et j'y reste avec un livre, à regarder le soleil couchant.

— Je ne trouve rien d'admirable comme les soleils couchants, reprit-elle, mais au bord de la mer, surtout.

— Oh ! j'adore la mer, dit M. Léon.

— Et puis, ne vous semble-t-il pas, répliqua Mme Bovary [341], que l'esprit vogue plus librement sur cette étendue sans limites, dont la contemplation vous élève l'âme et donne des idées d'infini, d'idéal ?

— Il en est de même des paysages de montagnes [342], reprit Léon. J'ai un cousin qui a voyagé en Suisse l'année dernière, et qui me disait qu'on ne peut se figurer la poésie des lacs, le charme des cascades, l'effet gigantesque des

glaciers [343]. On voit des pins d'une grandeur incroyable,
en travers des torrents, des cabanes suspendues sur des
précipices, et, à mille pieds sous vous, des vallées entières
quand les nuages s'entr'ouvrent. Ces spectacles doivent
enthousiasmer, disposer à la prière, à l'extase ! Aussi je
ne m'étonne plus de ce musicien célèbre qui, pour exciter
mieux son imagination, avait coutume d'aller jouer du
piano devant quelque site imposant.

— Vous faites de la musique ? demanda-t-elle.

— Non, mais je l'aime beaucoup, répondit-il.

— Ah ! ne l'écoutez pas, madame Bovary, interrompit
Homais en se penchant sur son assiette, c'est modestie
pure. — Comment, mon cher ! Eh ! l'autre jour, dans
votre chambre, vous chantiez l'*Ange gardien* à ravir. Je vous
entendais du laboratoire; vous détachiez cela comme un
acteur.

Léon, en effet, logeait chez le pharmacien, où il avait
une petite pièce au second étage, sur la place. Il rougit
à ce compliment de son propriétaire, qui déjà s'était tourné
vers le médecin et lui énumérait les uns après les autres [344]
les principaux habitants d'Yonville. Il racontait des anecdotes, donnait des renseignements [345]. On ne savait pas
au juste la fortune du notaire, et *il y avait la maison Tuvache*
qui faisait beaucoup d'embarras.

Emma reprit :

— Et quelle musique préférez-vous ?

— Oh ! la musique allemande, celle qui porte à rêver.

— Connaissez-vous les Italiens ?

— Pas encore; mais je les verrai l'année prochaine,
quand j'irai habiter Paris, pour finir mon droit.

— C'est comme j'avais l'honneur, dit le pharmacien,
de l'exprimer à monsieur votre époux, à propos de ce
pauvre Yanoda qui s'est enfui; vous vous trouverez,
grâce aux folies qu'il a faites, jouir d'une des maisons
les plus confortables d'Yonville. Ce qu'elle a principalement de commode pour un médecin, c'est une porte sur
l'*Allée*, qui permet d'entrer et de sortir sans être vu.
D'ailleurs, elle est fournie de tout ce qui est agréable
à un ménage : buanderie, cuisine avec office, salon de
famille, fruitier, etc. C'était un gaillard qui n'y regardait pas ! Il s'était fait construire, au bout du jardin, à
côté de l'eau, une tonnelle tout exprès pour boire de

la bière en été, et si Madame aime le jardinage, elle pourra...

— Ma femme ne s'en occupe guère, dit Charles; elle
aime mieux, quoiqu'on lui recommande l'exercice, toujours
rester dans sa chambre, à lire.

— C'est comme moi, répliqua Léon [346]; quelle meilleure
chose, en effet, que d'être le soir au coin du feu avec un
livre, pendant que le vent bat les carreaux, que la lampe
brûle [347] ?...

— N'est-ce pas ? dit-elle, en fixant sur lui ses grands
yeux noirs tout ouverts.

— On ne songe à rien, continuait-il, les heures passent.
On se promène [348] immobile dans des pays que l'on croit
voir, et votre pensée, s'enlaçant à la fiction, se joue dans
les détails ou poursuit le contour des aventures. Elle se
mêle aux personnages; il semble que c'est vous qui palpitez
sous leurs costumes.

— C'est vrai ! c'est vrai ! disait-elle.

— Vous est-il arrivé parfois, reprit Léon, de rencontrer
dans un livre une idée vague que l'on a eue, quelque image
obscurcie qui revient de loin, et comme l'exposition
entière de votre sentiment le plus délié ?

— J'ai éprouvé cela, répondit-elle.

— C'est pourquoi, dit-il, j'aime surtout les poètes.
Je trouve les vers plus tendres que la prose, et qu'ils
font bien mieux pleurer.

— Cependant ils fatiguent à la longue, reprit Emma;
et maintenant, au contraire, j'adore les histoires qui se
suivent tout d'une haleine, où l'on a peur. Je déteste
les héros communs et les sentiments tempérés, comme
il y en a dans la nature.

— En effet, observa le clerc, ces ouvrages ne touchant
pas le cœur, s'écartent, il me semble, du vrai but de l'Art.
Il est si doux, parmi les désenchantements de la vie, de
pouvoir se reporter en idée sur de nobles caractères, des
affections pures et des tableaux de bonheur. Quant à moi,
vivant ici, loin du monde, c'est ma seule distraction; mais
Yonville offre si peu de ressources !

— Comme Tostes, sans doute, reprit Emma; aussi
j'étais toujours abonnée à un cabinet de lecture.

— Si Madame veut me faire l'honneur d'en user [349],
dit le pharmacien, qui venait d'entendre ces derniers
mots, j'ai moi-même à sa disposition une bibliothèque

composée des meilleurs auteurs : Voltaire, Rousseau, Delille, Walter Scott, l'*Écho des feuilletons*, etc., et je reçois, de plus, différentes feuilles périodiques, parmi lesquelles le *Fanal de Rouen* [350], quotidiennement, ayant l'avantage d'en être le correspondant pour les circonscriptions de Buchy, Forges, Neufchâtel, Yonville et les alentours [351].

Depuis deux heures et demie, on était à table; car la servante Artémise [352], traînant nonchalamment sur les carreaux ses savates de lisière, apportait les assiettes les unes après les autres [353], oubliait tout, n'entendait à rien et sans cesse laissait [354] entre-bâillée la porte du billard, qui battait contre le mur du bout de sa clenche.

Sans qu'il s'en aperçut, tout en causant, Léon avait posé son pied sur un des barreaux de la chaise où Mme Bovary était assise. Elle portait une petite cravate de soie bleue, qui tenait droit comme une fraise un col de batiste tuyauté; et, selon les mouvements de tête qu'elle faisait, le bas de son visage s'enfonçait dans le linge ou en sortait avec douceur. C'est ainsi, l'un près de l'autre, pendant que Charles et le pharmacien devisaient, qu'ils entrèrent dans une de ces vagues conversations où le hasard des phrases vous ramène toujours au centre fixe d'une sympathie commune. Spectacles de Paris, titres de romans, quadrilles nouveaux, et le monde qu'ils ne connaissaient pas, Tostes, où elle avait vécu, Yonville où ils étaient, ils examinèrent tout, parlèrent de tout, jusqu'à la fin du dîner.

Quand le café fut servi, Félicité s'en alla préparer la chambre dans la nouvelle maison, et les convives bientôt levèrent le siège. Mme Lefrançois dormait auprès des cendres, tandis que le garçon d'écurie, une lanterne à la main, attendait M. et Mme Bovary pour les conduire chez eux. Sa chevelure rouge était entremêlée de brins de paille, et il boitait de la jambe gauche. Lorsqu'il eut pris de son autre main le parapluie de M. le curé, l'on se mit en marche.

Le bourg était endormi. Les piliers des halles allongeaient de grandes ombres. La terre était toute grise, comme par une nuit d'été.

Mais, la maison du médecin [355] se trouvant à cinquante pas de l'auberge, il fallut presque aussitôt se souhaiter le bonsoir, et la compagnie se dispersa.

Emma, dès le vestibule, sentit tomber sur ses épaules,

comme un linge humide, le froid du plâtre. Les murs
étaient neufs, et les marches de bois craquèrent. Dans
la chambre, au premier, un jour blanchâtre passait par les
fenêtres sans rideaux. On entrevoyait des cimes d'arbres,
et, plus loin, la prairie, à demi noyée dans le brouillard, qui fumait au clair de lune [356], selon le cours de
la rivière. Au milieu de l'appartement, pêle-mêle, il y
avait des tiroirs de commode, des bouteilles, des tringles,
des bâtons dorés avec des matelas sur des chaises et des
cuvettes sur le parquet, — les deux hommes qui avaient
apporté les meubles ayant tout laissé là, négligemment.

C'était la quatrième fois qu'elle couchait dans un endroit
inconnu. La première avait été le jour de son entrée au
couvent, la seconde celle de son arrivée à Tostes, la
troisième à la Vaubyessard, la quatrième était celle-ci;
et chacune s'était trouvée faire dans sa vie comme l'inauguration d'une phrase nouvelle. Elle ne croyait pas que
les choses pussent se représenter les mêmes à des places
différentes, et, puisque la portion vécue avait été mauvaise, sans doute ce qui restait à consommer serait meilleur.

III

Le lendemain, à son réveil, elle aperçut le clerc sur
la place. Elle était en peignoir. Il leva la tête et la salua.
Elle fit une inclination rapide et referma la fenêtre.

Léon attendit pendant tout le jour que six heures du
soir fussent arrivées : mais, en entrant à l'auberge, il ne
trouva que M. Binet, attablé [357].

Ce dîner de la veille était pour lui un événement considérable; jamais, jusqu'alors, il n'avait causé pendant
deux heures de suite avec une *dame*. Comment donc avoir
pu lui exposer, et en un tel langage, quantité de choses
qu'il n'aurait pas si bien dites auparavant ? Il était timide
d'habitude et gardait cette réserve qui participe à la fois
de la pudeur et de la dissimulation. On trouvait à Yonville
qu'il avait des manières *comme il faut*. Il écoutait raisonner
les gens mûrs et ne paraissait point exalté en politique,
chose remarquable pour un jeune homme. Puis il possédait

des talents, il peignait à l'aquarelle, savait lire la clef de
sol, et s'occupait volontiers de littérature après son dîner,
quand il ne jouait pas aux cartes. M. Homais le considérait pour son instruction; Mme Homais l'affectionnait
pour sa complaisance; car souvent il accompagnait au
jardin les petits Homais, marmots toujours barbouillés,
fort mal élevés et quelque peu lymphatiques, comme
leur mère. Ils avaient, pour les soigner, outre la bonne,
Justin, l'élève en pharmacie, un arrière-cousin de M. Homais
que l'on avait pris dans la maison par charité, et qui servait
en même temps de domestique [358].

L'apothicaire se montra le meilleur des voisins. Il ren-
seigna Mme Bovary sur les fournisseurs, fit venir son marchand de cidre tout exprès, goûta la boisson lui-même,
et veilla dans la cave à ce que la futaille fût bien placée;
il indiqua encore la façon de s'y prendre pour avoir une
provision de beurre à bon marché, et conclut un arrangement avec Lestiboudois, le sacristain, qui, outre ses fonctions sacerdotales et mortuaires, soignait les principaux
jardins d'Yonville à l'heure ou à l'année, selon le goût
des personnes.

Le besoin [359] de s'occuper d'autrui ne poussait pas
seul le pharmacien à tant de cordialité obséquieuse, et
il y avait là-dessous un plan.

Il avait enfreint la loi du 19 ventôse an XI, article 1er [360],
qui défend à tout individu non porteur de diplôme l'exercice de la médecine; si bien que, sur des dénonciations
ténébreuses, Homais avait été mandé à Rouen, près M. le
procureur du roi, en son cabinet particulier. Le magistrat
l'avait reçu debout, dans sa robe, hermine à l'épaule et
toque en tête. C'était le matin, avant l'audience. On entendait dans le corridor [361] passer les fortes bottes des gen-
darmes, et comme un bruit lointain de grosses serrures
qui se fermaient. Les oreilles du pharmacien lui tintèrent
à croire qu'il allait tomber d'un coup de sang; il entrevit
des culs de basse-fosse, sa famille en pleurs, la pharmacie
vendue, tous les bocaux disséminés; et il fut obligé d'entrer
dans un café prendre un verre de rhum avec de l'eau de
Seltz, pour se remettre les esprits.

Peu à peu, le souvenir de cette admonition [362] s'affaiblit,
et il continuait, comme autrefois, à donner des consultations anodines dans son arrière-boutique. Mais le maire

lui en voulait, des confrères étaient jaloux, il fallait tout
craindre; en s'attachant M. Bovary par des politesses,
c'était gagner sa gratitude et empêcher qu'il ne parlât plus
tard, s'il s'apercevait de quelque chose. Aussi, tous les
matins, Homais lui apportait *le journal*, et souvent, dans
l'après-midi, quittait un instant la pharmacie pour aller
chez l'officier de santé faire la conversation.

Charles était triste : la clientèle n'arrivait pas. Il demeurait assis pendant de longues heures, sans parler, allait
dormir dans son cabinet ou regardait coudre sa femme.
Pour se distraire, il s'employa chez lui comme homme de
peine, et même il essaya de peindre le grenier avec un
reste de couleur que les peintres avaient laissé. Mais les
affaires d'argent le préoccupaient. Il en avait tant dépensé
pour les réparations de Tostes, pour les toilettes de Madame
et pour le déménagement, que toute la dot, plus de trois
mille écus, s'était écoulée en deux ans. Puis, que de choses
endommagées ou perdues dans le transport de Tostes à
Yonville, sans compter le curé de plâtre, qui, tombant
de la charrette à un cahot trop fort, s'était écrasé en mille
morceaux sur le pavé de Quincampoix !

Un souci meilleur vint le distraire, à savoir la grossesse
de sa femme. A mesure que le terme en approchait, il la
chérissait davantage. C'était un autre lien de la chair s'éta-
blissant, et comme le sentiment continu d'une union plus
complexe. Quand il voyait de loin sa démarche paresseuse
et sa taille tourner mollement sur ses hanches sans corset,
quand, vis-à-vis l'un de l'autre, il la contemplait tout à
l'aise et qu'elle prenait, assise, des poses fatiguées dans son
fauteuil, alors son bonheur ne se tenait plus; il se levait,
il l'embrassait, passait ses mains sur sa figure, l'appelait
petite maman, voulait la faire danser, et débitait, moitié
riant, moitié pleurant, toutes sortes de plaisanteries cares-
santes qui lui venaient à l'esprit. L'idée d'avoir engendré
le délectait. Rien ne lui manquait à présent. Il connaissait
l'existence humaine tout du long, et il s'y attablait sur les
deux coudes avec sérénité.

Emma, d'abord, sentit un grand étonnement, puis eut
envie d'être délivrée, pour savoir quelle chose c'était
que d'être mère. Mais, ne pouvant faire les dépenses
qu'elle voulait, avoir un berceau en nacelle avec des rideaux
de soie rose et des béguins brodés, elle renonça au trous-

seau, dans un accès d'amertume, et le commanda d'un seul coup à une ouvrière du village, sans rien choisir ni discuter. Elle ne s'amusa donc pas [363] à ces préparatifs où la tendresse des mères se met en appétit, et son affection, dès l'origine, en fut peut-être atténuée de quelque chose.

Cependant, comme Charles, à tous les repas, parlait du marmot, bientôt elle y songea d'une façon plus continue.

Elle souhaitait un fils; il serait fort et brun; elle l'appellerait Georges, et cette idée d'avoir pour enfant un mâle était comme la revanche en espoir de toutes ses impuissances passées. Un homme, au moins, est libre; il peut parcourir les passions et les pays, traverser les obstacles, mordre aux bonheurs les plus lointains. Mais une femme est empêchée continuellement. Inerte et flexible à la fois, elle a contre elle les mollesses de la chair avec les dépendances de la loi. Sa volonté, comme le voile de son chapeau retenu par un cordon, palpite à tous les vents; il y a toujours quelque désir qui entraîne, quelque convenance qui retient.

Elle accoucha un dimanche, vers six heures, au soleil levant.

— C'est une fille ! dit Charles.

Elle tourna la tête et s'évanouit.

Presque aussitôt, Mme Homais accourut et l'embrassa, ainsi que la mère Lefrançois du *Lion d'or*. Le pharmacien, en homme discret, lui adressa seulement quelques félicitations provisoires, par la porte entre-bâillée. Il voulut voir l'enfant et le trouva bien conformé.

Pendant sa convalescence, elle s'occupa beaucoup à chercher un nom pour sa fille. D'abord elle passa en revue tous ceux qui avaient des terminaisons italiennes, tels que Clara, Louisa, Amanda, Atala; elle aimait assez Galsuinde [364], plus encore Yseult ou Léocadie. Charles désirait qu'on appelât l'enfant comme sa mère; Emma s'y opposait. On parcourut le calendrier d'un bout à l'autre, et l'on consulta les étrangers.

— M. Léon, disait le pharmacien, avec qui j'en causais l'autre jour, s'étonne que vous ne choisissiez point Madeleine, qui est excessivement à la mode maintenant.

Mais la mère Bovary se récria [365] bien fort sur ce nom de pécheresse. M. Homais, quant à lui, avait en prédilection tous ceux qui rappelaient un grand homme, un fait illustre ou une conception généreuse, et c'est dans ce système-là qu'il avait baptisé ses quatre enfants. Ainsi Napoléon représentait la gloire [366] et Franklin la liberté; Irma, peut-être, était une concession au romantisme; mais Athalie un hommage au plus immortel chef-d'œuvre de la scène française [367]. Car ses convictions philosophiques n'empêchaient pas ses admirations artistiques; le penseur, chez lui, n'étouffait point l'homme sensible; il savait établir des différences, faire la part de l'imagination et celle du fanatisme. De cette tragédie, par exemple, il blâmait les idées, mais il admirait le style; il maudissait la conception, mais il applaudissait à tous les détails, et s'exaspérait contre les personnages, en s'enthousiasmant de leurs discours. Lorsqu'il lisait les grands morceaux, il était transporté; mais, quand il songeait que les calotins en tiraient avantage pour leur boutique, il était désolé, et, dans cette confusion de sentiments où il s'embarrassait, il aurait voulu tout à la fois pouvoir couronner Racine de ses deux mains et discuter avec lui pendant un bon quart d'heure.

Enfin, Emma se souvint [368] qu'au château de la Vaubyessard elle avait entendu la marquise appeler Berthe une jeune femme; dès lors ce nom-là fut choisi, et, comme le père Rouault ne pouvait venir, on pria M. Homais d'être parrain. Il donna, pour cadeaux [369], tous produits de son établissement, à savoir : six boîtes de jujubes [370], un bocal entier de racahout, trois coffins de pâte à la guimauve, et, de plus, six bâtons de sucre candi qu'il avait retrouvés dans un placard. Le soir de la cérémonie, il y eut un grand dîner; le curé s'y trouvait; on s'échauffa. M. Homais, vers les liqueurs, entonna *le Dieu des bonnes gens*, M. Léon chanta une barcarole [371], et Mme Bovary mère, qui était la marraine, une romance du temps de l'Empire; enfin M. Bovary père exigea que l'on descendît l'enfant, et se mit à le baptiser avec un verre de champagne qu'il lui versait de haut sur la tête. Cette dérision du premier des sacrements indigna l'abbé Bournisien; le père Bovary répondit par une citation de *la Guerre des dieux*; le curé voulut partir; les dames suppliaient; Homais s'interposa, et l'on parvint à faire rasseoir l'ecclésiatique, qui reprit tranquillement, dans sa soucoupe, sa demi-tasse de café à moitié bue.

M. Bovary père resta encore un mois à Yonville, dont

il éblouit les habitants par un superbe bonnet de police à galons d'argent [372], qu'il portait le matin, pour fumer sa pipe sur la place [373]. Ayant aussi l'habitude de boire beaucoup d'eau-de-vie, souvent il envoyait la servante au *Lion d'or* lui en acheter une bouteille, que l'on inscrivait au compte de son fils; et il usa, pour parfumer ses foulards, toute la provision d'eau de Cologne qu'avait sa bru.

Celle-ci ne se déplaisait point dans sa compagnie. Il avait couru le monde : il parlait de Berlin, de Vienne, de Strasbourg, de son temps d'officier, des maîtresses qu'il avait eues, des grands déjeuners qu'il avait faits; puis il se montrait aimable, et parfois même, soit dans l'escalier ou au jardin, il lui saisissait la taille en s'écriant :

— Charles, prends garde à toi !

Alors la mère Bovary s'effraya pour le bonheur de son fils, et, craignant que son époux, à la longue, n'eût une influence immorale sur les idées de la jeune femme, elle se hâta de presser le départ. Peut-être avait-elle des inquiétudes plus sérieuses [374]. M. Bovary était homme à ne rien respecter [375].

Un jour, Emma fut prise tout à coup du besoin de voir sa petite fille, qui avait été mise en nourrice chez la femme du menuisier; et, sans regarder à l'almanach si les six semaines de la Vierge duraient encore, elle s'achemina vers la demeure de Rollet [376], qui se trouvait à l'extrémité du village, au bas de la côte, entre la grande route et les prairies.

Il était midi [377] : les maisons avaient leurs volets fermés, et les toits d'ardoises, qui reluisaient sous la lumière âpre du ciel bleu, semblaient à la crête de leurs pignons faire pétiller des étincelles. Un vent lourd soufflait. Emma se sentait faible en marchant; les cailloux du trottoir la blessaient; elle hésita si elle ne s'en retournerait pas chez elle ou entrerait quelque part pour s'asseoir.

A ce moment, M. Léon sortit d'une porte voisine, avec une liasse de papiers sous son bras. Il vint la saluer et se mit à l'ombre devant la boutique de Lheureux, sous la tente grise qui avançait.

Mme Bovary dit qu'elle allait voir son enfant, mais qu'elle commençait à être lasse.

— Si..., reprit Léon [378], n'osant poursuivre.

— Avez-vous affaire quelque part ? demanda-t-elle.
Et, sur la réponse du clerc, elle le pria de l'accompagner. Dès le soir, cela fut connu dans Yonville, et Mme Tuvache, la femme du maire, déclara devant sa servante que *Mme Bovary se compromettait*.

Pour arriver chez la nourrice, il fallait, après la rue, tourner à gauche, comme pour gagner le cimetière, et suivre, entre des maisonnettes et des cours, un petit sentier que bordaient des troènes. Ils étaient en fleur et les véroniques aussi, les églantiers, les orties et les ronces légères qui s'élançaient des buissons. Par le trou des haies, on apercevait, dans les *masures*, quelque pourceau sur un fumier [379], ou des vaches embricolées, frottant leurs cornes contre le tronc des arbres. Tous les deux, côte à côte, ils marchaient doucement, elle s'appuyant sur lui, et lui retenant son pas qu'il mesurait sur les siens; devant eux, un essaim de mouches voltigeait, en bourdonnant dans l'air chaud.

Ils reconnurent la maison à un vieux noyer qui l'ombrageait. Basse et couverte de tuiles brunes, elle avait en dehors, sous la lucarne de son grenier, un chapelet d'oignons suspendu. Des bourrées, debout contre la clôture d'épines, entouraient un carré de laitues, quelques pieds de lavande et des pois à fleurs montés sur des rames. De l'eau sale coulait en s'éparpillant sur l'herbe, et il y avait tout autour plusieurs guenilles indistinctes, des bas de tricot, une camisole d'indienne rouge et un grand drap de toile épaisse étalé en long sur la haie. Au bruit de la barrière, la nourrice parut, tenant sur son bras un enfant qui tétait. Elle tirait de l'autre main un pauvre marmot chétif, couvert de scrofules au visage [380], le fils d'un bonnetier de Rouen, que ses parents, trop occupés de leur négoce, laissaient à la campagne.

— Entrez, dit-elle; votre petite est là qui dort.

La chambre, au rez-de-chaussée, la seule du logis, avait au fond, contre la muraille, un large lit sans rideaux, tandis que le pétrin occupait le côté de la fenêtre, dont une vitre était raccommodée avec un soleil de papier bleu. Dans l'angle, derrière la porte, des brodequins à clous luisants étaient rangés sous la dalle du lavoir, près d'une bouteille pleine d'huile qui portait une plume à son goulot; un *Mathieu Laensberg* [381] traînait sur la cheminée poudreuse, parmi des pierres à fusil, des bouts de chandelle et des morceaux d'amadou. Enfin, la dernière superfluité de cet appartement était une Renommée soufflant dans des trompettes, image découpée sans doute à même quelque prospectus de parfumerie et que six pointes à sabot clouaient au mur [382].

L'enfant d'Emma dormait à terre, dans un berceau d'osier. Elle la prit avec la couverture qui l'enveloppait, et se mit à chanter doucement en se dandinant.

Léon se promenait dans la chambre; il lui semblait étrange de voir cette belle dame en robe de nankin tout au milieu de cette misère. Mme Bovary devint rouge; il se détourna, croyant que ses yeux peut-être avaient eu quelque impertinence. Puis elle recoucha la petite qui venait de vomir sur sa collerette. La nourrice aussitôt vint l'essuyer, protestant qu'il n'y paraîtrait pas.

— Elle m'en fait bien d'autres, disait-elle, et je ne suis occupée qu'à la rincer continuellement! Si vous aviez donc la complaisance de commander à Camus, l'épicier qu'il me laisse prendre un peu de savon lorsqu'il m'en faut [383]? ce serait même plus commode pour vous, que je ne dérangerais pas.

— C'est bien, c'est bien! dit Emma. Au revoir, mère Rollet!

Et elle sortit en essuyant ses pieds sur le seuil.

La bonne femme l'accompagna jusqu'au bout de la cour, tout en parlant du mal qu'elle avait à se relever la nuit.

— J'en suis si rompue quelquefois que je m'endors sur ma chaise; aussi, vous devriez pour le moins me donner une petite livre de café moulu qui me ferait un mois et que je prendrais le matin avec du lait.

Après avoir subi ses remercîments, Mme Bovary s'en alla [384]; et elle était quelque peu avancée dans le sentier, lorsqu'à un bruit de sabots elle tourna la tête : c'était la nourrice.

— Qu'y a-t-il ?

Alors la paysanne, la tirant à l'écart derrière un orme, se mit à lui parler de son mari, qui, avec son métier et six francs par an que le capitaine...

— Achevez plus vite, dit Emma.

— Eh bien ! reprit la nourrice poussant des soupirs entre chaque mot, j'ai peur qu'il ne se fasse une tristesse

de me voir prendre du café toute seule; vous savez, les
hommes...

— Puisque vous en aurez, répétait Emma, je vous
en donnerai !... Vous m'ennuyez !

— Hélas ! ma pauvre chère dame, c'est qu'il a, par
suite de ses blessures, des crampes terribles à la poitrine.
Il dit même que le cidre l'affaiblit.

— Mais dépêchez-vous, mère Rollet !

— Donc, reprit celle-ci faisant une révérence, si ce
n'était pas vous demander trop..., elle salua encore une
fois — quand vous voudrez, — et son regard suppliait,
— un cruchon d'eau-de-vie, dit-elle enfin, et j'en frot-
terai [385] les pieds de votre petite, qui les a tendres comme
la langue.

Débarrassée de la nourrice, Emma reprit le bras de
M. Léon. Elle marcha rapidement pendant quelque temps;
puis elle se ralentit, et son regard, qu'elle promenait devant
elle, rencontra l'épaule du jeune homme, dont la redingote avait un collet de velours noir. Ses cheveux châtains
tombaient dessus, plats et bien peignés. Elle remarqua
ses ongles, qui étaient plus longs qu'on ne les portait
à Yonville. C'était une des grandes occupations du clerc
que de les entretenir; et il gardait, à cet usage, un canif
tout particulier dans son écritoire.

Ils s'en revinrent à Yonville en suivant le bord de l'eau.
Dans la saison chaude, la berge plus élargie découvrait
jusqu'à leur base les murs des jardins, qui avaient un
escalier de quelques marches descendant à la rivière.
Elle coulait sans bruit, rapide et froide à l'œil; de grandes
herbes minces s'y courbaient ensemble, selon le courant
qui les poussait, et comme des chevelures vertes abandonnées s'étalaient dans sa limpidité. Quelquefois, à la pointe
des joncs ou sur la feuille des nénufars [386], un insecte à
pattes fines marchait ou se posait. Le soleil traversait
d'un rayon les petits globules bleus des ondes qui se succédaient en se crevant; les vieux saules ébranchés miraient
dans l'eau leur écorce grise; au-delà, tout alentour, la
prairie semblait vide [387]. C'était l'heure du dîner dans les
fermes, et la jeune femme et son compagnon n'entendaient
en marchant que la cadence de leurs pas sur la terre du
sentier, les paroles qu'ils se disaient, et le frôlement de la
robe d'Emma qui bruissait tout autour d'elle.

Les murs des jardins, garnis à leur chaperon de morceaux de bouteilles, étaient chauds comme le vitrage
d'une serre. Dans les briques, des ravenelles avaient poussé,
et, du bord de son ombrelle déployée, Mme Bovary, tout
en passant, faisait s'égrener en poussière jaune un peu
de leurs fleurs flétries; ou bien quelque branche des chèvre-
feuilles et des clématites qui pendaient au dehors traînait
un moment sur la soie, en s'accrochant aux effilés.

Ils causaient d'une troupe de danseurs espagnols, que
l'on attendait bientôt sur le théâtre de Rouen.

— Vous irez? demanda-t-elle.

— Si je le peux, répondit-il.

N'avaient-ils rien autre chose [388] à se dire? Leurs yeux
pourtant étaient pleins d'une causerie plus sérieuse; et,
tandis qu'ils s'efforçaient à trouver des phrases banales,
ils sentaient une même langueur les envahir tous les deux;
c'était comme un murmure [389] de l'âme, profond, continu,
qui dominait celui des voix. Surpris d'étonnement à cette
suavité nouvelle, ils ne songeaient pas à s'en raconter la
sensation ou à en découvrir la cause. Les bonheurs futurs,
comme les rivages des tropiques, projettent sur l'immensité qui les précède leurs mollesses natales, une brise par-
fumée, et l'on s'assoupit dans cet enivrement, sans même
s'inquiéter de l'horizon que l'on n'aperçoit pas.

La terre, à un endroit, se trouvait effondrée par le pas
des bestiaux; il fallut marcher sur de grosses pierres vertes,
espacées dans la boue. Souvent, elle s'arrêtait une minute
à regarder où poser sa bottine, — et, chancelant sur le
caillou qui tremblait, les coudes en l'air, la taille penchée,
l'œil indécis, elle riait alors, de peur de tomber dans les
flaques d'eau.

Quand ils furent arrivés devant son jardin, Mme Bovary
poussa la petite barrière, monta les marches en courant et
disparut.

Léon rentra à son étude. Le patron était absent; il jeta
un coup d'œil sur les dossiers, puis se tailla une plume,
prit enfin son chapeau et s'en alla.

Il alla sur la Pâture, au haut de la côte d'Argueil, à l'entrée
de la forêt; il se coucha par terre sous les sapins et regarda
le ciel à travers ses doigts.

— Comme je m'ennuie! se disait-il, comme je m'ennuie!

Il se trouvait à plaindre de vivre dans ce village, avec Homais pour ami et M. Guillaumin pour maître. Ce dernier, tout occupé d'affaires, portant des lunettes à branches d'or et favoris rouges [390], sur cravate blanche, n'entendait rien aux délicatesses de l'esprit, quoiqu'il affectât un genre raide et anglais [391], qui avait ébloui le clerc dans les premiers temps. Quant à la femme du pharmacien, c'était la meilleure épouse de Normandie, douce comme un mouton, chérissant ses enfants, son père, sa mère, ses cousins, pleurant aux maux d'autrui [392], laissant tout aller dans son ménage, et détestant les corsets; — mais si lente à se mouvoir, si ennuyeuse à écouter, d'un aspect si commun et d'une conversation si restreinte, qu'il n'avait jamais songé, quoiqu'elle eût trente ans, qu'il en eût vingt, qu'ils couchassent porte à porte, et qu'il lui parlât chaque jour [393], qu'elle pût être une femme pour quelqu'un, ni qu'elle possédât de son sexe autre chose que la robe.

Et ensuite, qu'y avait-il ? Binet, quelques marchands, deux ou trois cabaretiers, le curé, et enfin M. Tuvache, le maire, avec ses deux fils, gens cossus, bourrus, obtus, cultivant leurs terres eux-mêmes, faisant des ripailles en famille, dévots d'ailleurs, et d'une société tout à fait insupportable.

Mais, sur le fond commun de tous ces visages humains, la figure d'Emma se détachait isolée et plus lointaine cependant; car il sentait entre elle et lui comme de vagues abîmes.

Au commencement, il était venu chez elle plusieurs fois dans la compagnie du pharmacien. Charles n'avait point paru [394] extrêmement curieux de le recevoir; et Léon ne savait comment s'y prendre entre la peur d'être indiscret et le désir d'une intimité qu'il estimait presque impossible.

IV

Dès les premiers froids, Emma quitta sa chambre pour habiter la salle, longue pièce à plafond bas où il y avait, sur la cheminée, un polypier touffu s'étalant contre la glace. Assise dans son fauteuil, près de la fenêtre, elle voyait passer les gens du village sur le trottoir.

Léon, deux fois par jour, allait de son étude au *Lion d'or*. Emma, de loin, l'entendait venir; elle se penchait en écoutant; et le jeune homme glissait derrière le rideau, toujours vêtu de même façon et sans détourner la tête. Mais, au crépuscule, lorsque, le menton dans sa main gauche, elle avait abandonné sur ses genoux sa tapisserie commencée, souvent elle tressaillait à l'apparition de cette ombre glissant tout à coup [395]. Elle se levait et commandait qu'on mît le couvert.

M. Homais arrivait pendant le dîner. Bonnet grec à la main, il entrait à pas muets pour ne déranger personne et toujours en répétant la même phrase : Bonsoir la compagnie ! » Puis, quand il s'était posé à sa place, contre la table, entre les deux époux, il demandait au médecin des nouvelles de ses malades, et celui-ci le consultait sur la probabilité des honoraires. Ensuite, on causait de ce qu'il y avait *dans le journal*. Homais, à cette heure-là, le savait presque par cœur; et il le rapportait intégralement, avec les réflexions du journaliste et toutes les histoires des catastrophes individuelles arrivées en France ou à l'étranger. Mais, le sujet se tarissant, il ne tardait pas à lancer quelques observations sur les mets qu'il voyait. Parfois même, se levant à demi, il indiquait délicatement à Madame le morceau le plus tendre, ou, se tournant vers la bonne, lui adressait des conseils pour la manipulation des ragoûts et l'hygiène des assaisonnements; il parlait arome, osmazôme, suc et gélatine d'une façon à éblouir. La tête, d'ailleurs, plus remplie de recettes que sa pharmacie ne l'était de bocaux, Homais excellait à faire quantité de confitures, vinaigres et liqueurs douces, et il connaissait aussi toutes les inventions nouvelles de caléfacteurs économiques, avec l'art de conserver les fromages et de soigner les vins malades.

A huit heures, Justin venait le chercher pour fermer la pharmacie. Alors M. Homais le regardait d'un œil narquois, surtout si Félicité se trouvait là, s'étant aperçu que son élève affectionnait la maison du médecin.

— Mon gaillard, disait-il, commence à avoir des idées, et je crois, diable m'emporte, qu'il est amoureux de votre bonne !

Mais un défaut plus grave [396], et qu'il lui reprochait, c'était d'écouter continuellement les conversations. Le dimanche, par exemple, on ne pouvait le faire sortir du

salon, où Mme Homais l'avait appelé pour prendre les
enfants, qui s'endormaient dans les fauteuils, en tirant
avec leurs dos [397] les housses de calicot, trop larges.

Il ne venait pas grand monde à ces soirées du pharmacien, sa médisance et ses opinions politiques ayant
écarté de lui successivement différentes personnes respec-
tables. Le clerc ne manquait pas de s'y trouver. Dès qu'il
entendait la sonnette, il courait au-devant de Mme Bovary,
prenait son châle, et posait à l'écart, sous le bureau de la
pharmacie, les grosses pantoufles de lisière qu'elle portait
sur sa chaussure, quand il y avait de la neige.

On faisait d'abord quelques parties de trente-et-un [398];
ensuite M. Homais jouait à l'écarté avec Emma; Léon,
derrière elle, lui donnait des avis. Debout et les mains
sur le dossier de sa chaise, il regardait les dents de son
peigne qui mordaient son chignon. A chaque mouvement
qu'elle faisait pour jeter les cartes, sa robe du côté droit
remontait. De ses cheveux retroussés, il descendait une
couleur brune sur son dos, et qui, s'apâlissant [399] gra-
duellement, peu à peu se perdait dans l'ombre. Son vêtement, ensuite, retombait des deux côtés sur le siège, en
bouffant, plein de plis, et s'étalait jusqu'à terre. Quand
Léon, parfois, sentait la semelle de sa botte poser dessus,
il s'écartait comme s'il eût marché sur quelqu'un.

Lorsque la partie de cartes était finie, l'apothicaire et
le médecin jouaient aux dominos, et Emma, changeant de
place, s'accoudait sur la table à feuilleter l'*Illustration*.
Elle avait apporté son journal de modes. Léon se mettait
près d'elle; ils regardaient ensemble les gravures et s'attendaient au bas des pages. Souvent elle le priait de lui dire
des vers; Léon les déclamait d'une voix traînante et qu'il
faisait expirer soigneusement aux passages d'amour. Mais
le bruit des dominos [400] le contrariait; M. Homais y était
fort, il battait Charles à plein double-six. Puis les trois
centaines terminées, ils s'allongeaient tous les deux devant
le foyer [401] et ne tardaient pas à s'endormir. Le feu se mourait dans les cendres; la théière était vide; Léon lisait encore,
Emma l'écoutait [402], en faisant tourner machinalement
l'abat-jour de la lampe, où étaient peints sur la gaze des
pierrots dans des voitures et des danseuses de corde, avec
leurs balanciers. Léon s'arrêtait, désignant d'un geste son
auditoire endormi; alors ils se parlaient à voix basse, et

la conversation qu'ils avaient leur semblait plus douce parce qu'elle n'était pas entendue.

Ainsi s'établit entre eux une sorte d'association, un commerce continuel de livres et de romances; M. Bovary, peu jaloux, ne s'en étonnait pas.

Il reçut pour sa fête une belle tête phrénologique [403], toute marquetée de chiffres jusqu'au thorax et peinte en bleu. C'était une attention du clerc. Il en avait bien d'autres, jusqu'à lui faire [404], à Rouen, ses commissions; et le livre d'un romancier ayant mis à la mode la manie des plantes grasses, Léon en achetait pour Madame, qu'il rapportait sur ses genoux, dans l'*Hirondelle*, tout en se piquant les doigts à leurs poils durs.

Elle fit ajuster, contre sa croisée, une planchette à balustrade pour tenir ses potiches. Le clerc eut aussi son jardinet suspendu; ils s'apercevaient soignant leurs fleurs à leur fenêtre.

Parmi les fenêtres du village, il y en avait une encore plus souvent occupée : car, le dimanche [405], depuis le matin jusqu'à la nuit, et chaque après-midi, si le temps était clair, on voyait à la lucarne d'un grenier le profil maigre de M. Binet penché sur son tour, dont le ronflement monotone s'étendait jusqu'au *Lion d'or*.

Un soir, en rentrant, Léon trouva dans sa chambre un tapis de velours et de laine [406] avec des feuillages sur fond pâle. Il appela Mme Homais, M. Homais, Justin, les enfants, la cuisinière; il en parla à son patron; tout le monde désira connaître ce tapis; pourquoi la femme du médecin faisait-elle au clerc des *générosités* ? Cela parut drôle, et l'on pensa définitivement qu'elle devait être *sa bonne amie*.

Il le donnait à croire, tant il vous entretenait sans cesse de ses charmes et de son esprit, si bien que Binet lui répondit une fois brutalement :

— Que m'importe à moi, puisque je ne suis pas de sa société !

Il se torturait à découvrir par quel moyen lui *faire sa déclaration* [407]; et, toujours hésitant entre la crainte de lui déplaire et la honte d'être si pusillanime, il en pleurait de découragement et de désirs. Puis il prenait des décisions énergiques; il écrivait des lettres qu'il déchirait, s'ajournait à des époques qu'il reculait. Souvent il se mettait en marche,

dans le projet de tout oser; mais cette résolution l'abandonnait bien vite en la présence d'Emma, et quand Charles,
survenant, l'invitait à monter dans son *boc*, pour aller
voir ensemble quelque malade aux environs, il acceptait
aussitôt, saluait Madame et s'en allait. Son mari, n'était-ce
pas quelque chose d'elle ?

Quant à Emma, elle ne s'interrogea point pour savoir
si elle l'aimait [408]. L'amour, croyait-elle, devait arriver
tout à coup, avec de grands éclats et des fulgurations,
— ouragan des cieux qui tombe sur la vie, la bouleverse,
arrache les volontés comme des feuilles et emporte à l'abîme
le cœur entier. Elle ne savait pas que, sur la terrasse des
maisons, la pluie fait des lacs quand les gouttières sont
bouchées, et elle fût ainsi demeurée en sa sécurité, lorsqu'elle
découvrit subitement une lézarde dans le mur [409].

V

Ce fut un dimanche de février, une après-midi qu'il
neigeait.

Ils étaient tous, M. et Mme Bovary, Homais et M. Léon,
partis voir, à une demi-lieue d'Yonville, dans la vallée,
une filature de lin que l'on établissait. L'apothicaire avait
emmené avec lui Napoléon et Athalie, pour leur faire
faire de l'exercice, et Justin les accompagnait, portant
des parapluies sur son épaule.

Rien pourtant n'était moins curieux que cette curiosité.
Un grand espace [410] de terrain vide, où se trouvaient pêle-
mêle, entre des tas de sable et de cailloux, quelques roues
d'engrenage déjà rouillées, entourait un long bâtiment
quadrangulaire que perçaient quantité de petites fenêtres.
Il n'était pas achevé d'être bâti et l'on voyait le ciel à
travers les lambourdes de la toiture. Attaché à la poutrelle
du pignon, un bouquet de paille entremêlé d'épis faisait
claquer au vent ses rubans tricolores.

Homais parlait. Il expliquait à *la compagnie* l'importance
future de cet établissement, supputait la force des planchers,
l'épaisseur des murailles, et regrettait beaucoup de n'avoir

pas de canne métrique, comme M. Binet en possédait une
pour son usage particulier.

Emma, qui lui donnait le bras, s'appuyait un peu sur
son épaule, et elle regardait le disque du soleil irradiant
au loin, dans la brume, sa pâleur éblouissante; mais elle
tourna la tête : Charles était là [411]. Il avait sa casquette
enfoncée sur les sourcils [412], et ses deux grosses lèvres
tremblotaient, ce qui ajoutait à son visage quelque chose
de stupide; son dos même [413], son dos tranquille était
irritant à voir, et elle y trouvait étalée sur la redingote
toute la platitude du personnage.

Pendant qu'elle le considérait, goûtant ainsi dans son
irritation une sorte de volupté dépravée, Léon s'avança
d'un pas. Le froid qui le pâlissait semblait déposer sur
sa figure une langueur plus douce; entre sa cravate et son
cou, le col de sa chemise [414], un peu lâche, laissait voir la
peau; un bout d'oreille dépassait sous une mèche de cheveux, et son grand œil bleu, levé vers les nuages, parut
à Emma plus limpide et plus beau que ces lacs des montagnes
où le ciel se mire.

— Malheureux ! s'écria tout à coup l'apothicaire.

Et il courut à son fils, qui venait de se précipiter dans
un tas de chaux pour peindre ses souliers en blanc. Aux
reproches dont on l'accablait, Napoléon se prit à pousser
des hurlements, tandis que Justin lui essuyait ses chaussures
avec un torchis de paille. Mais il eût fallu un couteau [415];
Charles lui offrit le sien.

— Ah ! se dit-elle, il porte un couteau dans sa poche,
comme un paysan !

Le givre tombait, et l'on s'en retourna vers Yonville.

Mme Bovary, le soir, n'alla pas chez ses voisins, et,
quand Charles fut parti, lorsqu'elle se sentit seule, le parallèle recommença dans la netteté d'une sensation presque
immédiate et avec cet allongement de perspective que le
souvenir donne aux objets. Regardant de son lit le feu
clair qui brûlait, elle voyait encore, comme là-bas, Léon
debout, faisant plier d'une main sa badine et tenant de
l'autre Athalie, qui suçait tranquillement un morceau de
glace. Elle le trouvait charmant; elle ne pouvait s'en
détacher; elle se rappela ses autres attitudes en d'autres
jours, des phrases qu'il avait dites, le son de sa voix, toute

sa personne; et elle répétait, en avançant ses lèvres comme
pour un baiser:

— Oui, charmant! charmant!... N'aime-t-il pas? se
demanda-t-elle. Qui donc?... mais c'est moi [416]!

Toutes les preuves à la fois s'en étalèrent, son cœur
bondit. La flamme de la cheminée faisait trembler au
plafond une clarté joyeuse; elle se tourna sur le dos en
s'étirant les bras.

Alors commença l'éternelle lamentation: « Oh! si le
ciel l'avait voulu! Pourquoi n'est-ce pas? Qui empêchait
donc?... »

Quand Charles, à minuit, rentra, elle eut l'air de s'éveiller,
et, comme il fit du bruit en se déshabillant, elle se plaignit
de la migraine; puis demanda nonchalamment ce qui
s'était passé dans la soirée.

— M. Léon, dit-il, est remonté de bonne heure.

Elle ne put s'empêcher de sourire, et elle s'endormit,
l'âme remplie d'un enchantement nouveau.

Le lendemain, à la nuit tombante, elle reçut la visite
du sieur Lheureux, marchand de nouveautés [417]. C'était
un homme habile que ce boutiquier.

Né Gascon, mais devenu Normand, il doublait sa faconde
méridionale de cautèle cauchoise. Sa figure grasse, molle
et sans barbe, semblait teinte par une décoction de réglisse
claire, et sa chevelure blanche rendait plus vif encore
l'éclat rude de ses petits yeux noirs. On ignorait ce qu'il
avait été jadis: porteballe, disaient les uns, banquier à
Routot, selon les autres. Ce qu'il y a de sûr, c'est qu'il
faisait, de tête, des calculs compliqués, à effrayer Binet
lui-même. Poli jusqu'à l'obséquiosité, il se tenait toujours
les reins à demi courbés, dans la position de quelqu'un
qui salue ou qui invite.

Après avoir laissé à la porte son chapeau garni d'un crêpe,
il posa sur la table un carton vert et commença par se
plaindre à Madame, avec force civilités, d'être resté jusqu'à
ce jour sans obtenir sa confiance. Une pauvre boutique
comme la sienne n'était pas faite pour attirer une *élégante ;*
il appuya sur le mot. Elle n'avait pourtant qu'à commander,
et il se chargerait de lui fournir ce qu'elle voudrait, tant
en mercerie que lingerie, bonneterie ou nouveautés; car
il allait à la ville quatre fois par mois régulièrement. Il
était en relation avec les plus fortes maisons. On pouvait

parler de lui aux *Trois Frères*, à la *Barbe d'or* ou au *Grana Sauvage* ; tous ces messieurs le connaissaient comme leurs poches [418] ! Aujourd'hui, donc, il venait montrer à Madame, en passant, différents articles qu'il se trouvait avoir, grâce à une occasion des plus rares. Et il retira [419] de la boîte une demi-douzaine de cols brodés.

Mme Bovary les examina.

— Je n'ai besoin de rien, dit-elle.

— Alors M. Lheureux exhiba délicatement trois écharpes algériennes, plusieurs paquets d'aiguilles anglaises, une paire de pantoufles en paille et, enfin, quatre coquetiers en coco, ciselés à jour par des forçats. Puis, les deux mains sur la table, le cou tendu, la taille penchée, il suivait, bouche béante, le regard d'Emma, qui se promenait indécis parmi ces marchandises. De temps à autre, comme pour en chasser la poussière, il donnait un coup d'ongle sur la soie des écharpes, dépliées dans toute leur longueur; et elles frémissaient avec un bruit léger en faisant, à la lumière verdâtre du crépuscule, scintiller, comme de petites étoiles, les paillettes d'or de leur tissu.

— Combien coûtent-elles ?

— Une misère, répondit-il, une misère; mais rien ne presse; quand vous voudrez; nous ne sommes pas des Juifs [420] !

Elle réfléchit quelques instants, et finit encore par remercier M. Lheureux, qui répliqua sans s'émouvoir :

— Eh bien ! nous nous entendrons plus tard; avec les dames je me suis toujours arrangé, si ce n'est avec la mienne, cependant !

Emma sourit.

— C'était pour vous dire, reprit-il d'un air bonhomme, après sa plaisanterie, que ce n'est pas l'argent qui m'inquiète... Je vous en donnerais, s'il le fallait.

Elle eut un geste de surprise.

— Ah ! fit-il vivement et à voix basse, je n'aurais pas besoin d'aller loin pour vous en trouver; comptez-y !

Et il se mit à demander des nouvelles du père Tellier, le maître du *Café Français*, que M. Bovary soignait alors.

— Qu'est-ce qu'il a donc, le père Tellier ?... Il tousse qu'il en secoue toute sa maison, et j'ai bien peur que, prochainement, il ne lui faille plutôt un paletot de sapin qu'une camisole de flanelle ! Il a fait tant de bamboches

quand il était jeune ! Ces gens-là, madame, n'avaient pas
le moindre ordre ! Il s'est calciné avec de l'eau-de-vie !
Mais c'est fâcheux, tout de même, de voir une connaissance
s'en aller.

Et, tandis qu'il rebouclait son carton, il discourait ainsi
sur la clientèle du médecin.

— C'est le temps, sans doute, dit-il en regardant les
carreaux avec une figure rechignée, qui est la cause de
ces maladies-là ! Moi aussi, je ne me sens pas en mon
assiette; il faudra même un de ces jours que je vienne
consulter Monsieur, pour une douleur que j'ai dans le
dos. Enfin, au revoir, Madame Bovary; à votre disposition;
serviteur très humble !

Et il referma la porte doucement.

Emma se fit servir à dîner dans sa chambre, au coin
de feu, sur un plateau; elle fut longue à manger; tout lui
sembla bon.

— Comme j'ai été sage ! se disait-elle en songeant aux
écharpes.

Elle entendit des pas dans l'escalier : c'était Léon. Elle
se leva, et prit sur la commode, parmi des torchons à
ourler, le premier de la pile. Elle semblait fort occupée
quand il parut.

La conversation fut languissante, Mme Bovary l'abandonnant à chaque minute, tandis qu'il demeurait lui-même
comme tout embarrassé. Assis sur une chaise basse, près
de la cheminée, il faisait tourner dans ses doigts l'étui
d'ivoire; elle poussait son aiguille, ou, de temps à autre,
avec son ongle, fronçait les plis de la toile. Elle ne parlait
pas; il se taisait, captivé par son silence, comme il l'eût
été par ses paroles.

— Pauvre garçon ! pensait-elle.

— En quoi lui déplais-je ? se demandait-il.

Léon, cependant, finit par dire qu'il devait, un de ces
jours, aller à Rouen, pour une affaire de son étude.

— Votre abonnement de musique est terminé, dois-je
le reprendre ?

— Non, répondit-elle.

— Pourquoi ?

— Parce que...

Et, pinçant ses lèvres, elle tira lentement une longue
aiguillée de fil gris.

Cet ouvrage irritait Léon. Les doigts d'Emma semblaient s'y écorcher par le bout; il lui vint en tête une phrase galante, mais qu'il ne risqua pas.

— Vous l'abandonnez donc ? reprit-il.

— Quoi ? dit-elle vivement, la musique ? Ah ! mon Dieu, oui ! N'ai-je pas ma maison à tenir, mon mari à soigner, mille choses enfin, bien des devoirs qui passent auparavant [431] ?

Elle regarda la pendule. Charles était en retard. Alors elle fit la soucieuse. Deux ou trois fois elle répéta [422] :

— Il est si bon !

Le clerc affectionnait M. Bovary. Mais cette tendresse à son endroit l'étonna d'une façon désagréable; néanmoins il continua son éloge, qu'il entendait faire à chacun, disait-il, et surtout au pharmacien.

— Ah ! c'est un brave homme, reprit Emma.

— Certes, reprit le clerc [423].

Et il se mit à parler de Mme Homais, dont la tenue fort négligée leur prêtait à rire ordinairement.

— Qu'est-ce que cela fait ? interrompit Emma. Une bonne mère de famille ne s'inquiète pas de sa toilette.

Puis elle retomba dans son silence.

Il en fut de même les jours suivants; ses discours, ses manières, tout changea. On la vit prendre à cœur son ménage, retourner à l'église régulièrement et tenir sa servante avec plus de sévérité.

Elle retira Berthe de nourrice. Félicité l'amenait quand il venait des visites, et Mme Bovary la déshabillait afin de faire voir ses membres. Elle déclarait adorer les enfants; c'était sa consolation, sa joie, sa folie, et elle accompagnait ses caresses d'expansions lyriques, qui, à d'autres qu'à des Yonvillais, eussent rappelé la Sachette de *Notre-Dame de Paris* [424].

Quand Charles rentrait, il trouvait auprès des cendres ses pantoufles à chauffer. Ses gilets maintenant ne manquaient plus de doublure, ni ses chemises de boutons, et même il y avait plaisir à considérer dans l'armoire tous les bonnets de coton rangés par piles égales. Elle ne rechignait plus, comme autrefois, à faire des tours dans le jardin; ce qu'il proposait était toujours consenti, bien qu'elle ne devinât pas les volontés auxquelles elle se soumettait sans un murmure; — et lorsque Léon le voyait

au coin du feu, après le dîner, les deux mains sur son
ventre, les deux pieds sur les chenets, la joue rougie par
la digestion, les yeux humides de bonheur, avec l'enfant
qui se traînait sur le tapis, et cette femme à taille mince
qui, par-dessus le dossier du fauteuil, venait le baiser au
front :

— Quelle folie ! se disait-il, et comment arriver jusqu'à
elle ?

Elle lui parut donc si vertueuse et inaccessible que
toute espérance, même la plus vague, l'abandonna.

Mais, par ce renoncement, il la plaçait en des conditions
extraordinaires. Elle se dégagea, pour lui, des qualités
charnelles dont il n'avait rien à obtenir ; et elle alla, dans
son cœur, montant toujours et s'en détachant à la manière
magnifique d'une apothéose qui s'envole. C'était un de
ces sentiments purs qui n'embarrassent pas l'exercice de
la vie, que l'on cultive parce qu'ils sont rares, et dont la
perte affligerait plus que la possession n'est réjouissante.

Emma maigrit, ses joues pâlirent, sa figure s'allongea.
Avec ses bandeaux noirs, ses grands yeux, son nez droit,
sa démarche d'oiseau, et toujours silencieuse maintenant,
ne semblait-elle pas traverser l'existence en y touchant à
peine, et porter au front la vague empreinte de quelque
prédestination sublime ? Elle était si triste et si calme, si
douce à la fois et si réservée, que l'on se sentait près d'elle [425]
pris par un charme glacial, comme l'on frissonne [426] dans
les églises sous le parfum des fleurs mêlé au froid des
marbres. Les autres même n'échappaient point à cette
séduction. Le pharmacien disait :

— C'est une femme de grands moyens et qui ne serait
pas déplacée dans une sous-préfecture.

Les bourgeoises admiraient son économie, les clients
sa politesse, les pauvres sa charité.

Mais elle était pleine de convoitises, de rage, de haine.
Cette robe aux plis droits cachait un cœur bouleversé,
et ces lèvres si pudiques n'en racontaient pas la tourmente.
Elle était amoureuse de Léon, et elle recherchait la solitude, afin de pouvoir plus à l'aise se délecter en son image.
La vue de sa personne troublait la volupté de cette méditation. Emma palpitait au bruit de ses pas : puis, en sa
présence, l'émotion tombait [427], et il ne lui restait ensuite
qu'un immense étonnement qui se finissait en tristesse.

Léon ne savait pas, lorsqu'il sortait de chez elle désespéré, qu'elle se levait derrière lui, afin de le voir dans la rue. Elle s'inquiétait de ses démarches; elle épiait son visage; elle inventa toute une histoire pour trouver prétexte à visiter sa chambre. La femme du pharmacien lui semblait bien heureuse de dormir sous le même toit; et ses pensées continuellement s'abattaient sur cette maison, comme les pigeons du *Lion d'or* qui venaient tremper là, dans les gouttières, leurs pattes roses et leurs ailes blanches. Mais plus Emma [428] s'apercevait de son amour, plus elle le refoulait, afin qu'il ne parût pas, et pour le diminuer. Elle aurait voulu que Léon s'en doutât; et elle imaginait des hasards, des catastrophes qui l'eussent facilité. Ce qui la retenait, sans doute, c'était la paresse ou l'épouvante, et la pudeur aussi. Elle songeait qu'elle l'avait repoussé trop loin, qu'il n'était plus temps, que tout était perdu. Puis l'orgueil, la joie de se dire : « Je suis vertueuse », et de se regarder dans la glace en prenant des poses résignées, la consolait un peu [429] du sacrifice qu'elle croyait faire.

Alors, les appétits de la chair, les convoitises d'argent et les mélancolies de la passion, tout se confondit dans une même souffrance; — et au lieu d'en détourner sa pensée, elle l'y attachait davantage, s'excitant à la douleur et en cherchant partout les occasions. Elle s'irritait d'un plat mal servi ou d'une porte entre-bâillée, gémissait du velours qu'elle n'avait pas, du bonheur qui lui manquait, de ses rêves trop hauts, que sa maison trop étroite [430].

Ce qui l'exaspérait, c'est que Charles n'avait pas l'air de se douter de son supplice. La conviction où il était de la rendre heureuse lui semblait une insulte imbécile et sa sécurité là-dessus, de l'ingratitude. Pour qui donc était-elle sage ? N'était-il pas, lui, l'obstacle à toute félicité, la cause de toute misère, et comme l'ardillon pointu de cette courroie complexe qui la bouclait de tous côtés [431] ?

Donc, elle reporta sur lui seul la haine nombreuse qui résultait de ses ennuis, et chaque effort pour l'amoindrir ne servait qu'à l'augmenter; car cette peine inutile s'ajoutait aux autres motifs de désespoir et contribuait encore plus à l'écartement. Sa propre douceur à elle-même lui donnait des rébellions. La médiocrité domestique la poussait à des fantaisies luxueuses, la tendresse matrimoniale en des désirs adultères. Elle aurait voulu que Charles la battît,

pour pouvoir plus justement le détester, s'en venger.
Elle s'étonnait parfois des conjectures atroces qui lui
arrivaient à la pensée ; et il fallait continuer à sourire, s'entendre répéter qu'elle était heureuse, faire semblant de
l'être, le laisser croire [432] ?

Elle avait des dégoûts, cependant, de cette hypocrisie.
Des tentations la prenaient de s'enfuir avec Léon, quelque
part, bien loin, pour essayer une destinée nouvelle ; mais
aussitôt il s'ouvrait dans son âme un gouffre vague, plein
d'obscurité.

— D'ailleurs, il ne m'aime plus, pensait-elle ; que devenir ?
quel secours attendre, quelle consolation, quel allégement ?

Elle restait brisée, haletante, inerte, sanglotant à voix
basse et avec des larmes qui coulaient.

— Pourquoi ne point le dire à Monsieur ? lui demandait la domestique, lorsqu'elle entrait pendant ces crises.

— Ce sont les nerfs, répondait Emma ; ne lui en parle
pas, tu l'affligerais.

— Ah ! oui, reprenait Félicité, vous êtes justement
comme la Guérine [433], la fille au père Guérin, le pêcheur
du Pollet [434], que j'ai connue à Dieppe, avant de venir
chez vous. Elle était si triste, si triste, qu'à la voir debout
sur le seuil de sa maison, elle vous faisait l'effet d'un drap
d'enterrement tendu devant la porte. Son mal, à ce qu'il
paraît, était une manière de brouillard qu'elle avait dans la
tête, et les médecins n'y pouvaient rien, ni le curé non
plus. Quand ça la prenait trop fort, elle s'en allait toute
seule sur le bord de la mer, si bien que le lieutenant de
la douane, en faisant sa tournée, souvent la trouvait étendue
à plat ventre et pleurant sur les galets. Puis, après son
mariage [435], ça lui a passé, dit-on.

— Mais moi, reprenait Emma, c'est après le mariage
que ça m'est venu.

                                   VI

Un soir que la fenêtre était ouverte, et que, assise [436]
au bord, elle venait de regarder Lestiboudois, le bedeau,
qui taillait le buis, elle entendit tout à coup sonner
l'*Angelus* [437].

On était au commencement d'avril, quand les primevères sont écloses; un vent tiède se roule sur les plates-
bandes labourées, et les jardins, comme des femmes,
semblent faire leur toilette pour les fêtes de l'été. Par
les barreaux de la tonnelle et au delà tout alentour [436],
on voyait la rivière dans la prairie, où elle dessinait sur
l'herbe des sinuosités vagabondes. La vapeur du soir
passait entre les peupliers sans feuilles, estompant leurs
contours d'une teinte violette, plus pâle et plus transparente [439] qu'une gaze subtile arrêtée sur leurs branchages.
Au loin, des bestiaux marchaient; on n'entendait ni leurs
pas, ni leurs mugissements; et la cloche, sonnant toujours,
continuait [440] dans les airs sa lamentation pacifique.

À ce tintement répété, la pensée de la jeune femme
s'égarait dans ses vieux souvenirs de jeunesse et de pension.
Elle se rappela les grands chandeliers, qui dépassaient
sur l'autel les vases pleins de fleurs et le tabernacle à colonnettes. Elle aurait voulu, comme autrefois, être encore
confondue dans la longue ligne des voiles blancs, que
marquaient de noir çà et là les capuchons raides des bonnes
sœurs [441] inclinées sur leur prie-Dieu; le dimanche, à la
messe, quand elle relevait sa tête [442], elle apercevait le
doux visage de la Vierge, parmi les tourbillons bleuâtres
de l'encens qui montait. Alors un attendrissement la saisit:
elle se sentit molle [443] et tout abandonnée comme un duvet
d'oiseau qui tournoie dans la tempête; et ce fut sans en
avoir conscience qu'elle s'achemina vers l'église, disposée
à n'importe quelle dévotion, pourvu qu'elle y courbât
son âme [444] et que l'existence entière y disparût.

Elle rencontra, sur la place, Lestiboudois, qui s'en
revenait; car, pour ne pas rogner la journée, il préférait
interrompre sa besogne, puis la reprendre, si bien qu'il
tintait l'*Angelus* selon sa commodité. D'ailleurs, la sonnerie,
faite plus tôt, avertissait les gamins de l'heure du catéchisme.

Déjà quelques-uns, qui se trouvaient arrivés, jouaient
aux billes sur les dalles du cimetière. D'autres, à califour-
chon sur le mur, agitaient leurs jambes, en fauchant avec
leurs sabots les grandes orties poussées entre la petite
enceinte et les dernières tombes. C'était la seule place qui
fût verte; tout le reste n'était que pierres [445], et couvert
continuellement d'une poudre fine, malgré le balai de la
sacristie.

Les enfants en chaussons couraient là comme sur un
parquet fait pour eux, et on entendait les éclats de leurs
voix à travers le bourdonnement de la cloche. Il diminuait
avec les oscillations de la grosse corde qui, tombant des
hauteurs du clocher, traînait à terre par le bout. Des hirondelles passaient en poussant de petits cris, coupaient l'air
au tranchant de leur envol, et rentraient vite dans leurs nids
jaunes sous les tuiles du larmier. Au fond de l'église, une
lampe brûlait, c'est-à-dire une mèche de veilleuse dans
un verre suspendu. Sa lumière, de loin, semblait une tache
blanchâtre qui tremblait sur l'huile. Un long rayon de
soleil traversait toute la nef et rendait plus sombres encore
les bas-côtés et les angles.

— Où est le curé ? demanda Mme Bovary à un jeune
garçon qui s'amusait à secouer le tourniquet dans son
trou trop lâche.

— Il va venir, répondit-il.

En effet, la porte du presbytère grinça, l'abbé Bournisien parut; les enfants, pêle-mêle, s'enfuirent dans l'église.

— Ces polissons-là ! murmura l'ecclésiastique, toujours
les mêmes !

Et, ramassant un catéchisme en lambeaux qu'il venait
de heurter avec son pied :

— Ça ne respecte rien !

Mais, dès qu'il aperçut Mme Bovary :

— Excusez-moi, dit-il, je ne vous remettais pas.

Il fourra le catéchisme dans sa poche et s'arrêta, continuant à balancer entre deux doigts la lourde clef de la
sacristie.

La lueur du soleil couchant, qui frappait en plein son
visage, pâlissait le lasting de sa soutane, luisante sous les
coudes, effiloquée par le bas. Des taches de graisse et de
tabac suivaient sur sa poitrine large la ligne des petits
boutons, et elles devenaient plus nombreuses en s'écartant
de son rabat, où reposaient les plis abondants de sa peau
rouge; elle était semée de macules jaunes qui disparaissaient
dans les poils rudes de sa barbe grisonnante. Il venait de
dîner et respirait bruyamment.

— Comment vous portez-vous ? ajouta-t-il.

— Mal, répondit Emma; je souffre [446].

— Eh bien ! moi aussi, reprit l'ecclésiastique. Ces premières chaleurs, n'est-ce pas, vous amollissent étonnam-

ment ? Enfin, que voulez-vous ! nous sommes nés pour
souffrir, comme dit saint Paul. Mais M. Bovary, qu'est-ce
qu'il en pense ?

— Lui ! fit-elle avec un geste de dédain.

— Quoi ! répliqua le bonhomme tout étonné, il ne
vous ordonne pas quelque chose ?

— Ah ! dit Emma, ce ne sont pas les remèdes de la
terre qu'il me faudrait.

Mais le curé, de temps à autre, regardait dans l'église,
où tous les gamins agenouillés se poussaient de l'épaule,
et tombaient comme des capucins de cartes.

— Je voudrais savoir..., reprit-elle.

— Attends, attends, Riboudet [447], cria l'ecclésiastique
d'une voix colère, je m'en vas aller te chauffer [448] les oreilles,
mauvais galopin !

Puis se tournant vers Emma :

— C'est le fils de Boudet le charpentier ; ses parents
sont à leur aise et lui laissent faire ses fantaisies. Pourtant
il apprendrait vite, s'il le voulait, car il est plein d'esprit.
Et moi, quelquefois, par plaisanterie, je l'appelle donc
Riboudet (comme la côte que l'on prend pour aller à
Maromme), et je dis même : mon Riboudet. Ah ! ah !
Mont-Riboudet [449] ! L'autre jour, j'ai rapporté ce mot-là
à Monseigneur, qui en a ri... il a daigné en rire [450]. — Et
M. Bovary, comment va-t-il ?

Elle semblait ne pas entendre. Il continua :

— Toujours fort occupé, sans doute ? Car nous sommes
certainement, lui et moi, les deux personnes de la paroisse
qui avons le plus à faire [451]. Mais lui, il est le médecin des
corps, ajouta-t-il avec un rire épais, et moi, je le suis des
âmes !

Elle fixa sur le prêtre des yeux suppliants :

— Oui..., dit-elle, vous soulagez toutes les misères.

— Ah ! ne m'en parlez pas, madame Bovary ! Ce matin
même, il a fallu que j'aille dans le Bas-Diauville [452] pour
une vache qui avait l'*enfle ;* ils croyaient que c'était un sort.
Toutes leurs vaches, je ne sais comment... Mais, pardon !
Longuemarre et Boudet ! sac à papier ! voulez-vous bien
finir !

Et, d'un bond, il s'élança dans l'église.

Les gamins, alors, se pressaient autour du grand pupitre,
grimpaient sur le tabouret du chantre, ouvraient le missel ;

et d'autres, à pas de loup, allaient se hasarder bientôt jusque dans le confessionnal. Mais le curé, soudain [453], distribua sur tous une grêle de soufflets. Les prenant par le collet de la veste, il les enlevait de terre et les reposait à deux genoux sur les pavés du chœur [454], fortement, comme s'il eût voulu les y planter.

— Allez, dit-il [455] quand il fut revenu près d'Emma, et en déployant son large mouchoir d'indienne, dont il mit un angle entre ses dents, les cultivateurs sont bien à plaindre !

— Il y en a d'autres, répondit-elle.

— Assurément ! les ouvriers des villes, par exemple.

— Ce ne sont pas eux...

— Pardonnez-moi ! j'ai connu là de pauvres mères de famille, des femmes vertueuses, je vous assure, de véritables saintes, qui manquaient même de pain.

— Mais celles, reprit Emma (et les coins de sa bouche se tordaient en parlant), celles, monsieur le curé, qui ont du pain, et qui n'ont pas...

— De feu l'hiver, dit le prêtre.

— Eh ! qu'importe ?

— Comment ! qu'importe [456] ? Il me semble, à moi, que lorsqu'on est bien chauffé, bien nourri..., car, enfin...

— Mon Dieu ! mon Dieu ! soupirait-elle.

— Vous vous trouvez gênée [457] ? fit-il, en s'avançant d'un air inquiet; c'est la digestion, sans doute ? il faut rentrer chez vous, madame Bovary, boire un peu de thé; ça vous fortifiera; ou bien un verre d'eau fraîche avec de la cassonade.

— Pourquoi ?

Et elle avait l'air de quelqu'un qui se réveille d'un songe.

— C'est que vous passiez la main sur votre front. J'ai cru qu'un étourdissement vous prenait.

Puis se ravisant :

— Mais vous me demandiez quelque chose [458] ? Qu'est-ce donc ? Je ne sais plus.

— Moi ? Rien..., rien..., répétait Emma.

Et son regard, qu'elle promenait autour d'elle, s'abaissa lentement sur le vieillard à soutane. Ils se considéraient tous les deux, face à face, sans parler.

— Alors, madame Bovary, dit-il enfin, faites excuse, mais le devoir [459] avant tout, vous savez; il faut que j'expédie mes garnements. Voilà les premières communions qui vont venir. Nous serons encore surpris, j'en ai peur ! Aussi, à partir de l'Ascension, je les tiens *recta* tous les mercredis une heure de plus. Ces pauvres enfants ! on ne saurait les diriger trop tôt dans la voie du Seigneur, comme, du reste, il nous l'a recommandé lui-même par la bouche de son divin Fils... Bonne santé [460], madame; mes respects à monsieur votre mari.

Et il entra dans l'église, en faisant, dès la porte, une génuflexion.

Emma le vit qui disparaissait entre la double ligne de bancs, marchant à pas lourds, la tête un peu penchée sur l'épaule, et avec ses deux mains entr'ouvertes, qu'il portait en dehors.

Puis elle tourna sur ses talons, tout d'un bloc, comme une statue sur un pivot, et prit le chemin de sa maison. Mais la grosse voix du curé, la voix claire des gamins arrivaient encore à son oreille et continuaient derrière elle :

— Êtes-vous chrétien ?

— Oui, je suis chrétien.

— Qu'est-ce qu'un chrétien ?

— C'est celui qui, étant baptisé..., baptisé..., baptisé.

Elle monta les marches de son escalier en se tenant à la rampe, et, quand elle fut dans sa chambre, se laissa tomber dans un fauteuil.

Le jour blanchâtre des carreaux s'abaissait doucement avec des ondulations. Les meubles à leur place [461] semblaient devenus plus immobiles et se perdre dans l'ombre comme dans un océan ténébreux. La cheminée était éteinte [462], la pendule battait toujours, et Emma vaguement s'ébahissait à ce calme des choses, tandis qu'il y avait en elle-même tant de bouleversements. Mais, entre la fenêtre et la table à ouvrage, la petite Berthe était là, qui chancelait sur ses bottines de tricot et essayait de se rapprocher de sa mère pour lui saisir, par le bout, les rubans de son tablier.

— Laisse-moi ! dit celle-ci en l'écartant avec la main [463].

La petite fille bientôt [464] revint plus près encore contre ses genoux; et, s'y appuyant des bras, elle levait vers elle son gros œil bleu, pendant qu'un filet de salive pure découlait de sa lèvre sur la soie du tablier.

— Laisse-moi ! répéta la jeune femme tout irritée.

Sa figure épouvanta l'enfant, qui se mit à crier.

— Eh ! laisse-moi donc ! fit-elle en la repoussant du coude.

Berthe alla tomber [465] au pied de la commode, contre la patère de cuivre; elle s'y coupa la joue, le sang sortit. Mme Bovary se précipita pour la relever, cassa le cordon de la sonnette, appela la servante de toutes ses forces [466], et elle allait commencer à se maudire, lorsque Charles parut. C'était l'heure du dîner, il rentrait.

— Regarde donc, cher ami, lui dit Emma d'une voix tranquille : voilà la petite qui, en jouant, vient de se blesser par terre.

Charles la rassura, le cas n'était point grave, et il alla chercher du diachylum [467].

Mme Bovary ne descendit pas dans la salle; elle voulut demeurer seule à garder son enfant. Alors, en la contemplant dormir [468], ce qu'elle conservait d'inquiétude se dissipa par degrés [469], et elle se parut à elle-même bien sotte et bien bonne de s'être troublée tout à l'heure pour si peu de chose. Berthe, en effet, ne sanglotait plus [470]. Sa respiration, maintenant, soulevait [471] insensiblement la couverture de coton. De grosses larmes s'arrêtaient au coin de ses paupières à demi-closes, qui laissaient voir entre les cils deux prunelles pâles, enfoncées; le sparadrap, collé sur sa joue, en tirait obliquement la peau tendue.

— C'est une chose étrange, pensait Emma, comme cette enfant est laide !

Quand Charles, à onze heures du soir, revint de la pharmacie (où il avait été remettre, après le dîner, ce qui lui restait du diachylum), il trouva sa femme debout auprès du berceau.

— Puisque je t'assure que ce ne sera rien, dit-il en la baisant au front; ne te tourmente pas, pauvre chérie, tu te rendras malade !

Il était resté longtemps chez l'apothicaire. Bien qu'il ne s'y fût pas montré fort ému, M. Homais, néanmoins, s'était efforcé de le raffermir, de lui *remonter le moral*. Alors on avait causé des dangers divers qui menaçaient l'enfance et de l'étourderie des domestiques. Mme Homais en savait quelque chose, ayant encore sur la poitrine les marques d'une écuellée de braise qu'une cuisinière, autrefois, avait laissée tomber dans son sarrau. Aussi ses bons parents

prenaient-ils quantité de précautions. Les couteaux jamais
n'étaient affilés, ni les appartements cirés. Il y avait aux
fenêtres des grilles en fer et aux chambranles de fortes
barres. Les petits Homais, malgré leur indépendance, ne
pouvaient remuer sans un surveillant derrière eux ; au
moindre rhume, leur père les bourrait de pectoraux, et
jusqu'à plus de quatre ans ils portaient tous, impitoyablement, des bourrelets matelassés. C'était, il est vrai, une
manie de Mme Homais ; son époux en était intérieurement
affligé, redoutant pour les organes de l'intellect les résultats
possibles d'une pareille compression, et il s'échappait
jusqu'à lui dire :

— Tu prétends donc en faire des Caraïbes ou des
Botocudos ?

Charles, cependant, avait essayé plusieurs fois d'interrompre la conversation.

— J'aurais à vous entretenir, avait-il soufflé bas à
l'oreille du clerc, qui se mit à marcher devant lui dans
l'escalier.

— Se douterait-il de quelque chose ? se demandait
Léon. Il avait des battements de cœur et se perdait en
conjectures.

Enfin Charles, ayant fermé la porte, le pria de voir
lui-même à Rouen quels pouvaient être les prix d'un
beau daguerréotype ; c'était une surprise sentimentale qu'il
réservait à sa femme, une attention fine, son portrait en
habit noir. Mais il voulait auparavant *savoir à quoi s'en tenir ;*
ces démarches ne devaient pas embarrasser M. Léon,
puisqu'il allait à la ville toutes les semaines, à peu près.

Dans quel but ? Homais soupçonnait là-dessous [172]
quelque *histoire de jeune homme*, une intrigue. Mais il se
trompait ; Léon ne poursuivait aucune amourette. Plus
que jamais il était triste, et Mme Lefrançois s'en apercevait
bien à la quantité de nourriture qu'il laissait maintenant sur
son assiette. Pour en savoir plus long, elle interrogea le
percepteur ; Binet répliqua, d'un ton rogue, qu'il n'était
point payé par la police.

Son camarade, toutefois, lui paraissait fort singulier ;
car souvent Léon se renversait sur sa chaise en écartant
les bras et se plaignait vaguement de l'existence.

— C'est que vous ne prenez point assez de distractions,
disait le percepteur.

— Lesquelles ?

— Moi, à votre place, j'aurais un tour !

— Mais je ne sais pas tourner, répondit le clerc [473].

— Oh ! c'est vrai ! faisait l'autre en caressant sa mâchoire, avec un air de dédain mêlé de satisfaction.

Léon était las d'aimer sans résultat; puis il commençait [474] à sentir cet accablement que vous cause la répétition de la même vie, lorsque aucun intérêt ne la dirige et qu'aucune espérance ne la soutient. Il était si ennuyé d'Yonville et des Yonvillais, que la vue de certaines gens, de certaines maisons l'irritait à n'y pouvoir tenir; et le pharmacien, tout bonhomme qu'il était [475], lui devenait complètement insupportable. Cependant, la perspective d'une situation nouvelle l'effrayait autant qu'elle le séduisait.

Cette appréhension [476] se tourna vite en impatience, et Paris alors agita pour lui, dans le lointain, la fanfare de ses bals masqués avec le rire de ses grisettes. Puisqu'il devait y terminer son droit, pourquoi ne partait-il pas ? Qui l'empêchait ? Et il se mit à faire des préparatifs intérieurs; il arrangea d'avance ses occupations. Il se meubla, dans sa tête, un appartement. Il y mènerait une vie d'artiste ! Il y prendrait des leçons de guitare ! Il aurait une robe de chambre, un béret basque, des pantoufles de velours; bleu ! Et même il admirait déjà sur sa cheminée deux fleurets en sautoir, avec une tête de mort et la guitare au-dessus.

La chose difficile était le consentement de sa mère; rien pourtant ne paraissait plus raisonnable. Son patron même l'engageait à visiter une autre étude [477], où il pût se développer davantage. Prenant donc un parti moyen, Léon chercha quelque place [478] de second clerc à Rouen, n'en trouva pas; il écrivit enfin [479] à sa mère une longue lettre détaillée, où il exposait les raisons d'aller habiter Paris immédiatement. Elle y consentit.

Il ne se hâta point [480]. Chaque jour, durant tout un mois, Hivert transporta pour lui d'Yonville à Rouen, de Rouen à Yonville, des coffres, des valises, des paquets; et, quand Léon eut remonté sa garde-robe, fait rembourrer ses trois fauteuils, acheté une provision de foulards, pris, en un mot, plus de dispositions que pour un voyage autour du monde, il ajourna de semaine en semaine, jusqu'à ce qu'il reçût [481] une seconde lettre maternelle où on le pressait de partir, puisqu'il désirait, avant les vacances, passer son examen.

Lorsque le moment fut venu des embrassades, Mme Homais pleura; Justin sanglotait; Homais, en homme fort, dissimula son émotion; il voulait lui-même [482] porter le paletot de son ami jusqu'à la grille du notaire, qui emmenait Léon à Rouen dans sa voiture. Ce dernier avait juste le temps de faire ses adieux à M. Bovary.

Quand il fut au haut de l'escalier, il s'arrêta, tant il se sentait hors d'haleine [483]. A son entrée, Mme Bovary se leva vivement.

— C'est encore moi ! dit Léon.

— J'en étais sûre !

Elle se mordit les lèvres, et un flot de sang lui courut sous la peau, qui se colora tout en rose, depuis la racine des cheveux jusqu'au bord de sa collerette. Elle restait debout, s'appuyant de l'épaule contre la boiserie.

— Monsieur n'est donc pas là ? reprit il.

— Il est absent.

Elle répéta :

— Il est absent.

Alors il y eut un silence. Ils se regardèrent; et leurs pensées, confondues dans la même angoisse, s'étreignaient étroitement, comme deux poitrines palpitantes.

— Je voudrais bien embrasser Berthe, dit Léon.

Emma descendit quelques marches et elle appela Félicité.

Il jeta vite autour de lui un large coup d'œil qui s'étala sur les murs, les étagères, la cheminée, comme pour pénétrer tout, emporter tout.

Mais elle rentra, et la servante amena Berthe, qui secouait au bout d'une ficelle un moulin à vent, la tête en bas.

Léon la baisa sur le cou à plusieurs reprises.

— Adieu, pauvre enfant ! adieu, chère petite, adieu ! Et il la remit à sa mère.

— Emmenez-la, dit celle-ci.

Ils restèrent seuls.

Mme Bovary, le dos tourné, avait la figure posée contre un carreau; Léon tenait sa casquette à la main et la battait doucement le long de sa cuisse.

— Il va pleuvoir, dit Emma.

— J'ai un manteau, répondit-il.

— Ah !

Elle se détourna, le menton baissé et le front en avant.
La lumière y glissait comme sur un marbre, jusqu'à la
courbe des sourcils, sans que l'on pût savoir ce qu'Emma
regardait à l'horizon, ni ce qu'elle pensait au fond d'elle-
même.

— Allons, adieu ! soupira-t-il [484].

Elle releva sa tête d'un mouvement brusque :

— Oui, adieu... partez [485] !

Ils s'avancèrent l'un vers l'autre : il tendit la main,
elle hésita [486].

— A l'anglaise donc, fit-elle, abandonnant la sienne,
tout en s'efforçant de rire.

Léon la sentit entre ses doigts, et la substance même
de tout son être lui semblait descendre dans cette paume
humide.

Puis il ouvrit la main; leurs yeux se rencontrèrent
encore, et il disparut.

Quand il fut sous les halles, il s'arrêta, et il se cacha
derrière un pilier, afin de contempler une dernière fois
cette maison blanche avec ses quatre jalousies vertes. Il
crut voir une ombre derrière la fenêtre, dans la chambre;
mais le rideau, se décrochant de la patère comme si personne n'y touchait, remua lentement ses longs plis obliques,
qui d'un seul bond s'étalèrent tous, et il resta droit, plus
immobile qu'un mur de plâtre. Léon se mit à courir.

Il aperçut de loin, sur la route, le cabriolet de son
patron, et à côté un homme en serpillière qui tenait le
cheval. Homais et M. Guillaumin causaient ensemble.
On l'attendait.

— Embrassez-moi, dit l'apothicaire, les larmes aux yeux.
Voilà votre paletot, mon bon ami, prenez garde au froid !
Soignez-vous ! ménagez-vous !

— Allons, Léon, en voiture ! dit le notaire.

Homais se pencha sur le garde-crotte et, d'une voix
entrecoupée par les sanglots, laissa tomber ces deux mots
tristes :

— Bon voyage !

— Bonsoir, répondit M. Guillaumin. Lâchez tout !

Ils partirent, et Homais s'en retourna.

Mme Bovary avait ouvert [487] sa fenêtre sur le jardin,
et elle regardait les nuages.

Ils s'amoncelaient au couchant, du côté de Rouen, et roulaient vite leurs volutes noires, d'où dépassaient par derrière les grandes lignes du soleil, comme les flèches d'or d'un trophée suspendu, tandis que le reste du ciel vide avait la blancheur d'une porcelaine. Mais une rafale de vent fit se courber les peupliers, et tout à coup la pluie tomba ; elle crépitait sur les feuilles vertes. Puis le soleil reparut, les poules chantèrent ; des moineaux battaient des ailes dans les buissons humides, et les flaques d'eau sur le sable emportaient en s'écoulant les fleurs roses d'un acacia.

— Ah ! qu'il doit être loin déjà ! pensa-t-elle.

M. Homais, comme de coutume, vint à six heures et demie, pendant le dîner.

— Eh bien ! dit-il en s'asseyant, nous avons donc tantôt embarqué notre jeune homme ?

— Il paraît ! répondit le médecin.

Puis, se tournant sur sa chaise :

— Et quoi de neuf chez vous ?

— Pas grand'chose. Ma femme, seulement, a été cette après-midi un peu émue. Vous savez, les femmes, un rien les trouble [488] ! la mienne surtout ! Et l'on aurait tort de se révolter là contre, puisque leur organisation nerveuse est beaucoup plus malléable que la nôtre.

— Ce pauvre Léon ! disait Charles, comment va-t-il vivre à Paris !... S'y accoutumera-t-il ?

Mme Bovary soupira.

— Allons donc ! dit le pharmacien [489] en claquant de la langue, les parties fines chez le traiteur ! les bals masqués ! le champagne ! tout cela va rouler, je vous assure.

— Je ne crois pas qu'il se dérange, objecta Bovary.

— Ni moi ! reprit vivement M. Homais, quoiqu'il lui faudra pourtant suivre les autres, au risque de passer pour un jésuite. Et vous ne savez pas la vie que mènent ces farceurs-là, dans le quartier Latin [490], avec les actrices ! Du reste, les étudiants sont fort bien vus à Paris. Pour peu qu'ils aient quelque talent d'agrément, on les reçoit dans les meilleures sociétés, et il y a même des dames du faubourg Saint-Germain qui en deviennent amoureuses, ce qui leur fournit, par la suite, les occasions de faire de très beaux mariages.

— Mais, dit le médecin, j'ai peur pour lui que... là-bas...

— Vous avez raison, interrompit l'apothicaire, c'est le

revers de la médaille ! et l'on y est obligé continuellement
d'avoir la main posée sur son gousset. Ainsi, vous êtes
dans un jardin public, je suppose; un quidam se présente,
bien mis, décoré même, et qu'on prendrait pour un diplomate; il vous aborde : vous causez; il s'insinue, vous offre
une prise ou vous ramasse votre chapeau. Puis on se lie
davantage; il vous mène au café, vous invite à venir dans
sa maison de campagne, vous fait faire, entre deux vins,
toutes sortes de connaissances, et, les trois quarts du temps,
ce n'est que pour flibuster votre bourse ou vous entraîner
en des démarches pernicieuses.

— C'est vrai, répondit Charles; mais je pensais surtout
aux maladies, à la fièvre typhoïde, par exemple, qui
attaque les étudiants de la province.

Emma tressaillit.

— A cause du changement de régime, continua le pharmacien, et de la perturbation qui en résulte dans l'économie
générale. Et puis, l'eau de Paris, voyez-vous ! les mets
des restaurateurs [491], toutes ces nourritures épicées finissent
par vous échauffer le sang et ne valent pas, quoi qu'on en
dise, un bon pot-au-feu. J'ai toujours, quant à moi, préféré
la cuisine bourgeoise : c'est plus sain ! Aussi, lorsque j'étudiais à Rouen la pharmacie, je m'étais mis en pension dans
une pension; je mangeais avec les professeurs.

Et il continua donc à exposer ses opinions générales
et ses sympathies personnelles, jusqu'au moment où Justin
vint le chercher pour un lait de poule qu'il fallait faire.

— Pas un instant de répit ! s'écria-t-il, toujours à la
chaîne ! Je ne peux sortir une minute ! Il faut, comme
un cheval de labour, être à suer sang et eau ! Quel collier
de misère !

Puis, quand il fut sur la porte :

— A propos, dit-il, savez-vous la nouvelle ?

— Quoi donc ?

— C'est qu'il est fort probable, reprit Homais, en
dressant ses sourcils et en prenant une figure des plus
sérieuses, que les comices agricoles de la Seine-Inférieure
se tiendront cette année à Yonville-l'Abbaye. Le bruit,
du moins, en circule. Ce matin, le journal en touchait
quelque chose. Ce serait, pour notre arrondissement, de
la dernière importance ! Mais nous en causerons plus
tard. J'y vois, je vous remercie; Justin a la lanterne.

VII

Le lendemain fut, pour Emma, une journée funèbre. Tout lui parut enveloppé par une atmosphère noire qui flottait confusément sur l'extérieur des choses ; et le chagrin s'engouffrait dans son âme avec des hurlements doux, comme fait le vent d'hiver dans les châteaux abandonnés. C'était cette rêverie que l'on a sur ce qui ne reviendra plus, la lassitude qui vous prend après chaque fait accompli, cette douleur, enfin, que vous apportent l'interruption de tout mouvement accoutumé, la cessation brusque d'une vibration prolongée.

Comme au retour de la Vaubyessard, quand les quadrilles tourbillonnaient dans sa tête, elle avait une mélancolie morne, un désespoir engourdi. Léon réapparaissait plus grand, plus beau, plus suave, plus vague [492] ; quoiqu'il fût séparé d'elle, il ne l'avait pas quittée ; il était là, et les murailles de la maison semblaient garder son ombre. Elle ne pouvait détacher sa vue de ce tapis où il avait marché, de ces meubles vides où il s'était assis. La rivière coulait toujours, et poussait lentement ses petits flots le long de la berge glissante. Ils s'y étaient promenés bien des fois, à ce même murmure des ondes, sur les cailloux couverts de mousse. Quels bons soleils ils avaient eus ! Quelles bonnes après-midi, seuls, à l'ombre, dans le fond du jardin ! Il lisait tout haut, tête nue, posé sur un tabouret de bâtons secs ; le vent frais de la prairie faisait trembler les pages du livre et les capucines de la tonnelle... Ah ! il était parti, le seul charme de sa vie, le seul espoir possible d'une félicité ! Comment n'avait-elle pas saisi ce bonheur-là, quand il se présentait [493] ! Pourquoi ne l'avoir pas retenu à deux mains, à deux genoux, quand il voulait s'enfuir ? Et elle se maudit de n'avoir pas aimé Léon ; elle eut soif de ses lèvres. L'envie la prit de courir le rejoindre, de se jeter dans ses bras, de lui dire : « C'est moi, je suis à toi ! » Mais Emma s'embarrassait d'avance aux difficultés de l'entreprise, et ses désirs, s'augmentant d'un regret, n'en devenaient que plus actifs.

Dès lors, ce souvenir de Léon fut comme le centre de son ennui ; il y pétillait plus fort que, dans un steppe

de Russie, un feu de voyageurs abandonné sur la neige.
Elle se précipitait vers lui, elle se blottissait contre, elle
remuait délicatement ce foyer près de s'éteindre, elle
allait cherchant tout autour d'elle ce qui pouvait l'aviver
davantage; et les réminiscences les plus lointaines comme
les plus immédiates occasions, ce qu'elle éprouvait avec
ce qu'elle imaginait, ses envies de volupté qui se dispersaient, ses projets de bonheur qui craquaient au vent comme
des branchages morts, sa vertu stérile, ses espérances tombées, la litière domestique, elle ramassait tout, prenait
tout, et faisait servir tout à réchauffer sa tristesse [494].

Cependant les flammes s'apaisèrent, soit que la provision
d'elle-même s'épuisât, ou que l'entassement fût trop considérable. L'amour peu à peu s'éteignit par l'absence, le
regret s'étouffa sous l'habitude; et cette lueur d'incendie
qui empourprait son ciel pâle se couvrit de plus d'ombre
et s'effaça par degrés. Dans l'assoupissement de sa conscience, elle prit même les répugnances du mari pour des
aspirations vers l'amant, les brûlures de la haine pour des
réchauffements de la tendresse; mais, comme l'ouragan
soufflait toujours, et que la passion se consuma jusqu'aux
cendres, et qu'aucun secours ne vint, qu'aucun soleil ne
parut, il fut de tous côtés nuit complète, et elle demeura
perdue dans un froid horrible qui la traversait.

Alors les mauvais jours de Tostes recommencèrent.
Elle s'estimait à présent beaucoup plus malheureuse, car
elle avait l'expérience du chagrin, avec la certitude qu'il
ne finirait pas.

Une femme qui s'était imposé de si grands sacrifices
pouvait bien se passer des fantaisies. Elle s'acheta un
prie-Dieu gothique, elle dépensa en un mois [495] pour quatorze francs de citrons à se nettoyer les ongles; elle écrivit
à Rouen, afin d'avoir une robe en cachemire bleu; elle
choisit, chez Lheureux, la plus belle de ses écharpes; elle
se la nouait à la taille par-dessus sa robe de chambre; et,
les volets fermés, avec un livre à la main, elle restait étendue
sur un canapé, dans cet accoutrement.

Souvent, elle variait sa coiffure; elle se mettait à la chinoise, en boucles molles, en nattes tressées; elle se fit
une raie sur le côté de la tête et roula ses cheveux en dessous,
comme un homme.

Elle voulut apprendre l'italien : elle acheta des diction-

naires, une grammaire, une provision de papier blanc.
Elle essaya des lectures sérieuses, de l'histoire et de la
philosophie. La nuit, quelquefois, Charles se réveillait
en sursaut, croyant qu'on le venait chercher pour un
malade :

— J'y vais, balbutiait-il.

Et c'était le bruit d'une allumette qu'Emma frottait
afin de rallumer la lampe. Mais il en était de ses lectures
comme de ses tapisseries, qui, toutes commencées, encom-
braient son armoire; elle les prenait, les quittait, passait
à d'autres.

Elle avait des accès, où on l'eût poussée facilement à des
extravagances. Elle soutint un jour, contre son mari,
qu'elle boirait bien un grand demi-verre d'eau-de-vie,
et, comme Charles eut la bêtise de l'en défier, elle avala
l'eau-de-vie jusqu'au bout.

Malgré ses airs évaporés (c'était le mot des bourgeoises
d'Yonville), Emma, pourtant, ne paraissait pas joyeuse,
et, d'habitude, elle gardait aux coins de la bouche cette
immobile contraction qui plisse la figure des vieilles
filles et celle des ambitieux déchus. Elle était pâle partout,
blanche comme du linge [496]; la peau du nez se tirait vers
les narines, ses yeux vous regardaient d'une manière vague.
Pour s'être découvert trois cheveux gris sur les tempes,
elle parla de sa vieillesse.

Souvent des défaillances la prenaient. Un jour même
elle eut un crachement de sang, et, comme Charles s'empres-
sait, laissant apercevoir son inquiétude :

— Ah bah! répondit-elle, qu'est-ce que cela fait?

Charles s'alla réfugier dans son cabinet; et il pleura,
les deux coudes sur la table, assis dans son fauteuil de bureau,
sous la tête phrénologique.

Alors il écrivit à sa mère pour la prier de venir, et ils
eurent ensemble de longues conférences au sujet d'Emma.

A quoi se résoudre? Que faire, puisqu'elle se refusait
à tout traitement?

— Sais-tu ce qu'il faudrait à ta femme? reprenait la
mère Bovary. Ce seraient des occupations forcées, des
ouvrages manuels! Si elle était, comme tant d'autres, contrainte à gagner son pain, elle n'aurait pas ces vapeurs-là,
qui lui viennent d'un tas d'idées qu'elle se fourre dans la
tête, et du désœuvrement où elle vit.

— Pourtant elle s'occupe, disait Charles.

— Ah ! elle s'occupe ! À quoi donc ? A lire des romans, de mauvais livres [497], des ouvrages qui sont contre la religion et dans lesquels on se moque des prêtres par des discours tirés de Voltaire. Mais tout cela va loin, mon pauvre enfant, et quelqu'un qui n'a pas de religion finit toujours par tourner mal.

Donc, il fut résolu que l'on empêcherait Emma de lire des romans. L'entreprise ne semblait point facile. La bonne dame s'en chargea : elle devait, quand elle passerait par Rouen, aller en personne chez le loueur de livres et lui représenter qu'Emma cessait ses abonnements. N'aurait-on pas le droit d'avertir la police, si le libraire persistait quand même dans son métier d'empoisonneur ?

Les adieux de la belle-mère et de la bru furent secs. Pendant les trois semaines qu'elles étaient restées ensemble, elles n'avaient pas échangé quatre paroles, à part les informations et les compliments [498], quand elles se rencontraient à table, et le soir avant de se mettre au lit.

Mme Bovary mère partit un mercredi, qui était jour de marché à Yonville [499].

La place, dès le matin, était encombrée par une file de charrettes qui, toutes à cul et les brancards en l'air, s'étendaient le long des maisons depuis l'église jusqu'à l'auberge. De l'autre côté, il y avait des baraques de toile où l'on vendait des cotonnades, des couvertures et des bas de laine, avec des licous pour les chevaux et des paquets de rubans bleus, qui par le bout s'envolaient au vent. De la grosse quincaillerie s'étalait par terre, entre les pyramides d'œufs et les bannettes de fromages, d'où sortaient des pailles gluantes; près des machines à blé, des poules qui gloussaient dans des cages passaient leurs cous [500] par les barreaux. La foule, s'encombrant au même endroit sans en vouloir bouger, menaçait quelquefois de rompre la devanture de la pharmacie. Les mercredis, elle ne désemplissait pas et l'on s'y poussait, moins pour acheter des médicaments que pour prendre des consultations, tant était fameuse la réputation du sieur Homais, dans les villages circonvoisins. Son robuste aplomb avait fasciné les campagnards. Ils le regardaient comme un plus grand médecin que tous les médecins.

Emma était accoudée à sa fenêtre (elle s'y mettait sou-

vent : la fenêtre, en province, remplace les théâtres et la
promenade), et elle s'amusait à considérer la cohue des
rustres, lorsqu'elle aperçut un monsieur vêtu d'une redingote de velours vert. Il était ganté de gants jaunes, quoiqu'il
fût chaussé de fortes guêtres; et il se dirigeait vers la
maison du médecin, suivi d'un paysan marchant la tête
basse d'un air tout réfléchi.

— Puis-je voir Monsieur ? demanda-t-il à Justin, qui
causait sur le seuil avec Félicité.

Et, le prenant [501] pour le domestique de la maison :

— Dites-lui que M. Rodolphe Boulanger [502], de la
Huchette, est là.

Ce n'était point par vanité territoriale que le nouvel
arrivant avait ajouté à son nom la particule, mais afin
de se faire mieux connaître. La Huchette, en effet, était
un domaine près d'Yonville, dont il venait d'acquérir
le château, avec deux fermes qu'il cultivait lui-même, sans
trop se gêner cependant. Il vivait en garçon, et passait
pour avoir *au moins quinze mille livres de rentes !*

Charles entra dans la salle. M. Boulanger lui présenta
son homme, qui voulait être saigné, parce qu'il éprouvait
des fourmis le long du corps.

— Ça me purgera, objectait-il à tous les raisonnements.

Bovary commença donc [503] d'apporter une bande et
une cuvette, et pria Justin de la soutenir. Puis, s'adressant
au villageois déjà blême :

— N'ayez point peur, mon brave.

— Non, non, répondit l'autre, marchez toujours !

Et, d'un air fanfaron, il tendit son gros bras. Sous la
piqûre de la lancette, le sang jaillit et alla s'éclabousser
contre la glace.

— Approche le vase ! exclama Charles.

— *Guête !* [504] disait le paysan, on jurerait une petite fontaine qui coule ! Comme j'ai le sang rouge ! Ce doit être
bon signe, n'est-ce pas ?

— Quelquefois, reprit l'officier de santé, l'on n'éprouve
rien au commencement, puis la syncope se déclare, et plus
particulièrement chez les gens bien constitués comme
celui-ci.

Le campagnard, à ces mots, lâcha l'étui qu'il tournait
entre ses doigts. Une saccade de ses épaules fit craquer le
dossier de sa chaise. Son chapeau tomba.

— Je m'en doutais, dit Bovary en appliquant son doigt sur la veine.

La cuvette commençait à trembler aux mains de Justin; ses genoux chancelèrent, il devint pâle.

— Ma femme ! ma femme ! appela Charles.

D'un bond, elle descendit l'escalier.

— Du vinaigre ! cria-t-il. Ah ! mon Dieu, deux à la fois !

Et, dans son émotion, il avait peine à poser la compresse.

— Ce n'est rien, disait tout tranquillement M. Boulanger, tandis qu'il prenait Justin entre ses bras.

Et il l'assit sur la table, lui appuyant le dos contre la muraille.

Mme Bovary se mit à lui retirer sa cravate. Il y avait un nœud aux cordons de sa chemise [505]; elle resta quelques minutes à remuer ses doigts légers dans le cou du jeune garçon; ensuite elle versa du vinaigre sur son mouchoir de batiste; elle lui en mouillait les tempes à petits coups et elle soufflait dessus, délicatement.

Le charretier se réveilla; mais la syncope de Justin durait encore, et ses prunelles disparaissaient dans leur sclérotique pâle, comme des fleurs bleues dans du lait.

— Il faudrait, dit Charles, lui cacher cela.

Mme Bovary pris la cuvette, pour la mettre sous la table; dans le mouvement [506] qu'elle fit en s'inclinant, sa robe (c'était une robe d'été à quatre volants, de couleur jaune, longue de taille, large de jupe), sa robe s'évasa autour d'elle sur les carreaux de la salle; — et, comme Emma, baissée, chancelait un peu en écartant les bras, le gonflement de l'étoffe se crevait de place en place, selon les inflexions de son corsage [507]. Ensuite, elle alla prendre une carafe d'eau, et elle faisait fondre des morceaux de sucre lorsque le pharmacien arriva. La servante l'avait été chercher dans l'algarade; en apercevant son élève les yeux ouverts, il reprit haleine. Puis, tournant autour de lui, il le regardait de haut en bas.

— Sot ! disait-il; petit sot, vraiment ! sot en trois lettres ! Grand'chose après tout, qu'une phlébotomie ! et, un gaillard qui n'a peur de rien ! une espèce d'écureuil, tel que vous le voyez, qui monte locher des noix à des hauteurs vertigineuses. Ah ! oui, parle, vante-toi ! voilà de belles dispositions à exercer plus tard la pharmacie [508]; car tu

peux te trouver à être appelé en des circonstances graves,
par-devant les tribunaux, afin d'y éclairer la conscience des
magistrats; et il faudra pourtant garder son sang-froid,
raisonner, se montrer homme, ou bien passer pour un
imbécile !

Justin ne répondait pas. L'apothicaire continuait :

Qui t'a prié de venir ? Tu importunes toujours monsieur
et madame ! Les mercredis, d'ailleurs, ta présence m'est
plus indispensable. Il y a maintenant vingt personnes à la
maison. J'ai tout quitté, à cause de l'intérêt que je te
porte [509]. Allons, va-t'en ! cours ! attends-moi, et surveille
les bocaux !

Quand Justin, qui se rhabillait, fut parti, l'on causa
quelque peu des évanouissements. Mme Bovary n'en avait
jamais eu.

— C'est extraordinaire pour une dame ! dit M. Boulanger. Du reste, il y a des gens bien délicats. Ainsi j'ai
vu, dans une rencontre, un témoin perdre connaissance rien
qu'au bruit des pistolets que l'on chargeait [510].

— Moi, dit l'apothicaire, la vue du sang des autres ne
me fait rien du tout; mais l'idée seulement du mien qui
coule suffirait à me causer des défaillances, si j'y réfléchissais
trop.

Cependant M. Boulanger congédia son domestique, en
l'engageant à se tranquilliser l'esprit, puisque sa fantaisie
était passée.

— Elle m'a procuré l'avantage de votre connaissance,
ajouta-t-il.

Et il regardait Emma [511] durant cette phrase.

Puis il déposa trois francs sur le coin de la table, salua
négligemment et s'en alla.

Il fut bientôt de l'autre côté de la rivière (c'était son
chemin pour s'en retourner à la Huchette); et Emma
l'aperçut dans la prairie, qui marchait sous les peupliers,
se ralentissant de temps à autre, comme quelqu'un qui
réfléchit.

— Elle est fort gentille ! se disait-il; elle est fort gentille,
cette femme du médecin ! De belles dents, les yeux noirs,
le pied coquet, et de la tournure comme une Parisienne.
D'où diable sort-elle ? Où donc l'a-t-il trouvée, ce gros
garçon-là ?

M. Rodolphe Boulanger avait trente-quatre ans; il était

de tempérament brutal et d'intelligence perspicace, ayant
d'ailleurs beaucoup fréquenté les femmes et s'y connaissant
bien. Celle-là lui avait paru jolie : il y rêvait donc, et à
son mari.

— Je le crois très bête. Elle en est fatiguée sans doute [512].
Il porte des ongles sales et une barbe de trois jours. Tandis
qu'il trottine à ses malades, elle reste à ravauder des chaussettes. Et on s'ennuie ! on voudrait habiter la ville, danser
la polka tous les soirs ! Pauvre petite femme ! Ça bâille
après l'amour, comme une carpe après l'eau sur une table
de cuisine. Avec trois mots de galanterie, cela vous ado-
rerait, j'en suis sûr ! ce serait tendre ! charmant !... Oui,
mais comment s'en débarrasser ensuite ?

Alors les encombrements du plaisir, entrevus en perspective, le firent, par contraste, songer à sa maîtresse.
C'était une comédienne de Rouen, qu'il entretenait; et,
quand il se fut arrêté sur cette image, dont il avait, en souvenir même, des rassasiements :

— Ah ! Mme Bovary, pensa-t-il, est bien plus jolie
qu'elle, plus fraîche surtout. Virginie, décidément, commence à devenir trop grosse [513]. Elle est si fastidieuse avec
ses joies [514]. Et, d'ailleurs, quelle manie de salicoques !

La campagne était déserte, et Rodolphe n'entendait
autour de lui que le battement régulier des herbes qui
fouettaient sa chaussure, avec le cri des grillons tapis au
loin sous les avoines; il revoyait Emma dans la salle,
habillée comme il l'avait vue, et il la déshabillait.

— Oh ! je l'aurai [515] ! s'écria-t-il en écrasant, d'un coup
de bâton, une motte de terre devant lui.

Et, aussitôt, il examina la partie politique de l'entreprise. Il se demandait :

— Où se rencontrer ? par quel moyen ? On aura continuellement le marmot sur les épaules, et la bonne, les
voisins, le mari, toute sorte de tracasseries [516] considérables.
— Ah bah ! dit-il, on y perd trop de temps !

Puis il recommença :

— C'est qu'elle a des yeux qui vous entrent au cœur
comme des vrilles. Et ce teint pâle... Moi, qui adore les
femmes pâles !

Au haut de la côte d'Argueil, sa résolution était prise.

— Il n'y a plus qu'à chercher les occasions. Eh bien !
j'y passerai quelquefois, je leur enverrai du gibier, de la

volaille; je me ferai saigner, s'il le faut; nous deviendrons amis, je les inviterai chez moi... Ah ! parbleu ! ajouta-t-il, voilà les Comices bientôt; elle y sera, je la verrai. Nous commencerons, et hardiment, car c'est le plus sûr [517].

VIII

Ils arrivèrent, en effet, ces fameux Comices [518] ! Dès le matin de la solennité, tous les habitants, sur leurs portes, s'entretenaient des préparatifs; on avait enguirlandé de lierre le fronton de la mairie; une tente, dans un pré, était dressée pour le festin, et, au milieu de la place, devant l'église, une espèce de bombarde devait signaler l'arrivée de M. le préfet et le nom des cultivateurs lauréats. La garde nationale de Buchy (il n'y en avait point à Yonville) était venue s'adjoindre au corps des pompiers, dont Binet était le capitaine. Il portait, ce jour-là, un col encore plus haut que de coutume; et, sanglé dans sa tunique, il avait le buste si raide [519] et immobile, que toute la partie vitale de sa personne semblait être descendue dans ses deux jambes, qui se levaient en cadence, à pas marqués, d'un seul mouvement. Comme une rivalité subsistait entre le percepteur et le colonel, l'un et l'autre, pour montrer leurs talents, faisaient à part manœuvrer leurs hommes. On voyait alternativement passer et repasser les épaulettes rouges et les plastrons noirs. Cela ne finissait pas et toujours recommençait ! Jamais il n'y avait eu pareil déploiement de pompe ! Plusieurs bourgeois, dès la veille, avaient lavé leurs maisons; des drapeaux tricolores pendaient aux fenêtres entr'ouvertes; tous les cabarets étaient pleins; et, par le beau temps qu'il faisait, les bonnets empesés, les croix d'or et les fichus de couleurs paraissaient plus blancs que neige, miroitaient au soleil clair, et relevaient de leur bigarrure éparpillée la sombre monotonie des redingotes et des bourgerons bleus. Les fermières des environs retiraient, en descendant de cheval, la grosse épingle qui leur serrait autour du corps leur robe retroussée de peur des taches; et les maris, au contraire, afin de ménager leurs chapeaux, gardaient par-dessus des mou-

choirs de poche, dont ils tenaient un angle entre les
dents.

La foule arrivait dans la grande rue par les deux bouts
du village. Il s'en dégorgeait des ruelles, des allées, des
maisons, et l'on entendait de temps à autre retomber le
marteau des portes, derrière les bourgeoises en gants de
fil, qui sortaient pour aller voir la fête. Ce que l'on admirait
surtout, c'étaient deux longs ifs couverts de lampions qui
flanquaient une estrade où s'allaient tenir les autorités; et
il y avait de plus, contre les quatre colonnes de la mairie,
quatre manières de gaules, portant chacune un petit éten-
dard de toile verdâtre, enrichi d'inscriptions en lettres
d'or. On lisait sur l'un : « Au Commerce »; sur l'autre :
« A l'Agriculture »; sur le troisième : « A l'Industrie »
et, sur le quatrième : « Aux Beaux-Arts. »

Mais la jubilation qui épanouissait tous les visages
paraissait assombrir Mme Lefrançois, l'aubergiste. Debout
sur les marches de sa cuisine, elle murmurait dans son
menton.

— Quelle bêtise ! Quelle bêtise avec leur baraque de
toile ! Croient-ils que le préfet sera bien aise de dîner là-
bas, sous une tente, comme un saltimbanque ? Ils appellent
ces embarras-là faire le bien du pays ! Ce n'était pas la
peine, alors, d'aller chercher un gargotier à Neufchâtel !
Et pour qui ? pour des vachers ! des va-nu-pieds !...

L'apothicaire passa. Il avait un habit noir, un pantalon
de nankin, des souliers de castor et, par extraordinaire, un
chapeau, — un chapeau bas de forme.

— Serviteur ! dit-il ; excusez-moi, je suis pressé.

Et comme la grosse veuve lui demanda où il allait :

— Cela vous semble drôle, n'est-ce pas ? moi qui reste
toujours plus confiné dans mon laboratoire que le rat du
bonhomme dans son fromage.

— Quel fromage ? fit l'aubergiste.

— Non, rien ! ce n'est rien ! reprit Homais. Je voulais
vous exprimer seulement, madame Lefrançois, que je
demeure d'habitude tout reclus chez moi. Aujourd'hui,
cependant, vu la circonstance, il faut bien que...

— Ah ! vous allez là-bas [520] ? dit-elle avec un air de
dédain.

— Oui, j'y vais, répliqua l'apothicaire étonné; ne
fais-je point partie de la commission consultative ?

La mère Lefrançois le considéra quelques minutes, et finit par répondre en souriant :

— C'est autre chose ! Mais qu'est-ce que la culture vous regarde ? Vous vous y entendez donc ?

— Certainement, je m'y entends, puisque je suis pharmacien, c'est-à-dire chimiste ! Et la chimie, madame Lefrançois, ayant pour objet la connaissance de l'action réciproque et moléculaire de tous les corps de la nature, il s'ensuit que l'agriculture se trouve comprise dans son domaine ! Et, en effet, composition des engrais, fermentation des liquides, analyses des gaz et influence des miasmes, qu'est-ce que tout cela, je vous le demande, si ce n'est de la chimie pure et simple ?

L'aubergiste ne répondit rien. Homais continua :

— Croyez-vous qu'il faille, pour être agronome, avoir soi-même labouré la terre ou engraissé des volailles ? Mais il faut connaître plutôt [521] la constitution des substances dont il s'agit, les gisements géologiques, les actions atmosphériques, la qualité des terrains, des minéraux, des eaux, la densité des différents corps et leur capillarité ! Que sais-je ? Et il faut posséder à fond tous les principes d'hygiène [522], pour diriger, critiquer la construction des bâtiments, le régime des animaux, l'alimentation des domestiques ! Il faut encore, madame Lefrançois, posséder la botanique [523]; pouvoir discerner les plantes. Entendez-vous ? Quelles sont [524] les salutaires d'avec les délétères; quelles les improductives et quelles les nutritives; s'il est bon de les arracher par-ci et de les ressemer par-là [525], de propager les unes, de détruire les autres; bref, il faut se tenir au courant de la science par les brochures et papiers publics, être toujours en haleine, afin d'indiquer les améliorations...

L'aubergiste ne quittait point des yeux la porte du *Café Français*, et le pharmacien poursuivit :

— Plût à Dieu que nos agriculteurs fussent des chimistes, ou que du moins ils écoutassent davantage les conseils de la science ! Ainsi, moi, j'ai dernièrement écrit un fort opuscule, un mémoire de plus de soixante et douze pages [526], intitulé : *Du cidre, de sa fabrication et de ses effets, suivi de quelques réflexions nouvelles à ce sujet*, que j'ai envoyé à la Société agronomique de Rouen; ce qui m'a même valu l'honneur d'être reçu parmi ses membres, section d'agriculture, classe de pomologie. Eh bien ! si mon ouvrage avait été livré à la publicité...

Mais l'apothicaire s'arrêta, tant Mme Lefrançois paraissait préoccupée.

— Voyez-les donc, disait-elle, on n'y comprend rien ! une gargote semblable !

Et, avec des haussements d'épaules qui tiraient sur sa poitrine les mailles de son tricot [527], elle montrait des deux mains le cabaret de son rival, d'où sortaient alors des chansons.

— Du reste, il n'en a pas pour longtemps, ajouta-t-elle; avant huit jours, tout est fini.

Homais se recula de stupéfaction. Elle descendit ses trois marches, et, lui parlant à l'oreille :

— Comment ! vous ne savez pas cela ? On va le saisir cette semaine. C'est Lheureux qui le fait vendre. Il l'a assassiné de billets.

— Quelle épouvantable catastrophe ! s'écria l'apothicaire, qui avait toujours des expressions congruentes à toutes les circonstances imaginables.

L'hôtesse donc se mit à lui raconter cette histoire, qu'elle savait par Théodore, le domestique de M. Guillaumin, et, bien qu'elle exécrât Tellier, elle blâmait Lheureux. C'était un enjôleur, un rampant.

— Ah ! tenez, dit-elle, le voilà sous les halles : il salue Mme Bovary, qui a un chapeau vert. Elle est même au bras de M. Boulanger.

— Mme Bovary ! fit Homais. Je m'empresse d'aller lui offrir mes hommages. Peut-être qu'elle sera bien aise d'avoir une place dans l'enceinte, sous le péristyle.

Et, sans écouter la mère Lefrançois, qui le rappelait pour lui en conter plus long, le pharmacien s'éloigna d'un pas rapide, sourire aux lèvres et jarret tendu, distribuant de droite et de gauche quantité de salutations et emplissant beaucoup d'espace avec les grandes basques de son habit noir, qui flottaient au vent derrière lui.

Rodolphe, l'ayant aperçu de loin, avait pris un train rapide; mais Mme Bovary s'essoufla; il se ralentit donc et lui dit en souriant, d'un ton brutal :

— C'est pour éviter ce gros homme : vous savez [528], l'apothicaire.

Elle lui donna un coup de coude.

— Qu'est-ce que cela signifie ? se demanda-t-il.

Et il la considéra du coin de l'œil, tout en continuant à marcher.

Son profil était si calme, que l'on n'y devinait rien. Il se détachait en pleine lumière, dans l'ovale de sa capote [529] qui avait des rubans pâles ressemblant à des feuilles de roseau. Ses yeux aux longs cils courbes regardaient devant elle, et, quoique bien ouverts, ils semblaient un peu bridés par les pommettes, à cause du sang qui battait doucement sous sa peau fine. Une couleur rose traversait la cloison de son nez. Elle inclinait la tête sur l'épaule, et l'on voyait entre ses lèvres le bout nacré de ses dents blanches.

— Se moque-t-elle de moi ? songeait Rodolphe.

Ce geste d'Emma pourtant n'avait été qu'un avertissement; car M. Lheureux les accompagnait, et il leur parlait de temps à autre, comme pour entrer en conversation.

— Voici une journée superbe ! Tout le monde est dehors ! Les vents sont à l'est.

Et Mme Bovary, non plus que Rodolphe, ne lui répondait guère, tandis qu'au moindre mouvement qu'ils faisaient, il se rapprochait en disant : « Plaît-il ? » et portait la main à son chapeau.

Quand ils furent devant la maison du maréchal, au lieu de suivre la route jusqu'à la barrière, Rodolphe, brusquement, prit un sentier, entraînant Mme Bovary; il cria :

— Bonsoir, monsieur Lheureux ! Au plaisir !

— Comme vous l'avez congédié ! dit-elle en riant.

— Pourquoi, reprit-il, se laisser envahir par les autres ? et, puisque, aujourd'hui, j'ai le bonheur d'être avec vous...

Emma rougit. Il n'acheva point sa phrase. Alors il parla du beau temps et du plaisir de marcher sur l'herbe. Quelques marguerites étaient repoussées.

— Voici de gentilles pâquerettes, dit-il, et de quoi fournir bien des oracles à toutes les amoureuses du pays.

Il ajouta :

— Si j'en cueillais. Qu'en pensez-vous ?

— Est-ce que vous êtes amoureux ? fit-elle en toussant un peu.

— Eh ! eh ! qui sait [530], répondit [531] Rodolphe.

Le pré [532] commençait à se remplir, et les ménagères vous heurtaient avec leurs grands parapluies, leurs paniers et leurs bambins. Souvent il fallait se déranger devant une longue file de campagnardes, servantes en bas bleus, à souliers plats, à bagues d'argent, et qui sentaient le lait quand on passait près d'elles. Elles marchaient en se tenant par la main, et se répandaient ainsi sur toute la longueur de la prairie, depuis la ligne des trembles jusqu'à la tente du banquet. Mais c'était le moment de l'examen, et les cultivateurs, les uns après les autres [533], entraient dans une manière d'hippodrome que formait une longue corde portée sur des bâtons.

Les bêtes étaient là, le nez tourné vers la ficelle, et alignant confusément leurs croupes inégales. Les porcs assoupis [534] enfonçaient en terre leur groin; les veaux beuglaient; des brebis bêlaient; les vaches, un jarret replié, étalaient leur ventre sur le gazon et, ruminant lentement, clignaient leurs paupières lourdes sous les moucherons qui bourdonnaient autour d'elles. Des charretiers, les bras nus, retenaient par le licou des étalons cabrés, qui hennissaient à pleins naseaux du côté des juments. Elles restaient paisibles, allongeant la tête et la crinière pendante, tandis que leurs poulains se reposaient à leur ombre, ou venaient les téter quelquefois; et, sur la longue ondulation de tous ces corps tassés, on voyait se lever au vent, comme un flot, quelque crinière blanche, ou bien saillir des cornes aiguës et des têtes d'hommes qui couraient. A l'écart, en dehors des lices, cent pas plus loin, il y avait un grand taureau noir muselé portant un cercle de fer à la narine, et qui ne bougeait pas plus qu'une bête de bronze. Un enfant en haillons le tenait par une corde.

Cependant, entre les deux rangées, des messieurs s'avançaient d'un pas lourd, examinant chaque animal, puis se consultaient à voix basse. L'un d'eux, qui semblait plus considérable, prenait, tout en marchant, quelques notes sur un album. C'était le président du jury : M. Derozerays de la Panville. Sitôt qu'il reconnut Rodolphe, il s'avança vivement, et·lui dit en souriant d'un air aimable :

— Comment, monsieur Boulanger, vous nous abandonnez ?

Rodolphe protesta qu'il allait venir. Mais, quand le président eut disparu :

— Ma foi, non, reprit-il, je n'irai pas; votre compagnie vaut bien la sienne.

Et, tout en se moquant des comices, Rodolphe, pour circuler plus à l'aise, montrait au gendarme sa pancarte bleue, et même il s'arrêtait parfois devant quelque beau *sujet* que Mme Bovary n'admirait guère. Il s'en aperçut, et alors se mit à faire des plaisanteries sur les dames d'Yonville, à propos de leur toilette ; puis il s'excusa lui-même du négligé de la sienne. Elle avait cette incohérence de choses communes et recherchées, où le vulgaire, d'habitude, croit entrevoir la révélation d'une existence excentrique, les désordres du sentiment, les tyrannies de l'art, et toujours un certain mépris des conventions sociales, ce qui le séduit ou l'exaspère. Ainsi, sa chemise de batiste à manchettes plissées bouffait au hasard du vent, dans l'ouverture de son gilet, qui était de coutil gris, et son pantalon à larges raies découvrait aux chevilles ses bottines de nankin, claquées de cuir verni. Elles étaient si vernies, que l'herbe s'y reflétait. Il foulait avec elles les crottins de cheval, une main dans la poche de sa veste et son chapeau de paille mis de côté.

— D'ailleurs, ajouta-t-il, quand on habite la campagne...

— Tout est peine perdue, dit Emma.

— C'est vrai ! répliqua Rodolphe. Songer que pas un seul de ces braves gens n'est capable de comprendre même la tournure d'un habit !

Alors ils parlèrent de la médiocrité provinciale, des existences qu'elle étouffait, des illusions qui s'y perdaient.

— Aussi, disait Rodolphe, je m'enfonce dans une tristesse...

— Vous ! fit-elle avec étonnement. Mais je vous croyais très gai ?

— Ah ! oui, d'apparence, parce qu'au milieu du monde je sais mettre sur mon visage un masque railleur ; et, cependant, que de fois, à la vue d'un cimetière, au clair de lune, je me suis demandé si je ne ferais pas mieux d'aller rejoindre ceux qui sont à dormir...

— Oh ! Et vos amis ? dit-elle. Vous n'y pensez pas [535].

— Mes amis ? Lesquels donc ? En ai-je ? Qui s'inquiète de moi ?

Et il accompagna ces derniers mots d'une sorte de sifflement entre ses lèvres.

Mais ils furent obligés de s'écarter l'un de l'autre à cause d'un grand échafaudage de chaises qu'un homme portait

derrière eux. Il en était si surchargé, que l'on apercevait
seulement la pointe de ses sabots, avec le bout de ses deux
bras, écartés droit. C'était Lestiboudois, le fossoyeur, qui
charriait dans la multitude les chaises de l'église. Plein
d'imagination pour tout ce qui concernait ses intérêts, il
avait découvert ce moyen de tirer parti des comices, et
son idée lui réussissait, car il ne savait plus auquel entendre.
En effet, les villageois, qui avaient chaud, se disputaient
ces sièges dont la paille sentait l'encens, et s'appuyaient
contre leurs gros dossiers, salis par la cire des cierges, avec
une certaine vénération.

Mᵐᵉ Bovary reprit le bras de Rodolphe; il continua
comme se parlant à lui-même :

— Oui ! tant de choses m'ont manqué ! Toujours seul !
Ah ! si j'avais eu un but dans la vie, si j'eusse rencontré une
affection, si j'avais trouvé quelqu'un... Oh ! comme j'aurais
dépensé toute l'énergie dont je suis capable, j'aurais sur-
monté tout, brisé tout !

— Il me semble pourtant, dit Emma, que vous n'êtes
guère à plaindre.

— Ah ! vous trouvez ? fit Rodolphe.

— Car enfin... reprit-elle, vous êtes libre.

Elle hésita :

— Riche.

— Ne vous moquez pas de moi, répondit-il.

Et elle jurait qu'elle ne se moquait pas, quand un coup
de canon retentit; aussitôt, on se poussa pêle-mêle vers
le village.

C'était une fausse alerte. M. le préfet n'arrivait pas; et les
membres du jury se trouvaient fort embarrassés, ne sachant
s'il fallait commencer la séance ou bien attendre encore.

Enfin, au fond de la place, parut un grand landau de
louage, traîné par deux chevaux maigres, que fouettait à
tour de bras un cocher en chapeau blanc. Binet n'eut que
le temps de crier : « Aux armes ! » et le colonel de l'imiter.
On courut vers les faisceaux. On se précipita. Quelques-uns
même oublièrent leur col. Mais l'équipage préfectoral
sembla deviner cet embarras, et les deux rosses accouplées,
se dandinant sur leur chaînette⁵³⁶, arrivèrent au petit
trot devant le péristyle de la mairie juste au moment où la
garde nationale et les pompiers s'y déployaient, tambour
battant, et marquant le pas.

— Balancez ! cria Binet.

— Halte ! cria le colonel. Par file à gauche !

Et, après un port d'armes où le cliquetis des capucines se déroulant sonna [537] comme un chaudron de cuivre qui dégringole les escaliers, tous les fusils retombèrent.

Alors on vit descendre du carrosse un monsieur vêtu d'un habit court à broderie d'argent [538], chauve sur le front, portant toupet à l'occiput, ayant le teint blafard et l'apparence des plus bénignes. Ses deux yeux, fort gros et couverts de paupières épaisses, se fermaient à demi pour considérer la multitude, en même temps qu'il levait son nez pointu et faisait sourire sa bouche rentrée. Il reconnut le maire à son écharpe, et lui exposa que M. le préfet n'avait pu venir. Il était, lui, un conseiller de préfecture; puis il ajouta quelques excuses. Tuvache y répondit par des civilités, l'autre s'avoua confus; et ils restaient ainsi, face à face, et leurs fronts se touchant presque, avec les membres du jury tout alentour [539], le conseil municipal, les notables, la garde nationale et la foule. M. le conseiller, appuyant contre sa poitrine son petit tricorne noir, réitérait ses salutations, tandis que Tuvache, courbé comme un arc, souriait aussi, bégayait, cherchait ses phrases, protestait de son dévouement à la monarchie, et de l'honneur que l'on faisait à Yonville.

Hippolyte, le garçon de l'auberge, vint prendre par la bride les chevaux du cocher, et tout en boitant de son pied bot, il les conduisit sous le porche du *Lion d'or* où beaucoup de paysans s'amassèrent à regarder la voiture. Le tambour battit, l'obusier tonna, et les messieurs à la file montèrent s'asseoir sur l'estrade, dans les fauteuils en utrecht rouge qu'avait prêtés Mme Tuvache.

Tous ces gens-là se ressemblaient. Leurs molles figures blondes, un peu hâlées par le soleil, avaient la couleur du cidre doux, et leurs favoris bouffants s'échappaient de grands cols roides, que maintenaient des cravates blanches à rosette bien étalée. Tous les gilets étaient de velours, à châle; toutes les montres portaient au bout d'un long ruban quelque cachet ovale en cornaline; et l'on appuyait ses deux mains sur ses deux cuisses, en écartant avec soin la fourche du pantalon, dont le drap non décati reluisait plus brillamment que le cuir des fortes bottes [540].

Les dames de la société se tenaient derrière, sous le

vestibule, entre les colonnes, tandis que le commun de
la foule était en face, debout, ou bien assis sur des chaises.
En effet, Lestiboudois avait apporté là toutes celles qu'il
avait déménagées de la prairie, et même il courait à chaque
minute en chercher d'autres dans l'église, et causait un tel
encombrement par son commerce, que l'on avait grand'peine
à parvenir jusqu'au petit escalier de l'estrade.

— Moi, je trouve, dit M. Lheureux (s'adressant au
pharmacien, qui passait pour gagner sa place), que l'on
aurait dû planter là deux mâts vénitiens : avec quelque
chose d'un peu sévère et de riche comme nouveauté [541],
c'eût été un fort joli coup d'œil.

— Certes, répondit Homais. Mais, que voulez-vous [542] !
c'est le maire qui a tout pris sous son bonnet. Il n'a pas
grand goût, ce pauvre Tuvache; il est même complètement
dénué de ce qui s'appelle le génie des arts.

Cependant Rodolphe, avec Mᵐᵉ Bovary, était monté au
premier étage de la mairie, dans la *salle des délibérations*, et,
comme elle était vide, il avait déclaré que l'on y serait
bien pour jouir du spectacle plus à son aise. Il prit trois
tabourets autour de la table ovale, sous le buste du
monarque, et, les ayant approchés de l'une des fenêtres,
ils s'assirent l'un près de l'autre.

Il y eut une agitation sur l'estrade, de longs chuchote-
ments, des pourparlers. Enfin, M. le Conseiller se leva.
On savait maintenant qu'il s'appelait Lieuvain, et l'on se
répétait son nom l'un à l'autre, dans la foule. Quand il eut
donc collationné [543] quelques feuilles et appliqué dessus
son œil pour y mieux voir, il commença :

« Messieurs [544],

« Qu'il me soit permis d'abord (avant de vous entretenir de l'objet de cette réunion d'aujourd'hui, et ce sentiment, j'en suis sûr, sera partagé par vous tous), qu'il me
soit permis, dis-je, de rendre justice à l'administration supérieure, au gouvernement, au monarque, messieurs, à notre
souverain, à ce roi bien-aimé à qui aucune branche de la
prospérité publique ou particulière n'est indifférente, et qui
dirige à la fois d'une main si ferme et si sage le char de
l'État parmi les périls incessants d'une mer orageuse, sachant

d'ailleurs faire respecter la paix comme la guerre, l'industrie, le commerce, l'agriculture et les beaux-arts. »

— Je devrais, dit Rodolphe, me reculer un peu.
— Pourquoi ? dit Emma.
Mais, à ce moment, la voix du Conseiller s'éleva d'un ton extraordinaire. Il déclamait :

« Le temps n'est plus, messieurs, où la discorde civile ensanglantait nos places publiques, où le propriétaire, le négociant, l'ouvrier lui-même, en s'endormant le soir d'un sommeil paisible, tremblaient de se voir réveillés [545] tout à coup au bruit des tocsins incendiaires, où les maximes les plus subversives sapaient audacieusement les bases... »

— C'est qu'on pourrait, reprit Rodolphe, m'apercevoir d'en bas ; puis j'en aurais pour quinze jours à donner des excuses, et, avec ma mauvaise réputation...
— Oh ! vous vous calomniez, dit Emma.
— Non, non, elle est exécrable, je vous jure.

« Mais, messieurs, poursuivit le Conseiller, que si, écartant de mon souvenir ces sombres tableaux, je reporte mes yeux sur la situation actuelle de notre belle patrie : qu'y vois-je ? Partout fleurissent le commerce et les arts ; partout des voies nouvelles de communication, comme autant d'artères nouvelles dans le corps de l'État, y établissent des rapports nouveaux ; nos grands centres manufacturiers ont repris leur activité ; la religion, plus affermie, sourit à tous les cœurs ; nos ports sont pleins, la confiance renaît, et enfin la France respire !... »

— Du reste, ajouta Rodolphe, peut-être, au point de vue du monde, a-t-on raison ?
— Comment cela ? fit-elle.
— Eh quoi ! dit-il, ne savez-vous pas qu'il y a des âmes sans cesse tourmentées ? Il leur faut tour à tour le rêve et l'action, les passions les plus pures, les jouissances les plus furieuses, et l'on se jette ainsi dans toutes sortes de fantaisies, de folies.
Alors elle le regarda comme on contemple un voyageur

qui a passé par des pays extraordinaires, et elle reprit :
— Nous n'avons pas même cette distraction, nous autres
pauvres femmes !
— Triste distraction, car on n'y trouve pas le bonheur.
— Mais le trouve-t-on jamais ? demanda-t-elle.
— Oui, il se rencontre un jour, répondit-il.

« Et c'est là ce que vous avez compris, disait le Conseiller. Vous, agriculteurs et ouvriers des campagnes;
vous, pionniers pacifiques d'une œuvre toute de civilisation [546] ! vous, hommes de progrès et de moralité ! vous
avez compris, dis-je, que les orages politiques sont encore
plus redoutables vraiment que les désordres de l'atmosphère...

— Il se rencontre un jour, répéta Rodolphe, un jour,
tout à coup et quand on en désespérait. Alors des horizons
s'entr'ouvrent, c'est comme une voix qui crie : « Le voilà ! »
Vous sentez le besoin de faire à cette personne la confidence de votre vie, de lui donner tout, de lui sacrifier
tout ! On ne s'explique pas, on se devine. On s'est entrevu
dans ses rêves. (Et il la regardait [547].) Enfin, il est là, ce
trésor que l'on a tant cherché, là, devant vous; il brille,
il étincelle. Cependant on en doute encore, on n'ose y croire;
on en reste ébloui, comme si l'on sortait des ténèbres à
la lumière.
Et, en achevant ces mots, Rodolphe ajouta la pantomime
à sa phrase. Il se passa la main sur le visage, tel qu'un
homme pris d'étourdissement; puis il la laissa retomber sur
celle d'Emma. Elle retira la sienne. Mais le Conseiller
lisait toujours [548] :

« Et qui s'en étonnerait, messieurs ? Celui-là seul qui
serait assez aveugle, assez plongé (je ne crains pas de le
dire), assez plongé dans les préjugés d'un autre âge pour
méconnaître encore l'esprit des populations agricoles. Où
trouver, en effet, plus de patriotisme que dans les campagnes, plus de dévouement à la cause publique, plus
d'intelligence en un mot ? Et je n'entends pas, messieurs,
cette intelligence superficielle, vain ornement des esprits
oisifs, mais plus de cette intelligence profonde et modérée [549]
qui s'applique par-dessus toute chose à poursuivre des buts

utiles, contribuant ainsi au bien de chacun, à l'amélioration commune et au soutien des États, fruit du respect des lois et de la pratique des devoirs... »

— Ah ! encore, dit Rodolphe. Toujours les devoirs, je suis assommé de ces mots-là. Ils sont un tas de vieilles ganaches en gilet de flanelle, et de bigotes à chaufferette et à chapelet, qui continuellement nous chantent aux oreilles : « Le devoir ! le devoir ! » Eh ! parbleu ! le devoir, c'est de sentir ce qui est grand, de chérir ce qui est beau, et non pas d'accepter toutes les conventions de la société, avec les ignominies qu'elle nous impose.

— Cependant..., cependant..., objectait Mme Bovary.
— Eh non ! pourquoi déclamer contre les passions ? Ne sont-elles pas la seule belle chose qu'il y ait sur la terre, la source de l'héroïsme, de l'enthousiasme, de la poésie, de la musique, des arts, de tout enfin [550] ?

— Mais il faut bien, dit Emma, suivre un peu l'opinion du monde et obéir à sa morale.

— Ah ! c'est qu'il y en a deux, répliqua-t-il. La petite, la convenue, celle des hommes, celle qui varie sans cesse et qui braille si fort, s'agite en bas, terre à terre, comme ce rassemblement d'imbéciles que vous voyez. Mais l'autre, l'éternelle, elle est tout autour et au-dessus, comme le paysage qui nous environne et le ciel bleu qui nous éclaire.

M. Lieuvain venait de s'essuyer la bouche avec son mouchoir de poche. Il reprit :

« Et qu'aurais-je à faire, messieurs, de vous démontrer ici l'utilité de l'agriculture ? Qui donc pourvoit à nos besoins ? Qui donc fournit à notre subsistance ? N'est-ce pas l'agriculteur ? L'agriculteur, messieurs, qui ensemençant d'une main laborieuse les sillons féconds des campagnes, fait naître le blé, lequel, broyé, est mis en poudre au moyen d'ingénieux appareils, en sort sous le nom de farine, et, de là, transporté dans les cités, est bientôt rendu chez le boulanger, qui en confectionne un aliment pour le pauvre comme pour le riche. N'est-ce pas l'agriculteur encore qui engraisse, pour nos vêtements, ses abondants troupeaux dans les pâturages ? Car comment nous vêtirions-nous, car comment nous nourririons-nous sans l'agriculteur ? Et même, messieurs, est-il besoin d'aller si loin

chercher des exemples. Qui n'a souvent réfléchi à toute
l'importance que l'on retire de ce modeste animal, ornement
de nos basses-cours, qui fournit à la fois un oreiller moel-
leux pour nos couches, sa chair succulente pour nos tables,
et des œufs ? Mais je n'en finirais pas s'il fallait énumérer les
uns après les autres [551] les différents produits que la terre
bien cultivée, telle qu'une mère généreuse, prodigue à ses
enfants. Ici, c'est la vigne; ailleurs, ce sont les pommiers
à cidre; là, le colza; plus loin, les fromages; et le lin;
messieurs, n'oublions pas le lin ! qui a pris dans ces dernières
années un accroissement considérable et sur lequel j'appel-
lerai plus particulièrement votre attention. »

Il n'avait pas besoin de l'appeler : car [552] toutes les bouches
de la multitude se tenaient ouvertes, comme pour boire
ses paroles. Tuvache, à côté de lui, l'écoutait en écarquillant
les yeux; M. Derozerais, de temps à autre, fermait doucement les paupières; et plus loin, le pharmacien, avec son
fils Napoléon entre les jambes [553], bombait sa main contre
son oreille pour ne pas perdre une seule syllabe. Les autres
membres du jury balançaient lentement leur menton [554]
dans leur gilet, en signe d'approbation. Les pompiers, au
bas de l'estrade, se reposaient sur leurs baïonnettes; et
Binet, immobile, restait le coude en dehors, avec la pointe
du sabre en l'air. Il entendait peut-être, mais il ne devait
rien apercevoir à cause de la visière de son casque qui lui
descendait sur le nez. Son lieutenant [555], le fils cadet du
sieur Tuvache, avait encore exagéré le sien; car il en portait
un énorme et qui lui vacillait sur la tête, en laissant dépasser
un bout de son foulard d'indienne. Il souriait là-dessous
avec une douceur tout enfantine, et sa petite figure pâle,
où des gouttes ruisselaient, avait une expression de jouissance, d'accablement et de sommeil.

La place jusqu'aux maisons était comble de monde.
On y voyait des gens accoudés [556] à toutes les fenêtres,
d'autres debout sur toutes les portes, et Justin, devant
la devanture de la pharmacie, paraissait tout fixé dans
la contemplation de ce qu'il regardait. Malgré le silence,
la voix de M. Lieuvain se perdait dans l'air. Elle vous
arrivait par lambeaux de phrases, qu'interrompait çà et là
le bruit des chaises dans la foule; puis on entendait, tout
à coup, partir derrière soi un long mugissement de bœuf,

ou bien les bêlements des agneaux qui se répondaient au coin des rues. En effet, les vachers et les bergers avaient poussé leurs bêtes jusque-là, et elles beuglaient de temps à autre, tout en arrachant avec leur langue quelque bribe de feuillage qui leur pendait sur le museau.

Rodolphe s'était rapproché d'Emma, et il disait d'une voix basse, en parlant vite :

— Est-ce que cette conjuration du monde ne vous révolte pas ? Est-il un seul sentiment qu'il ne condamne ? Les instincts les plus nobles, les sympathies les plus pures sont persécutés, calomniés, et, s'il se rencontre enfin deux pauvres âmes, tout est organisé pour qu'elles ne puissent se joindre. Elles essayeront cependant, elles battront des ailes, elles s'appelleront. Oh ! n'importe, tôt ou tard, dans six mois, dix ans, elles se réuniront, s'aimeront, parce que la fatalité l'exige et qu'elles sont nées l'une pour l'autre.

Il se tenait les bras croisés sur ses genoux, et, ainsi levant la figure [557] vers Emma, il la regardait de près, fixement. Elle distinguait dans ses yeux des petits rayons d'or, s'irradiant tout autour de ses pupilles noires, et même elle sentait le parfum de la pommade qui lustrait sa chevelure [558]. Alors une mollesse la saisit, elle se rappela ce vicomte qui l'avait fait valser à la Vaubyessard, et dont la barbe exhalait, comme ces cheveux-là, cette odeur de vanille et de citron ; et, machinalement, elle entreferma [559] les paupières pour la mieux respirer. Mais, dans ce geste qu'elle fit en se cambrant sur sa chaise, elle aperçut au loin, tout au fond de l'horizon, la vieille diligence l'*Hirondelle*, qui descendait lentement la côte des Leux, en traînant après soi un long panache de poussière. C'était dans cette voiture jaune que Léon, si souvent, était revenu vers elle ; et par cette route là-bas qu'il était parti pour toujours ! Elle crut le voir en face, à sa fenêtre, puis tout se confondit, des nuages passèrent ; il lui sembla qu'elle tournait encore dans la valse, sous le feu des lustres, au bras du vicomte, et que Léon n'était pas loin, qu'il allait venir... et cependant elle sentait toujours la tête de Rodolphe à côté d'elle. La douceur de cette sensation pénétrait ainsi ses désirs d'autrefois, et, comme des grains de sable sous un coup de vent, ils tourbillonnaient dans la bouffée subtile du parfum qui se répandait sur son âme. Elle ouvrit les narines à plusieurs reprises, fortement, pour aspirer la fraîcheur

des lierres autour des chapiteaux. Elle retira ses gants, elle
s'essuya les mains; puis, avec son mouchoir, elle s'éventait
la figure, tandis qu'à travers le battement de ses tempes
elle entendait la rumeur de la foule et la voix du Conseiller
qui psalmodiait ses phrases.

Il disait :

« Continuez ! persévérez ! n'écoutez ni les suggestions
de la routine, ni les conseils trop hâtifs d'un empirisme
téméraire ! Appliquez-vous surtout à l'amélioration du
sol, aux bons engrais, au développement des races cheva-
lines, bovines, ovines et porcines [560] ! Que ces comices
soient pour vous comme des arènes pacifiques où le vainqueur, en sortant [561], tendra la main au vaincu et frater-
nisera avec lui, dans l'espoir d'un succès meilleur ! Et
vous, vénérables serviteurs ! humbles domestiques, dont
aucun gouvernement jusqu'à ce jour n'avait pris en considération les pénibles labeurs, venez recevoir la récompense
de vos vertus silencieuses, et soyez convaincus que l'État,
désormais, a les yeux fixés sur vous, qu'il vous encourage,
qu'il vous protège, qu'il fera droit à vos justes réclamations
et allégera, autant qu'il est en lui, le fardeau de vos pénibles
sacrifices ! »

M. Lieuvain se rassit alors; M. Derozerays [562] se leva,
commençant un autre discours. Le sien, peut-être, ne
fut point aussi fleuri que celui du Conseiller; mais il se
recommandait par un caractère de style plus positif, c'est-
à-dire par des connaissances plus spéciales et des considérations plus relevées. Ainsi, l'éloge du gouvernement y
tenait moins de place; la religion et l'agriculture en occupaient davantage. On y voyait le rapport de l'une et de
l'autre, et comment elles avaient concouru toujours à la
civilisation. Rodolphe, avec Mme Bovary, causait rêves, pressentiments, magnétisme. Remontant au berceau des sociétés,
l'orateur vous dépeignait ces temps farouches où les hommes
vivaient de glands, au fond des bois. Puis ils avaient quitté
la dépouille des bêtes, endossé le drap, creusé des sillons,
planté la vigne. Était-ce un bien, et n'y avait-il pas dans
cette découverte plus d'inconvénients que d'avantages ?
M. Derozerays se posait ce problème. Du magnétisme,
peu à peu, Rodolphe en était venu aux affinités, et, tandis

que M. le Président citait Cincinnatus à sa charrue, Dio-
clétien plantant ses choux et les empereurs de la Chine inau-
gurant l'année par des semailles, le jeune homme expliquait
à la jeune femme que ces attractions irrésistibles tiraient
leur cause de quelque existence antérieure.

— Ainsi, nous, disait-il, pourquoi nous sommes-nous
connus [563] ? Quel hasard l'a voulu ? C'est qu'à travers
l'éloignement, sans doute, comme deux fleuves qui coulent
pour se rejoindre, nos pentes particulières nous avaient
poussés l'un vers l'autre.

Et il saisit sa main ; elle ne la retira pas.

« Ensemble de bonnes cultures ! cria le président.

— Tantôt, par exemple, quand je suis venu chez vous...

« A M. Bizet, de Quincampoix. »

— Savais-je que je vous accompagnerais ?

« Soixante et dix francs [564] ! »

— Cent fois même, j'ai voulu partir, et je vous ai suivie,
je suis resté.

« Fumiers. »

— Comme je resterais [565] ce soir, demain, les autres
jours, toute ma vie !

« A M. Caron, d'Argueil, une médaille d'or ! »

— Car jamais je n'ai trouvé dans la société de personne
un charme aussi complet.

« A M. Bain, de Givry-Saint-Martin ! »

— Aussi, moi, j'emporterai votre souvenir.

« Pour un bélier mérinos... »

— Mais vous m'oublierez, j'aurai passé comme une
ombre.

« A M. Belot, de Notre-Dame... »

— Oh ! non, n'est-ce pas, je serai quelque chose dans
votre pensée, dans votre vie ?

« Race porcine, prix *ex æquo :* à MM. Lehérissé et Cul-
lembourg ; soixante francs ! »

Rodolphe lui serrait la main, et il la sentait toute chaude
et frémissante comme une tourterelle captive qui veut
reprendre sa volée ; mais, soit qu'elle essayât de la dégager
ou bien qu'elle répondît à cette pression, elle fit un mouvement des doigts ; il s'écria :

— Oh ! merci ! Vous ne me repoussez pas ! Vous êtes
bonne ! Vous comprenez que je suis à vous ! Laissez que
je vous voie, que je vous contemple !

Un coup de vent qui arriva par les fenêtres fronça le tapis de la table [566], et, sur la place, en bas, tous les grands bonnets des paysannes se soulevèrent, comme des ailes de papillons blancs qui s'agitent.

« Emploi de tourtaux de graines oléagineuses », continua le président.

Il se hâtait :

« Engrais flamand, — culture du lin, — drainage, baux à longs termes, — services de domestiques. »

Rodolphe ne parlait plus. Ils se regardaient. Un désir suprême faisait frissonner leurs lèvres sèches; et mollement, sans efforts, leurs doigts se confondirent.

« Catherine-Nicaise-Élisabeth Leroux, de Sassetot-la-Guerrière, pour cinquante-quatre ans de service [567] dans la même ferme, une médaille d'argent — du prix de vingt-cinq francs !

« Où est-elle, Catherine Leroux ? » répéta le Conseiller.

Elle ne se présentait pas, et l'on entendait des voix qui chuchotaient :

— Vas-y !

— Non.

— A gauche !

— N'aie pas peur !

— Ah ! qu'elle est bête !

— Enfin y est-elle [568] ? s'écria Tuvache.

— Oui ! la voilà !

— Qu'elle approche donc !

Alors on vit s'avancer [569] sur l'estrade une petite vieille femme de maintien craintif, et qui paraissait se ratatiner [570] dans ses pauvres vêtements. Elle avait aux pieds de grosses galoches de bois, et, le long des hanches, un grand tablier bleu. Son visage maigre, entouré d'un béguin sans bordure, était plus plissé de rides qu'une pomme de reinette flétrie, et des manches de sa camisole rouge dépassaient deux longues mains, à articulations noueuses. La poussière des granges, la potasse des lessives et le suint des laines les avaient si bien encroûtées, éraillées, durcies, qu'elles semblaient sales quoiqu'elles fussent rincées d'eau claire; et, à force d'avoir servi, elles restaient entr'ouvertes, comme pour présenter d'elles-mêmes l'humble témoignage de tant de souffrances subies. Quelque chose d'une rigidité monacale relevait l'expression de sa figure. Rien de triste

ou d'attendri n'amollissait ce regard pâle. Dans la fréquen-
tation des animaux, elle avait pris leur mutisme et leur
placidité. C'était la première fois qu'elle se voyait au
milieu d'une compagnie si nombreuse; et, intérieurement
effarouchée par les drapeaux, par les tambours, par les
messieurs en habit noir et par la croix d'honneur du Conseiller, elle demeurait tout immobile, ne sachant s'il fallait
s'avancer ou s'enfuir, ni pourquoi la foule la poussait
et pourquoi les examinateurs lui souriaient. Ainsi se tenait,
devant ces bourgeois épanouis, ce demi-siècle de servitude.

— Approchez, vénérable Catherine-Nicaise-Élisabeth
Leroux ! dit M. le Conseiller, qui avait pris des mains du
président la liste des lauréats.

Et tour à tour examinant la feuille de papier, puis la
vieille femme, il répétait d'un ton paternel [571] :

— Approchez, approchez !

— Êtes-vous sourde ? dit Tuvache, en bondissant sur
son fauteuil.

Et il se mit à lui crier dans l'oreille :

— Cinquante-quatre ans de service ! Une médaille d'argent ! Vingt-cinq francs ! C'est pour vous.

Puis, quand elle eut sa médaille, elle la considéra. Alors
un sourire de béatitude se répandit sur sa figure et on
l'entendait qui marmottait [572] en s'en allant :

— Je la donnerai au curé de chez nous, pour qu'il me
dise des messes.

— Quel fanatisme ! exclama le pharmacien, en se penchant vers le notaire.

La séance était finie [573]; la foule se dispersa; et, maintenant que les discours étaient lus, chacun reprenait son
rang et tout rentrait dans la coutume : les maîtres rudoyaient
les domestiques, et ceux-ci frappaient les animaux, triom-
phateurs indolents qui s'en retournaient à l'étable, une
couronne verte entre les cornes.

Cependant les gardes nationaux étaient montés au
premier étage de la mairie, avec des brioches embrochées
à leurs baïonnettes, et le tambour du bataillon qui portait
un panier de bouteilles [574]. Mme Bovary prit le bras de
Rodolphe; il la reconduisit chez elle; ils se séparèrent
devant sa porte; puis il se promena seul dans la prairie,
tout en attendant l'heure du banquet.

Le festin fut long, bruyant, mal servi; l'on était si tassé,

que l'on avait peine à remuer les coudes, et les planches
étroites qui servaient de bancs faillirent se rompre sous
le poids des convives. Ils mangeaient abondamment. Chacun
s'en donnait pour sa quote-part. La sueur coulait sur tous
les fronts; et une vapeur blanchâtre, comme la buée d'un
fleuve par un matin d'automne, flottait au-dessus de la
table, entre les quinquets suspendus. Rodolphe, le dos
appuyé contre le calicot de la tente, pensait si fort à Emma,
qu'il n'entendait rien. Derrière lui, sur le gazon, des domestiques empilaient des assiettes sales; ses voisins parlaient,
il ne leur répondait pas; on lui emplissait son verre, et un
silence s'établissait dans sa pensée, malgré les accroisse-
ments de la rumeur. Il rêvait à ce qu'elle avait dit et à la
forme de ses lèvres; sa figure, comme en un miroir magique,
brillait sur la plaque des shakos; les plis de sa robe descendaient le long des murs, et des journées d'amour se déroulaient à l'infini dans les perspectives de l'avenir.

Il la revit le soir, pendant le feu d'artifice; mais elle
était avec son mari, Mme Homais et le pharmacien, lequel
se tourmentait beaucoup sur le danger des fusées perdues; et, à chaque moment, il quittait la compagnie pour
aller faire à Binet des recommandations.

Les pièces pyrotechniques [575] envoyées à l'adresse du
sieur Tuvache avaient, par excès de précaution, été enfermées dans sa cave; aussi la poudre humide ne s'enflammait
guère et le morceau principal, qui devait figurer un dragon
se mordant la queue, rata complètement. De temps à
autre, il partait une pauvre chandelle romaine; alors la
foule béante poussait une clameur où se mêlait le cri des
femmes à qui l'on chatouillait la taille pendant l'obscurité.
Emma, silencieuse, se blottissait doucement contre l'épaule
de Charles; puis, le menton levé, elle suivait dans le ciel
noir le jet lumineux des fusées. Rodolphe la contemplait
à la lueur des lampions qui brûlaient.

Ils s'éteignirent peu à peu. Les étoiles s'allumèrent.
Quelques gouttes de pluie vinrent à tomber. Elle noua
son fichu sur sa tête nue.

A ce moment, le fiacre du Conseiller sortit de l'auberge.
Son cocher, qui était ivre, s'assoupit tout à coup et l'on
apercevait de loin, par-dessus la capote, entre les deux
lanternes, la masse de son corps qui se balançait de droite
et de gauche, selon le tangage des soupentes.

— En vérité, dit l'apothicaire, on devrait bien sévir contre l'ivresse ! Je voudrais que l'on inscrivît, hebdomadairement, à la porte de la mairie, sur un tableau *ad hoc*, les noms de tous ceux qui, durant la semaine, se seraient intoxiqués avec des alcools. D'ailleurs, sous le rapport de la statistique, on aurait là comme des annales patentes qu'on irait au besoin... Mais excusez [576].

Et il courut encore vers le capitaine.

Celui-ci rentrait à sa maison. Il allait revoir son tour.

— Peut-être ne feriez-vous pas mal [577], lui dit Homais, d'envoyer un de vos hommes ou d'aller vous-même...

— Laissez-moi donc tranquille, répondit le percepteur, puisqu'il n'y a rien !

— Rassurez-vous, dit l'apothicaire, quand il fut revenu près de ses amis. M. Binet m'a certifié que les mesures étaient prises. Nulle flammèche ne sera tombée. Les pompes sont pleines. Allons dormir.

— Ma foi ! j'en ai besoin, fit Mme Homais, qui bâillait considérablement; mais, n'importe, nous avons eu pour notre fête une bien belle journée.

Rodolphe répéta d'une voix basse et avec un regard tendre :

— Oh ! oui, bien belle !

Et, s'étant salués [578], on se tourna le dos.

Deux jours après, dans le *Fanal de Rouen*, il y avait [579] un grand article sur les comices. Homais l'avait composé, de verve, dès le lendemain [580] :

« Pourquoi ces festons, ces fleurs, ces guirlandes ? Où courait cette foule, comme les flots d'une mer en furie, sous les torrents d'un soleil tropical qui répandait sa chaleur sur nos guérets ? »

Ensuite, il parlait de la condition des paysans. Certes, le gouvernement faisait beaucoup, mais pas assez ! « Du courage ! lui criait-il; mille réformes sont indispensables, accomplissons-les. » Puis abordant l'entrée du Conseiller, il n'oubliait point « l'air martial de notre milice », ni « nos plus sémillantes villageoises », ni les vieillards à tête chauve, « sorte de patriarches [581] qui étaient là, et dont quelques-uns, débris de nos immortelles phalanges, sentaient encore battre leurs cœurs [582] au son mâle des tambours ». Il se citait des premiers parmi les membres du jury, et même il rappelait, dans une note, que M. Homais, pharmacien, avait envoyé un mémoire sur le cidre à la société d'Agriculture. Quand il arrivait à la distribution des récompenses, il dépeignait la joie des lauréats en traits dithyrambiques. « Le père embrassait son fils, le frère le frère, l'époux l'épouse. Plus d'un montrait avec orgueil son humble médaille, et sans doute, revenu chez lui, près de sa bonne ménagère, il l'aura suspendue en pleurant aux murs discrets de sa chaumine.

« Vers six heures, un banquet, dressé dans l'herbage de M. Liegeard, a réuni les principaux assistants de la fête. La plus grande cordialité n'a cessé d'y régner. Divers toasts ont été portés : M. Lieuvain, au monarque ! M. Tuvache, au préfet ! M. Derozerays, à l'agriculture ! M. Homais, à l'industrie et aux beaux-arts, ces deux sœurs ! M. Leplichey, aux améliorations ! Le soir, un brillant feu d'artifice a tout à coup illuminé les airs. On eût dit un véritable kaléidoscope, un vrai décor d'opéra [583] et, un moment, notre petite localité a pu se croire transportée au milieu d'un rêve des *Mille et une nuits.*

« Constatons qu'aucun événement fâcheux n'est venu troubler cette réunion de famille. »

Et il ajoutait :

« On y a seulement remarqué [584] l'absence du clergé. Sans doute les sacristies entendent le progrès d'une autre manière. Libre à vous, messieurs de Loyola ! »

IX

Six semaines s'écoulèrent [585]. Rodolphe ne revint pas. Un soir, enfin, il parut.

Il s'était dit, le lendemain des comices :

— N'y retournons pas de sitôt, ce serait une faute.

Et, au bout de la semaine, il était parti pour la chasse.

Après la chasse, il avait songé qu'il était trop tard, puis il fit ce raisonnement :

— Mais, si du premier jour elle m'a aimé, elle doit, par l'impatience de me revoir, m'aimer davantage. Continuons donc !

Et il comprit que son calcul avait été bon, lorsque, en entrant dans la salle, il aperçut Emma pâlir.

Elle était seule. Le jour tombait. Les petits rideaux de mousseline, le long des vitres, épaississaient le crépuscule, et la dorure du baromètre, sur qui frappait un rayon de soleil, étalait des feux dans la glace, entre les découpures du polypier.

Rodolphe resta debout; et à peine si Emma répondit à ses premières phrases de politesse.

— Moi, dit-il, j'ai eu des affaires. J'ai été malade.

— Gravement? s'écria-t-elle.

— Eh bien! fit Rodolphe en s'asseyant à ses côtés sur un tabouret, non!... C'est que je n'ai pas voulu revenir.

— Pourquoi?

— Vous ne devinez pas?

Il la regarda encore une fois, mais d'une façon si violente qu'elle baissa la tête en rougissant. Il reprit:

— Emma...

— Monsieur! fit-elle [586] en s'écartant un peu.

— Ah! vous voyez bien, répliqua-t-il d'une voix mélancolique, que j'avais raison de vouloir ne pas revenir; car ce nom, ce nom qui remplit mon âme et qui m'est échappé, vous me l'interdisez! Madame Bovary!... Eh! tout le monde vous appelle comme cela!... Ce n'est pas votre nom, d'ailleurs; c'est le nom d'un autre!

Il répéta:

— D'un autre!

Et il se cacha la figure entre les mains.

— Oui, je pense à vous continuellement!... Votre souvenir me désespère! Ah! pardon!... Je vous quitte... Adieu!... J'irai loin... si loin, que vous n'entendrez plus parler de moi!... Et cependant..., aujourd'hui..., je ne sais encore quelle force m'a poussé vers vous! Car on ne lutte pas contre le ciel, on ne résiste point au sourire des anges! on se laisse entraîner par ce qui est beau, charmant, adorable!

C'était la première fois qu'Emma s'entendait dire ces choses; et son orgueil, comme quelqu'un qui se délasse dans une étuve, s'étirait mollement et tout entier à la chaleur de ce langage.

— Mais, si je ne suis pas venu, continua-t-il, si je n'ai pu vous voir, ah! du moins j'ai bien contemplé ce qui vous entoure. La nuit, toutes les nuits, je me relevais, j'arrivais jusqu'ici, je regardais votre maison, le toit qui brillait sous la lune, les arbres du jardin qui se balançaient à votre fenêtre, et une petite lampe, une lueur, qui brillait à travers les carreaux, dans l'ombre. Ah ! vous ne saviez guère qu'il y avait là, si près et si loin, un pauvre misérable...

Elle se tourna vers lui avec un sanglot.

— Oh ! vous êtes bon ! dit-elle.

— Non, je vous aime, voilà tout ! Vous n'en doutez pas ! Dites-le-moi ; un mot ! un seul mot !

Et Rodolphe, insensiblement, se laissait glisser [587] du tabouret jusqu'à terre ; mais on entendit un bruit de sabots dans la cuisine, et la porte de la salle, il s'en aperçut, n'était pas fermée.

— Que vous seriez charitable, poursuivit-il en se relevant de satisfaire une fantaisie !

C'était de visiter sa maison ; il désirait la connaître ; et Mme Bovary n'y voyant point d'inconvénient, ils se levaient tous deux, quand Charles entra.

— Bonjour, docteur, lui dit Rodolphe.

Le médecin, flatté de ce titre inattendu, se répandit en obséquiosités, et l'autre en profita pour se remettre un peu.

— Madame m'entretenait, fit-il donc, de sa santé...

Charles l'interrompit : il avait mille inquiétudes, en effet ; les oppressions de sa femme recommençaient. Alors Rodolphe demanda si l'exercice du cheval ne serait pas bon.

— Certes ! excellent, parfait !... Voilà une idée ! Tu devrais la suivre.

Et, comme elle objectait qu'elle n'avait point de cheval, M. Rodolphe en offrit un [588] ; elle refusa ses offres ; il n'insista pas ; puis, afin de motiver sa visite, il conta que son charretier, l'homme à la saignée, éprouvait toujours des étourdissements.

— J'y passerai, dit Bovary.

— Non, non, je vous l'enverrai ; nous viendrons, ce sera plus commode pour vous.

— Ah ! fort bien. Je vous remercie.

Et, dès qu'ils furent seuls :

— Pourquoi n'acceptes-tu pas les propositions de M. Boulanger, qui sont si gracieuses ?

Elle prit un air boudeur, chercha mille excuses, et déclara finalement *que cela peut-être semblerait drôle.*

— Ah ! je m'en moque pas mal ! dit Charles en faisant une pirouette. La santé avant tout ! Tu as tort !

— Eh ! comment veux-tu que je monte à cheval, puisque je n'ai pas d'amazone ?

— Il faut t'en commander une ! répondit-il.

L'amazone la décida.

Quand le costume fut prêt, Charles écrivit à M. Boulanger que sa femme était à sa disposition, et qu'il comptait sur sa complaisance [589].

Le lendemain, à midi, Rodolphe arriva devant la porte de Charles avec deux chevaux de maître. L'un portait des pompons roses aux oreilles et une selle de femme en peau de daim.

Rodolphe avait mis de longues bottes molles [590], se disant que sans doute elle n'en avait jamais vu de pareilles ; en effet, Emma fut charmée de sa tournure, lorsqu'il apparut sur le palier avec son grand habit de velours et sa culotte de tricot blanc. Elle était prête, elle l'attendait.

Justin s'échappa de la pharmacie pour la voir, et l'apothicaire aussi se dérangea. Il faisait à M. Boulanger des recommandations :

— Un malheur arrive si vite ! Prenez garde ! Vos chevaux peut-être sont fougueux !

Elle entendit du bruit au-dessus de sa tête : c'était Félicité qui tambourinait contre les carreaux pour divertir la petite Berthe. L'enfant envoya de loin un baiser ; sa mère lui répondit d'un signe avec le pommeau de sa cravache.

— Bonne promenade ! cria M. Homais. De la prudence, surtout ! de la prudence !

Et il agita son journal en les regardant s'éloigner.

Dès qu'il sentit la terre, le cheval d'Emma prit le galop. Rodolphe galopait à côté d'elle. Par moments ils échangeaient une parole. La figure un peu baissée, la main haute et le bras droit déployé, elle s'abandonnait à la cadence du mouvement qui la berçait sur la selle.

Au bas de la côte, Rodolphe lâcha les rênes ; ils partirent ensemble d'un seul bond ; puis, en haut, tout à coup, les chevaux s'arrêtèrent et son grand voile bleu retomba.

On était aux premiers jours d'octobre [591]. Il y avait du

brouillard sur la campagne. Des vapeurs s'allongeaient
à l'horizon, contre le contour des collines; et d'autres,
se déchirant, montaient, se perdaient. Quelquefois, dans
un écartement des nuées, sous un rayon de soleil, on
apercevait au loin les toits d'Yonville, avec les jardins
au bord de l'eau, les cours, les murs et le clocher de l'église.
Emma fermait à demi les paupières pour reconnaître sa
maison, et jamais ce pauvre village où elle vivait ne lui
avait semblé si petit. De la hauteur où ils étaient, toute la
vallée paraissait un immense lac pâle, s'évaporant à l'air. Les
massifs d'arbres de place en place saillissaient comme des
rochers noirs; et les hautes lignes des peupliers, qui dépassaient la brume, figuraient des grèves que le vent remuait.

A côté, sur la pelouse [592], entre les sapins, une lumière
brune circulait dans l'atmosphère tiède. La terre, rous-
sâtre comme de la poudre de tabac, amortissait le bruit des
pas; et, du bout de leurs fers, en marchant, les chevaux
poussaient devant eux des pommes de pin tombées [593].

Rodolphe et Emma suivirent ainsi la lisière du bois.
Elle se détournait de temps à autre, afin d'éviter son regard,
et alors, elle ne voyait que les troncs de sapins alignés [594],
dont la succession continue l'étourdissait un peu. Les
chevaux soufflaient. Le cuir des selles craquait.

Au moment où ils entrèrent dans la forêt, le soleil parut.

— Dieu nous protège ! dit Rodolphe.

— Vous croyez ? fit-elle.

— Avançons ! Avançons ! reprit-il.

Il claqua de la langue. Les deux bêtes couraient.

De longues fougères, au bord du chemin, se prenaient
dans l'étrier d'Emma. Rodolphe, tout en allant, se penchait et il les retirait à mesure. D'autres fois, pour écarter
les branches, il passait près d'elle, et Emma sentait son
genou lui frôler la jambe. Le ciel était devenu bleu. Les
feuilles ne remuaient pas. Il y avait de grands espaces
pleins de bruyères tout en fleurs; et des nappes violettes
s'alternaient avec le fouillis des arbres, qui étaient gris,
fauves ou dorés, selon la diversité des feuillages. Souvent on entendait, sous les buissons, glisser un petit battement d'ailes, ou bien le cri rauque et doux des corbeaux,
qui s'envolaient dans les chênes.

Ils descendirent. Rodolphe attacha les chevaux. Elle
allait devant, sur la mousse, entre les ornières.

Mais sa robe trop longue l'embarrassait, bien qu'elle
la portât relevée par la queue, et Rodolphe, marchant
derrière elle, contemplait entre ce drap noir et la bottine
noire, la délicatesse de son bas blanc, qui lui semblait
quelque chose de sa nudité.

Elle s'arrêta.

— Je suis fatiguée, dit-elle.

— Allons, essayez encore ! reprit-il. Du courage [595] !

Puis cent pas plus loin [596], elle s'arrêta de nouveau;
et, à travers son voile, qui de son chapeau d'homme descendait obliquement sur ses hanches, on distinguait son
visage dans une transparence bleuâtre, comme si elle
eût nagé sous des flots d'azur.

— Où allons-nous donc ?

Il ne répondit rien. Elle respirait d'une façon saccadée.
Rodolphe jetait les yeux autour de lui et il se mordait la
moustache.

Ils arrivèrent à un endroit plus large, où l'on avait
abattu des baliveaux. Ils s'assirent sur un tronc d'arbre
renversé, et Rodolphe se mit à lui parler de son amour.

Il ne l'effraya point d'abord par des compliments. Il fut
calme, sérieux, mélancolique.

Emma l'écoutait la tête basse, et tout en remuant avec
la pointe de son pied des copeaux par terre [597].

Mais, à cette phrase :

— Est-ce que nos destinées maintenant ne sont pas
communes ?

— Eh non ! répondit-elle. Vous le savez bien. C'est
impossible.

Elle se leva pour partir. Il la saisit au poignet. Elle
s'arrêta. Puis, l'ayant considéré quelques minutes d'un
œil amoureux et tout humide, elle dit vivement :

— Ah ! tenez, n'en parlons plus... Où sont les chevaux ?
Retournons.

Il eut un geste de colère et d'ennui. Elle répéta :

— Où sont les chevaux ? Où sont les chevaux ?

Alors souriant d'un sourire étrange et la prunelle fixe,
les dents serrées, il s'avança en écartant les bras, Elle
se recula tremblante. Elle balbutiait :

— Oh ! vous me faites peur ! Vous me faites mal !
Partons.

— Puisqu'il le faut, reprit-il en changeant de visage.

Et il redevint aussitôt respectueux, caressant, timide.
Elle lui donna son bras. Ils s'en retournèrent. Il disait :

— Qu'aviez-vous donc ? Pourquoi ? Je n'ai pas compris.
Vous vous méprenez, sans doute ? Vous êtes dans mon
âme comme une madone sur un piédestal, à une place
haute, solide et immaculée. Mais j'ai besoin de vous pour
vivre ! j'ai besoin de vos yeux, de votre voix, de votre
pensée. Soyez mon amie, ma sœur, mon ange !

Et il allongeait son bras et lui en entourait la taille.
Elle tâchait de se dégager mollement. Il la soutenait ainsi,
en marchant.

Mais ils entendirent les deux chevaux qui broutaient
le feuillage.

— Oh ! encore, dit Rodolphe. Ne partons pas ! Restez !

Il l'entraîna plus loin, autour d'un petit étang, où des
lentilles d'eau faisaient une verdure sur les ondes. Des
nénufars [598] flétris se tenaient immobiles entre les joncs.
Au bruit de leurs pas dans l'herbe, des grenouilles sautaient
pour se cacher.

— J'ai tort, j'ai tort, disait-elle. Je suis folle de vous
entendre [599].

— Pourquoi ?... Emma ! Emma !

— Oh ! Rodolphe !... fit lentement la jeune femme en se
penchant sur son épaule.

Le drap de sa robe s'accrochait au velours de l'habit,
elle renversa [600] son cou blanc, qui se gonflait d'un soupir ;
et, défaillante, tout en pleurs, avec un long frémissement
et se cachant la figure, elle s'abandonna.

Les ombres du soir descendaient ; le soleil horizontal,
passant entre les branches, lui éblouissait les yeux. Çà et
là, tout autour d'elle, dans les feuilles ou par terre, des
taches lumineuses tremblaient, comme si des colibris,
en volant, eussent éparpillé leurs plumes. Le silence était
partout ; quelque chose de doux semblait sortir des arbres ;
elle sentait son cœur, dont les battements recommençaient, et le sang circuler dans sa chair comme un fleuve
de lait. Alors, elle entendit tout au loin, au delà du bois,
sur les autres collines, un cri vague et prolongé, une voix
qui se traînait, et elle l'écoutait silencieusement, se mêlant
comme une musique aux dernières vibrations de ses nerfs
émus. Rodolphe, le cigare aux dents, raccommodait avec
son canif une des deux brides cassée.

Ils s'en revinrent à Yonville, par le même chemin. Ils revirent sur la boue les traces de leurs chevaux, côte à côte, et les mêmes buissons, les mêmes cailloux dans l'herbe. Rien autour d'eux n'avait changé; et pour elle, cependant, quelque chose était survenu de plus considérable que si les montagnes se fussent déplacées. Rodolphe, de temps à autre, se penchait et lui prenait sa main pour la baiser.

Elle était charmante, à cheval ! Droite, avec sa taille mince, le genou plié sur la crinière de sa bête et un peu colorée par le grand air, dans la rougeur du soir.

En entrant dans Yonville, elle caracola sur les pavés.

On la regardait des fenêtres.

Son mari, au dîner, lui trouva bonne mine; mais elle eut l'air de ne pas l'entendre lorsqu'il s'informa de sa promenade; et elle restait le coude au bord de son assiette, entre les deux bougies qui brûlaient.

— Emma ! dit-il.

— Quoi ?

— Eh bien, j'ai passé cette après-midi chez M. Alexandre; il a une ancienne pouliche encore fort belle, un peu couronnée seulement, et qu'on aurait, je suis sûr, pour une centaine d'écus...

Il ajouta :

— Pensant même que cela te serait agréable, je l'ai retenue..., je l'ai achetée... Ai-je bien fait ? Dis-moi donc.

Elle remua la tête en signe d'assentiment; puis, un quart d'heure après :

— Sors-tu ce soir ? demanda-t-elle.

— Oui. Pourquoi ?

— Oh ! rien, rien, mon ami.

Et, dès qu'elle fut débarrassée [601] de Charles, elle monta s'enfermer dans sa chambre.

D'abord, ce fut comme un étourdissement; elle voyait les arbres, les chemins, les fossés, Rodolphe, et elle sentait encore l'étreinte de ses bras, tandis que le feuillage frémissait et que les joncs sifflaient.

Mais, en s'apercevant dans la glace [602], elle s'étonna de son visage. Jamais elle n'avait eu les yeux si grands, si noirs, ni d'une telle profondeur. Quelque chose de subtil épandu sur sa personne la transfigurait.

Elle se répétait: « J'ai un amant ! un amant ! » se délec-

tant à cette idée comme à celle d'une autre puberté qui lui
serait survenue. Elle allait donc posséder enfin ces joies de
l'amour, cette fièvre du bonheur dont elle avait désespéré.
Elle entrait dans quelque chose de merveilleux où tout
serait passion, extase, délire; une immensité bleuâtre
l'entourait, les sommets du sentiment étincelaient sous sa
pensée, l'existence ordinaire [603] n'apparaissait qu'au loin,
tout en bas, dans l'ombre, entre les intervalles de ces
hauteurs.

Alors elle se rappela les héroïnes des livres qu'elle
avait lus, et la légion lyrique de ces femmes adultères
se mit à chanter dans sa mémoire avec des voix de sœurs
qui la charmaient. Elle devenait elle-même comme une
partie véritable de ces imaginations et réalisait la longue
rêverie de sa jeunesse, en se considérant dans ce type d'amoureuse qu'elle avait tant envié. D'ailleurs, Emma éprouvait
une satisfaction de vengeance. N'avait-elle pas assez
souffert [604] ! Mais elle triomphait maintenant, et l'amour,
si longtemps contenu, jaillissait tout entier avec des bouil-
lonnements joyeux. Elle le savourait sans remords, sans
inquiétude, sans trouble.

La journée du lendemain se passa dans une douceur nouvelle. Ils se firent des serments. Elle lui raconta ses tristesses. Rodolphe l'interrompait par ses baisers; et elle
lui demandait, en le contemplant les paupières à demi
closes, de l'appeler encore par son nom et de répéter
qu'il l'aimait. C'était dans la forêt, comme la veille, sous
une hutte de sabotiers. Les murs en étaient de paille et le
toit descendait si bas, qu'il fallait se tenir courbé. Ils étaient
assis l'un contre l'autre, sur un lit de feuilles sèches.

A partir de ce jour-là, ils s'écrivirent régulièrement
tous les soirs. Emma portait sa lettre au bout du jardin
près de la rivière, dans une fissure de la terrasse. Rodolphe
venait l'y chercher et en plaçait une autre, qu'elle accusait
toujours d'être trop courte.

Un matin que Charles était sorti dès avant l'aube, elle
fut prise par la fantaisie de voir Rodolphe à l'instant.
On pouvait arriver promptement à la Huchette, y rester
une heure et être rentré dans Yonville que tout le monde
encore serait endormi. Cette idée la fit haleter de convoitise; elle se trouva bientôt au milieu de la prairie, où elle
marchait à pas rapides, sans regarder derrière elle.

Le jour commençait à paraître. Emma, de loin, reconnut la maison de son amant, dont les deux girouettes à queue-d'aronde [605] se découpaient en noir sur le crépuscule pâle.

Après la cour de la ferme, il y avait un corps de logis qui devait être le château. Elle y entra, comme si les murs, à son approche, se fussent écartés d'eux-mêmes. Un grand escalier droit montait vers le corridor [606]. Emma tourna la clenche [607] d'une porte, et tout à coup, au fond de la chambre, elle aperçut un homme qui dormait. C'était Rodolphe. Elle poussa un cri.

— Te voilà ! te voilà ! répétait-il. Comment as-tu fait pour venir ?... Ah ! ta robe est mouillée !

— Je t'aime ! répondit-elle en lui passant les bras autour du cou.

Cette première audace lui ayant réussi, chaque fois maintenant que Charles sortait de bonne heure, Emma s'habillait vite et descendait à pas de loup le perron qui conduisait au bord de l'eau.

Mais, quand la planche aux vaches [608] était levée, il fallait suivre les murs qui longeaient la rivière; la berge était glissante; elle s'accrochait de la main [609], pour ne pas tomber, aux bouquets de ravenelles flétries. Puis elle prenait à travers des champs en labour, où elle enfonçait, trébuchait et empêtrait ses bottines minces. Son foulard, noué sur sa tête, s'agitait au vent dans les herbages; elle avait peur des bœufs, elle se mettait à courir; elle arrivait essoufflée, les joues roses, et exhalant de toute sa personne un frais parfum de sève, de verdure et de grand air. Rodolphe à cette heure-là, dormait encore. C'était comme une matinée de printemps qui entrait dans sa chambre.

Les rideaux jaunes, le long des fenêtres, laissaient passer doucement une lourde lumière blonde. Emma tâtonnait en clignant des yeux, tandis que les gouttes de rosée suspendues à ses bandeaux faisaient comme une auréole de topaze [610] tout autour de sa figure. Rodolphe, en riant, l'attirait à lui et il la pressait sur son cœur [611].

Ensuite, elle examinait l'appartement, elle ouvrait les tiroirs des meubles, elle se peignait avec son peigne et se regardait dans le miroir à barbe. Souvent même, elle mettait entre ses dents le tuyau d'une grosse pipe qui était sur la table de nuit, parmi des citrons et des morceaux de sucre, près d'une carafe d'eau.

Il leur fallait un bon quart d'heure pour les adieux. Alors Emma pleurait; elle aurait voulu ne jamais abandonner Rodolphe. Quelque chose de plus fort qu'elle la poussait vers lui, si bien qu'un jour, la voyant survenir, à l'improviste, il fronça le visage, comme quelqu'un de contrarié.

— Qu'as-tu donc ? dit-elle. Souffres-tu ? Parle-moi !

Enfin il déclara [612], d'un air sérieux, que ses visites devenaient imprudentes et qu'elle se compromettait.

X

Peu à peu, ces craintes [613] de Rodolphe la gagnèrent. L'amour l'avait enivrée d'abord, elle n'avait songé à rien au delà. Mais, à présent qu'il était indispensable à sa vie, elle craignait d'en perdre quelque chose, ou même qu'il ne fût troublé [614]. Quand elle s'en revenait de chez lui, elle jetait tout alentour des regards inquiets, épiant chaque forme qui passait à l'horizon et chaque lucarne du village d'où l'on pouvait l'apercevoir. Elle écoutait les pas, les cris, le bruit des charrues; et elle s'arrêtait plus blême et plus tremblante que les feuilles des peupliers qui se balançaient sur sa tête.

Un matin qu'elle s'en retournait ainsi, elle crut distinguer tout à coup le long canon d'une carabine qui semblait la tenir en joue. Il dépassait obliquement le bord d'un petit tonneau [615], à demi enfoui entre les herbes, sur la marge d'un fossé [616]. Emma, prête à défaillir de terreur avança cependant, et un homme sortit du tonneau, comme ces diables à boudin qui se dressent du fond des boîtes. Il avait des guêtres bouclées jusqu'aux genoux, sa casquette enfoncée jusqu'aux yeux, les lèvres grelottantes et le nez rouge. C'était le capitaine Binet, à l'affût des canards sauvages.

— Vous auriez dû parler de loin ! s'écria-t-il. Quand on aperçoit un fusil, il faut toujours avertir.

Le percepteur, par là, tâchait de dissimuler la crainte qu'il venait d'avoir; car, un arrêté préfectoral ayant interdit la chasse aux canards autrement qu'en bateau, M. Binet,

malgré son respect pour les lois, se trouvait en contra-
vention. Aussi croyait-il à chaque minute entendre arriver
le garde champêtre. Mais cette inquiétude irritait son
plaisir, et, tout seul dans son tonneau, il s'applaudissait
de son bonheur et de sa malice.

A la vue d'Emma, il parut soulagé d'un grand poids,
et aussitôt, entamant la conversation :

— Il ne fait pas chaud, *ça pique !*

Emma ne répondit rien. Il poursuivit :

— Et vous voilà sortie de bien bonne heure ?

— Oui, dit-elle en balbutiant; je viens de chez la nourrice où est mon enfant.

— Ah ! fort bien ! fort bien ! Quant à moi, tel que vous
me voyez, dès la pointe du jour, je suis là; mais le temps est
si crassineux, qu'à moins d'avoir la plume juste au bout...

— Bonsoir, monsieur Binet, interrompit-elle en lui
tournant les talons.

— Serviteur, madame, reprit-il d'un ton sec.

Et il rentra dans son tonneau.

Emma se repentit d'avoir quitté si brusquement le
percepteur. Sans doute, il allait faire des conjectures
défavorables. L'histoire de la nourrice était la pire excuse,
tout le monde sachant bien à Yonville que la petite Bovary,
depuis un an, était revenue chez ses parents. D'ailleurs,
personne n'habitait aux environs; ce chemin ne conduisait
qu'à la Huchette; Binet, donc, avait deviné d'où elle venait,
et il ne se tairait pas, il bavarderait, c'était certain ! Elle
resta jusqu'au soir à se torturer l'esprit dans tous les projets
de mensonges imaginables, et ayant sans cesse devant les
yeux cet imbécile à carnassière.

Charles, après le dîner, la voyant soucieuse, voulut,
par distraction, la conduire chez le pharmacien; et la
première personne qu'elle aperçut dans la pharmacie
ce fut encore lui, le percepteur ! Il était debout devant le
comptoir, éclairé par la lumière du bocal rouge, et il
disait :

— Donnez-moi, je vous prie, une demi-once de vitriol.

— Justin, cria l'apothicaire, apporte-nous l'acide sulfurique [617].

Puis, à Emma, qui voulait monter dans l'appartement
de Mme Homais :

— Non, restez, ce n'est pas la peine, elle va descendre.

Chauffez-vous au poêle en attendant... Excusez-moi...
Bonjour, docteur (car le pharmacien se plaisait beaucoup à
prononcer ce mot *docteur*, comme si, en l'adressant à un
autre, il eût fait rejaillir sur lui-même quelque chose de la
pompe qu'il y trouvait)... Mais prends garde de renverser les
mortiers ! va plutôt chercher les chaises de la petite salle;
tu sais bien qu'on ne dérange pas les fauteuils du salon.

Et, pour remettre en place son fauteuil, Homais se
précipitait hors du comptoir, quand Binet lui demanda
une demi-once d'acide de sucre.

— Acide de sucre ? fit le pharmacien dédaigneusement.
Je ne connais pas, j'ignore [618] ! Vous voulez peut-être
de l'acide oxalique ? C'est oxalique, n'est-il pas vrai ?

Binet expliqua qu'il avait besoin d'un mordant [619]
pour composer lui-même une eau de cuivre avec quoi
dérouiller diverses garnitures de chasse. Emma tressaillit.
Le pharmacien se mit à dire :

— En effet, le temps n'est pas propice, à cause de
l'humidité.

— Cependant, reprit le percepteur d'un air finaud,
il y a des personnes qui s'en arrangent.

Elle étouffait :

— Donnez-moi encore...

— Il ne s'en ira donc jamais ! pensait-elle.

— Une demi-once d'arcanson et de térébenthine,
quatre onces de cire jaune, et trois demi-onces de noir
animal, s'il vous plaît, pour nettoyer les cuirs vernis de
mon équipement.

L'apothicaire commençait à tailler de la cire, quand
Mme Homais parut avec Irma dans ses bras, Napoléon
à ses côtés et Athalie qui la suivait. Elle alla s'asseoir
sur le banc de velours, contre la fenêtre, et le gamin s'ac-
croupit sur un tabouret, tandis que sa sœur aînée rôdait
autour de la boîte de jujube [620] près de son petit papa.
Celui-ci emplissait [621] des entonnoirs et bouclait des
flacons, il collait des étiquettes, il confectionnait des
paquets. On se taisait autour de lui; et l'on entendait
seulement de temps à autre tinter les poids dans les balances,
avec quelques paroles basses du pharmacien donnant des
conseils à son élève.

— Comment va votre jeune personne ? demanda tout
à coup Mme Homais.

— Silence ! exclama son mari, qui écrivait des chiffres sur le cahier de brouillons.

— Pourquoi ne l'avez-vous pas amenée ? reprit-elle à demi-voix.

— Chut ! chut ! fit Emma en désignant du doigt l'apothicaire.

Mais Binet, tout entier à la lecture de l'addition, n'avait rien entendu probablement. Enfin il sortit. Alors Emma, débarrassée, poussa un grand soupir.

— Comme vous respirez fort ! dit Mme Homais.

— Ah ! c'est qu'il fait chaud [622], répondit-elle.

Ils avisèrent donc, le lendemain, à organiser leurs rendez-vous; Emma voulait corrompre sa servante par un cadeau; mais il eût mieux valu découvrir à Yonville quelque maison discrète. Rodolphe promit d'en chercher une.

Pendant tout l'hiver, trois ou quatre fois la semaine, à la nuit noire, il arrivait dans le jardin. Emma, tout exprès, avait retiré la clef de la barrière, que Charles crut perdue.

Pour l'avertir, Rodolphe jetait contre les persiennes une poignée de sable. Elle se levait en sursaut; mais quelquefois il lui fallait attendre, car Charles avait la manie de bavarder au coin du feu, et il n'en finissait pas.

Elle se dévorait d'impatience; si ses yeux l'avaient pu ils l'eussent fait sauter par les fenêtres. Enfin, elle commençait sa toilette de nuit; puis elle prenait un livre et continuait à lire fort tranquillement, comme si la lecture l'eût amusée. Mais Charles, qui était au lit, l'appelait pour se coucher.

— Viens, donc, Emma, disait-il, il est temps.

— Oui, j'y vais ! répondait-elle.

Cependant, comme les bougies l'éblouissaient, il se tournait vers le mur et s'endormait. Elle s'échappait, en retenant son haleine, souriante, palpitante, déshabillée.

Rodolphe avait un grand manteau [623]; il l'en enveloppait tout entière, et, passant le bras autour de sa taille, il l'entraînait sans parler jusqu'au fond du jardin.

C'était sous la tonnelle, sur ce même banc de bâtons pourris où autrefois Léon la regardait si amoureusement, durant les soirs d'été. Elle ne pensait guère à lui maintenant.

Les étoiles brillaient à travers les branches du jasmin sans feuilles. Ils entendaient derrière eux la rivière qui coulait, et, de temps à autre, sur la berge, le claquement des roseaux secs. Des massifs d'ombre, çà et là, se bombaient dans l'obscurité, et parfois, frissonnant tous d'un seul mouvement, ils se dressaient et se penchaient comme d'immenses vagues noires qui se fussent avancées pour les recouvrir. Le froid de la nuit les faisait s'étreindre davantage; les soupirs de leurs lèvres leur semblaient plus forts; leurs yeux qu'ils entrevoyaient à peine, leur paraissaient plus grands, et, au milieu du silence, il y avait des paroles dites tout bas qui tombaient sur leur âme avec une sonorité cristalline et qui s'y répercutaient en vibrations multipliées.

Lorsque la nuit était pluvieuse, ils s'allaient réfugier dans le cabinet aux consultations, entre le hangar et l'écurie. Elle allumait un des flambeaux de la cuisine, qu'elle avait caché derrière les livres. Rodolphe s'installait là comme chez lui. La vue [624] de la bibliothèque et du bureau, de tout l'appartement enfin, excitait sa gaieté; et il ne pouvait se retenir de faire sur Charles quantité de plaisanteries qui embarrassaient Emma. Elle eût désiré le voir plus sérieux, et même plus dramatique à l'occasion, comme cette fois où elle crut entendre dans l'allée un bruit de pas qui s'approchaient [625].

— On vient ! dit-elle [626].

Il souffla la lumière.

— As-tu tes pistolets ?

— Pourquoi ?

— Mais... pour te défendre, reprit Emma.

— Est-ce de ton mari ? Ah ! le pauvre garçon !

Et Rodolphe acheva sa phrase avec un geste qui signifiait : « Je l'écraserais d'une chiquenaude. »

Elle fut ébahie de sa bravoure, bien qu'elle y sentît une sorte d'indélicatesse et de grossièreté naïve qui la scandalisa.

Rodolphe réfléchit beaucoup à cette histoire de pistolets. Si elle avait parlé sérieusement, cela était fort ridicule, pensait-il, odieux même, car il n'avait, lui, aucune raison de haïr ce bon Charles, n'étant pas ce qui s'appelle dévoré de jalousie; — et, à ce propos, Emma lui avait fait un grand serment [627] qu'il ne trouvait pas non plus du meilleur goût.

D'ailleurs, elle devenait bien sentimentale. Il avait fallu échanger des miniatures [628]; on s'était coupé des poignées de cheveux, et elle demandait à présent une bague, un véritable anneau de mariage en signe d'alliance éternelle. Souvent elle lui parlait des cloches du soir ou des *voix de la nature ;* puis elle l'entretenait de sa mère, à elle, et de sa mère, à lui. Rodolphe l'avait perdue depuis vingt ans. Emma, néanmoins, l'en consolait avec des mièvreries de langage, comme on eût fait à un marmot abandonné, et même lui disait quelquefois, en regardant la lune :

— Je suis sûre que là-haut, ensemble, elles approuvent notre amour.

Mais elle était si jolie ! Il en avait possédé si peu d'une candeur pareille ! Cet amour sans libertinage était pour lui quelque chose de nouveau, et qui, le sortant de ses habitudes faciles, caressait à la fois son orgueil et sa sensualité. L'exaltation d'Emma, que son bon sens bourgeois dédaignait, lui semblait, au fond du cœur, charmante, puisqu'elle s'adressait à sa personne. Alors, sûr d'être aimé, il ne se gêna pas, et insensiblement ses façons changèrent.

Il n'avait plus, comme autrefois, de ces mots si doux qui la faisaient pleurer, ni de ces véhémentes caresses qui la rendaient folle; si bien que leur grand amour, où elle vivait plongée, parut se diminuer sous elle, comme l'eau d'un fleuve qui s'absorberait dans son lit; et elle aperçut la vase. Elle n'y voulait pas croire; elle redoubla de tendresse; et Rodolphe, de moins en moins, cacha son indifférence.

Elle ne savait pas si elle regrettait de lui avoir cédé ou si elle ne souhaitait point, au contraire, le chérir davantage. L'humiliation de se sentir faible se tournait en une rancune que les voluptés tempéraient. Ce n'était pas de l'attachement, c'était comme [629] une séduction permanente. Il la subjuguait. Elle en avait presque peur.

Les apparences, néanmoins, étaient plus calmes que jamais, Rodolphe ayant réussi à conduire l'adultère selon sa fantaisie; et, au bout de six mois, quand le printemps arriva, ils se trouvaient, l'un vis-à-vis de l'autre, comme deux mariés qui entretiennent tranquillement une flamme domestique.

C'était l'époque où le Père Rouault envoyait son dinde,

en souvenir de sa jambe remise. Le cadeau arrivait toujours
avec une lettre. Emma coupa la corde qui la retenait au
panier, et lut les lignes suivantes :

« Mes chers enfants,

« J'espère que la présente vous trouvera en bonne
santé et que celui-là vaudra bien les autres ; car il me semble
un peu plus mollet, si j'ose dire, et plus massif. Mais la
prochaine fois, par changement, je vous donnerai un coq,
à moins que vous ne teniez de préférence aux *picots*, et
renvoyez-moi la bourriche, s'il vous plaît, avec les deux
anciennes. J'ai eu un malheur à ma charretterie, dont la
couverture, une nuit qu'il ventait fort, s'est envolée dans
les arbres. La récolte non plus n'a pas été trop fameuse.
Enfin, je ne sais pas quand j'irai vous voir. Ça m'est tellement difficile de quitter maintenant la maison, depuis que
je suis seul, ma pauvre Emma ! »

Et il y avait ici un intervalle entre les lignes, comme si
le bonhomme eût laissé tomber sa plume pour rêver quelque
temps [630].

« Quant à moi, je vais bien, sauf un rhume que j'ai
attrapé l'autre jour à la foire d'Yvetot, où j'étais parti
pour retenir un berger, ayant mis le mien dehors, par suite
de sa trop grande délicatesse de bouche. Comme on est à
plaindre avec tous ces brigands-là ! Du reste, c'était aussi
un malhonnête.

« J'ai appris d'un colporteur qui, en voyageant cet
hiver [631] par votre pays, s'est fait arracher une dent, que
Bovary travaillait toujours dur. Ça ne m'étonne pas, et
il m'a montré sa dent ; nous avons pris un café ensemble.
Je lui ai demandé s'il t'avait vue, il m'a dit que non,
mais qu'il avait vu dans l'écurie deux animaux, d'où
je conclus que le métier roule. Tant mieux, mes chers
enfants, et que le bon Dieu vous envoie tout le bonheur
imaginable.

« Il me fait deuil de ne pas connaître encore ma bien-
aimée petite-fille Berthe Bovary. J'ai planté pour elle, dans
le jardin, sous ta chambre, un prunier de prunes d'avoine,
et je ne veux pas qu'on y touche, si ce n'est pour lui faire
plus tard des compotes, que je garderai dans l'armoire, à
son intention, quand elle viendra.

« Adieu, mes chers enfants. Je t'embrasse, ma fille, vous aussi mon gendre, et la petite, sur les deux joues.

« Je suis, avec bien des compliments,
        « Votre tendre père,

                « THÉODORE ROUAULT. »

Elle resta quelques minutes à tenir entre ses doigts ce gros papier [632]. Les fautes d'orthographe s'y enlaçaient les unes aux autres, et Emma poursuivait la pensée douce qui caquetait tout au travers comme une poule à demi cachée dans une haie d'épines. On avait séché l'écriture avec les cendres du foyer, car un peu de poussière grise glissa de la lettre sur sa robe, et elle crut presque apercevoir son père se courbant vers l'âtre pour saisir les pincettes. Comme il y avait longtemps qu'elle n'était plus auprès de lui, sur l'escabeau dans la cheminée, quand elle faisait brûler le bout d'un bâton à la grande flamme des joncs marins qui pétillaient !... Elle se rappela les soirs d'été [633] tout pleins de soleil. Les poulains hennissaient quand on passait, et galopaient, galopaient... Il y avait sous sa fenêtre une ruche à miel, et quelquefois les abeilles, tournoyant dans la lumière, frappaient contre les carreaux comme des balles d'or rebondissantes [634]. Quel bonheur dans ce temps-là ! quelle liberté ! quel espoir ! quelle abondance d'illusions ! Il n'en restait plus maintenant ! Elle en avait dépensé à toutes les aventures de son âme, par toutes les conditions successives, dans la virginité, dans le mariage et dans l'amour; — les perdant ainsi continuellement le long de sa vie [635], comme un voyageur qui laisse quelque chose de sa richesse à toutes les auberges de la route.

Mais qui donc la rendait si malheureuse ? Où était la catastrophe extraordinaire qui l'avait bouleversée ? Et elle releva la tête, regardant autour d'elle, comme pour chercher la cause de ce qui la faisait souffrir.

Un rayon d'avril chatoyait sur les porcelaines de l'étagère; le feu brûlait; elle sentait sous ses pantoufles la douceur du tapis; le jour était blanc, l'atmosphère tiède, et elle entendit son enfant qui poussait des éclats de rire.

En effet, la petite fille se roulait alors [636] sur le gazon, au milieu de l'herbe qu'on fanait. Elle était couchée à plat ventre, au haut d'une meule. Sa bonne la retenait

par la jupe. Lestiboudois ratissait à côté, et chaque fois
qu'il s'approchait, elle se penchait en battant l'air de ses
deux bras.

— Amenez-la-moi ! dit sa mère [637], se précipitant pour
l'embrasser. Comme je t'aime, ma pauvre enfant ! comme
je t'aime !

Puis, s'apercevant qu'elle avait le bout des oreilles un
peu sale, elle sonna vite pour avoir de l'eau chaude et
la nettoya, la changea de linge, de bas, de souliers, fit
mille questions sur sa santé, comme au retour d'un voyage,
et, enfin, la baisant encore et pleurant un peu, elle la remit
aux mains de la domestique, qui restait fort ébahie devant
cet excès de tendresse.

Rodolphe, le soir, la trouva plus sérieuse que d'habitude.

— Cela se passera, jugea-t-il; c'est un caprice.

Et il manqua consécutivement à trois rendez-vous. Quand
il revint [638], elle se montra froide et presque dédaigneuse.

— Ah ! tu perds ton temps, ma mignonne...

Et il eut l'air de ne pas remarquer [639] ses soupirs mélancoliques, ni le mouchoir qu'elle tirait.

C'est alors qu'Emma se repentit !

Elle se demanda même pourquoi donc elle exécrait
Charles, et s'il n'eût pas été meilleur de le pouvoir aimer.
Mais il n'offrait pas grande prise à ces retours du sentiment, si bien qu'elle demeurait fort embarrassée dans
sa velléité de sacrifice, lorsque l'apothicaire vint à propos lui fournir une occasion.

XI

Il avait lu dernièrement l'éloge d'une nouvelle méthode
pour la cure des pieds bots [640]; et, comme il était partisan
du progrès, il conçut cette idée patriotique que Yonville,
pour *se mettre au niveau*, devait avoir des opérations de
stréphopodie.

— Car, disait-il à Emma, que risque-t-on ? Examinez
(et il énumérait sur ses doigts les avantages de la tentative): succès presque certain, soulagement et embellis-
sement du malade, célébrité vite acquise à l'opérateur.

Pourquoi votre mari, par exemple, ne voudrait-il pas débarrasser ce pauvre Hippolyte, du *Lion d'or* ? Notez qu'il ne manquerait pas de raconter sa guérison à tous les voyageurs, et puis (Homais baissait la voix et regardait autour de lui) qui donc m'empêcherait d'envoyer au journal une petite note là-dessus ? Eh ! mon Dieu ! un article circule..., on en parle..., cela finit par faire la boule de neige ! Et qui sait ? qui sait ?

En effet, Bovary pouvait réussir; rien n'affirmait à Emma qu'il ne fût pas habile [641], et quelle satisfaction pour elle que de l'avoir engagé à une démarche d'où sa réputation et sa fortune se trouveraient accrues [642] ? Elle ne demandait qu'à s'appuyer sur quelque chose de plus solide que l'amour.

Charles, sollicité par l'apothicaire et par elle, se laissa convaincre. Il fit venir de Rouen le volume du docteur Duval, et, tous les soirs, se prenant la tête entre les mains, il s'enfonçait dans cette lecture.

Tandis qu'il étudiait les équins, les varus et les valgus, c'est-à-dire la stréphocatopodie, la stréphendopodie et la stréphexopodie (ou, pour parler mieux, les différentes déviations du pied, soit en bas, en dedans ou en dehors), avec la stréphypopodie et la stréphanopodie (autrement dit : torsion [643] en dessous et redressement en haut), M. Homais, par toute sorte de raisonnements [644], exhortait le garçon d'auberge à se faire opérer.

— A peine sentiras-tu, peut-être, une légère douleur; c'est une simple piqûre comme une petite saignée, moins que l'extirpation de certains cors.

Hippolyte, réfléchissant, roulait des yeux stupides.

— Du reste, reprenait le pharmacien, ça ne me regarde pas ! c'est pour toi ! par humanité pure ! Je voudrais te voir, mon ami, débarrassé de ta hideuse claudication, avec ce balancement de la région lombaire, qui, bien que tu prétendes, doit te nuire considérablement dans l'exercice de ton métier.

Alors Homais lui représentait combien il se sentirait ensuite plus gaillard et plus ingambe, et même lui donnait à entendre qu'il s'en trouverait mieux pour plaire aux femmes, et le valet d'écurie [645] se prenait à sourire lourdement [646]. Puis il l'attaquait par la vanité :

— N'es-tu pas un homme, saprelotte [647] ? Que serait-ce

donc, s'il t'avait fallu servir, aller combattre sous les
drapeaux ?... Ah ! Hippolyte !

Et Homais s'éloignait, déclarant qu'il ne comprenait
pas cet entêtement, cet aveuglement à se refuser aux
bienfaits de la science.

Le malheureux céda, car ce fut comme une conjuration.
Binet, qui ne se mêlait jamais des affaires d'autrui,
Mme Lefrançois, Artémise, les voisins, et jusqu'au maire,
M. Tuvache, tout le monde l'engagea, le sermonna, lui
faisait honte [648] ; mais, ce qui acheva de le décider, *c'est
que ça ne lui coûterait rien*. Bovary se chargeait même de
fournir la machine pour l'opération [649]. Emma avait eu
l'idée de cette générosité; et Charles y consentit, se disant
au fond du cœur que sa femme était un ange.

Avec les conseils du pharmacien, et en recommençant
trois fois, il fit donc construire par le menuisier, aidé
du serrurier, une manière de boîte pesant huit livres environ, et où le fer, le bois, la tôle, le cuir, les vis et les écrous
ne se trouvaient point épargnés.

Cependant, pour savoir quel tendon couper à Hippolyte,
il fallait connaître d'abord quelle espèce de pied bot il avait.

Il avait un pied faisant avec la jambe une ligne presque
droite, ce qui ne l'empêchait pas d'être tourné en dedans,
de sorte que c'était un équin mêlé d'un peu de varus,
ou bien un léger varus fortement accusé d'équin. Mais,
avec cet équin, large en effet comme un pied de cheval,
à peau rugueuse, à tendons secs, à gros orteils, et où les
ongles noirs figuraient les clous d'un fer, le stréphopode,
depuis le matin jusqu'à la nuit, galopait comme un cerf.
On le voyait continuellement sur la place, sautiller tout
autour des charrettes, en jetant en avant son support
inégal. Il semblait même plus vigoureux de cette jambe-
là que de l'autre. A force d'avoir servi, elle avait contracté
comme des qualités morales de patience et d'énergie; et
quand on lui donnait quelque gros ouvrage, il s'écorait
dessus, préférablement.

Or, puisque c'était un équin, il fallait couper le tendon
d'Achille, quitte à s'en prendre plus tard au muscle tibial
antérieur pour se débarrasser du varus : car le médecin
n'osait d'un seul coup risquer deux opérations, et même
il tremblait déjà, dans la peur d'attaquer quelque région
importante qu'il ne connaissait pas.

Ni Ambroise Paré, appliquant pour la première fois depuis Celse, après quinze siècles d'intervalle, la ligature immédiate d'une artère; ni Dupuytren allant ouvrir un abcès à travers une couche épaisse d'encéphale; ni Gensoul, quand il fit la première ablation de maxillaire supérieur, n'avaient certes le cœur si palpitant, la main si frémissante, l'intellect aussi tendu que M. Bovary quand il approcha d'Hippolyte, son *ténotome* entre les doigts. Et, comme dans les hôpitaux, on voyait, à côté [656], sur une table, un tas de charpie, des fils cirés, beaucoup de bandes, une pyramide de bandes, tout ce qu'il y avait de bandes chez l'apothicaire. C'était M. Homais qui avait organisé dès le matin tous ces préparatifs, autant pour éblouir la multitude que pour s'illusionner lui-même. Charles piqua la peau; on entendit un craquement sec. Le tendon était coupé, l'opération était finie. Hippolyte n'en revenait pas de surprise; il se penchait sur les mains de Bovary pour les couvrir de baisers.

— Allons, calme-toi, disait l'apothicaire, tu témoigneras plus tard ta reconnaissance envers ton bienfaiteur!

Et il descendit conter le résultat à cinq ou six curieux qui stationnaient dans la cour, et qui s'imaginaient qu'Hippolyte allait reparaître marchant droit. Puis Charles, ayant bouclé son malade dans le moteur mécanique, s'en retourna chez lui, où Emma, tout anxieuse, l'attendait sur la porte. Elle lui sauta au cou; ils se mirent à table; il mangea beaucoup, et même il voulut, au dessert prendre une tasse de café, débauche qu'il ne se permettait que le dimanche lorsqu'il y avait du monde.

La soirée fut charmante, pleine de causeries [651], de rêves en commun. Ils parlèrent de leur fortune future, d'améliorations à introduire dans leur ménage; il voyait sa considération s'étendant, son bien-être augmentant, sa femme l'aimant toujours; et elle se trouvait heureuse de se rafraîchir dans un sentiment nouveau, plus sain, meilleur, enfin d'éprouver quelque tendresse pour ce pauvre garçon qui la chérissait. L'idée de Rodolphe, un moment, lui passa par la tête; mais ses yeux se reportèrent sur Charles; elle remarqua même avec surprise qu'il n'avait point les dents vilaines.

Ils étaient au lit lorsque M. Homais, malgré la cuisinière, entra tout à coup dans la chambre, en tenant à la main [652] une feuille de papier fraîche écrite. C'était la réclame qu'il destinait au *Fanal de Rouen* [653]. Il la leur apportait à lire.

— Lisez vous-même, dit Bovary.

Il lut :

— Malgré les préjugés qui recouvrent encore une partie de la face de l'Europe comme un réseau, la lumière cependant commence à pénétrer dans nos campagnes. C'est ainsi que, mardi, notre petite cité d'Yonville s'est vu le théâtre d'une expérience chirurgicale qui est en même temps un acte de haute philanthropie. M. Bovary, un de nos praticiens les plus distingués... »

— Ah ! c'est trop ! c'est trop ! disait Charles, que l'émotion suffoquait.

— Mais non, pas du tout ! comment donc !... « a opéré d'un pied bot... » Je n'ai pas mis le terme scientifique, parce que, vous savez, dans un journal..., tout le monde peut-être ne comprendrait pas ; il faut que les masses...

— En effet, dit Bovary. Continuez.

— Je reprends, dit le pharmacien... « M. Bovary, un de nos praticiens les plus distingués, a opéré d'un pied bot le nommé Hippolyte Tautain, garçon d'écurie depuis vingt-cinq ans à l'hôtel du *Lion d'or*, tenu par Mme veuve Lefrançois, sur la place d'Armes. La nouveauté de la tentative et l'intérêt qui s'attachait au sujet avait attiré un tel concours de population qu'il y avait véritablement encombrement au seuil de l'établissement. L'opération, du reste, s'est pratiquée comme par enchantement et à peine si quelques gouttes de sang sont venues sur la peau, comme pour dire que le tendon rebelle venait enfin de céder sous les efforts de l'art. Le malade, chose étrange (nous l'affirmons *de visu*) n'accusa point de douleur. Son état jusqu'à présent ne laisse rien à désirer. Tout porte à croire que la convalescence sera courte, et qui sait même si, à la prochaine fête villageoise, nous ne verrons pas notre brave Hippolyte figurer dans des danses bachiques, au milieu d'un chœur de joyeux drilles, et ainsi prouver à tous les yeux, par sa verve et ses entrechats, sa complète guérison ? Honneur donc aux savants généreux ! Honneur à ces esprit infatigables qui consacrent leurs veilles à l'amélioration ou bien au soulagement de leur espèce ! Honneur ! trois fois honneur ! N'est-ce pas le cas de s'écrier que les aveugles verront, les sourds entendront et les boiteux marcheront ? Mais ce que le fanatisme autrefois promettait à ses élus, la science maintenant l'accomplit pour tous les hommes ! Nous tiendrons nos lecteurs au courant des phases successives de cette cure remarquable. »

Ce qui n'empêcha pas que, cinq jours après, la mère Lefrançois n'arrivât [654] tout effarée en s'écriant :

— Au secours ! il se meurt !... j'en perds la tête !

Charles se précipita vers le *Lion d'or*, et le pharmacien, qui l'aperçut passant sur la place, sans chapeau, abandonna la pharmacie. Il parut lui-même, haletant, rouge, inquiet, et demandant à tous ceux qui montait l'escalier :

— Qu'à donc notre intéressant stréphopode ?

Il se tordait, le stréphopode, dans des convulsions atroces, si bien que le moteur mécanique où était enfermée sa jambe frappait contre la muraille à la défoncer. Avec beaucoup de précautions, pour ne pas déranger la position du membre, on retira donc la boîte, et l'on vit un spectacle affreux. Les formes du pied disparaissaient dans une telle bouffissure, que la peau tout entière semblait près de se rompre [655], et elle était couverte d'ecchymoses occasionnées par la fameuse machine. Hippolyte déjà s'était plaint d'en souffrir ; on n'y avait pris garde [656] ; il fallut reconnaître qu'il n'avait pas eu tort complètement et on le laissa libre quelques heures. Mais à peine l'œdème eut-il un peu disparu, que les deux savants jugèrent à propos de rétablir le membre dans l'appareil, et en l'y serrant davantage, pour accélérer les choses. Enfin, trois jours après, Hippolyte n'y pouvant plus tenir, ils retirèrent encore une fois la mécanique, tout en s'étonnant beaucoup du résultat qu'ils aperçurent. Une tuméfaction livide s'étendait sur la jambe, et avec des phlyctènes de place en place, par où suintait un liquide noir. Cela prenait une tournure sérieuse. Hippolyte commençait à s'ennuyer, et la mère Lefrançois l'installa dans la petite salle, près de la cuisine, pour qu'il eût au moins quelque distraction.

Mais le percepteur, qui tous les jours y dînait, se plaignit avec amertume d'un tel voisinage. Alors on transporta Hippolyte dans la salle du billard [657].

Il était là, geignant sous ses grosses couvertures, pâle, la barbe longue, les yeux caves, et, de temps à autre, tournant sa tête en sueur sur le sale oreiller où s'abattaient les mouches. Mme Bovary le venait voir. Elle lui apportait des linges pour ses cataplasmes, et le consolait, l'encourageait. Du reste, il ne manquait pas de compagnie, les jours de marché surtout, lorsque les paysans autour de lui poussaient les billes du billard, s'escrimaient avec les queues, fumaient, buvaient, chantaient, braillaient.

— Comment vas-tu ? disaient-ils en lui frappant sur l'épaule. Ah ! tu n'es pas fier à ce qu'il paraît ! Mais c'est ta faute. Il faudrait faire ceci, faire cela.

Et on lui racontait des histoires de gens qui avaient tous été guéris [658] par d'autres remèdes que les siens; puis, en matière de consolation, ils ajoutaient :

— C'est que tu t'écoutes trop ! lève-toi donc ! tu te dorlotes comme un roi ! Ah ! n'importe, vieux farceur ! tu ne sens pas bon !

La gangrène, en effet, montait de plus en plus. Bovary en était malade lui-même. Il venait à chaque heure, à tout moment. Hippolyte le regardait avec des yeux pleins d'épouvante et balbutiait en sanglotant :

— Quand est-ce que je serai guéri ? — Ah ! sauvez-moi !... Que je suis malheureux ! que je suis malheureux !

Et le médecin s'en allait toujours en lui recommandant la diète.

— Ne l'écoute point, mon garçon, reprenait la mère Lefrançois; ils t'ont déjà bien assez martyrisé ! Tu vas t'affaiblir encore. Tiens, avale !

Et elle lui présentait quelque bon bouillon, quelque tranche de gigot, quelque morceau de lard, et parfois des petits verres d'eau-de-vie, qu'il n'avait pas le courage de porter à ses lèvres.

L'abbé Bournisien, apprenant qu'il empirait, fit demander à le voir. Il commença par le plaindre de son mal, tout en déclarant qu'il fallait s'en réjouir, puisque c'était la volonté du Seigneur, et profiter vite de l'occasion pour se réconcilier avec le ciel.

— Car, disait l'ecclésiastique d'un ton paternel [659], tu négligeais un peu tes devoirs; on te voyait rarement à l'office divin; combien y a-t-il d'années que tu ne t'es approché de la sainte table [660] ? Je comprends que tes occupations, que le tourbillon du monde aient pu t'écarter du soin de ton salut. Mais, à présent, c'est l'heure d'y réfléchir. Ne désespère pas, cependant; j'ai connu de grands coupables qui, près de comparaître devant Dieu (tu n'en es point encore là [661], je le sais bien), avaient imploré sa miséricorde, et qui certainement sont morts dans les meilleures dispositions. Espérons que, tout comme eux, tu nous donneras de bons exemples ! Ainsi par précaution, qui donc t'empêcherait de réciter matin et soir un « Je vous salue, Marie, pleine de grâce », et un « Notre Père qui êtes aux Cieux » ! Oui, fais cela ! pour moi, pour m'obliger. Qu'est-ce que ça coûte ?... Me le promets-tu ?

Le pauvre diable promit. Le curé revint les jours suivants. Il causait avec l'aubergiste et même racontait des anecdotes entremêlées de plaisanteries, de calembours qu'Hippolyte ne comprenait pas. Puis, dès que la circonstance le permettait, il retombait sur les matières de religion, en prenant une figure convenable.

Son zèle parut réussir; car [662] bientôt le stréphopode témoigna l'envie d'aller en pèlerinage à Bon-Secours, s'il se guérissait : à quoi M. Bournisien [663] répondit qu'il ne voyait pas d'inconvénient; deux précautions [664] valaient mieux qu'une. *On ne risquait rien.*

L'apothicaire s'indigna contre ce qu'il appelait les *manœuvres du prêtre ;* elles nuisaient, prétendait-il, à la convalescence d'Hippolyte, et il répétait à Mme Lefrançois :

— Laissez-le ! laissez-le ! vous lui perturbez le moral avec votre mysticisme !

Mais la bonne femme ne voulait plus l'entendre. Il était *cause de tout* [665]. Par esprit de contradiction, elle accrocha même au chevet du malade un bénitier tout plein, avec une branche de buis.

Cependant la religion, pas plus que la chirurgie, ne paraissait le secourir, et l'invincible pourriture allait montant toujours des extrémités vers le ventre. On avait beau varier les potions et changer les cataplasmes, les muscles, chaque jour, se décollaient davantage, et enfin Charles répondit par un signe de tête affirmatif quand la mère Lefrançois lui demanda si elle ne pourrait point [666], en désespoir de cause, faire venir M. Canivet, de Neufchâtel, qui était une célébrité [667].

Docteur en médecine, âgé de cinquante ans, jouissant d'une bonne position, et sûr de lui-même, le confrère ne se gêna pas pour rire dédaigneusement lorsqu'il décou-

vrit cette jambe gangrenée jusqu'au genou. Puis, ayant
déclaré net qu'il la fallait amputer, il s'en alla chez le pharmacien déblatérer contre les ânes qui avaient pu réduire
un malheureux homme en un tel état. Secouant M. Homais
par le bouton de sa redingote, il vociférait dans la pharmacie.

— Ce sont là des inventions de Paris ! Voilà les idées
de ces messieurs de la Capitale [668] ! C'est comme le stra-
bisme, le chloroforme et la lithotritie, un tas de mons-
truosités que le gouvernement devrait défendre ! Mais on
veut faire le malin, et l'on vous fourre des remèdes sans
s'inquiéter des conséquences. Nous ne sommes pas si
forts que cela, nous autres; nous ne sommes pas des savants,
des mirliflores, des jolis cœurs; nous sommes des praticiens, des guérisseurs, et nous n'imaginerions pas d'opérer [669] quelqu'un qui se porte à merveille ! Redresser des
pieds bots ? est-ce qu'on peut redresser les pieds bots ? c'est
comme si l'on voulait, par exemple, rendre droit un bossu !

Homais souffrait en écoutant ce discours, et il dissimulait son malaise sous un sourire de courtisan, ayant
besoin de ménager M. Canivet, dont les ordonnances
quelquefois arrivaient jusqu'à Yonville; aussi ne prit-il
pas la défense de Bovary, ne fit-il même aucune observation, et, abandonnant ses principes, il sacrifia sa dignité
aux intérêts plus sérieux de son négoce.

Ce fut dans le village un événement considérable que
cette amputation de cuisse par le docteur Canivet ! Tous
les habitants, ce jour-là, s'étaient levés de meilleure heure,
et la Grande-Rue [670], bien que pleine de monde, avait
quelque chose de lugubre comme s'il se fût agi d'une
exécution capitale. On discutait chez l'épicier sur la
maladie d'Hippolyte; les boutiques ne vendaient rien, et
Mme Tuvache, la femme du maire, ne bougeait pas de
la fenêtre, par l'impatience où elle était de voir venir
l'opérateur.

Il arriva dans son cabriolet qu'il conduisait lui-même.
Mais, le ressort du côté droit s'étant à la longue affaissé
sous le poids de sa corpulence, il se faisait que la voiture
penchait un peu tout en allant, et l'on apercevait sur
l'autre coussin, près de lui, une vaste boîte, recouverte
de basane rouge, dont les trois fermoirs de cuivre brillaient
magistralement.

Quand il fut entré comme un tourbillon sous le porche du *Lion d'or*, le docteur, criant très haut, ordonna de dételer son cheval, puis il alla dans l'écurie voir s'il mangeait bien l'avoine; car, en arrivant chez ses malades, il s'occupait d'abord de sa jument et de son cabriolet. On disait même à ce propos : « Ah ! M. Canivet, c'est un original ! » Et on l'estimait davantage pour cet inébranlable aplomb. L'univers aurait pu crever jusqu'au dernier homme, qu'il n'eût pas failli à la moindre de ses habitudes.

Homais se présenta.

— Je compte sur vous, fit le docteur. Sommes-nous prêts ? En marche !

Mais l'apothicaire, en rougissant [671], avoua qu'il était trop sensible pour assister à une pareille opération.

— Quand on est simple spectateur, disait-il, l'imagination, vous savez, se frappe ! Et puis j'ai le système nerveux tellement...

— Ah bah ! interrompit Canivet, vous me paraissez, au contraire, porté à l'apoplexie. Et, d'ailleurs, cela ne m'étonne pas; car, vous autres, messieurs les pharmaciens, vous êtes continuellement fourrés dans votre cuisine, ce qui doit finir par altérer votre tempérament. Regardez-moi, plutôt : tous les jours, je me lève à quatre heures, je fais ma barbe à l'eau froide (je n'ai jamais froid) et je ne porte pas de flanelle, je n'attrape aucun rhume, le coffre est bon ! Je vis tantôt d'une manière, tantôt d'une autre, en philosophe, au hasard de la fourchette. C'est pourquoi je ne suis point délicat comme vous et il m'est aussi parfaitement égal de découper un chrétien que la première volaille venue. Après ça, direz-vous, l'habitude..., l'habitude !...

Alors, sans aucun égard pour Hippolyte, qui suait d'angoisse entre ses draps, ces messieurs engagèrent une conversation où l'apothicaire compara le sang-froid d'un chirurgien à celui d'un général; et ce rapprochement fut agréable à Canivet qui se répandit en paroles sur les exigences de son art. Il le considérait comme un sacerdoce, bien que les officiers de santé le déshonorassent. Enfin, revenant au malade, il examina les bandes apportées par Homais, les mêmes qui avaient comparu lors du pied bot, et demanda quelqu'un pour lui tenir le membre.

On envoya chercher Lestiboudois, et M. Canivet, ayant
retroussé ses manches, passa dans la salle de billard, tandis
que l'apothicaire restait avec Arthémise [672] et l'aubergiste, plus pâles toutes les deux que leur tablier, et l'oreille
tendue contre la porte.

Bovary, pendant ce temps-là, n'osait bouger de sa
maison. Il se tenait en bas, dans la salle, assis au coin
de la cheminée sans feu, le menton sur sa poitrine, les
mains jointes, les yeux fixes. Quelle mésaventure ! pensait-il, quel désappointement ! Il avait pris pourtant toutes
les précautions imaginables. La fatalité s'en était mêlée.
N'importe [673] ? Si Hippolyte, plus tard, venait à mourir,
c'est lui qui l'aurait assassiné. Et puis, quelle raison don-
nerait-il dans les visites, quand on l'interrogerait ? Peut-
être, cependant, s'était-il trompé en quelque chose ? Il
cherchait, ne trouvait pas. Mais les plus fameux chirurgiens
se trompaient bien. Voilà ce qu'on ne voudrait jamais
croire ! on allait rire, au contraire, clabauder ! Cela se
répandrait jusqu'à Forges ! jusqu'à Neufchâtel ! jusqu'à
Rouen ! partout ! Qui sait si des confrères n'écriraient
pas contre lui ? Une polémique s'ensuivrait [674], il faudrait répondre dans les journaux. Hippolyte même pouvait
lui faire un procès. Il se voyait déshonoré, ruiné, perdu !
Et son imagination, assaillie par une multitude d'hypo-
thèses, ballottait au milieu d'elles comme un tonneau vide
emporté à la mer et qui roule sur les flots.

Emma, en face de lui, le regardait; elle ne partageait
pas son humiliation, elle en éprouvait une autre [675] : c'était
de s'être imaginé qu'un pareil homme pût valoir quelque
chose, comme si vingt fois déjà elle n'avait pas suffisamment aperçu sa médiocrité.

Charles se promenait de long en large, dans sa chambre [676]. Ses bottes craquaient sur le parquet.

— Assieds-toi, dit-elle, tu m'agaces !

Il se rassit.

Comment donc avait-elle fait (elle qui était si intelligente !)
pour se méprendre encore une fois ? Du reste, par quelle
déplorable manie avoir ainsi abîmé son existence en sacrifices continuels [677] ? Elle se rappela tous ses instincts de
luxe, toutes les privations de son âme, les bassesses du
mariage, du ménage, ses rêves tombant dans la boue
comme des hirondelles blessées, tout ce qu'elle avait

désiré, tout ce qu'elle s'était refusé, tout ce qu'elle aurait pu avoir ! Et pourquoi, pourquoi ?

Au milieu du silence qui emplissait le village, un cri déchirant traversa l'air. Bovary devint pâle à s'évanouir. Elle fronça les sourcils d'un geste nerveux, puis continua. C'était pour lui, cependant, pour cet être, pour cet homme qui ne comprenait rien, qui ne sentait rien [678] ! Car il était là, tout tranquillement, et sans même se douter que le ridicule de son nom allait désormais la salir comme lui. Elle avait fait des efforts pour l'aimer, et elle s'était repentie en pleurant d'avoir cédé à un autre.

— Mais c'était peut-être un valgus [679] ? exclama soudain Bovary, qui méditait.

Au choc imprévu de cette phrase tombant sur sa pensée comme une balle de plomb dans un plat d'argent, Emma tressaillant leva la tête pour deviner ce qu'il voulait dire; et ils se regardèrent silencieusement, presque ébahis de se voir, tant ils étaient par leur conscience éloignés l'un de l'autre. Charles la considérait avec le regard trouble d'un homme ivre, tout en écoutant, immobile, les derniers cris de l'amputé qui se suivaient en modulations traînantes, coupées de saccades aiguës, comme le hurlement lointain de quelque bête qu'on égorge. Emma mordait ses lèvres blêmes, et, roulant entre ses doigts un des brins du polypier qu'elle avait cassé, elle fixait sur Charles la pointe ardente de ses prunelles, comme deux flèches de feu prêtes à partir. Tout en lui l'irritait maintenant, sa figure, son costume, ce qu'il ne disait pas, sa personne entière, son existence enfin. Elle se repentait, comme d'un crime, de sa vertu passée, et ce qui en restait encore s'écroulait sous les coups furieux de son orgueil. Elle se délectait dans toutes les ironies mauvaises de l'adultère triomphant. Le souvenir de son amant revenait à elle avec des attractions vertigineuses; elle y jetait son âme, emportée vers cette image par un enthousiasme nouveau; et Charles lui semblait aussi détaché de sa vie, aussi absent pour toujours, aussi impossible et anéanti que s'il allait mourir et qu'il eût agonisé sous ses yeux.

Il se fit un bruit de pas [680] sur le trottoir. Charles regarda; et, à travers la jalousie baissée, il aperçut au bord des halles, en plein soleil, le docteur Canivet qui s'essuyait le front avec son foulard. Homais, derrière lui, portait à la main une grande boîte rouge, et ils se dirigeaient tous les deux du côté de la pharmacie.

Alors, par tendresse subite et découragement, Charles se tourna vers sa femme en lui disant :

— Embrasse-moi donc, ma bonne !

— Laisse-moi ! fit-elle, toute rouge de colère.

— Qu'as-tu ? qu'as-tu ? répétait-il stupéfait. Calme-toi ! reprends-toi ! Tu sais bien que je t'aime... viens !

— Assez ! s'écria-t-elle d'un air terrible.

Et, s'échappant de la salle, Emma ferma la porte si fort, que le baromètre bondit de la muraille et s'écrasa par terre.

Charles s'affaissa dans son fauteuil, bouleversé, cherchant ce qu'elle pouvait avoir, imaginant une maladie nerveuse, pleurant, et sentant vaguement circuler autour de lui quelque chose de funeste et d'incompréhensible.

Quand Rodolphe, le soir, arriva dans le jardin il trouva sa maîtresse qui l'attendait au bas du perron, sur la première marche. Ils s'étreignirent, et toute leur rancune se fondit comme une neige sous la chaleur de ce baiser.

XII

Ils recommencèrent à s'aimer. Souvent même, au milieu de la journée, Emma lui écrivait tout à coup ; puis, à travers les carreaux, faisait signe à Justin [681], qui, dénouant vite sa serpillière, s'envolait à la Huchette. Rodolphe arrivait ; c'était pour lui dire qu'elle s'ennuyait, que son mari était odieux et l'existence affreuse [682] !

— Est-ce que j'y peux quelque chose ? s'écria-t-il un jour, impatienté.

— Ah ! si tu voulais !...

Elle était assise par terre, entre ses genoux, les bandeaux dénoués, le regard perdu.

— Quoi donc ? fit Rodolphe.

Elle soupira :

— Nous irions vivre ailleurs... quelque part...

— Tu es folle, vraiment ! dit-il en riant. Est-ce possible ?

Elle revint là-dessus ; il eut l'air de ne pas comprendre

et détourna la conversation. Ce qu'il ne comprenait pas, c'était tout ce trouble dans une chose aussi simple que l'amour. Elle avait un motif, une raison, et comme un auxiliaire à son attachement.

Cette tendresse, en effet, chaque jour s'accroissait davantage sous la répulsion du mari. Plus elle se livrait à l'un [683], plus elle exécrait l'autre; jamais Charles ne lui paraissait aussi désagréable, avoir les doigts aussi carrés, l'esprit aussi lourd, les façons si communes qu'après ses rendez-vous avec Rodolphe, quand ils se trouvaient ensemble. Alors, tout en faisant l'épouse et la vertueuse, elle s'enflammait à l'idée de cette tête dont les cheveux noirs se tournaient en une boucle vers le front hâlé, de cette taille à la fois si robuste et si élégante, de cet homme, enfin, qui possédait [684] tant d'expérience dans la raison, tant d'emportement dans le désir ! C'était pour lui qu'elle se limait les ongles avec un soin de ciseleur, et qu'il n'y avait jamais assez de *cold-cream* sur sa peau, ni de patchouli dans ses mouchoirs. Elle se chargeait de bracelets, de bagues, de colliers. Quand il devait venir, elle emplissait de roses ses deux grands vases de verre bleu, et disposait son appartement et sa personne comme une courtisane qui attend un prince. Il fallait que la domestique fût sans cesse à blanchir du linge; et, de toute la journée, Félicité ne bougeait de la cuisine, où le petit Justin, qui souvent lui tenait compagnie, la regardait travailler.

Le coude sur la longue planche [685] où elle repassait, il considérait avidement toutes ces affaires de femmes [686] étalées autour de lui : les jupons de basin, les fichus, les collerettes, et les pantalons à coulisse, vastes de hanches et qui se rétrécissaient par le bas.

— A quoi cela sert-il ? demandait le jeune garçon en passant sa main sur la crinoline ou les agrafes.

— Tu n'as donc jamais rien vu ? répondait en riant Félicité; comme si ta patronne, Mme Homais, n'en portait pas de pareils.

— Ah ! bien oui ! Mme Homais !

Et il ajoutait d'un ton méditatif :

— Est-ce que c'est une dame comme Madame ?

Mais Félicité s'impatientait de le voir tourner ainsi tout autour d'elle. Elle avait six ans de plus, et Théodore, le domestique de M. Guillaumin, commençait à lui faire la cour.

— Laisse-moi tranquille ! disait-elle en déplaçant son pot d'empois. Va-t'en plutôt piler des amandes; tu es toujours à fourrager du côté des femmes; attends, pour te mêler de ça, méchant mioche, que tu aies de la barbe au menton.

— Allons, ne vous fâchez pas, je m'en vais vous *faire ses bottines*.

Et aussitôt il atteignait sur le chambranle les chaussures d'Emma, tout empâtées de crotte — la crotte des rendez-vous — qui se détachait en poudre sous ses doigts, et qu'il regardait monter doucement dans un rayon de soleil.

— Comme tu as peur de les abîmer ! disait la cuisinière, qui n'y mettait pas tant de façons quand elle les nettoyait elle-même, parce que Madame, dès que l'étoffe n'était plus fraîche, les lui abandonnait.

Emma en avait une quantité dans son armoire, et qu'elle gaspillait à mesure, sans que jamais Charles se permît la moindre observation.

C'est ainsi qu'il déboursa trois cents francs pour une jambe de bois dont elle jugea convenable de faire cadeau à Hippolyte. Le pilon en était garni de liège, et il avait des articulations à ressort, une mécanique compliquée recouverte d'un pantalon noir, que terminait une botte vernie. Mais Hippolyte, n'osant à tous les jours se servir d'une si belle jambe, supplia Mme Bovary de lui en procurer une autre plus commode. Le médecin, bien entendu, fit encore les frais de cette acquisition.

Donc, le garçon d'écurie peu à peu recommença son métier. On le voyait comme autrefois parcourir le village, et quand Charles entendait de loin, sur les pavés, le bruit sec de son bâton, il prenait bien vite une autre route.

C'était M. Lheureux, le marchand, qui s'était chargé de la commande; cela lui fournit l'occasion de fréquenter Emma. Il causait avec elle des nouveaux déballages de Paris, de mille curiosités féminines, se montrait fort complaisant, et jamais ne réclamait d'argent. Emma s'abandonnait à cette facilité de satisfaire tous ses caprices. Ainsi, elle voulut avoir, pour donner à Rodolphe [687], une fort belle cravache qui se trouvait à Rouen dans un magasin de parapluies. M. Lheureux, la semaine d'après, la lui posa sur sa table.

Mais le lendemain il se présenta chez elle avec une facture

de deux cent soixante et dix francs [688] sans compter les centimes. Emma fut très embarrassée : tous les tiroirs du secrétaire étaient vides; on devait plus de quinze jours à Lestiboudois, deux trimestres à la servante, quantité d'autres choses encore, et Bovary attendait impatiemment l'envoi de M. Derozerays, qui avait coutume, chaque année, de le payer vers la Saint-Pierre.

Elle réussit d'abord à éconduire Lheureux; enfin il perdit patience : on le poursuivait, ses capitaux étaient absents, et, s'il ne rentrait dans quelques-uns, il serait forcé de lui reprendre toutes les marchandises qu'elle avait.

— Eh ! reprenez-les ! dit Emma.

— Oh ! c'est pour rire ! répliqua-t-il. Seulement, je ne regrette que la cravache. Ma foi ! je la redemanderai à Monsieur.

— Non ! non ! fit-elle.

— Ah ! je te tiens ! pensa Lheureux.

Et, sûr de sa découverte, il sortit en répétant à demi-voix et avec son petit sifflement habituel :

— Soit ! nous verrons ! nous verrons !

Elle rêvait comment se tirer de là, quand la cuisinière entrant déposa sur la cheminée un petit rouleau de papier bleu, *de la part de M. Derozerays*. Emma sauta dessus, l'ouvrit. Il y avait quinze napoléons. C'était le compte. Elle entendit Charles dans l'escalier; elle jeta l'or au fond de son tiroir et prit la clef.

Trois jours après, Lheureux reparut.

— J'ai un arrangement à vous proposer, dit-il; si, au lieu de la somme convenue, vous vouliez prendre...

— La voilà ! fit-elle en lui plaçant dans la main quatorze napoléons.

Le marchand fut stupéfait. Alors, pour dissimuler son désappointement, il se répandit en excuses et en offres de service qu'Emma refusa toutes; puis elle resta quelques minutes palpant dans la poche de son tablier les deux pièces de cent sous qu'il lui avait rendues. Elle se promettait d'économiser, afin de rendre plus tard...

— Ah bah ! songea-t-elle, il n'y pensera plus [689].

Outre la cravache à pommeau de vermeil, Rodolphe avait reçu un cachet avec cette devise : *Amor nel cor* [690];

de plus, une écharpe pour se faire un cache-nez, et enfin
un porte-cigares tout pareil à celui du vicomte, que Charles
avait autrefois ramassé sur la route et qu'Emma conservait.
Cependant ces cadeaux l'humiliaient. Il en refusa plusieurs :
elle insista, et Rodolphe finit par obéir, la trouvant tyrannique et trop envahissante.

Puis elle avait d'étranges idées [691] :

— Quand minuit sonnera, disait-elle, tu penseras à moi !

Et, s'il avouait n'y avoir pas songé, c'étaient des reproches
en abondance, et qui se terminaient toujours par l'éternel
mot :

— M'aimes-tu ?

— Mais oui, je t'aime ! répondait-il.

— Beaucoup ?

— Certainement !

— Tu n'en as pas aimé d'autres [692], hein ?

— Crois-tu m'avoir pris vierge ? exclamait-il en riant.

Emma pleurait, et il s'efforçait de la consoler, enjolivant de calembours ses protestations.

— Oh ! c'est que je t'aime ! reprenait-elle, je t'aime
à ne pouvoir me passer de toi, sais-tu bien ? J'ai quelquefois
des envies de te revoir où toutes les colères de l'amour
me déchirent. Je me demande : « Où est-il ? Peut-être il
parle à d'autres femmes ? Elles lui sourient, il s'approche... »
Oh ! non, n'est-ce pas, aucune ne te plaît ? Il y en a de
plus belles ; mais, moi, je sais mieux aimer ! Je suis ta
servante et ta concubine [693] ! tu es mon roi, mon idole ! tu
es bon ! tu es beau ! tu es intelligent ! tu es fort !

Il s'était tant de fois entendu dire ces choses, qu'elles
n'avaient pour lui rien d'original. Emma ressemblait à
toutes les maîtresses [694]; et le charme de la nouveauté,
peu à peu tombant comme un vêtement, laissait voir
à nu l'éternelle monotonie de la passion, qui a toujours
les mêmes formes et le même langage. Il ne distinguait
pas, cet homme si plein de pratique, la dissemblance des
sentiments sous la parité des expressions. Parce que des
lèvres libertines ou vénales lui avaient murmuré des phrases
pareilles, il ne croyait que faiblement à la candeur de celles-
là; on en devait rabattre, pensait-il, les discours exagérés
cachant les affections médiocres; comme si la plénitude
de l'âme ne débordait pas quelquefois par les métaphores
les plus vides, puisque personne, jamais, ne peut donner

l'exacte mesure de ses besoins, ni de ses conceptions, ni de ses douleurs, et que la parole humaine est comme un chaudron fêlé où nous battons des mélodies à faire danser les ours, quand on voudrait attendrir les étoiles.

Mais, avec cette supériorité de critique appartenant à celui qui, dans n'importe quel engagement, se tient en arrière, Rodolphe aperçut en cet amour d'autres jouissances à exploiter. Il jugea toute pudeur incommode. Il la traita sans façon. Il en fit quelque chose de souple et de corrompu. C'était une sorte d'attachement idiot plein d'admiration pour lui, de volupté pour elle [695], une béatitude qui l'engourdissait; et son âme s'enfonçait en cette ivresse et s'y noyait, ratatinée, comme le duc de Clarence dans son tonneau de malvoisie.

Par l'effet seul de ses habitudes amoureuses, Mme Bovary changea d'allures. Ses regards devinrent plus hardis, ses discours plus libres; elle eut même l'inconvenance de se promener avec M. Rodolphe, une cigarette à la bouche, *comme pour narguer le monde ;* enfin, ceux qui doutaient encore ne doutèrent plus quand on la vit, un jour, descendre de l'*Hirondelle,* la taille serrée dans un gilet, à la façon d'un homme; et Mme Bovary mère, qui, après une épouvantable scène avec son mari, était venue se réfugier chez son fils, ne fut pas la bourgeoise la moins scandalisée. Bien d'autres choses, lui déplurent : d'abord Charles n'avait point écouté ses conseils pour l'interdiction des romans; puis, *le genre de la maison* lui déplaisait; elle se permit des observations et l'on se fâcha, une fois surtout, à propos de Félicité.

Mme Bovary mère, la veille au soir, en traversant le corridor, l'avait surprise dans la compagnie d'un homme, un homme à collier brun, d'environ quarante ans, et qui, au bruit de ses pas, s'était vite échappé de la cuisine. Alors Emma se prit à rire; mais la bonne dame s'emporta, déclarant qu'à moins de se moquer des mœurs, on devait surveiller celles des domestiques.

— De quel monde êtes-vous ? dit la bru, avec un regard tellement impertinent que Mme Bovary demanda si elle ne défendait point sa propre cause.

— Sortez ! fit la jeune femme se levant d'un bond.

— Emma !... maman !... s'écriait Charles pour les rapatrier.

Mais elles s'étaient enfuies toutes les deux, dans leur exaspération. Emma trépignait en répétant :

— Ah ! quel savoir-vivre ! quelle paysanne !

Il courut à sa mère ; elle était hors des gonds, elle balbutiait :

— C'est une insolente ! une évaporée ! pire peut-être !

Et elle voulait partir [696] immédiatement, si l'autre ne venait lui faire des excuses. Charles retourna [697] vers sa femme et la conjura de céder : il se mit à genoux ; elle finit par répondre :

— Soit ! j'y vais.

En effet, elle tendit la main à sa belle-mère avec une dignité de marquise, en lui disant :

— Excusez-moi, madame.

Puis, remontée chez elle, Emma se jeta tout à plat ventre sur son lit, et elle y pleura comme un enfant, la tête enfoncée dans l'oreiller.

Ils étaient convenus, elle et Rodolphe, qu'en cas d'événement extraordinaire, elle attacherait à la persienne un petit chiffon de papier blanc, afin que si, par hasard, il se trouvait à Yonville, il accourût dans la ruelle, derrière la maison. Emma fit le signal ; elle attendait depuis trois quarts d'heure quand, tout à coup, elle aperçut Rodolphe au coin des halles. Elle fut tentée d'ouvrir la fenêtre, de l'appeler ; mais déjà il avait disparu [698]. Elle retomba désespérée.

Bientôt, pourtant, il lui sembla [699] que l'on marchait sur le trottoir. C'était lui, sans doute ; elle descendit l'escalier, traversa la cour. Il était là, dehors. Elle se jeta dans ses bras.

— Prends donc garde, dit-il.

— Ah ! si tu savais ! reprit-elle.

Et elle se mit à lui raconter tout, à la hâte, sans suite, exagérant les faits, en inventant plusieurs, et prodiguant les parenthèses si abondamment qu'il n'y comprenait rien.

— Allons, mon pauvre ange, du courage, console-toi, patience [700] !

— Mais voilà quatre ans que je patiente et que je souffre... ! Un amour comme le nôtre devrait s'avouer à la face du ciel ! Ils sont à me torturer. Je n'y tiens plus ! Sauve-moi !

Elle se serrait contre Rodolphe. Ses yeux, pleins de larmes, étincelaient comme des flammes sous l'onde; sa gorge haletait à coups rapides; jamais il ne l'avait tant aimée; si bien qu'il en perdit la tête et qu'il lui dit :

— Que faut-il faire ? Que veux-tu ?

— Emmène-moi ! s'écria-t-elle. Enlève-moi !... Oh ! je t'en supplie !

Et elle se précipita sur sa bouche, comme pour y saisir le consentement inattendu qui s'en exhalait dans un baiser.

— Mais..., reprit Rodolphe.

— Quoi donc ?

— Et ta fille ?

Elle réfléchit quelques minutes, puis répondit :

— Nous la prendrons, tant pis !

— Quelle femme ! se dit-il en la regardant s'éloigner. Car elle venait [701] de s'échapper dans le jardin. On l'appelait.

La mère Bovary, les jours suivants, fut très étonnée de la métamorphose de sa bru. En effet, Emma se montra plus docile, et même poussa la déférence jusqu'à lui demander une recette pour faire mariner des cornichons.

Était-ce afin de les mieux duper l'un et l'autre ? Ou bien voulait-elle, par une sorte de stoïcisme voluptueux, sentir plus profondément l'amertume des choses qu'elle allait abandonner ? Mais elle n'y prenait garde, au contraire : elle vivait comme perdue dans la dégustation anticipée de son bonheur prochain. C'était avec Rodolphe un éternel sujet de causeries. Elle s'appuyait sur son épaule, elle murmurait :

— Hein [702] ! quand nous serons dans la malle-poste !... Y songes-tu ? Est-ce possible ? Il me semble qu'au moment où je sentirai la voiture s'élancer, ce sera comme si nous montions en ballon, comme si nous partions vers les nuages. Sais-tu que je compte les jours ?... Et toi ?

Jamais Mme Bovary ne fut aussi belle [703] qu'à cette époque; elle avait cette indéfinissable beauté qui résulte de la joie, de l'enthousiasme, du succès, et qui n'est que l'harmonie du tempérament avec les circonstances. Ses convoitises, ses chagrins, l'expérience du plaisir et ses illusions toujours jeunes, comme font aux fleurs le fumier, la pluie, les vents et le soleil, l'avaient par gradation [704] développée, et elle s'épanouissait enfin dans la plénitude

de sa nature. Ses paupières semblaient taillées tout exprès
pour ses longs regards [705] amoureux où la prunelle se
perdait, tandis qu'un souffle fort écartait ses narines minces
et relevait le coin charnu de ses lèvres, qu'ombrageait à
la lumière un peu de duvet noir. On eût dit qu'un artiste
habile en corruptions avait disposé sur sa nuque la torsade
de ses cheveux : ils s'enroulaient [706] en une masse lourde,
négligemment, et selon les hasards de l'adultère, qui les
dénouait tous les jours. Sa voix, maintenant, prenait des
inflexions plus molles, sa taille aussi ; quelque chose de
subtil qui vous pénétrait se dégageait même des draperies
de sa robe et de la cambrure de son pied. Charles, comme
aux premiers temps de son mariage [707], la trouvait délicieuse
et tout irrésistible.

Quand il rentrait au milieu de la nuit, il n'osait pas la
réveiller. La veilleuse de porcelaine arrondissait au plafond
une clarté tremblante, et les rideaux fermés du petit berceau
faisaient comme une hutte blanche qui se bombait dans
l'ombre, au bord du lit. Charles les regardait. Il croyait
entendre l'haleine légère de son enfant. Elle allait grandir
maintenant ; chaque saison, vite, amènerait un progrès.
Il la voyait déjà revenant de l'école à la tombée du jour,
toute rieuse, avec sa brassière tachée d'encre, et portant
au bras son panier ; puis il faudrait la mettre en pension,
cela coûterait beaucoup ; comment faire ? Alors il réfléchissait. Il pensait à louer une petite ferme aux environs, et
qu'il surveillerait lui-même, tous les matins, en allant voir
ses malades. Il en économiserait le revenu, il le placerait
à la caisse d'épargne ; ensuite il achèterait des actions,
quelque part, n'importe où ; d'ailleurs la clientèle augmen-
terait ; il y comptait, car il voulait que Berthe fût bien
élevée, qu'elle eût des talents, qu'elle apprît le piano. Ah !
qu'elle serait jolie, plus tard, à quinze ans, quand, ressemblant à sa mère, elle porterait, comme elle, dans l'été, de
grands chapeaux de paille [708] ! On les prendrait de loin
pour les deux sœurs Il se la figurait travaillant le soir auprès
d'eux, sous la lumière de la lampe ; elle lui broderait des
pantoufles ; elle s'occuperait du ménage ; elle emplirait
toute la maison de sa gentillesse et de sa gaîté. Enfin,
ils songeraient à son établissement : on lui trouverait quelque
brave garçon ayant un état solide ; il la rendrait heureuse ;
cela durerait toujours.

Emma ne dormait pas, elle faisait semblant d'être endormie [709]; et, tandis qu'il s'assoupissait à ses côtés, elle se réveillait en d'autres rêves.

Au galop de quatre chevaux [710], elle était emportée depuis huit jours vers un pays nouveau, d'où ils ne reviendraient plus. Ils allaient, ils allaient, les bras enlacés, sans parler. Souvent, du haut d'une montagne, ils apercevaient tout à coup quelque cité splendide avec des dômes, des ponts, des navires, des forêts de citronniers et des cathédrales de marbre blanc, dont les clochers aigus portaient des nids de cigognes. On marchait au pas à cause des grandes dalles, et il y avait par terre des bouquets de fleurs que vous offraient des femmes habillées en corset rouge. On entendait sonner des cloches, hennir des mulets [711], avec le murmure des guitares et le bruit des fontaines, dont la vapeur s'envolant rafraîchissait des tas de fruits, disposés en pyramides au pied des statues pâles, qui souriaient sous les jets d'eau. Et puis ils arrivaient, un soir, dans un village de pêcheurs, où des filets bruns séchaient au vent, le long de la falaise et des cabanes. C'est là qu'ils s'arrêtaient pour vivre : ils habiteraient une maison basse à toit plat, ombragée d'un palmier, au fond d'un golfe, au bord de la mer. Ils se promèneraient en gondole, ils se balanceraient en hamac; et leur existence serait facile et large comme leurs vêtements de soie, toute chaude et étoilée comme les nuits douces qu'ils contempleraient. Cependant, sur l'immensité [712] de cet avenir qu'elle se faisait apparaître, rien de particulier ne surgissait : les jours, tous magnifiques, se ressemblaient comme des flots; et cela se balançait à l'horizon infini, harmonieux, bleuâtre et couvert de soleil. Mais l'enfant se mettait à tousser dans son berceau, ou bien Bovary ronflait plus fort, et Emma ne s'endormait que le matin, quand l'aube blanchissait les carreaux et que déjà le petit Justin, sur la place, ouvrait les auvents de la pharmacie.

Elle avait fait venir M. Lheureux et lui avait dit :

— J'aurais besoin d'un manteau, un grand manteau, à long collet, doublé.

— Vous partez en voyage ? demanda-t-il.

— Non ! mais..., qu'importe [713], je compte sur vous, n'est-ce pas ? et vivement !

Il s'inclina.

— Il me faudrait encore, reprit-elle, une caisse..., pas trop lourde..., commode.

— Oui, oui, j'entends, de quatre-vingt-douze centimètres environ, sur cinquante, comme on les fait à présent.

— Avec un sac de nuit.

— Décidément, pensa Lheureux, il y a du grabuge là-dessous.

— Et tenez, dit Mme Bovary en tirant sa montre de sa ceinture, prenez cela : vous vous paierez dessus [714].

Mais le marchand s'écria qu'elle avait tort; ils se connaissaient; est-ce qu'il doutait d'elle ? Quel enfantillage ! Elle insista cependant pour qu'il prît au moins la chaîne, et déjà Lheureux l'avait mise dans sa poche et s'en allait, quand elle le rappela.

— Vous laisserez tout chez vous. Quant au manteau — elle eut l'air de réfléchir — ne l'apportez pas non plus; seulement, vous me donnerez l'adresse de l'ouvrier et avertirez qu'on le tienne à ma disposition.

C'était le mois prochain qu'ils devaient s'enfuir. Elle partirait d'Yonville comme pour aller faire des commissions à Rouen. Rodolphe aurait retenu des places [715], pris des passeports, et même écrit à Paris, afin d'avoir la malle entière jusqu'à Marseille, où ils achèteraient une calèche et, de là, continueraient sans s'arrêter, par la route de Gênes. Elle aurait eu soin d'envoyer chez Lheureux son bagage, qui serait directement porté à l'*Hirondelle*, de manière que personne ainsi n'aurait de soupçons; et, dans tout cela, jamais il n'était question de son enfant. Rodolphe évitait d'en parler; peut-être qu'elle n'y pensait pas [716].

Il voulut avoir encore deux semaines devant lui, pour terminer quelques dispositions; puis, au bout de huit jours, il en demanda quinze autres, puis il se dit malade; ensuite il fit un voyage; le mois d'août se passa, et, après tous ces retards, ils arrêtèrent que ce serait irrévocablement pour le 4 septembre, un lundi.

Enfin le samedi, l'avant-veille, arriva.

Rodolphe vint le soir, plus tôt que de coutume.

— Tout est-il prêt ? lui demanda-t-elle.

— Oui.

Alors ils firent le tour d'une plate-bande, et allèrent s'asseoir près de la terrasse, sur la margelle du mur.

— Tu es triste, dit Emma.

— Non, pourquoi ?

Et cependant il la regardait singulièrement, d'une façon tendre.

— Est-ce de t'en aller ? reprit-elle, de quitter tes affections, ta vie ? Ah ! je comprends... Mais, moi, je n'ai rien au monde ! tu es tout pour moi. Aussi je serai tout pour toi, je te serai une famille, une patrie : je te soignerai, je t'aimerai.

— Que tu es charmante ! dit-il en la saisissant dans ses bras.

— Vrai ? fit-elle avec un rire de volupté. M'aimes-tu ? Jure-le donc !

— Si je t'aime ! si je t'aime ! mais je t'adore, mon amour !

La lune, toute ronde [717] et couleur de pourpre, se levait à ras de terre, au fond de la prairie. Elle montait vite entre les branches des peupliers, qui la cachaient de place en place, comme un rideau noir, troué. Puis elle parut, éclatante de blancheur, dans le ciel vide qu'elle éclairait; et alors, se ralentissant, elle laissa tomber sur la rivière une grande tache, qui faisait une infinité d'étoiles, et cette lueur d'argent semblait s'y tordre jusqu'au fond à la manière d'un serpent sans tête couvert d'écailles lumineuses. Cela ressemblait aussi à quelque monstrueux candélabre, d'où ruisselaient, tout du long, des gouttes de diamant en fusion. La nuit douce s'étalait autour d'eux; des nappes d'ombre emplissaient les feuillages. Emma, les yeux à demi clos, aspirait avec de grands soupirs le vent frais qui soufflait. Ils ne se parlaient pas, trop perdus qu'ils étaient dans l'envahissement de leur rêverie. La tendresse des anciens jours leur revenait au cœur, abondante et silencieuse comme la rivière qui coulait, avec autant de mollesse qu'en apportait le parfum des seringas [718], et projetait dans leurs souvenirs [719] des ombres plus démesurées et plus mélancoliques [720] que celles des saules immobiles qui s'allongeaient sur l'herbe. Souvent quelque bête nocturne, hérisson ou belette, se mettant en chasse, dérangeait les feuilles, ou bien on entendait par moments une pêche mûre qui tombait toute seule de l'espalier.

— Ah ! la belle nuit ! dit Rodolphe.

— Nous en aurons d'autres ! reprit Emma.

Et, comme se parlant à elle-même :

— Oui [721], il fera bon voyager... Pourquoi ai-je le cœur triste, cependant ? Est-ce l'appréhension de l'inconnu..., l'effet des habitudes quittées..., ou plutôt ? Non, c'est l'excès [722] du bonheur ! Que je suis faible, n'est-ce pas ? Pardonne-moi !

— Il est encore temps ! s'écria-t-il [723]. Réfléchis, tu t'en repentiras peut-être [724].

— Jamais ! fit-elle impétueusement.

Et, en se rapprochant [725] de lui :

— Quel malheur donc peut-il me survenir ? Il n'y a pas de désert, pas de précipice ni d'océan que je ne traverserais avec toi. A mesure que nous vivrons ensemble ce sera comme une étreinte chaque jour plus serrée, plus complète ! Nous n'aurons rien qui nous trouble, pas de soucis, nul obstacle ! Nous serons seuls, tout à nous, éternellement... Parle donc [726], réponds-moi.

Il répondait à intervalles réguliers : « Oui... Oui !... » Elle lui avait passé les mains dans ses cheveux, et elle répétait d'une voix enfantine, malgré de grosses larmes qui coulaient :

— Rodolphe ! Rodolphe !... Ah ! Rodolphe, cher petit Rodolphe !

Minuit sonna.

— Minuit ! dit-elle. Allons, c'est demain ! encore un jour !

Il se leva pour partir; et, comme si ce geste qu'il faisait eût été le signal de leur fuite, Emma, tout à coup, prenant un air gai :

— Tu as les passeports ?

— Oui.

— Tu n'oublies rien ?

— Non.

— Tu en es sûr ?

— Certainement.

— C'est à l'hôtel *de Provence* [727], n'est-ce pas, que tu m'attendras ?... à midi ?

Il fit un signe de tête.

— A demain, donc ! dit Emma dans une dernière caresse.

Et elle le regarda s'éloigner.

Il ne se détournait pas. Elle courut après lui, et, se penchant au bord de l'eau entre des broussailles :

— A demain ! cria-t-elle.

Il était déjà [728] de l'autre côté de la rivière et marchait vite dans la prairie.

Au bout de quelques minutes, Rodolphe s'arrêta; et, quand il la vit avec son vêtement blanc peu à peu s'évanouir dans l'ombre comme un fantôme, il fut pris d'un tel battement de cœur, qu'il s'appuya contre un arbre pour ne pas tomber.

— Quel imbécile je suis ! fit-il en jurant épouvantablement. N'importe, c'était une jolie maîtresse !

Et, aussitôt, la beauté d'Emma, avec tous les plaisirs de cet amour, lui réapparurent [729]. D'abord il s'attendrit, puis il se révolta contre elle.

— Car enfin, exclamait-il en gesticulant, je ne peux pas m'expatrier, avoir la charge d'une enfant.

Il se disait ces choses pour s'affermir davantage.

— Et, d'ailleurs, les embarras, la dépense [730]... Ah ! non, non, mille fois non ! cela eût été trop bête !

XIII

A peine arrivé chez lui, Rodolphe s'assit brusquement à son bureau, sous la tête de cerf faisant trophée contre la muraille. Mais, quand il eut la plume entre les doigts, il ne sut rien trouver, si bien que, s'appuyant sur les deux coudes, il se mit à réfléchir. Emma lui semblait être reculée dans un passé lointain, comme si la résolution qu'il avait prise venait de placer entre eux, tout à coup, un immense intervalle.

Afin de ressaisir [731] quelque chose d'elle, il alla chercher dans l'armoire, au chevet de son lit, une vieille boîte à biscuits de Reims où il enfermait d'habitude ses lettres de femmes, et il s'en échappa une odeur de poussière humide [732] et de roses flétries. D'abord il aperçut un mouchoir de poche, couvert de gouttelettes pâles. C'était un mouchoir à elle, une fois qu'elle avait saigné du nez, en promenade; il ne s'en souvenait plus. Il y avait auprès, se cognant à tous les angles, la miniature donnée par Emma; sa toilette lui parut prétentieuse et son regard *en coulisse* du plus pitoyable effet; puis, à force de considérer cette image et d'évoquer

le souvenir du modèle, les traits d'Emma peu à peu se
confondirent en sa mémoire, comme si la figure vivante et
la figure peinte, se frottant l'une contre l'autre, se fussent
réciproquement effacées. Enfin il lut de ses lettres; elles
étaient pleines d'explications relatives à leur voyage, courtes,
techniques et pressantes comme des billets d'affaires. Il
voulut revoir les longues, celles d'autrefois; pour les trouver
au fond de la boîte, Rodolphe dérangea toutes les autres; et
machinalement il se mit à fouiller dans ce tas de papiers
et de choses, y retrouvant pêle-mêle des bouquets, une
jarretière, un masque noir, des épingles et des cheveux —
des cheveux! de bruns, de blonds; quelques-uns, même,
s'accrochant à la ferrure de la boîte, se cassaient quand on
l'ouvrait.

Ainsi flânant parmi ses souvenirs, il examinait les écritures et le style des lettres, aussi variés [733] que leurs ortho-
graphes. Elles étaient tendres ou joviales, facétieuses, mélancoliques; il y en avait qui demandaient de l'amour et
d'autres qui demandaient de l'argent. A propos d'un mot,
il se rappelait des visages, de certains gestes, un son de
voix; quelquefois, pourtant, il ne se rappelait rien.

En effet, ces femmes, accourant à la fois dans sa pensée,
s'y gênaient les unes les autres et s'y rapetissaient, comme
sous un même niveau d'amour qui les égalisait. Prenant
donc à poignée les lettres confondues, il s'amusa pendant
quelques minutes à les faire tomber en cascades de sa main
droite dans sa main gauche. Enfin, ennuyé, assoupi,
Rodolphe alla reporter la boîte dans l'armoire en se disant:

— Quel tas de blagues!...

Ce qui résumait [734] son opinion; car les plaisirs, comme
des écoliers dans la cour d'un collège, avaient tellement
piétiné sur son cœur, que rien de vert n'y poussait, et ce
qui passait par là, plus étourdi que les enfants, n'y laissait
pas même, comme eux, son nom gravé sur la muraille.

— Allons, se dit-il, commençons!

Il écrivit:

« Du courage, Emma! du courage [735]! Je ne veux pas
faire le malheur de votre existence... »

— Après tout, c'est vrai, pensa Rodolphe; j'agis dans
son intérêt; je suis honnête.

« Avez-vous mûrement pesé votre détermination?
Savez-vous l'abîme où je vous entraînais, pauvre ange [736]?

Non, n'est-ce pas ? Vous alliez confiante et folle, croyant
au bonheur, à l'avenir... Ah ! malheureux que nous sommes !
insensés ! »

Rodolphe s'arrêta pour trouver ici quelque bonne
excuse.

— Si je lui disais que toute ma fortune est perdue ?...
Ah ! non, et, d'ailleurs, cela n'empêcherait rien. Ce serait
à recommencer plus tard. Est-ce qu'on peut faire entendre
raison à des femmes pareilles [737] ?

Il réfléchit, puis ajouta :

« Je ne vous oublierai pas, croyez-le bien, et j'aurai
continuellement pour vous un dévouement profond ; mais,
un jour, tôt ou tard, cette ardeur (c'est là le sort des choses
humaines) se fût diminuée, sans doute ! Il nous serait venu
des lassitudes, et qui sait même si je n'aurais pas eu l'atroce
douleur d'assister à vos remords et d'y participer moi-même,
puisque je les aurais causés. L'idée seule des chagrins qui
vous arrivent me torture, Emma ! Oubliez-moi ! Pourquoi
faut-il que je vous aie connue ? Pourquoi étiez-vous si
belle ? Est-ce ma faute ? O mon Dieu ! non, non [738], n'en
accusez que la fatalité ! »

— Voilà un mot qui fait toujours de l'effet, se dit-il.

« Ah ! si vous eussiez été [739] une de ces femmes au cœur
frivole comme on en voit, certes, j'aurais pu, par égoïsme,
tenter une expérience alors sans danger pour vous. Mais
cette exaltation délicieuse, qui fait à la fois votre charme
et votre tourment, vous a empêchée de comprendre, adorable femme que vous êtes, la fausseté de notre position
future. Moi non plus, je n'y avais pas réfléchi d'abord, et
je me reposais à l'ombre de ce bonheur idéal comme à celle
du mancenillier, sans prévoir les conséquences. »

Elle va peut-être croire que c'est par avarice que j'y
renonce... Ah ! n'importe ! tant pis [740], il faut en finir !

« Le monde est cruel, Emma. Partout où nous eussions
été, il nous aurait poursuivis. Il vous aurait fallu subir
les questions indiscrètes, la calomnie, le dédain, l'outrage
peut-être [741]. L'outrage à vous ! Oh !... Et moi qui voudrais vous faire asseoir sur un trône ! Moi qui emporte
votre pensée comme un talisman [742] ! Car je me punis
par l'exil de tout le mal que je vous ai fait. Je pars. Où ?
Je n'en sais rien, je suis fou ! Adieu ! Soyez toujours
bonne ! Conservez le souvenir du malheureux qui vous

a perdue. Apprenez mon nom à votre enfant, qu'il le
redise [743] dans ses prières. »

La mèche des deux bougies tremblait. Rodolphe se leva
pour aller fermer la fenêtre, et, quand il se fut rassis :

— Il me semble que c'est tout [744]. Ah ! encore ceci, de
peur qu'elle ne vienne *à me relancer* :

« Je serai loin quand vous lirez ces tristes lignes ; car
j'ai voulu m'enfuir au plus vite afin d'éviter la tentation
de vous revoir. Pas de faiblesse ! Je reviendrai ; et peut-être
que, plus tard, nous causerons ensemble très froidement
de nos anciennes amours. Adieu ! »

Et il y avait un dernier adieu, séparé en deux mots :
A Dieu ! ce qu'il jugeait d'un excellent goût.

— Comment vais-je signer, maintenant ? se dit-il. Votre
tout dévoué... Non. Votre ami ?... Oui, c'est cela.

                                                    « Votre ami. »

Il relut la lettre. Elle lui parut bonne.

— Pauvre petite femme ! pensa-t-il avec attendrissement. Elle va me croire plus insensible qu'un roc ; il eût
fallu quelques larmes là-dessus ; mais, moi, je ne peux pas
pleurer ; ce n'est pas ma faute [745]. Alors, s'étant versé de
l'eau dans un verre, Rodolphe y trempa son doigt et il
laissa tomber de haut une grosse goutte, qui fit une tâche
pâle sur l'encre ; puis, cherchant à cacheter la lettre, le
cachet *Amor nel cor* se rencontra.

— Cela ne va guère à la circonstance... Ah ! bah !
qu'importe [746] !

Après quoi, il fuma trois pipes, et alla se coucher [747].

Le lendemain, quand il fut debout (vers deux heures
environ, il avait dormi tard), Rodolphe se fit cueillir une
corbeille d'abricots. Il disposa la lettre dans le fond, sous
des feuilles de vigne, et ordonna tout de suite, à Girard,
son valet de charrue, de porter cela délicatement chez
Mme Bovary. Il se servait de ce moyen pour correspondre
avec elle, lui envoyant, selon la saison, des fruits ou du
gibier.

— Si elle demande de mes nouvelles, dit-il, tu répondras
que je suis parti en voyage. Il faut remettre le panier à
elle-même, en mains propres... Va, et prends garde !

Girard passa sa blouse neuve, noua son mouchoir autour

des abricots, et, marchant à grands pas lourds dans ses grosses galoches ferrées, prit tranquillement le chemin d'Yonville.

Mme Bovary, quand il arriva chez elle, arrangeait avec Félicité, sur la table de cuisine, un paquet de linge.

— Voilà, dit le valet, ce que notre maître vous envoie.

Elle fut saisie d'une appréhension, et, tout en cherchant quelque monnaie dans sa poche, elle considérait le paysan d'un œil hagard [748], tandis qu'il la regardait lui-même avec ébahissement, ne comprenant pas qu'un pareil cadeau pût tant émouvoir quelqu'un. Enfin il sortit. Félicité restait. Elle n'y tenait plus; elle courut dans la salle comme pour y porter les abricots, renversa le panier, arracha les feuilles, trouva la lettre, l'ouvrit, et, comme s'il y avait eu derrière elle un effroyable incendie, Emma se mit à fuir vers sa chambre, tout épouvantée.

Charles y était, elle l'aperçut; il lui parla, elle n'entendit rien, et elle continua vivement à monter les marches, haletante, éperdue, ivre, et toujours tenant cette horrible feuille de papier, qui lui claquait dans les doigts comme une plaque de tôle. Au second étage, elle s'arrêta devant la porte du grenier, qui était fermée.

Alors elle voulut se calmer; elle se rappela la lettre; il fallait la finir, elle n'osait pas. D'ailleurs, où ? comment ? On la verrait.

— Ah ! non, ici, pensa-t-elle, je serai bien.

Emma poussa la porte et entra.

Les ardoises laissaient tomber d'aplomb une chaleur lourde, qui lui serrait les tempes et l'étouffait; elle se traîna jusqu'à la mansarde close, dont elle tira le verrou, et la lumière éblouissante jaillit d'un bond.

En face, par-dessus les toits, la pleine campagne s'étalait à perte de vue. En bas, sous elle, la place du village était vide, les cailloux du trottoir scintillaient, les girouettes des maisons se tenaient immobiles; au coin de la rue, il partit d'un étage inférieur une sorte de ronflement à modulations stridentes. C'était Binet qui tournait.

Elle s'était appuyée contre l'embrasure de la mansarde et elle relisait la lettre avec des ricanements de colère. Mais plus elle y fixait d'attention, plus ses idées se confondaient. Elle le revoyait, elle l'entendait, elle l'entourait de ses deux bras; et des battements de cœur [749], qui la frappaient sous

la poitrine comme à grands coups de bélier, s'accéléraient
l'un après l'autre, à intermittences inégales. Elle jetait les
yeux tout autour d'elle avec l'envie que la terre croulât.
Pourquoi n'en pas finir ? Qui la retenait donc ? Elle était
libre. Et elle s'avança, elle regarda les pavés en se disant :

— Allons ! allons !

Le rayon lumineux qui montait d'en bas directement
tirait vers l'abîme le poids de son corps. Il lui semblait
que le sol de la place oscillant s'élevait le long des murs,
et que le plancher s'inclinait par le bout, à la manière d'un
vaisseau qui tangue. Elle se tenait tout au bord, presque
suspendue, entourée d'un grand espace. Le bleu du ciel
l'envahissait, l'air circulait dans sa tête creuse, elle n'avait
qu'à céder, qu'à se laisser prendre ; et le ronflement du
tour ne discontinuait pas, comme une voix furieuse qui
l'appelait.

— Ma femme ! ma femme ! cria Charles.

Elle s'arrêta.

— Où es-tu donc ? Arrive !

L'idée qu'elle venait d'échapper à la mort faillit la faire
s'évanouir de terreur ; elle ferma les yeux ; puis elle tressaillit
au contact d'une main sur sa manche c'était Félicité [750].

— Monsieur vous attend, madame ; la soupe est servie.

Et il fallut descendre ! il fallut se mettre à table !

Elle essaya de manger. Les morceaux l'étouffaient. Alors
elle déplia sa serviette comme pour en examiner les reprises
et voulut réellement s'appliquer à ce travail, compter les
fils de la toile. Tout à coup, le souvenir de la lettre lui
revint. L'avait-elle donc perdue ? Où la retrouver ? Mais
elle éprouvait une telle lassitude dans l'esprit, que jamais
elle ne put inventer un prétexte à sortir de table. Puis elle
était devenue lâche ; elle avait peur de Charles ; il savait
tout, c'était sûr ! En effet, il prononça ces mots singulièrement :

— Nous ne sommes pas près, à ce qu'il paraît, de voir
M. Rodolphe.

— Qui te l'a dit ? fit-elle en tressaillant.

— Qui me l'a dit ? répliqua-t-il un peu surpris de ce ton
brusque ; c'est Girard, que j'ai rencontré tout à l'heure à la
porte du *Café Français*. Il est parti en voyage, ou il doit
partir.

Elle eut un sanglot.

— Quoi donc t'étonne ? Il s'absente ainsi de temps à autre pour se distraire, et, ma foi ! je l'approuve. Quand on a de la fortune et que l'on est garçon ! — Du reste, il s'amuse joliment, notre ami ! c'est un farceur. M. Langlois m'a conté...

Il se tut, par convenance, à cause de la domestique qui entrait.

Celle-ci replaça dans la corbeille les abricots répandus sur l'étagère ; Charles [751], sans remarquer la rougeur de sa femme, se les fit apporter, en prit un et mordit à même.

— Oh ! parfait ! disait-il. Tiens, goûte.

Et il tendit la corbeille, qu'elle repoussa doucement.

— Sens donc : quelle odeur [752] ! fit-il en la lui passant sous le nez à plusieurs reprises.

— J'étouffe ! s'écria-t-elle en se levant d'un bond.

Mais, par un effort de volonté, ce spasme disparut ; puis :

— Ce n'est rien ! dit-elle, ce n'est rien ! c'est nerveux ! Assieds-toi, mange !

Car elle redoutait qu'on ne fût à la questionner, à la soigner, qu'on ne la quittât plus.

Charles, pour lui obéir, s'était rassis, et il crachait dans sa main les noyaux des abricots [753], qu'il déposait ensuite dans son assiette.

Tout à coup, un tilbury bleu passa au grand trop sur la place. Emma poussa un cri et tomba roide par terre, à la renverse.

En effet, Rodolphe, après bien des réflexions, s'était décidé à partir pour Rouen. Or, comme il n'y a, de la Huchette à Buchy, pas d'autre chemin que celui d'Yonville, il lui avait fallu traverser le village, et Emma l'avait reconnu à la lueur des lanternes qui coupaient comme un éclair le crépuscule.

Le pharmacien, au tumulte [754] qui se faisait dans la maison, s'y précipita. La table, avec toutes les assiettes, était renversée ; de la sauce, de la viande, les couteaux, la salière et l'huilier jonchaient l'appartement ; Charles appelait au secours ; Berthe, effarée, criait : et Félicité, dont les mains tremblaient, délaçait Madame, qui avait le long du corps des mouvements convulsifs.

— Je cours, dit l'apothicaire, chercher dans mon laboratoire un peu de vinaigre aromatique.

Puis, comme elle rouvrait les yeux en respirant le flacon :

— J'en étais sûr, fit-il; cela vous réveillerait un mort.

— Parle-nous ! disait Charles, parle-nous [755] ! Remets-toi ! C'est moi, ton Charles qui t'aime ! Me reconnais-tu ? Tiens, voilà ta petite fille; embrasse-la donc !

L'enfant avançait les bras vers sa mère pour se pendre à son cou. Mais, détournant la tête, Emma dit d'une voix saccadée :

— Non, non... personne !

Elle s'évanouit encore. On la porta sur son lit.

Elle restait étendue, la bouche ouverte, les paupières fermées, les mains à plat, immobile, et blanche comme une statue de cire. Il sortait de ses yeux deux ruisseaux de larmes qui coulaient lentement sur l'oreiller.

Charles, debout, se tenait au fond de l'alcôve, et le pharmacien, près de lui, gardait ce silence méditatif qu'il est convenable d'avoir dans les occasions sérieuses de la vie.

— Rassurez-vous, dit-il en lui poussant le coude, je crois que le paroxysme est passé.

— Oui, elle repose un peu maintenant ! répondit [756] Charles, qui la regardait dormir. Pauvre femme !... pauvre femme !... la voilà retombée !

Alors Homais demanda comment cet accident était survenu. Charles répondit que cela l'avait saisie tout à coup pendant qu'elle mangeait des abricots.

— Extraordinaire !... reprit le pharmacien. Mais il se pourrait que les abricots eussent occasionné la syncope [757] ! Il y a des natures si impressionnables à l'encontre de certaines odeurs ! et ce serait même une belle question à étudier, tant sous le rapport pathologique que sous le rapport physiologique [758]. Les prêtres en connaissaient l'importance, eux qui ont toujours mêlé des aromates à leurs cérémonies. C'est pour vous stupéfier l'entendement et provoquer des extases, chose d'ailleurs facile à obtenir chez les personnes du sexe, qui sont plus délicates que les autres. On en cite qui s'évanouissent à l'odeur de la corne brûlée, du pain tendre...

— Prenez garde de l'éveiller ! dit à voix basse Bovary.

— Et non seulement, continua l'apothicaire, les humains sont en butte à ces anomalies, mais encore les animaux. Ainsi, vous n'êtes pas sans savoir l'effet singulièrement aphrodisiaque que produit le *nepeta cataria*, vulgairement appelé herbe-au-chat, sur la gent féline; et, d'autre part, pour citer un exemple que je garantis authentique, Bridoux (un de mes anciens camarades, actuellement établi rue Malpalu) possède un chien qui tombe en convulsions dès qu'on lui présente une tabatière. Souvent même il en fait l'expérience devant ses amis, à son pavillon du bois Guillaume [759]. Croirait-on qu'un simple sternutatoire pût exercer de tels ravages dans l'organisme d'un quadrupède? C'est extrêmement curieux, n'est-il pas vrai?

— Oui, dit Charles, qui n'écoutait pas.

— Cela nous prouve, reprit l'autre en souriant avec un air de suffisance bénigne, les irrégularités sans nombre du système nerveux. Pour ce qui est de Madame, elle m'a toujours paru, je l'avoue, une vraie sensitive. Aussi ne vous conseillerai-je point, mon bon ami, aucun de ces prétendus remèdes qui, sous prétexte d'attaquer [760] les symptômes, attaquent le tempérament. Non, pas de médicamentation oiseuse! du régime, voilà tout! des sédatifs, des émollients, des dulcifiants. Puis, ne pensez-vous pas qu'il faudrait peut-être frapper l'imagination?

— En quoi? comment? dit Bovary.

— Ah! c'est là la question! Telle est effectivement la question: *That is the question!* comme je lisais dernièrement dans le journal.

Mais Emma, se réveillant, s'écria:

— Et la lettre? Et la lettre?

On crut qu'elle avait le délire; elle l'eut à partir de minuit: une fièvre cérébrale s'était déclarée [761].

Pendant quarante-trois jours Charles ne la quitta pas. Il abandonna tous ses malades; il ne se couchait plus, il était continuellement à lui tâter le pouls, à lui poser des sinapismes, des compresses d'eau froide. Il envoyait Justin jusqu'à Neufchâtel chercher de la glace; la glace se fondait en route; il le renvoyait. Il appela M. Canivet en consultation; il fit venir de Rouen le docteur Larivière, son ancien maître; il était désespéré. Ce qui l'effrayait le plus, c'était l'abattement d'Emma; car elle ne parlait pas, n'entendait rien et même semblait ne point souffrir. — comme si son corps et son âme se fussent ensemble reposés de toutes leurs agitations.

Vers le milieu d'octobre, elle put se tenir assise dans son lit, avec des oreillers derrière elle. Charles pleura quand il

la vit manger sa première tartine de confitures [762]. Les
forces lui revinrent; elle se levait quelques heures pendant
l'après-midi, et, un jour qu'elle se sentait mieux, il essaya
de lui faire faire, à son bras, un tour de promenade dans le
jardin. Le sable des allées disparaissait sous les feuilles
mortes; elle marchait pas à pas, en traînant ses pantoufles,
et, s'appuyant de l'épaule contre Charles, elle continuait
à sourire.

Ils allèrent ainsi jusqu'au fond, près de la terrasse. Elle se
redressa lentement, se mit la main devant ses yeux [763],
pour regarder : elle regarda au loin [764], tout au loin; mais
il n'y avait à l'horizon que de grands feux d'herbe [765],
qui fumaient sur les collines.

— Tu vas te fatiguer, ma chérie, dit Bovary.

Et, la poussant doucement pour la faire entrer sous la
tonnelle :

— Assieds-toi donc sur ce banc : tu seras bien.

— Oh ! non, pas là, pas là ! fit-elle d'une voix défaillante.

Elle eut un étourdissement, et, dès le soir, sa maladie
recommença avec une allure plus incertaine, il est vrai,
et des caractères plus complexes. Tantôt elle souffrait au
cœur, puis dans la poitrine, dans le cerveau, dans les
membres; il lui survint des vomissements où Charles crut
apercevoir les premiers symptômes d'un cancer.

Et le pauvre garçon, par là-dessus, avait des inquiétudes
d'argent !

XIX

D'abord, il ne savait comment faire pour dédommager
M. Homais de tous les médicaments pris chez lui; et,
quoiqu'il eût pu, comme médecin, ne pas les payer, néanmoins il rougissait un peu de cette obligation. Puis la
dépense du ménage, à présent que la cuisinière était maîtresse, devenait effrayante; les notes pleuvaient dans la
maison; les fournisseurs murmuraient; M. Lheureux surtout
le harcelait. En effet, au plus fort de la maladie d'Emma
celui-ci, profitant de la circonstance pour exagérer sa

facture, avait vite apporté le manteau, le sac de nuit, deux caisses au lieu d'une, quantité d'autres choses encore. Charles eut beau dire qu'il n'en avait pas besoin, le marchand répondit arrogamment qu'on lui avait commandé tous ces articles et qu'il ne les reprendrait pas; d'ailleurs, ce serait contrarier Madame dans sa convalescence; Monsieur réfléchirait; bref, il était résolu à le poursuivre en justice plutôt que d'abandonner ses droits et que d'emporter ses marchandises. Charles ordonna par la suite de les renvoyer à son magasin; Félicité oublia; il avait d'autres soucis; on n'y pensa plus; M. Lheureux revint à la charge, et, tour à tour menaçant et gémissant, manœuvra de telle façon que Bovary finit pas souscrire un billet à six mois d'échéance. Mais à peine eut-il signé ce billet, qu'une idée audacieuse lui surgit : c'était d'emprunter mille francs à M. Lheureux. Donc, il demanda, d'un air embarrassé, s'il n'y avait pas moyen de les avoir, ajoutant que ce serait pour un an et au taux que l'on voudrait. Lheureux courut à sa boutique, en rapporta les écus et dicta un autre billet, par lequel Bovary déclarait devoir payer à son ordre, le 1er septembre prochain, la somme de mille soixante et dix francs [766]; ce qui, avec les cent quatre-vingts déjà stipulés, faisait juste douze cent cinquante. Ainsi, prêtant à six pour cent, augmenté d'un quart de commission, et les fournitures lui rapportant un bon tiers pour le moins, cela devait, en douze mois, donner cent trente francs de bénéfice; et il espérait que l'affaire ne s'arrêterait pas là, qu'on ne pourrait payer les billets, qu'on les renouvellerait, et que son pauvre argent, s'étant nourri chez le médecin comme dans une maison de santé, lui reviendrait, un jour, considérablement plus dodu, et gros à faire craquer le sac.

Tout, d'ailleurs, lui réussissait. Il était adjudicataire d'une fourniture de cidre pour l'hôpital de Neufchâtel; M. Guillaumin lui promettait des actions dans les tourbières de Grumesnil, et il rêvait d'établir un nouveau service de diligences entre Argueil et Rouen, qui ne tarderait pas, sans doute, à ruiner la guimbarde du *Lion d'or*, et qui, marchant plus vite, étant à prix plus bas et portant plus de bagages, lui mettrait ainsi dans les mains tout le commerce d'Yonville.

Charles se demanda plusieurs fois par quel moyen, l'année prochaine, pouvoir rembourser tant d'argent; et

il cherchait, imaginait [767] des expédients, comme de recourir
à son père ou de vendre quelque chose. Mais son père
serait sourd, et il n'avait, lui, rien à vendre. Alors il découvrait de tels embarras, qu'il écartait vite de sa conscience
un sujet de méditation aussi désagréable. Il se reprochait
d'en oublier Emma; comme si, toutes ses pensées appartenant à cette femme, c'eut été lui dérober quelque chose que
de n'y pas continuellement réfléchir.

L'hiver fut rude. La convalescence de Madame fut
longue. Quand il faisait beau, on la poussait dans son fauteuil, auprès de la fenêtre, celle qui regardait la Place, car
elle avait maintenant le jardin en antipathie, et la persienne
de ce côté restait constamment fermée. Elle voulut que l'on
vendît le cheval; ce qu'elle aimait autrefois, à présent lui
déplaisait. Toutes ses idées paraissaient se borner au soin
d'elle-même. Elle restait dans son lit à faire de petites
collations, sonnait sa domestique pour s'informer de ses
tisanes ou pour causer avec elle. Cependant, la neige sur
le toit des halles jetait dans la chambre un reflet blanc,
immobile; ensuite, ce fut la pluie qui tombait. Et Emma
quotidiennement attendait, avec une sorte d'anxiété,
l'infaillible retour d'événements minimes, qui pourtant ne
lui importaient guère. Le plus considérable était, le soir,
l'arrivée de l'*Hirondelle*. Alors l'aubergiste criait et d'autres
voix répondaient, tandis que le falot d'Hippolyte, qui
cherchait des coffres sur la bâche [768], faisait comme une
étoile dans l'obscurité. A midi, Charles rentrait; ensuite il
sortait; puis elle prenait un bouillon, et, vers cinq heures,
à la tombée du jour, les enfants qui s'en revenaient de la
classe, traînant leurs sabots sur le trottoir, frappaient tous
avec leurs règles la cliquette des auvents, les uns après
les autres [769].

C'était à cette heure-là que M. Bournisien venait la voir.
Il s'enquérait de sa santé, lui apportait des nouvelles et
l'exhortait à la religion dans un petit bavardage câlin qui
ne manquait pas d'agrément. La vue seule de sa soutane
la réconfortait.

Un jour qu'au plus fort de sa maladie [770] elle s'était crue
agonisante, elle avait demandé la communion; et, à mesure
que l'on faisait dans sa chambre les préparatifs pour le
sacrement, que l'on disposait en autel la commode encombrée de sirops et que Félicité semait par terre des fleurs

de dahlia, Emma sentait quelque chose de fort passant sur elle, qui la débarrassait de ses douleurs, de toute perception, de tout sentiment. Sa chair allégée ne pensait plus [771], une autre vie commençait; il lui sembla que son être, montant vers Dieu, allait s'anéantir dans cet amour comme un encens allumé qui se dissipe en vapeur. On aspergea d'eau bénite les draps du lit; le prêtre retira du saint ciboire la blanche hostie; et ce fut en défaillant d'une joie céleste qu'elle avança les lèvres pour accepter le corps du Sauveur qui se présentait. Les rideaux de son alcôve se gonflaient mollement [772], autour d'elle, en façon de nuées, et les rayons des deux cierges brûlant sur la commode lui parurent être des gloires éblouissantes. Alors elle laissa retomber sa tête, croyant entendre dans les espaces le chant des harpes séraphiques et apercevoir en un ciel d'azur, sur un trône d'or, au milieu des saints tenant des palmes vertes, Dieu le Père tout éclatant de majesté, et qui d'un signe faisait descendre vers la terre des anges aux ailes de flamme [773] pour l'emporter dans leurs bras.

Cette vision splendide demeura dans sa mémoire comme la chose la plus belle qu'il fût possible de rêver; si bien qu'à présent elle s'efforçait d'en ressaisir la sensation, qui continuait cependant, mais d'une manière moins exclusive et avec une douceur aussi profonde. Son âme, courbatue d'orgueil [774], se reposait enfin dans l'humilité chrétienne; et, savourant le plaisir d'être faible, Emma contemplait en elle-même la destruction de sa volonté, qui devait faire aux envahissements de la grâce une large entrée. Il existait donc à la place du bonheur des félicités plus grandes, un autre amour au-dessus de tous les autres amours, sans intermittence ni fin, et qui s'accroîtrait éternellement ! Elle entrevit, parmi les illusions de son espoir, un état de pureté flottant au-dessus de la terre, se confondant avec le ciel, et où elle aspira d'être. Elle voulut devenir une sainte. Elle acheta des chapelets, elle porta des amulettes; elle souhaitait avoir dans sa chambre, au chevet de sa couche, un reliquaire enchâssé d'émeraudes pour le baiser tous les soirs.

Le curé s'émerveillait de ces dispositions, bien que la religion d'Emma, trouvait-il, pût, à force de ferveur, finir par friser l'hérésie et même l'extravagance. Mais, n'étant pas très versé dans ces matières, sitôt qu'elles dépassaient une certaine mesure, il écrivit à M. Boulard, libraire de

Monseigneur, de lui envoyer *quelque chose de fameux pour une personne du sexe, qui était pleine d'esprit*. Le libraire, avec autant d'indifférence que s'il eût expédié de la quincaillerie à des nègres, vous emballa pêle-mêle tout ce qui avait cours pour lors dans le négoce des livres pieux. C'étaient de petits manuels par demandes et par réponses, des pamphlets d'un ton rogue dans la manière de M. de Maistre, et des espèces de romans à cartonnage rose et à style douceâtre, fabriqués par des séminaristes troubadours ou des bas-bleus repenties [775]. Il y avait le *Pensez-y bien ; l'Homme du monde aux pieds de Marie, par M. de ****, décoré de plusieurs ordres ; *Des Erreurs de Voltaire, à l'usage des jeunes gens*, etc. [776].

Mme Bovary n'avait pas encore l'intelligence assez nette pour s'appliquer sérieusement à n'importe quoi [777]; d'ailleurs elle entreprit ces lectures avec trop de précipitation. Elle s'irrita contre les prescriptions du culte; l'arrogance des écrits polémiques lui déplut par leur acharnement à poursuivre des gens qu'elle ne connaissait pas; et les contes profanes relevés de religion lui parurent écrits dans une telle ignorance du monde, qu'ils l'écartèrent insensiblement des vérités dont elle attendait la preuve. Elle persista pourtant, et, lorsque le volume lui tombait des mains, elle se croyait prise par la plus fine mélancolie catholique qu'une âme éthérée pût concevoir.

Quant au souvenir de Rodolphe, elle l'avait descendu tout au fond de son cœur; et il restait là, plus solennel et plus immobile [778] qu'une momie de roi dans un souterrain. Une exhalaison [779] s'échappait de ce grand amour embaumé et qui, passant à travers tout, parfumait de tendresse l'atmosphère d'immaculation où elle voulait vivre. Quand elle se mettait à genoux sur son prie-Dieu gothique, elle adressait au Seigneur les mêmes paroles de suavité qu'elle murmurait jadis à son amant, dans les épanchements de l'adultère [780]. C'était pour faire venir la croyance [781]; mais aucune délectation ne descendait des cieux; et elle se relevait, les membres fatigués, avec le sentiment vague d'une immense duperie. Cette recherche, pensait-elle, n'était qu'un mérite de plus; et, dans l'orgueil de sa dévotion, Emma se comparait à ces grandes dames d'autrefois, dont elle avait rêvé la gloire sur un portrait de La Vallière, et qui, traînant avec tant de majesté la queue chamarrée de leurs longues robes, se retiraient en des solitudes pour y répandre aux pieds du Christ toutes les larmes d'un cœur que l'existence blessait.

Alors, elle se livra à des charités excessives. Elle cousait des habits pour les pauvres; elle envoyait du bois aux femmes en couches; et Charles, un jour, en rentrant, trouva dans la cuisine trois vauriens attablés qui mangeaient un potage. Elle fit revenir à la maison sa petite fille, que son mari, durant sa maladie, avait renvoyée chez la nourrice. Elle voulut lui apprendre à lire; Berthe avait beau pleurer, elle ne s'irritait plus. C'était un parti pris de résignation, une indulgence universelle. Son langage, à propos de tout, était plein d'expressions idéales. Elle disait à son enfant :

— Ta colique est-elle passée, mon ange [782] ?

Mme Bovary mère ne trouvait rien à blâmer, sauf peut-être cette manie de tricoter des camisoles pour les orphelins, au lieu de raccommoder ses torchons. Mais, harassée de querelles domestiques, la bonne femme se plaisait en cette maison tranquille, et même elle y demeura jusques après Pâques, afin d'éviter les sarcasmes du père Bovary, qui ne manquait pas, tous les vendredis saints, de se commander une andouille.

Outre la compagnie de sa belle-mère, qui la raffermissait un peu par sa rectitude de jugement et ses façons graves, Emma, presque tous les jours, avait encore d'autres sociétés. C'était Mme Langlois, Mme Caron, Mme Dubreuil, Mme Tuvache et, régulièrement de deux à cinq heures, l'excellente Mme Homais, qui n'avait jamais voulu croire, celle-là, à aucun des cancans que l'on débitait sur sa voisine. Les petits Homais aussi venaient la voir; Justin les accompagnait. Il montait avec eux dans la chambre, et il restait debout près de la porte, immobile, sans parler. Souvent même Mme Bovary, n'y prenant garde, se mettait à sa toilette. Elle commençait par retirer son peigne, en secouant sa tête d'un mouvement brusque; et, quand il aperçut la première fois cette chevelure entière qui descendait jusqu'aux jarrets en déroulant ses anneaux noirs, ce fut pour lui, le pauvre enfant, comme l'entrée subite dans quelque chose d'extraordinaire et de nouveau dont la splendeur l'effraya.

Emma, sans doute, ne remarquait pas ses empressements silencieux ni ses timidités [783]. Elle ne se doutait point que l'amour, disparu de sa vie, palpitait là, près d'elle, sous cette chemise de grosse toile, dans ce cœur d'adolescent ouvert aux émanations de sa beauté. Du reste, elle enveloppait tout maintenant d'une telle indifférence, elle avait des paroles si affectueuses et des regards si hautains, des façons si diverses, que l'on ne distinguait plus l'égoïsme de la charité, ni la corruption de la vertu. Un soir, par exemple, elle s'emporta contra sa domestique, qui lui demandait à sortir et balbutiait en cherchant un prétexte, puis tout à coup :

— Tu l'aimes donc ? dit-elle.

Et, sans attendre la réponse de Félicité, qui rougissait, elle ajouta d'un air triste :

— Allons, cours-y ! amuse-toi !

Elle fit, au commencement du printemps, bouleverser le jardin d'un bout à l'autre, malgré les observations de Bovary; il fut heureux, cependant, de lui voir enfin manifester [784] une volonté quelconque. Elle en témoigna davantage à mesure qu'elle se rétablissait. D'abord, elle trouva moyen d'expulser la mère Rollet, la nourrice, qui avait pris l'habitude, pendant sa convalescence, de venir trop souvent à la cuisine avec ses deux nourrissons et son pensionnaire, plus endenté qu'un cannibale. Puis elle se dégagea de la famille Homais, congédia successivement toutes les autres visites et même fréquenta l'église avec moins d'assiduité, à la grande approbation de l'apothicaire, qui lui dit alors amicalement :

— Vous donniez un peu dans la calotte !

M. Bournisien, comme autrefois, survenait tous les jours, en sortant du catéchisme. Il préférait rester dehors à prendre l'air *au milieu du bocage* [785]; il appelait ainsi la tonnelle. C'était l'heure où Charles rentrait. Ils avaient chaud; on apportait du cidre doux, et ils buvaient ensemble au complet rétablissement de Madame.

Binet se trouvait là, c'est-à-dire un peu plus bas, contre le mur de la terrasse, à pêcher des écrevisses. Bovary l'invitait à se rafraîchir, et il s'entendait parfaitement à déboucher les cruchons.

— Il faut, disait-il, en promenant autour de lui et jusqu'aux extrémités du paysage un regard satisfait, tenir ainsi la bouteille, d'aplomb sur la table, et, après que les ficelles sont coupées, pousser le liège à petits coups, doucement, doucement, comme on fait, d'ailleurs, à l'eau de Seltz [786], dans les restaurants.

Mais le cidre, pendant [787] sa démonstration, souvent leur

jaillissait en plein visage, et alors l'ecclésiastique, avec un rire opaque, ne manquait jamais cette plaisanterie :

— Sa bonté saute aux yeux !

Il était brave homme, en effet, et même, un jour, ne fut point scandalisé du pharmacien, qui conseillait à Charles, pour distraire Madame, de la mener au théâtre de Rouen voir l'illustre ténor Lagardy. Homais, s'étonnant de ce silence, voulut savoir son opinion, et le prêtre déclara qu'il regardait la musique comme moins dangereuse pour les mœurs que la littérature.

Mais le pharmacien prit la défense des lettres. Le théâtre, prétendait-il, servait à fronder les préjugés, et, sous le masque du plaisir, enseignait la vertu.

— *Castigat ridendo mores*, monsieur Bournisien ! Ainsi, regardez la plupart des tragédies de Voltaire; elles sont semées habilement de réflexions philosophiques qui en font pour le peuple une véritable école de morale et de diplomatie.

— Moi, dit Binet, j'ai vu autrefois une pièce intitulée *le Gamin de Paris*, où l'on remarque le caractère d'un vieux général qui est vraiment tapé ! Il rembarre un fils de famille qui avait séduit une ouvrière, qui à la fin...

— Certainement, continuait Homais, il y a la mauvaise littérature comme il y a la mauvaise pharmacie; mais condamner en bloc le plus important des beaux-arts me paraît une balourdise, une idée gothique, digne de ces temps abominables où l'on enfermait Galilée.

— Je sais bien, objecta le curé, qu'il existe de bons ouvrages, de bons auteurs; cependant, ne serait-ce que ces personnes de sexe différent réunies dans un appartement enchanteur, orné de pompes mondaines, et puis ces déguisements païens, ce fard, ces flambeaux, ces voix efféminées, tout cela doit finir par engendrer un certain libertinage d'esprit et vous donner des pensées déshonnêtes, des tentations impures. Telle est du moins l'opinion de tous les Pères. Enfin, ajouta-t-il en prenant subitement un ton de voix mystique, tandis qu'il roulait sur son pouce une prise de tabac, si l'Église a condamné les spectacles, c'est qu'elle avait raison; il faut nous soumettre à ses décrets.

— Pourquoi, demanda l'apothicaire, excommunie-t-elle les comédiens ? car, autrefois, ils concouraient ouvertement aux cérémonies du culte. Oui, on jouait [788], on représentait

au milieu du chœur des espèces de farces appelées mystères [789], dans lesquelles les lois de la décence souvent se
trouvaient offensées.

L'ecclésiastique se contenta de pousser un gémissement
et le pharmacien poursuivit :

— C'est comme dans la Bible; il y a..., savez-vous...,
plus d'un détail... piquant, des choses... vraiment... gail-
lardes !

Et, sur un geste d'irritation que faisait M. Bournisien :

— Ah ! vous conviendrez que ce n'est pas un livre à
mettre entre les mains d'une jeune personne, et je serais
fâché qu'Athalie...

— Mais ce sont les protestants, et non pas nous, s'écria
l'autre impatienté, qui recommandent la Bible !

— N'importe, dit Homais, je m'étonne que, de nos
jours, en un siècle de lumières, on s'obstine encore à pros-
crire un délassement intellectuel qui est inoffensif, moralisant
et même hygiénique quelquefois, n'est-ce pas, docteur ?

— Sans doute, répondit le médecin nonchalamment, soit
que, ayant les mêmes idées [790], il voulût n'offenser personne,
ou bien qu'il n'eût pas d'idées.

La conversation semblait finie, quand le pharmacien
jugea convenable de pousser une dernière botte.

— J'en ai connu, des prêtres, qui s'habillaient en bourgeois pour aller voir gigoter des danseuses.

— Allons donc ! fit le curé.

— Ah ! j'en ai connu !

Et, séparant les syllabes de sa phrase, Homais répéta :

— J'en — ai — connu.

— Eh bien ! ils avaient tort, dit Bournisien [791] résigné
tout entendre.

— Parbleu ! ils en font bien d'autres ! exclama l'apo-
hicaire.

— Monsieur !... reprit l'ecclésiastique [792] avec des yeux
si farouches, que le pharmacien en fut intimidé.

— Je veux seulement dire, répliqua-t-il alors d'un ton
moins brutal, que la tolérance est le plus sûr moyen d'attirer
les âmes à la religion.

— C'est vrai ! c'est vrai ! concéda le bonhomme en se
rasseyant sur sa chaise.

Mais il n'y resta que deux minutes [793]. Puis, dès qu'il fut
parti, M. Homais dit au médecin :

— Voilà ce qui s'appelle une prise de bec ! Je l'ai roulé, vous avez vu, d'une manière !... Enfin, croyez-moi, conduisez Madame au spectacle, ne serait-ce que pour faire une fois dans votre vie enrager un de ces corbeaux-là, saprelotte ! Si quelqu'un pouvait me remplacer, je vous accompagnerais moi-même. Dépêchez-vous ! Lagardy ne donnera qu'une seule représentation; il est engagé en Angleterre à des appointements considérables. C'est, à ce qu'on assure, un fameux lapin ! Il roule sur l'or ! il mène avec lui trois maîtresses et son cuisinier ! Tous ces grands artistes brûlent la chandelle par les deux bouts; il leur faut une existence dévergondée qui excite un peu l'imagination. Mais ils meurent à l'hôpital, parce qu'ils n'ont pas eu l'esprit, étant jeunes, de faire des économies. Allons, bon appétit; à demain !

Cette idée de spectacle germa vite dans la tête de Bovary; car aussitôt il en fit part à sa femme, qui refusa tout d'abord, alléguant la fatigue, le dérangement, la dépense; mais, par extraordinaire, Charles ne céda pas [794], tant il jugeait cette récréation lui devoir être profitable. Il n'y voyait aucun empêchement; sa mère leur avait expédié trois cents francs sur lesquels il ne comptait plus, les dettes courantes n'avaient rien d'énorme, et l'échéance des billets à payer au sieur Lheureux était encore si longue, qu'il n'y fallait pas songer. D'ailleurs, imaginant qu'elle y mettait de la délicatesse, Charles insista davantage; si bien qu'elle finit, à force d'obsessions, par se décider. Et, le lendemain, à huit heures, ils s'emballèrent dans l'*Hirondelle*.

L'apothicaire, que rien ne retenait à Yonville, mais qui se croyait contraint de n'en pas bouger [795], soupira en les voyant partir.

— Allons, bon voyage ! leur dit-il, heureux mortels que vous êtes !

Puis, s'adressant à Emma, qui portait une robe de soie bleue à quatre falbalas :

— Je vous trouve jolie comme un Amour [796] ! Vous allez *faire florès* à Rouen.

La diligence descendait à l'hôtel de la *Croix-Rouge*, sur la place Beauvoisine. C'était une de ces auberges comme il y en a dans tous les faubourgs de province, avec de grandes écuries et de petites chambres à coucher, où l'on voit au milieu de la cour des poules picorant l'avoine sous les

cabriolets crottés des commis-voyageurs; — bons vieux
gîtes à balcon de bois [797] vermoulu qui craquent au vent
dans les nuits d'hiver, continuellement pleins de monde,
de vacarme et de mangeaille, dont les tables noires sont
poissées par les *glorias*, les vitres épaisses jaunies par les
mouches, les serviettes humides tachées par le vin bleu;
et qui, sentant toujours le village, comme des valets de
ferme habillés en bourgeois, ont un café sur la rue, et du
côté de la campagne un jardin à légumes. Charles, immédiatement, se mit en courses. Il confondit l'avant-scène
avec les galeries, le *parquet* avec les loges, demanda des
explications, ne les comprit pas, fut renvoyé du contrôleur
au directeur, revint à l'auberge, retourna au bureau, et,
plusieurs fois ainsi, arpenta toute la longueur de la ville,
depuis le théâtre jusqu'au boulevard.

Madame s'acheta un chapeau, des gants, un bouquet.
Monsieur craignait beaucoup de manquer le commencement; et, sans avoir eu le temps d'avaler un bouillon, ils
se présentèrent devant les portes du théâtre, qui étaient
encore fermées.

XV

La foule stationnait contre le mur, parquée symétriquement entre des balustrades. A l'angle des rues voisines, de
gigantesques affiches répétaient en caractères baroques:
« *Lucie de Lammermoor* [798]... Lagardy... Opéra... etc. » Il
faisait beau; on avait chaud; la sueur coulait dans les
frisures, tous les mouchoirs tirés épongeaient des fronts
rouges [799]; et parfois un vent tiède, qui soufflait de la
rivière, agitait mollement la bordure des tentes en coutil
suspendues à la porte des estaminets. Un peu plus bas,
cependant, on était rafraîchi par un courant d'air glacial
qui sentait le suif, le cuir et l'huile. C'était l'exhalaison de
la rue des Charrettes, pleine de grands magasins noirs où
l'on roule des barriques [800].

De peur de paraître ridicule, Emma voulut, avant
d'entrer, faire un tour de promenade sur le port, et Bovary,
par prudence, garda les billets [801] à sa main, dans la

poche de son pantalon, qu'il appuyait contre son ventre.

Un battement de cœur la prit dès le vestibule. Elle sourit involontairement de vanité, en voyant la foule qui se précipitait à droite par l'autre corridor, tandis qu'elle montait l'escalier des *premières*. Elle eut plaisir, comme un enfant, à pousser de son doigt les larges portes tapissées; elle aspira de toute sa poitrine l'odeur poussiéreuse des couloirs, et, quand elle fut assise dans sa loge, elle se cambra la taille avec une désinvolture de duchesse.

La salle commençait à se remplir, on tirait les lorgnettes de leurs étuis, et les abonnés, s'apercevant de loin, se faisaient des salutations. Ils venaient se délasser dans les beaux-arts des inquiétudes de la vente; mais n'oubliant point *les affaires*, ils causaient encore cotons, trois-six ou indigo. On voyait là des têtes de vieux, inexpressives et pacifiques, et qui, blanchâtres de chevelure et de teint, ressemblaient à des médailles d'argent ternies par une vapeur de plomb. Les jeunes beaux se pavanaient au *parquet*, étalant, dans l'ouverture de leur gilet, leur cravate rose ou vert-pomme; et Mme Bovary les admirait d'en haut appuyant sur des badines à pommes d'or la paume tendue de leurs gants jaunes.

Cependant, les bougies de l'orchestre s'allumèrent; le lustre descendit du plafond, versant, avec le rayonnement de ses facettes, une gaieté subite dans la salle; puis les musiciens entrèrent les uns après les autres [802], et ce fut d'abord un long charivari de basses ronflant, de violons grinçant, de pistons trompettant, de flûtes et de flageolets qui piaulaient. Mais on entendit trois coups sur la scène; un roulement de timbales commença, les instruments de cuivre plaquèrent des accords, et le rideau, se levant, découvrit un paysage.

C'était le carrefour d'un bois, avec une fontaine, à gauche, ombragée par un chêne. Des paysans et des seigneurs, le plaid sur l'épaule, chantaient tous ensemble une chanson de chasse; puis il survint un capitaine qui invoquait l'ange du mal en levant au ciel ses deux bras; un autre parut; ils s'en allèrent, et les chasseurs reprirent.

Elle se retrouvait dans les lectures de la jeunesse [803], en plein Walter Scott. Il lui semblait entendre, à travers le brouillard, le son des cornemuses écossaises se répéter sur les bruyères. D'ailleurs, le souvenir du roman facilitant l'intelligence du libretto, elle suivait l'intrigue phrase à phrase, tandis que d'insaisissables pensées qui lui revenaient se dispersaient aussitôt sous les rafales de la musique. Elle se laissait aller au bercement des mélodies et se sentait elle-même vibrer de tout son être comme si les archets des violons se fussent promenés sur ses nerfs. Elle n'avait pas assez d'yeux pour contempler les costumes, les décors, les personnages, les arbres peints qui tremblaient quand on marchait, et les toques de velours, les manteaux, les épées, toutes ces imaginations qui s'agitaient dans l'harmonie comme dans l'atmosphère d'un autre monde. Mais une jeune femme s'avança en jetant une bourse à un écuyer vert. Elle resta seule, et alors on entendit une flûte qui faisait comme un murmure de fontaine ou comme des gazouillements d'oiseau [804]. Lucie entama d'un air brave sa cavatine en *sol* majeur; elle se plaignait d'amour, elle demandait des ailes. Emma, de même, aurait voulu, fuyant la vie, s'envoler dans une étreinte. Tout à coup, Edgar Lagardy parut.

Il avait une de ces pâleurs splendides qui donnent quelque chose de la majesté des marbres aux races ardentes du Midi. Sa taille vigoureuse était prise dans un pourpoint de couleur brune; un petit poignard ciselé lui battait sur la cuisse gauche, et il roulait des regards langoureusement en découvrant ses dents blanches. On disait qu'une princesse polonaise, l'écoutant un soir chanter sur la plage de Biarritz, où il radoubait des chaloupes, en était devenue amoureuse. Elle s'était ruinée à cause de lui. Il l'avait plantée là pour d'autres femmes, et cette célébrité sentimentale ne laissait pas que de servir à sa réputation artistique. Le cabotin diplomate avait même soin de faire toujours glisser dans les réclames une phrase poétique sur la fascination de sa personne et la sensibilité de son âme. Un bel organe, un imperturbable aplomb, plus de tempérament que d'intelligence et plus d'emphase que de lyrisme, achevaient de rehausser cette admirable nature de charlatan, où il y avait du coiffeur et du toréador.

Dès la première scène, il enthousiasma. Il pressait Lucie dans ses bras, il la quittait, il revenait, il semblait désespéré; il avait des éclats de colère, puis des râles élégiaques d'une douceur infinie, et les notes s'échappaient de son cou nu, pleines de sanglots et de baisers. Emma se penchait pour le voir, égratignant avec ses ongles le velours de sa loge.

Elle s'emplissait le cœur de ces lamentations mélodieuses qui se traînaient à l'accompagnement des contrebasses, comme des cris de naufragés dans le tumulte d'une tempête. Elle reconnaissait tous les enivrements et les angoisses dont elle avait manqué mourir. La voix de la chanteuse ne lui semblait être que le retentissement de sa conscience, et cette illusion qui la charmait quelque chose même de sa vie. Mais personne sur la terre ne l'avait aimée d'un pareil amour. Il ne pleurait pas comme Edgar, le dernier soir, au clair de lune, lorsqu'ils se disaient : « A demain; à demain !... » La salle craquait sous les bravos; on recommença la strette entière; les amoureux parlaient des fleurs de leur tombe, de serments, d'exil, de fatalité, d'espérances, et, quand ils poussèrent l'adieu final, Emma jeta un cri aigu, qui se confondit avec la vibration des derniers accords.

— Pourquoi donc, demanda Bovary, ce seigneur est-il à la persécuter ?

— Mais non, répondit-elle; c'est son amant.

— Pourtant il jure de se venger sur sa famille, tandis que l'autre, celui qui est venu tout à l'heure, disait : « J'aime Lucie et je m'en crois aimé. » D'ailleurs, il est parti avec son père, bras dessus, bras dessous. Car c'est bien son père, n'est-ce pas, le petit laid qui porte une plume de coq à son chapeau ?

Malgré les explications d'Emma, dès le duo récitatif où Gilbert expose à son maître Ashton ses abominables manœuvres, Charles, en voyant le faux anneau de fiançailles qui doit abuser Lucie, crut que c'était un souvenir d'amour envoyé par Edgar. Il avouait, du reste, ne pas comprendre l'histoire, — à cause de la musique, qui nuisait beaucoup aux paroles.

— Qu'importe [805] ? dit Emma; tais-toi !

— C'est que j'aime, reprit-il en se penchant sur son épaule, à me rendre compte, tu sais bien.

— Tais-toi ! tais-toi ! fit-elle impatientée.

Lucie s'avançait, à demi soutenue par ses femmes, une couronne d'oranger dans les cheveux, et plus pâle que le satin blanc de sa robe. Emma rêvait au jour de son mariage; et elle se revoyait là-bas, au milieu des blés, sur le petit sentier, quand on marchait vers l'église. Pourquoi donc n'avait-elle pas, comme celle-là, résisté, supplié ? Elle était joyeuse, au contraire, sans s'apercevoir de l'abîme où elle

se précipitait... Ah ! si, dans la fraîcheur de sa beauté, avant
les souillures du mariage et la désillusion de l'adultère, elle
avait pu placer sa vie sur quelque grand cœur solide, alors
la vertu, la tendresse, les voluptés et le devoir se confondant,
jamais elle ne serait descendue d'une félicité si haute. Mais
ce bonheur-là, sans doute, était un mensonge imaginé pour
le désespoir de tout désir. Elle connaissait à présent la
petitesse des passions que l'art exagérait. S'efforçant donc
d'en détourner sa pensée, Emma voulait ne plus voir dans
cette reproduction de ses douleurs qu'une fantaisie plastique
bonne à amuser les yeux, et même elle souriait intérieurement d'une pitié dédaigneuse quand, au fond du théâtre,
sous la portière de velours, un homme apparut en manteau
noir.

Son grand chapeau à l'espagnole tomba dans un geste
qu'il fit ; et aussitôt les instruments et les chanteurs enton-
nèrent le sextuor. Edgar, étincelant de furie, dominait tous
les autres de sa voix plus claire ; Ashton lui lançait en notes
graves des provocations homicides ; Lucie poussait sa plainte
aiguë ; Arthur modulait à l'écart des sons moyens, et la
basse-taille du ministre ronflait comme un orgue, tandis
que les voix de femmes, répétant ses paroles, reprenaient
en chœur, délicieusement. Ils étaient tous sur la même ligne
à gesticuler ; et la colère, la vengeance, la jalousie, la terreur,
la miséricorde et la stupéfaction s'exhalaient à la fois de leurs
bouches entr'ouvertes. L'amoureux outragé brandissait son
épée nue ; sa collerette de guipure se levait par saccades,
selon les mouvements de sa poitrine, et il allait de droite
et de gauche, à grands pas, faisant sonner contre les planches
les éperons vermeils de ses bottes molles, qui s'évasaient à
la cheville. Il devait avoir, pensait-elle, un intarissable
amour, pour en déverser sur la foule à si larges effluves.
Toutes ses velléités [806] de dénigrement s'évanouissaient sous
la poésie du rôle qui l'envahissait, et, entraînée vers l'homme
par l'illusion du personnage, elle tâcha de se figurer sa vie,
cette vie retentissante, extraordinaire, splendide, et qu'elle
aurait pu mener, cependant, si le hasard l'avait voulu. Ils
se seraient connus, ils se seraient aimés ! Avec lui, par tous
les royaumes de l'Europe, elle aurait voyagé de capitale en
capitale, partageant ses fatigues et son orgueil, ramassant
les fleurs qu'on lui jetait, brodant elle-même ses costumes ;
puis, chaque soir, au fond d'une loge, derrière la grille à

treillis d'or, elle eût recueilli, béante, les expansions de cette âme qui n'aurait chanté que pour elle seule; de la scène, tout en jouant, il l'aurait regardée. Mais une folie la saisit : il la regardait, c'est sûr [807] ! Elle eut envie de courir dans ses bras pour se réfugier en sa force, comme dans l'incarnation de l'amour même, et de lui dire, de s'écrier : « Enlève-moi, emmène-moi, partons ! A toi, à toi ! toutes mes ardeurs [808] et tous mes rêves ! »

Le rideau se baissa [809].

L'odeur du gaz se mêlait aux haleines; le vent des éventails rendait l'atmosphère plus étouffante. Emma voulut sortir; la foule encombrait les corridors, et elle retomba dans son fauteuil avec des palpitations qui la suffoquaient. Charles, ayant peur de la voir s'évanouir, courut à la buvette lui chercher un verre d'orgeat.

Il eut grand'peine à regagner sa place [810]; car on lui heurtait les coudes à tous les pas, à cause du verre qu'il tenait entre ses mains, et même il en versa les trois quarts sur les épaules d'une Rouennaise en manches courtes, qui, sentant le liquide froid lui couler dans les reins, jeta des cris de paon, comme si on l'eût assassinée. Son mari, qui était un filateur, s'emporta contre le maladroit; et, tandis qu'avec son mouchoir elle épongeait les taches sur sa belle robe de taffetas cerise, il murmurait d'un ton bourru les mots d'indemnité, de frais, de remboursement. Enfin, Charles arriva près de sa femme, et lui disant tout essoufflé [811] :

— J'ai cru, ma foi, que j'y resterais ! Il y a un monde !... un monde !...

Il ajouta :

— Devine un peu qui j'ai rencontré là-haut ? M. Léon !

— Léon [812] ?

— Lui-même ! il va venir te présenter ses civilités.

Et, comme il achevait ces mots, l'ancien clerc d'Yonville entra dans la loge.

Il tendit sa main avec un sans-façon de gentilhomme : et Mᵐᵉ Bovary, machinalement, avança la sienne, sans doute obéissant à l'attraction d'une volonté plus forte. Elle ne l'avait pas sentie depuis ce soir de printemps où il pleuvait sur les feuilles vertes, quand ils se dirent adieu, debout au bord de la fenêtre. Mais, vite, se rappelant à la convenance de la situation, elle secoua dans un effort cette torpeur de ses souvenirs et se mit à balbutier des phrases rapides [813].

— Ah ! bonjour... Comment ! vous voilà [814] ?

— Silence ! cria une voix du parterre, car le troisième acte commençait.

— Vous êtes donc à Rouen ?

— Oui.

— Et depuis quand ?

— A la porte ! à la porte !

On se tournait vers eux ; ils se turent.

Mais, à partir de ce moment, elle n'écouta plus ; et le chœur des conviés, la scène d'Asthon et de son valet, grand duo en *ré* majeur, tout passa pour elle dans l'éloignement, comme si les instruments fussent devenus moins sonores et les personnages plus reculés ; elle se rappelait [815] les parties de cartes chez le pharmacien et la promenade chez la nourrice, les lectures sous la tonnelle, les tête-à-tête au coin du feu, tout ce pauvre amour si calme et si long, si discret, si tendre, et qu'elle avait oublié cependant. Pourquoi donc revenait-il [816] ? Quelle combinaison d'aventures le replaçait dans sa vie ? Il se tenait derrière elle, s'appuyant de l'épaule contre la cloison ; et, de temps à autre, elle se sentait frissonner sous le souffle tiède de ses narines qui lui descendait dans la chevelure [817].

— Est-ce que cela vous amuse ? dit-il en se penchant sur elle de si près, que la pointe de sa moustache lui effleura la joue.

Elle répondit nonchalamment :

— Oh ! mon Dieu, non ! pas beaucoup [818].

Alors il fit la proposition de sortir du théâtre pour aller prendre des glaces quelque part.

— Ah ! pas encore ! restons ! dit Bovary. Elle a les cheveux dénoués [819] : cela promet d'être tragique.

Mais la scène de la folie n'intéressait point Emma, et le jeu de la chanteuse lui parut exagéré.

— Elle crie trop fort, dit-elle en se tournant vers Charles, qui écoutait.

— Oui... peut-être... un peu, répliqua-t-il, indécis entre la franchise de son plaisir et le respect qu'il portait aux opinions de sa femme.

Puis Léon dit en soupirant :

— Il fait une chaleur...

— Insupportable ! c'est vrai.

— Es-tu gênée ? demanda Bovary.

— Oui, j'étouffe; partons.

M. Léon posa délicatement sur ses épaules [820] son long châle de dentelle, et ils allèrent tous les trois s'asseoir sur le port, en plein air, devant le vitrage d'un café. Il fut d'abord question de sa maladie, bien qu'Emma interrompît [821] Charles de temps à autre, par crainte, disait-elle, d'ennuyer M. Léon; et celui-ci leur raconta qu'il venait à Rouen passer deux ans dans une forte étude, afin de se rompre aux affaires, qui étaient différentes en Normandie de celles que l'on traitait à Paris. Puis il s'informa de Berthe, de la famille Homais, de la mère Lefrançois; et, comme ils n'avaient, en présence du mari, rien de plus à se dire, bientôt la conversation s'arrêta.

Des gens qui sortaient du spectacle passèrent sur le trottoir, tout en fredonnant ou braillant [822] à plein gosier : *O bel ange, ma Lucie !* Alors Léon, pour faire le dilettante, se mit à parler musique. Il avait vu Tamburini, Rubini, Persiani, Grisi; et à côté d'eux, Lagardy, malgré ses grands éclats, ne valait rien.

— Pourtant, interrompit Charles qui mordait à petits coups son sorbet au rhum, on prétend qu'au dernier acte il est admirable tout à fait; je regrette d'être parti avant la fin, car ça commençait à m'amuser.

— Au reste, reprit le clerc, il donnera bientôt une autre représentation.

Mais Charles répondit qu'ils s'en allaient dès le lendemain [823].

— A moins, ajouta-t-il en se tournant vers sa femme, que tu ne veuilles rester seule, mon petit chat ?

Et, changeant de manœuvre devant cette occasion inattendue qui s'offrait à son espoir, le jeune homme entama l'éloge de Lagardy dans le morceau final. C'était quelque chose de superbe, de sublime ! Alors Charles insista :

— Tu reviendras dimanche. Voyons, décide-toi ! Tu as tort, si tu sens le moins du monde que cela te fait du bien.

Cependant les tables, alentour, se dégarnissaient; un garçon vint discrètement se poster près d'eux; Charles, qui comprit, tira sa bourse; le clerc le retint par le bras, et même n'oublia point de laisser, en plus, deux pièces blanches qu'il fit sonner contre le marbre.

— Je suis fâché, vraiment, murmura Bovary, de l'argent que vous...

L'autre eut un geste dédaigneux plein de cordialité, et, prenant son chapeau :

— C'est convenu, n'est-ce pas, demain à six heures ?

Charles se récria encore une fois qu'il ne pouvait s'absenter plus longtemps; mais rien n'empêchait Emma...

— C'est que..., balbutia-t-elle avec un singulier sourire, je ne sais pas trop...

— Eh bien ! tu réfléchiras, nous verrons, la nuit porte conseil...

Puis à Léon, qui les accompagnait :

— Maintenant que vous voilà dans nos contrées, vous viendrez, j'espère, de temps à autre, nous demander à dîner ?

Le clerc affirma qu'il n'y manquerait pas, ayant d'ailleurs besoin de se rendre à Yonville pour une affaire de son étude. Et l'on se sépara devant le passage Saint-Herbland, au moment où onze heures et demie sonnaient à la cathédrale.

TROISIÈME PARTIE

I

M. Léon, tout en étudiant son droit [824], avait passablement fréquenté la *Chaumière*, où il obtint même de fort jolis succès [825] près des grisettes qui lui trouvaient l'*air distingué*. C'était le plus convenable des étudiants : il ne portait les cheveux ni trop longs ni trop courts, ne mangeait pas le 1er du mois [826] l'argent de son trimestre, et se maintenait en de bons termes avec ses professeurs. Quant à faire des excès, il s'en était toujours abstenu autant par pusillanimité que par délicatesse.

Souvent, lorsqu'il restait à lire dans sa chambre ou bien assis le soir sous les tilleuls du Luxembourg, il laissait tomber son Code par terre, et le souvenir d'Emma lui revenait. Mais, peu à peu, ce sentiment s'affaiblit, et d'autres convoitises s'accumulèrent par-dessus, bien qu'il persistât cependant à travers elles; car Léon ne perdait pas toute espérance, et il y avait pour lui comme une promesse incertaine qui se balançait dans l'avenir, tel un fruit d'or [827], suspendu à quelque feuillage fantastique.

Puis, en la revoyant après trois années d'absence, sa passion se réveilla. Il fallait, pensait-il [828], se résoudre enfin à la vouloir posséder. D'ailleurs, sa timidité s'était usée au contact des compagnies folâtres, et il revenait en province, méprisant tout ce qui ne foulait pas d'un pied verni l'asphalte du boulevard. Auprès d'une Parisienne en dentelles, dans le salon de quelque docteur illustre, personnage à décorations et à voiture, le pauvre clerc, sans doute, eût tremblé comme un enfant; mais ici, à Rouen, sur le port, devant la femme de ce petit médecin, il se sentait à l'aise, sûr d'avance qu'il éblouirait. L'aplomb dépend des milieux où il se pose : on ne parle pas à l'entresol comme au quatrième étage, et la femme riche semble avoir autour d'elle, pour garder sa vertu, tous ses billets de banque, comme une cuirasse, dans la doublure de son corset [829].

En quittant, la veille au soir, M. et Mme Bovary, Léon, de loin, les avait suivis dans la rue; puis les ayant vus s'arrêter à la *Croix Rouge*, il avait tourné les talons et passé toute la nuit à méditer un plan.

Le lendemain donc, vers cinq heures, il entra dans la cuisine de l'auberge, la gorge serrée, les joues pâles, et avec cette résolution des poltrons que rien n'arrête.

— Monsieur n'y est point, répondit un domestique.

Cela lui parut de bon augure. Il monta.

Elle ne fut pas troublée à son abord; elle lui fit [830], au contraire, des excuses pour avoir oublié de lui dire où ils étaient descendus.

— Oh! je l'ai deviné, reprit Léon.

— Comment?

Il prétendit avoir été guidé vers elle au hasard, par un instinct. Elle se mit à sourire, et aussitôt, pour réparer sa sottise, Léon raconta qu'il avait passé sa matinée à la chercher successivement dans tous les hôtels de la ville.

— Vous vous êtes donc décidée à rester? ajouta-t-il.

— Oui, dit-elle, et j'ai eu tort. Il ne faut pas s'accoutumer à des plaisirs impraticables, quand on a autour de soi mille exigences...

— Oh! je m'imagine... [831].

— Eh! non, car vous n'êtes pas une femme, vous.

Mais les hommes avaient aussi leurs chagrins, et la conversation s'engagea par quelques réflexions philosophiques. Emma s'étendit beaucoup sur la misère des affections terrestres et l'éternel isolement où le cœur reste enseveli.

Pour se faire valoir, ou par une imitation naïve de cette mélancolie qui provoquait la sienne, le jeune homme déclara s'être ennuyé prodigieusement tout le temps de ses études. La procédure l'irritait, d'autres vocations l'attiraient et sa mère ne cessait, dans chaque lettre, de le tourmenter. Car ils précisaient [832] de plus en plus les motifs de leur douleur, chacun, à mesure qu'il parlait, s'exaltant un peu dans cette confidence progressive. Mais ils s'arrêtaient quelquefois devant l'exposition complète de leur idée, et cherchaient alors à imaginer une phrase qui pût la traduire cependant. Elle ne confessa point sa passion pour un autre; il ne dit pas qu'il l'avait oubliée.

Peut-être ne se rappelait-il plus ses soupers après le bal avec des débardeuses; et elle ne se souvenait pas sans doute [833] des rendez-vous d'autrefois, quand elle courait le matin dans les herbes vers le château de son amant. Les bruits de la ville arrivaient à peine jusqu'à eux; et la chambre semblait petite, tout exprès pour resserrer davantage leur solitude. Emma, vêtue d'un peignoir en basin, appuyait son chignon contre le dossier du vieux fauteuil; le papier jaune de la muraille faisait comme un fond d'or derrière elle : et sa tête nue se répétait dans la glace avec la raie blanche au milieu, et le bout de ses oreilles dépassant sous ses bandeaux.

— Mais, pardon, dit-elle, j'ai tort ! je vous ennuie avec mes éternelles plaintes !

— Non, jamais ! jamais !

— Si vous saviez, reprit-elle [834], en levant au plafond ses beaux yeux qui roulaient une larme, tout ce que j'avais rêvé !

— Et moi, donc ! Oh ! [835] j'ai bien souffert ! Souvent je sortais, je m'en allais, je me traînais le long des quais, m'étourdissant au bruit de la foule sans pouvoir bannir l'obsession qui me poursuivait. Il y a sur le boulevard, chez un marchand d'estampes, une gravure italienne qui représente une Muse. Elle est drapée d'une tunique et elle regarde la lune, avec des myosotis sur sa chevelure dénouée. Quelque chose incessamment me poussait là; j'y suis resté des heures entières.

Puis, d'une voix tremblante :

— Elle vous ressemblait un peu.

Mme Bovary détourna la tête, pour qu'il ne vît pas sur ses lèvres l'irrésistible sourire qu'elle y sentait monter.

— Souvent, reprit-il, je vous écrivais des lettres qu'ensuite je déchirais.

Elle ne répondait pas. Il continua :

— Je m'imaginais quelquefois qu'un hasard vous amènerait. J'ai cru vous reconnaître au coin des rues : et je courais après tous les fiacres où flottait à la portière un châle, un voile pareil au vôtre...

Elle semblait déterminée à le laisser parler sans l'interrompre. Croisant les bras et baissant la figure, elle consi-

dérait la rosette de ses pantoufles, et elle faisait dans leur
satin de petits mouvements, par intervalles, avec les doigts
de son pied.

Cependant, elle soupira :

— Ce qu'il y a de plus lamentable, n'est-ce pas, c'est de
traîner, comme moi, une existence inutile [836] ? Si nos
douleurs pouvaient servir à quelqu'un, on se consolerait
dans la pensée du sacrifice !

Il se mit à vanter la vertu, le devoir et les immola-
tions silencieuses, ayant lui-même un incroyable besoin de
dévouement qu'il ne pouvait assouvir [837].

— J'aimerais beaucoup, dit-elle, à être une religieuse
d'hôpital !

— Hélas ! répliqua-t-il, les hommes n'ont point de ces
missions saintes, et je ne vois nulle part aucun métier...,
à moins peut-être que celui de médecin...

Avec un haussement léger de ses épaules, Emma l'interrompit pour se plaindre de sa maladie où elle avait manqué
mourir; quel dommage ! elle ne souffrirait plus maintenant.
Léon tout de suite envia *le calme du tombeau*, et même, un
soir, il avait écrit son testament en recommandant qu'on
l'ensevelît dans ce beau couvre-pied, à bandes de velours,
qu'il tenait d'elle; car c'est ainsi qu'ils auraient voulu avoir
été, l'un et l'autre se faisant un idéal sur lequel ils ajustaient
à présent leur vie passée. D'ailleurs, la parole est un lami-
noir qui allonge toujours les sentiments.

Mais à cette invention du couvre-pied :

— Pourquoi donc ? demanda-t-elle.

— Pourquoi ?

Il hésitait.

— Parce que je vous ai bien aimée !

Et, s'applaudissant d'avoir franchi la difficulté, Léon, du
coin de l'œil, épia sa physionomie.

Ce fut comme le ciel, quand un coup de vent chasse
les nuages. L'amas des pensées tristes qui les assombris-
saient parut se retirer de ses yeux bleus; tout son visage
rayonna [838].

Il attendait. Enfin elle répondit :

— Je m'en étais toujours doutée...

Alors, ils se racontèrent les petits événements de cette
existence lointaine [839], dont ils venaient de résumer, par
un seul mot, les plaisirs et les mélancolies. Il se rappelait

le berceau de clématite [840], les robes qu'elle avait portées, les meubles de sa chambre, toute sa maison.

— Et nos pauvres cactus, où sont-ils ?

— Le froid les a tués cet hiver.

— Ah ! que j'ai pensé à eux, savez-vous ? Souvent je les revoyais comme autrefois, quand, par les matins d'été, le soleil frappait sur les jalousies... et j'apercevais vos deux bras nus [841] qui passaient entre les fleurs.

— Pauvre ami ! fit-elle en lui tendant la main.

Léon, bien vite, y colla ses lèvres. Puis, quand il eut largement respiré :

— Vous étiez, dans ce temps-là, pour moi, je ne sais quelle force incompréhensible qui captivait ma vie. Une fois, par exemple, je suis venu chez vous; mais vous ne vous en souvenez pas, sans doute ?

— Si, dit-elle. Continuez.

— Vous étiez en bas, dans l'antichambre, prête à sortir, sur la dernière marche; — vous aviez même un chapeau à petites fleurs bleues; et, sans nulle invitation de votre part, malgré moi, je vous ai accompagnée. A chaque minute, cependant, j'avais de plus en plus conscience de ma sottise, et je continuais à marcher près de vous, n'osant vous suivre tout à fait, et ne voulant pas vous quitter. Quand vous entriez dans une boutique, je restais dans la rue, je vous regardais par le carreau défaire vos gants et compter la monnaie sur le comptoir. Ensuite vous avez sonné chez Mme Tuvache, on vous a ouvert, et je suis resté comme un idiot devant la grande porte lourde qui était retombée sur vous.

Mme Bovary, en l'écoutant, s'étonnait d'être si vieille; toutes ces choses qui réapparaissaient lui semblaient élargir son existence; cela faisait comme des immensités sentimentales où elle se reportait; et elle disait de temps à autre, à voix basse et les paupières à demi fermées :

— Oui, c'est vrai !... c'est vrai !... c'est vrai...

Ils entendirent huit heures sonner aux différentes horloges du quartier Beauvoisine, qui est plein de pensionnats, d'églises et de grands hôtels abandonnés. Ils ne se parlaient plus; mais ils sentaient, en se regardant, un bruissement dans leurs têtes [842], comme si quelque chose de sonore se fût réciproquement échappé de leurs prunelles fixes. Ils venaient de se joindre les mains; et le passé, l'avenir, les

réminiscences et les rêves, tout se trouvait confondu dans
la douceur de cette extase. La nuit s'épaississait sur les
murs, où brillaient encore, à demi perdues dans l'ombre,
les grosses couleurs de quatre estampes représentant
quatre scènes de la *Tour de Nesle* [843], avec une légende au
bas [844], en espagnol et en français. Par la fenêtre à guillotine,
on voyait un coin de ciel noir, entre des toits pointus.

Elle se leva pour allumer deux bougies sur la commode,
puis elle vint se rasseoir.

— Eh bien ?... fit Léon.

— Eh bien ? répondit-elle [845].

Et il cherchait comment renouer le dialogue interrompu,
quand elle lui dit :

— D'où vient que personne, jusqu'à présent, ne m'a
jamais exprimé des sentiments pareils [846] ?

Le clerc se récria que les natures idéales étaient difficiles
à comprendre. Lui, du premier coup d'œil, il l'avait aimée;
et il se désespérait en pensant au bonheur qu'ils auraient
eu si, par une grâce du hasard, se rencontrant plus tôt, ils
se fussent attachés l'un à l'autre d'une manière indisso-
luble.

— J'y ai songé quelquefois, reprit-elle.

— Quel rêve ! murmura Léon.

Et, maniant délicatement le liséré bleu de sa longue
ceinture blanche, il ajouta :

— Qui nous empêche donc de recommencer ?...

— Non, mon ami, répondit-elle. Je suis trop vieille...
vous êtes trop jeune..., oubliez-moi ! D'autres vous aimeront... vous les aimerez.

— Pas comme vous ! s'écria-t-il.

— Enfant que vous êtes ! Allons, soyons sage ! je le
veux !

Elle lui représenta les impossibilités de leur amour, et
qu'ils devaient se tenir [847], comme autrefois, dans les
simples termes d'une amitié fraternelle.

Était-ce sérieusement qu'elle parlait ainsi ? Sans doute
qu'Emma n'en savait rien elle-même, tout occupée par
le charme de la séduction et la nécessité de s'en défendre;
et, contemplant le jeune homme d'un regard attendri, elle
repoussait doucement les timides caresses que ses mains
frémissantes essayaient.

— Ah ! pardon, dit-il en se reculant.

Et Emma fut prise d'un vague effroi, devant cette timidité, plus dangereuse pour elle que la hardiesse de Rodolphe quand il s'avançait les bras ouverts. Jamais aucun homme ne lui avait paru si beau. Une exquise candeur s'échappait de son maintien. Il baissait ses longs cils fins qui se recourbaient. Sa joue à l'épiderme suave rougissait — pensait-elle — du désir de sa personne, et Emma sentait une invincible envie d'y porter ses lèvres [848]. Alors se penchant vers la pendule comme pour regarder l'heure :

— Qu'il est tard, mon Dieu ! dit-elle; que nous bavardons !

Il comprit l'allusion et chercha son chapeau.

— J'en ai même oublié le spectacle ! Ce pauvre Bovary qui m'avait laissée tout exprès ! M. Lormeaux, de la rue Grand-Pont, devait m'y conduire avec sa femme.

Et l'occasion était perdue, car elle partait dès le lendemain.

— Vrai ? fit Léon.

— Oui.

— Il faut pourtant que je vous voie encore, reprit-il, j'avais à vous dire...

— Quoi ?

— Une chose... grave, sérieuse. Eh ! non, d'ailleurs, vous ne partirez pas, c'est impossible ! Si vous saviez... Écoutez-moi... Vous ne m'avez donc pas compris ? Vous n'avez donc pas deviné [849] ?...

— Cependant vous parlez bien, dit Emma.

— Ah ! des plaisanteries ! Assez, assez ! Faites, par pitié, que je vous revoie..., une fois..., une seule.

— Eh bien !...

Elle s'arrêta [850]; puis, comme se ravisant :

— Oh ! pas ici !

— Où vous voudrez.

— Voulez-vous...

Elle parut réfléchir, et, d'un ton bref :

— Demain, à onze heures, dans la cathédrale.

— J'y serai ! s'écria-t-il en saisissant ses mains qu'elle dégagea.

Et, comme ils se trouvaient debout [851] tous les deux, lui placé derrière elle et Emma baissant la tête, il se pencha vers son cou et la baisa longuement à la nuque.

— Mais vous êtes fou ! Ah ! vous êtes fou ! disait-elle

avec de petits rires sonores, tandis que les baisers se multi-
pliaient.

Alors, avançant la tête par-dessus son épaule, il sembla
chercher le consentement de ses yeux. Ils tombèrent sur
lui, pleins d'une majesté glaciale.

Léon fit trois pas en arrière, pour sortir. Il resta sur le
seuil. Puis il chuchota d'une voix tremblante :

— A demain.

Elle répondit par un signe de tête, et disparut comme un
oiseau dans la pièce à côté.

Emma, le soir, écrivit au clerc une interminable lettre
où elle se dégageait du rendez-vous; tout maintenant était
fini, et ils ne devaient plus, pour leur bonheur, se rencontrer. Mais, quand la lettre fut close, comme elle ne savait
pas l'adresse de Léon, elle se trouva fort embarrassée.

— Je la lui donnerai moi-même, se dit-elle; il viendra [852].

Léon, le lendemain, fenêtre ouverte et chantonnant sur
le balcon [853], vernit lui-même ses escarpins, et à plusieurs
couches [854]. Il passa un pantalon blanc, des chaussettes
fines, un habit vert, répandit dans son mouchoir tout ce
qu'il possédait de senteurs, puis, s'étant fait friser, se
défrisa, pour donner à sa chevelure plus d'élégance naturelle.

— Il est encore trop tôt ! pensa-t-il en regardant le
coucou du perruquier, qui marquait neuf heures.

Il lut un vieux journal de modes, sortit, fuma un cigare,
remonta trois rues, songea qu'il était temps et se dirigea
lentement [855] vers le parvis Notre-Dame [856].

C'était par un beau matin d'été. Des argenteries reluisaient aux boutiques des orfèvres, et la lumière qui arrivait obliquement sur la cathédrale posait des miroitements
à la cassure des pierres grises; une compagnie d'oiseaux
tourbillonnaient [857] dans le ciel bleu, autour des clochetons
à trèfles; la place, retentissante de cris, sentait des fleurs [858]
qui bordaient son pavé, roses, jasmins, œillets, narcisses et
tubéreuses, espacés inégalement par des verdures humides,
de l'herbe-au-chat et du mouron pour les oiseaux; la fontaine, au milieu, gargouillait, et sous de larges parapluies,
parmi des cantaloups [859] s'étageant en pyramides, des
marchandes, nu-tête, tournaient dans du papier des bouquets de violettes.

Le jeune homme en prit un. C'était la première fois qu'il

achetait des fleurs pour une femme; et sa poitrine, en les respirant, se gonfla d'orgueil, comme si cet hommage qu'il destinait à une autre se fût retourné vers lui.

Cependant il avait peur d'être aperçu; il entra résolument dans l'église.

Le suisse [860], alors, se tenait sur le seuil, au milieu du portail à gauche, au-dessous de la *Marianne dansant* [861], plumet en tête, rapière au mollet, canne au poing, plus majestueux qu'un cardinal et reluisant comme un saint ciboire.

Il s'avança vers Léon, et, avec ce sourire de bénignité pateline que prennent les ecclésiastiques lorsqu'ils interrogent les enfants :

— Monsieur, sans doute, n'est pas d'ici ? Monsieur désire voir les curiosités de l'église ?

— Non, dit l'autre.

Et il fit d'abord le tour des bas-côtés [862]. Puis il vint regarder sur la place. Emma n'arrivait pas. Il remonta jusqu'au chœur.

La nef se mirait dans les bénitiers pleins [863], avec le commencement des ogives et quelques portions de vitrail. Mais le reflet des peintures [864], se brisant au bord du marbre, continuait plus loin, sur les dalles, comme un tapis bariolé. Le grand jour du dehors s'allongeait dans l'église en trois rayons énormes, par les trois portails ouverts. De temps à autre, au fond, un sacristain passait en faisant devant l'autel l'oblique génuflexion des dévôts pressés. Les lustres de cristal pendaient immobiles. Dans le chœur, une lampe d'argent brûlait; et, des chapelles latérales, des parties sombres de l'église, il s'échappait quelquefois comme des exhalaisons de soupirs, avec le son d'une grille qui retombait, en répercutant son écho sous les hautes voûtes.

Léon, à pas sérieux, marchait auprès des murs. Jamais la vie ne lui avait paru si bonne. Elle allait venir tout à l'heure, charmante, agitée, épiant derrière elle les regards qui la suivaient, — et avec sa robe à volants [865], son lorgnon d'or, ses bottines minces, dans toutes sortes d'élégances dont il n'avait pas goûté, et dans l'ineffable séduction de la vertu qui succombe. L'église, comme un boudoir gigantesque, se disposait autour d'elle; les voûtes s'inclinaient pour recueillir dans l'ombre la confession de son amour; les vitraux resplendissaient pour illuminer son visage, et les encensoirs allaient brûler pour

qu'elle apparût comme un ange, dans la fumée des parfums.

Cependant elle ne venait pas. Il se plaça [866], sur une
chaise et ses yeux rencontrèrent un vitrage bleu où l'on
voit des bateliers [867] qui portent des corbeilles. Il le regarda
longtemps, attentivement et il comptait les écailles des
poissons et les boutonnières des pourpoints, tandis que sa
pensée vagabondait à la recherche d'Emma.

Le suisse, à l'écart, s'indignait intérieurement contre cet
individu, qui se permettait d'admirer seul la cathédrale.
Il lui semblait se conduire d'une façon monstrueuse, le
voler en quelque sorte, et presque commettre un sacrilège.

Mais un froufrou de soie sur les dalles, la bordure d'un
chapeau, un camail noir... C'était elle ! Léon se leva et
courut à sa rencontre.

Emma était pâle. Elle marchait vite.

— Lisez ! dit-elle en lui tendant un papier... Oh ! non !

Et brusquement elle retira sa main, pour entrer dans la
chapelle de la Vierge, où, s'agenouillant contre une chaise,
elle se mit en prière.

Le jeune homme fut irrité de cette fantaisie bigote; puis
il éprouva pourtant un certain charme à la voir, au milieu
du rendez-vous, ainsi perdue dans les oraisons comme une
marquise andalouse; puis il ne tarda pas à s'ennuyer, car
elle n'en finissait pas [868].

Emma priait, ou plutôt s'efforçait de prier, espérant qu'il
allait lui descendre du ciel quelque résolution subite; et
pour attirer le secours divin, elle s'emplissait les yeux
des splendeurs du tabernacle, elle aspirait le parfum des
juliennes blanches épanouies dans les grands vases, et prêtait
l'oreille au silence de l'église, qui ne faisait qu'accroître le
tumulte de son cœur.

Elle se relevait, et ils allaient partir, quand le suisse
s'approcha vivement, en disant :

— Madame, sans doute, n'est pas d'ici ? Madame désire
voir les curiosités de l'église ?

— Eh non ! s'écria le clerc.

— Pourquoi pas ? reprit-elle.

Car elle se raccrochait de sa vertu chancelante à la Vierge,
aux sculptures, aux tombeaux, à toutes les occasions.

Alors, afin de procéder *dans l'ordre*, le suisse les conduisit
jusqu'à l'entrée, près de la place, où, leur montrant avec

sa canne un grand cercle de pavés noirs, sans inscriptions
ni ciselures :

— Voilà, fit-il majestueusement, la circonférence de la
belle cloche d'Amboise. Elle pesait quarante mille livres.
Il n'y avait pas sa pareille dans toute l'Europe. L'ouvrier
qui l'a fondue en est mort de joie...

— Partons, dit Léon.

Le bonhomme se remit en marche; puis, revenu à la
chapelle de la vierge, il étendit les bras dans un geste syn-
thétique de démonstration, et, plus orgueilleux qu'un propriétaire campagnard vous montrant ses espaliers :

— Cette simple dalle recouvre Pierre de Brézé, seigneur
de la Varenne et de Brissac, grand maréchal de Poitou et
gouverneur de Normandie, mort à la bataille de Montlhéry,
le 16 juillet 1465.

Léon se mordant les lèvres, trépignait.

— Et à droite, ce gentilhomme tout bardé de fer, sur
un cheval qui se cabre, est son petit-fils Louis de Brézé,
seigneur de Bréval et de Montchauvet, comte de Maule-
vrier, baron de Mauny, chambellan du roi, chevalier de
l'ordre et pareillement gouverneur de Normandie, mort
le 23 juillet 1531, un dimanche, comme l'inscription porte;
et au-dessous, cet homme prêt à descendre au tombeau
vous figure exactement le même. Il n'est point possible,
n'est-ce pas, de voir une plus parfaite représentation du
néant ?

Mme Bovary prit son lorgnon. Léon, immobile, la regardait, n'essayant même plus de dire un seul mot, de faire un
seul geste, tant il se sentait découragé devant ce double
parti pris de bavardage et d'indifférence.

L'éternel guide continuait [869] :

— Près de lui, cette femme à genoux qui pleure est son
épouse, Diane de Poitiers, comtesse de Brézé, duchesse de
Valentinois, née en 1499, morte en 1566; et, à gauche,
celle qui porte un enfant, la sainte Vierge. Maintenant,
tournez-vous de ce côté : voici les tombeaux d'Amboise.
Ils ont été tous les deux cardinaux et archevêques de Rouen.
Celui-là était un ministre du roi Louis XII [870]. Il a fait
beaucoup de bien à la cathédrale. On a trouvé dans son
testament trente mille écus d'or pour les pauvres.

Et, sans s'arrêter, tout en parlant, il les poussa dans une
chapelle encombrée par des balustrades, en dérangea

quelques-unes, et découvrit une sorte de bloc, qui pouvait
bien avoir été une statue mal faite.

— Elle décorait autrefois, dit-il avec un long gémissement, la tombe de Richard Cœur de Lion, roi d'Angleterre
et duc de Normandie. Ce sont les calvinistes, monsieur,
qui vous l'ont réduite en cet état [871]. Ils l'avaient, par
méchanceté, ensevelie dans la terre, sous le siège épiscopal
de Monseigneur. Tenez, voici la porte [872] par où il se rend
à son habitation, Monseigneur. Passons voir les vitraux
de la Gargouille.

Mais Léon tira vivement une pièce blanche de sa poche
et saisit Emma par le bras. Le suisse demeura tout stupéfait, ne comprenant point cette munificence intempestive,
lorsqu'il restait encore à l'étranger tant de choses à voir.
Aussi le rappelant :

— Eh ! monsieur. La flèche ! la flèche [873] !...

— Merci, fit Léon.

— Monsieur a tort ! Elle aura quatre cent quarante
pieds, neuf de moins que la grande pyramide d'Égypte.
Elle est tout en fonte, elle...

Léon fuyait; car il lui semblait que son amour, qui,
depuis deux heures bientôt, s'était immobilisé dans l'église
comme les pierres, allait maintenant s'évaporer telle qu'une
fumée, par cette espèce de tuyau tronqué, de cage oblongue,
de cheminée à jour, qui se hasarde si grotesquement sur
la cathédrale, comme la tentative extravagante de quelque
chaudronnier fantaisiste.

— Où allons-nous donc ? disait-elle.

Sans répondre, il continuait à marcher d'un pas rapide,
et déjà Mme Bovary trempait son doigt dans l'eau bénite,
quand ils entendirent derrière eux un grand souffle haletant, entrecoupé régulièrement par le rebondissement d'une
canne. Léon se détourna.

— Monsieur !

— Quoi ?

Et il reconnut le suisse, portant sous son bras et maintenant en équilibre contre son ventre une vingtaine environ
de forts volumes brochés. C'étaient les ouvrages *qui trai-
taient de la cathédrale.*

— Imbécile ! grommela Léon, s'élançant hors de
l'église.

Un gamin polissonnait sur le parvis :

— Va me chercher un fiacre !

L'enfant partit comme une balle, par la rue des Quatre-Vents; alors ils restèrent seuls quelques minutes, face à face et un peu embarrassés.

— Ah ! Léon !... Vraiment... je ne sais... si je dois... !

Elle minaudait. Puis, d'un air sérieux :

— C'est très inconvenant, savez-vous ?

— En quoi ? répliqua le clerc. Cela se fait à Paris !

Et cette parole, comme un irrésistible argument, la détermina.

Cependant le fiacre n'arrivait pas. Léon avait peur qu'elle ne rentrât dans l'église. Enfin le fiacre parut.

— Sortez du moins par le portail du nord ! leur cria le suisse, qui était resté sur le seuil, pour voir la *Résurrection*, le *Jugement dernier*, le *Paradis*, le *Roi David* et les *Réprouvés* dans les flammes d'enfer.

— Où Monsieur va-t-il ? demanda le cocher.

— Où vous voudrez ! dit Léon poussant Emma dans la voiture.

Et la lourde machine se mit en route [874].

Elle descendit la rue Grand-Pont, traversa la place des Arts, le quai Napoléon, le pont Neuf et s'arrêta court devant la statue de Pierre Corneille.

— Continuez ! fit une voix qui sortait de l'intérieur.

La voiture repartit, et, se laissant, dès le carrefour La Fayette, emporter vers la descente [875], elle entra au grand galop dans la gare du chemin de fer.

— Non, tout droit ! cria la même voix.

Le fiacre sortit des grilles, et bientôt, arrivé sur le cours [876], trotta doucement, au milieu des grands ormes. Le cocher s'essuya le front, mit son chapeau de cuir entre ses jambes et poussa la voiture en dehors des contre-allées, au bord de l'eau, près du gazon.

Elle alla le long de la rivière, sur le chemin de halage pavé de cailloux secs, et, longtemps, du côté d'Oyssel, au delà des îles.

Mais, tout à coup, elle s'élança d'un bond à travers Quatremares, Sotteville, la Grande-Chaussée [877], la rue d'Elbeuf, et fit sa troisième halte devant le Jardin des Plantes.

— Marchez donc ! s'écria la voix plus furieusement.

Et aussitôt, reprenant sa course, elle passa par Saint-

Sever, par le quai des Curandiers, par le quai aux Meules,
encore une fois par le pont, par la place du Champ-de-
Mars et derrière les jardins de l'hôpital [878], où des vieillards
en veste noire [879] se promènent au soleil, le long d'une
terrasse toute verdie par des lierres. Elle remonta le boulevard Bouvreuil, parcourut le boulevard Cauchoise, puis
tout le Mont-Riboudet jusqu'à la côte de Deville.

Elle revint; et alors, sans parti pris ni direction, au hasard,
elle vagabonda. On la vit à Saint-Pol, à Lescure, au mont
Gargan, à la Rouge-Mare et place du Gaillardbois; rue
Maladrerie, rue Dinanderie, devant Saint-Romain, Saint-
Vivien, Saint-Maclou, Saint-Nicaise, — devant la Douane,
— à la Basse-Vieille-Tour, aux Trois-Pipes et au Cimetière
Monumental [880]. De temps à autre, le cocher, sur son siège,
jetait aux cabarets des regards désespérés. Il ne comprenait
pas quelle fureur [881] de la locomotion poussait ces individus
à ne vouloir point s'arrêter. Il essayait quelquefois, et
aussitôt il entendait derrière lui partir des exclamations de
colère. Alors il cinglait de plus belle ses deux rosses tout
en sueur, mais sans prendre garde aux cahots, accrochant
par-ci, par-là, ne s'en souciant, démoralisé, et presque
pleurant de soif, de fatigue et de tristesse.

Et sur le port, au milieu des camions et des barriques,
et dans les rues, au coin des bornes, les bourgeois ouvraient
de grands yeux ébahis devant cette chose si extraordinaire
en province, une voiture à stores tendus, et qui apparaissait
ainsi continuellement, plus close qu'un tombeau et ballottée
comme un navire.

Une fois, au milieu du jour, en pleine campagne, au
moment où le soleil dardait le plus fort contre les vieilles
lanternes argentées, une main nue passa sous les petits
rideaux de toile, jaune et jeta des déchirures de papier,
qui se dispersèrent au vent et s'abattirent plus loin, comme
des papillons blancs, sur un champ de trèfles rouges tout
en fleur [882].

Puis vers six heures, la voiture s'arrêta dans une ruelle
du quartier Beauvoisine, et une femme en descendit qui
marchait le voile baissé, sans détourner la tête.

II

En arrivant à l'auberge, Mme Bovary fut étonnée de ne pas apercevoir la diligence. Hivert, qui l'avait attendue cinquante-trois minutes, avait fini par s'en aller.

Rien pourtant ne la forçait à partir [883]; mais elle avait donné sa parole qu'elle reviendrait le soir même. D'ailleurs, Charles l'attendait [884]; et déjà elle se sentait au cœur cette lâche docilité qui est, pour bien des femmes, comme le châtiment tout à la fois et la rançon de l'adultère.

Vivement elle fit sa malle, paya la note, prit dans la cour un cabriolet, et, pressant le palefrenier, l'encourageant, s'informant à toute minute de l'heure et des kilomètres parcourus, parvint à rattraper l'*Hirondelle* [885] vers les premières maisons de Quincampoix.

A peine assise dans son coin, elle ferma les yeux et les rouvrit au bas de la côte, où elle reconnut de loin Félicité, qui se tenait en vedette devant la maison du maréchal. Hivert retint ses chevaux, et la cuisinière, se haussant jusqu'au vasistas, dit mystérieusement :

— Madame, il faut que [886] vous alliez tout de suite chez M. Homais. C'est pour quelque chose de pressé.

Le village était silencieux comme d'habitude. Au coin des rues, il y avait de petits tas roses qui fumaient à l'air, car c'était le moment des confitures [887], et tout le monde, à Yonville, confectionnait sa provision le même jour. Mais on admirait, devant la boutique du pharmacien, un tas beaucoup plus large, et qui dépassait les autres de la supériorité qu'une officine doit avoir sur les fourneaux bourgeois, un besoin général sur des fantaisies individuelles.

Elle entra. Le grand fauteuil était renversé, et même le *Fanal de Rouen* gisait par terre, étendu entre les deux pilons. Elle poussa la porte du couloir; et, au milieu de la cuisine, parmi les jarres brunes [888] pleines de groseilles égrenées, du sucre râpé, du sucre en morceaux, des balances sur la table, des bassines sur le feu, elle aperçut tous les Homais, grands et petits, avec des tabliers qui leur montaient jusqu'au menton et tenant des fourchettes à la main. Justin, debout, baissait la tête, et le pharmacien criait :

— Qui t'avait dit de l'aller chercher dans le caphar-naüm [889] ?

— Qu'est-ce donc ? Qu'y a-t-il ?

— Ce qu'il y a ? répondit l'apothicaire [890]. On fait des confitures : elles cuisent; mais elles allaient déborder à cause du bouillon trop fort, et je commande une autre bassine. Alors, lui, par mollesse, par paresse, a été prendre, suspendue à son clou, dans mon laboratoire, la clef du capharnaüm !

L'apothicaire appelait ainsi un cabinet, sous les toits, plein des ustensiles et des marchandises de sa profession. Souvent il y passait seul de longues heures à étiqueter, à transvaser, à reficeler; et il le considérait non comme un simple magasin, mais comme un véritable sanctuaire, d'où s'échappaient ensuite, élaborés par ses mains [891], toutes sortes de pilules, bols, tisanes, lotions et potions, qui allaient répandre aux alentours sa célébrité. Personne au monde n'y mettait les pieds; et il le respectait si fort, qu'il le balayait lui-même. Enfin, si la pharmacie, ouverte à tout venant, était l'endroit où il étalait son orgueil, le capharnaüm était le refuge où, se concentrant égoïstement, Homais se délectait dans l'exercice de ses prédilections; aussi l'étourderie de Justin lui paraissait-elle monstrueuse d'irrévérence; et, plus rubicond que les groseilles, il répétait :

— Oui, du capharnaüm ! la clef qui enferme les acides avec les alcalis caustiques ! Avoir été prendre une bassine de réserve ! une bassine à couvercle ! et dont jamais peut-être je ne me servirai ! Tout a son importance dans les opérations délicates de notre art ! Mais, que diable ! il faut établir des distinctions et ne pas employer à des usages presque domestiques ce qui est destiné pour les pharmaceutiques ! C'est comme si on découpait une poularde avec un scalpel, comme si un magistrat...

— Mais calme-toi ! disait Mme Homais.

Et Athalie, le tirant par sa redingote :

— Papa ! papa !

— Non, laissez-moi ! reprenait l'apothicaire, laissez-moi ! fichtre ! autant s'établir épicier, ma parole d'honneur ! Allons, va ! ne respecte rien ! casse ! brise ! lâche les sangsues ! brûle la guimauve ! marine des cornichons dans les bocaux, lacère les bandages !

— Vous aviez pourtant..., dit Emma.

— Tout à l'heure ! — Sais-tu à quoi tu t'exposais ?...

N'as-tu rien vu, dans le coin, à gauche, sur la troisième
tablette ? Parle, réponds, articule quelque chose !

— Je ne... sais pas, balbutia le jeune garçon.

— Ah ! tu ne sais pas ! Eh bien ! je sais, moi ! Tu as vu
une bouteille, en verre bleu, cachetée avec de la cire jaune,
qui contient une poudre blanche, sur laquelle même j'avais
écrit : *Dangereux !* Et sais-tu ce qu'il y avait dedans ? De
l'arsenic ! Et tu vas toucher à cela ! prendre une bassine
qui est à côté !

— A côté ! s'écria Mme Homais en joignant les mains.
De l'arsenic ? Tu pouvais nous empoisonner tous !

Et les enfants se mirent à pousser des cris, comme
s'ils avaient déjà senti dans leurs entrailles d'atroces douleurs.

— Ou bien empoisonner un malade ! continua l'apothicaire. Tu voulais donc que j'allasse sur le banc des
criminels, en cour d'assises [892] ? me voir traîner à l'échafaud ? Ignores-tu le soin que j'observe dans les manuten-
tions, quoique j'en aie cependant une furieuse habitude.
Souvent je m'épouvante moi-même, lorsque je pense à ma
responsabilité ! Car le gouvernement nous persécute, et
l'absurde législation qui nous régit est comme une véritable
épée de Damoclès suspendue sur notre tête !

Emma ne songeait plus à demander ce qu'on lui voulait,
et le pharmacien poursuivait [893] en phrases haletantes :

— Voilà comme tu reconnais les bontés qu'on a pour
toi [894] ! voilà comme tu me récompenses des soins tout
paternels que je te prodigue ! Car, sans moi, où serais-tu ?
Que ferais-tu ? Qui te fournit la nourriture, l'éducation,
l'habillement, et tous les moyens de figurer un jour, avec
honneur, dans les rangs de la société ? Mais il faut pour cela
suer ferme sur l'aviron, et acquérir, comme on dit, du cal
aux mains. *Fabricando fit faber, age quod agis.*

Il citait du latin, tant il était exaspéré. Il eût cité du chinois et du groenlandais, s'il eût connu ces deux langues;
car il se trouvait dans une de ces crises où l'âme montre
entière indistinctement ce qu'elle enferme, comme
l'Océan [895], qui, dans les tempêtes, s'entr'ouvre depuis les
fucus de son rivage jusqu'au sable de ses abîmes.

Et il reprit :

— Je commence à terriblement me repentir [896] de
m'être chargé de ta personne ! J'aurais certes mieux fait

de te laisser autrefois croupir dans ta misère et dans la
crasse où tu es né ! Tu ne seras jamais bon qu'à être un
gardeur de bêtes à cornes ! Tu n'as nulle aptitude pour les
sciences ! A peine si tu sais coller une étiquette ! Et tu vis
là, chez moi, comme un chanoine, comme un coq en pâte,
à te goberger !

Mais Emma, se tournant vers Mme Homais :

— On m'avait fait venir...

— Ah ! mon Dieu, interrompit d'un air triste la bonne
dame, comment vous dirai-je bien ?... C'est un malheur !

Elle n'acheva pas. L'apothicaire tonnait :

— Vide-la ! écure-la ! reporte-la ! dépêche-toi donc !
Et, secouant Justin par le collet de son bourgeron, il fit
tomber un livre de sa poche.

L'enfant se baissa. Homais fut plus prompt, et, ayant
ramassé le volume, il le contemplait, les yeux écarquillés,
la mâchoire ouverte.

— L'amour... conjugal ! dit-il en séparant lentement ces
deux mots, Ah ! très bien ! très bien ! très joli ! Et des
gravures [897] !... Ah ! c'est trop fort !

Mme Homais s'avança.

— Non, n'y touche pas !

Les enfants voulurent voir les images.

— Sortez ! fit-il impérieusement.

Et ils sortirent.

Il marcha d'abord de long en large, à grands pas, gardant
le volume ouvert entre ses doigts, roulant les yeux, suffoqué,
tuméfié, apoplectique. Puis il vint droit à son élève, et, se
plantant devant lui les bras croisés :

— Mais tu as donc tous les vices, petit malheureux ?...
Prends garde, tu es sur une pente !... Tu n'as donc pas
réfléchi qu'il pouvait, ce livre infâme, tomber entre les
mains de mes enfants, mettre l'étincelle dans leur cerveau [898],
ternir la pureté d'Athalie, corrompre Napoléon ! Il est déjà
formé comme un homme [899]. Es-tu bien sûr, au moins,
qu'ils ne l'aient pas lu ? Peux-tu me certifier... ?

— Mais, enfin, monsieur, fit Emma, vous aviez à me
dire... ?

— C'est vrai, madame... Votre beau-père est mort !

En effet le sieur Bovary père venait de décéder l'avant-
veille, tout à coup, d'une attaque d'apoplexie [900], au sortir
de table ; et, par excès de précaution pour la sensibilité

d'Emma, Charles avait prié M. Homais de lui apprendre avec ménagement [901] cette horrible nouvelle.

Il avait médité [902] sa phrase, il l'avait arrondie, polie, rythmée; c'était un chef-d'œuvre de prudence et de transition [903], de tournures fines et de délicatesse [904]; mais la colère avait emporté la rhétorique.

Emma, renonçant à avoir aucun détail, quitta donc la pharmacie; car M. Homais avait repris le cours de ses vitupérations. Il se calmait cependant, et, à présent, il grommelait d'un ton paterne, tout en s'éventant avec son bonnet grec.

— Ce n'est pas que je désapprouve entièrement l'ouvrage! L'auteur était médecin. Il y a là dedans certains côtés scientifiques [905] qu'il n'est pas mal à un homme de connaître et, j'oserais dire, qu'il faut qu'un homme connaisse. Mais plus tard, plus tard! Attends du moins que tu sois homme toi-même et que ton tempérament soit fait [906].

Au coup de marteau d'Emma, Charles, qui l'attendait, s'avança les bras ouverts et lui dit [907] avec des larmes dans la voix :

— Ah! ma chère amie...

Et il s'inclina doucement pour l'embrasser. Mais, au contact de ses lèvres [908], le souvenir de l'autre la saisit, et elle se passa la main sur son visage [909] en frissonnant.

Cependant elle répondit :

— Oui, je sais..., je sais...

Il lui montra la lettre où sa mère narrait l'événement, sans aucune hypocrisie sentimentale. Seulement, elle regrettait que son mari n'eût pas reçu les secours de la religion, étant mort à Doudeville, dans la rue, sur le seuil d'un café, après un repas patriotique avec d'anciens officiers.

Emma rendit la lettre; puis, au dîner, par savoir-vivre, elle affecta quelque répugnance. Mais, comme il la reforçait, elle se mit résolument à manger, tandis que Charles, en face d'elle, demeurait immobile, dans une posture accablée.

De temps à autre, relevant la tête, il lui envoyait un long regard tout plein de détresse. Une fois il soupira :

— J'aurais voulu le revoir encore!

Elle se taisait. Enfin, comprenant qu'il fallait parler :

— Quel âge avait-il, ton père?

— Cinquante-huit ans!

— Ah!

Et ce fut tout.

Un quart d'heure après il ajouta :

— Ma pauvre mère [910] ?... que va-t-elle devenir, à présent ?

Elle fit un geste d'ignorance.

A la voir si taciturne, Charles la supposait affligée et il se contraignait à ne rien dire, pour ne pas aviver cette douleur qui l'attendrissait. Cependant, secouant la sienne :

— T'es-tu bien amusée, hier ? demanda-t-il.

— Oui.

Quand la nappe fut ôtée, Bovary ne se leva pas. Emma non plus ; et, à mesure qu'elle l'envisageait, la monotonie de ce spectacle bannissait peu à peu tout apitoiement de son cœur. Il lui semblait chétif, faible, nul, enfin être un pauvre homme [911], de toutes les façons. Comment se débarrasser de lui ? Quelle interminable soirée ! Quelque chose de stupéfiant comme une vapeur d'opium l'engourdissait.

Ils entendirent dans le vestibule le bruit sec d'un bâton sur les planches. C'était Hippolyte qui apportait les bagages de Madame.

Pour les déposer, il décrivit péniblement un quart de cercle avec son pilon.

— Il n'y pense même plus ! se disait-elle en regardant le pauvre diable, dont la grosse chevelure rouge dégouttait de sueur.

Bovary cherchait un patard au fond de sa bourse ; et, sans paraître comprendre tout ce qu'il y avait pour lui d'humiliation dans la seule présence de cet homme qui se tenait là, comme le reproche personnifié de son incurable ineptie :

— Tiens ! tu as un joli bouquet ! dit-il en remarquant sur la cheminée les violettes de Léon.

— Oui, fit-elle avec indifférence ; c'est un bouquet que j'ai acheté tantôt... à une mendiante.

Charles prit les violettes, et, rafraîchissant dessus ses yeux tout rouges de larmes, il les humait délicatement. Elle les retira vite de sa main, et alla les porter dans un verre d'eau.

Le lendemain, Mᵐᵉ Bovary mère arriva. Elle et son fils pleurèrent beaucoup. Emma, sous prétexte d'ordres à donner, disparut.

Le jour d'après, il fallut aviser ensemble aux affaires de deuil. On alla s'asseoir, avec les boîtes à ouvrage, au bord de l'eau, sous la tonnelle.

Charles pensait à son père, et il s'étonnait de sentir tant d'affection pour cet homme qu'il avait cru jusqu'alors n'aimer que très médiocrement [912]. Mme Bovary mère pensait à son mari. Les pires jours d'autrefois lui réapparaissaient enviables. Tout s'effaçait sous le regret instinctif [913] d'une si longue habitude; et, de temps à autre, tandis qu'elle poussait son aiguille, une grosse larme descendait le long de son nez et s'y tenait un moment suspendue [914].

Emma pensait qu'il y avait quarante-huit heures à peine, ils étaient ensemble, loin du monde, tout en ivresse, et n'ayant pas assez d'yeux pour se contempler. Elle tâchait de ressaisir les plus imperceptibles détails de cette journée disparue. Mais la présence de la belle-mère et du mari la gênait. Elle aurait voulu ne rien entendre, ne rien voir, afin de ne pas déranger le recueillement de son amour qui allait se perdant, quoi qu'elle fît, sous les sensations extérieures.

Elle décousait la doublure d'une robe, dont les bribes s'éparpillaient autour d'elle; la mère Bovary, sans lever les yeux, faisait crier ses ciseaux, et Charles, avec ses pantoufles de lisière et sa vieille redingote brune qui lui servait de robe de chambre, restait les deux mains dans ses poches et ne parlait pas non plus; près d'eux, Berthe, en petit tablier blanc, raclait avec sa pelle le sable des allées.

Tout à coup, ils virent entrer par la barrière M. Lheureux, le marchand d'étoffes [915].

Il venait offrir ses services, *eu égard à la fatale circonstance.* Emma répondit qu'elle croyait pouvoir s'en passer. Le marchand ne se tint pas pour battu.

— Mille excuses, dit-il; je désirerais avoir un entretien particulier.

Puis, d'une voix basse :

— C'est relativement à cette affaire..., vous savez ?

Charles devint cramoisi jusqu'aux oreilles.

— Ah ! oui..., effectivement.

Et, dans son trouble, se tournant vers sa femme :

— Ne pourrais-tu pas..., ma chérie ?...

Elle parut le comprendre, car elle se leva, et Charles dit à sa mère :

— Ce n'est rien ! sans doute quelque bagatelle de ménage.

Il ne voulait point qu'elle connût l'histoire du billet, redoutant ses observations.

Dès qu'ils furent seuls, M. Lheureux se mit, en termes assez nets, à féliciter Emma sur la succession, puis à causer de choses indifférentes, des espaliers, de la récolte et de sa santé à lui, qui allait toujours *couci-couci* [916], *entre le zist et le zest*. En effet, il se donnait un mal de cinq cents diables, bien qu'il ne fît pas, malgré les propos du monde, de quoi avoir seulement du beurre sur son pain.

Emma le laissait parler. Elle s'ennuyait si prodigieusement depuis deux jours !

— Et vous voilà tout à fait rétablie ? continuait-il. Ma foi, j'ai vu votre pauvre mari dans de beaux états ! C'est un brave garçon, quoique nous ayons eu ensemble des difficultés.

Elle demanda lesquelles, car Charles lui avait caché la contestation des fournitures.

— Mais vous le savez bien [917] ! fit Lheureux. C'était pour vos fantaisies [918], les boîtes de voyage.

Il avait baissé son chapeau sur ses yeux, et les deux mains derrière le dos, souriant et sifflotant, il la regardait en face, d'une manière insupportable. Soupçonnait-il quelque chose ? Elle demeurait perdue dans toutes sortes d'appréhensions. A la fin, pourtant, il reprit :

— Nous nous sommes rapatriés, et je venais encore lui proposer un arrangement.

C'était de renouveler le billet signé par Bovary. Monsieur, du reste, agirait à sa guise [919]; il ne devait point se tourmenter, maintenant surtout qu'il allait avoir une foule d'embarras.

— Et même il ferait mieux de s'en décharger sur quelqu'un, sur vous, par exemple; avec une procuration, ce serait commode, et alors nous aurions ensemble de petites affaires...

Elle ne comprenait pas. Il se tut. Ensuite, passant à son négoce, Lheureux déclara que Madame ne pouvait se dispenser de lui prendre quelque chose. Il lui enverrait un barège noir, douze mètres, de quoi faire une robe.

— Celle que vous avez là est bonne pour la maison. Il vous en faut une autre pour les visites. J'ai vu ça, moi, du premier coup, en entrant. J'ai l'œil américain.

Il n'envoya point l'étoffe, il l'apporta. Puis, il revint pour l'aunage; il revint sous d'autres prétextes, tâchant chaque fois de se rendre aimable, serviable, s'inféodant, comme eût dit Homais, et toujours glissant à Emma quelques conseils sur la procuration. Il ne parlait point du billet. Elle n'y songeait pas; Charles, au début de sa convalescence, lui en avait bien conté quelque chose; mais tant d'agitations avaient passé dans sa tête, qu'elle ne s'en souvenait plus. D'ailleurs, elle se garda d'ouvrir aucune discussion d'intérêt; la mère Bovary en fut surprise, et attribua son changement d'humeur aux sentiments religieux qu'elle avait contractés étant malade.

Mais, dès qu'elle fut partie, Emma ne tarda pas à émerveiller Bovary par son bon sens pratique. Il allait falloir prendre des informations, vérifier les hypothèques, voir s'il y avait lieu à une licitation ou à une liquidation.

Elle citait des termes techniques, au hasard, prononçait les grands mots d'ordre, d'avenir, de prévoyance, et continuellement exagérait les embarras de la succession : si bien qu'un jour [920] elle lui montra le modèle d'une autorisation générale pour « gérer et administrer ses affaires, faire tous emprunts, signer et endosser tous billets, payer toutes sommes, etc. ». Elle avait profité des leçons de Lheureux.

Charles, naïvement, lui demanda d'où venait ce papier.

— De M. Guillaumin.

Et, avec le plus grand sang-froid du monde, elle ajouta :

— Je ne m'y fie pas trop. Les notaires ont si mauvaise réputation ! Il faudrait peut-être consulter... Nous ne connaissons que... Oh ! personne.

— A moins que Léon..., répliqua Charles, qui réfléchissait.

Mais il était difficile de s'entendre par correspondance. Alors elle s'offrit à faire ce voyage. Il la remercia. Elle insista. Ce fut un assaut de prévenances. Enfin, elle s'écria d'un ton de mutinerie factice :

— Non, je t'en prie, j'irai.

— Comme tu es bonne ! dit-il en la baisant au front.

Dès le lendemain, elle s'embarqua dans l'*Hirondelle* pour aller à Rouen consulter M. Léon; et elle y resta trois jours.

III

Ce furent trois jours pleins, exquis, splendides, une vraie lune de miel.

Ils étaient à l'*Hôtel de Boulogne* [921], sur le port. Et ils vivaient là, volets fermés, portes closes, avec des fleurs par terre et des sirops à la glace, qu'on leur apportait dès le matin [922].

Vers le soir, ils prenaient une barque couverte et allaient dîner dans une île.

C'était l'heure où l'on entend, au bord des chantiers, retentir le maillet des calfats contre la coque des vaisseaux. La fumée du goudron s'échappait d'entre les arbres, et l'on voyait sur la rivière de larges gouttes grasses, ondulant inégalement sous la couleur pourpre du soleil, comme des plaques de bronze florentin, qui flottaient.

Ils descendaient au milieu des barques amarrées, dont les longs câbles obliques frôlaient un peu le dessus de la barque.

Les bruits de la ville insensiblement s'éloignaient, le roulement des charrettes, le tumulte des voix, le jappement des chiens sur le pont des navires. Elle dénouait son chapeau et ils abordaient à leur île.

Ils se plaçaient dans la salle basse d'un cabaret, qui avait à sa porte des filets noirs suspendus. Ils mangeaient de la friture d'éperlans, de la crème et des cerises. Ils se couchaient sur l'herbe; ils s'embrassaient à l'écart sous les peupliers; et ils auraient voulu, comme deux Robinsons, vivre perpétuellement dans ce petit endroit, qui leur semblait, en leur béatitude, le plus magnifique de la terre. Ce n'était pas la première fois qu'ils apercevaient des arbres, du ciel bleu, du gazon, qu'ils entendaient l'eau couler et la brise soufflant dans le feuillage; mais ils n'avaient sans doute jamais admiré tout cela, comme si la nature n'existait pas auparavant, ou qu'elle n'eût commencé à être belle que depuis l'assouvissance de leurs désirs.

A la nuit, ils repartaient. La barque suivait le bord des îles. Ils restaient au fond, tous les deux cachés par l'ombre, sans parler. Les avirons carrés sonnaient entre les tolets de fer; et cela marquait dans le silence comme un battement de métronome, tandis qu'à l'arrière la bauce qui traînait ne discontinuait pas son petit clapotement doux dans l'eau.

Une fois, la lune parut; alors ils ne manquèrent pas à faire des phrases, trouvant l'astre mélancolique et plein de poésie; même elle se mit à chanter :

Un soir, t'en souvient-il ? nous voguions, etc.

Sa voix harmonieuse et faible se perdait sur les flots; et le vent emportait les roulades que Léon écoutait passer [923], comme des battements d'ailes, autour de lui.

Elle se tenait en face, appuyée contre la cloison de la chaloupe, où la lune entrait par un des volets ouverts. Sa robe noire, dont les draperies s'élargissaient en éventail, l'amincissait, la rendait plus grande. Elle avait la tête levée, les mains jointes, et les deux yeux vers le ciel. Parfois [924] l'ombre des saules la cachait en entier, puis elle réapparaissait tout à coup, comme une vision, dans la lumière de la lune.

Léon, par terre, à côté d'elle, rencontra sous sa main un ruban de soie ponceau.

Le batelier l'examina et finit par dire :

— Ah ! c'est peut-être à une compagnie que j'ai promenée l'autre jour [925]. Ils sont venus un tas de farceurs, messieurs et dames, avec des gâteaux, du champagne, des cornets à pistons, tout le tremblement ! Il y en avait un surtout, un grand bel homme [926], à petites moustaches, qui était joliment amusant ! et ils disaient comme ça :

« Allons, conte-nous quelque chose..., Adolphe... Dodolphe..., je crois. »

Elle frissonna.

— Tu souffres ? fit Léon en se rapprochant d'elle.

— Oh ! ce n'est rien. Sans doute la fraîcheur de la nuit.

— Et qui ne doit pas manquer de femmes, non plus, ajouta doucement le vieux matelot, croyant dire une politesse à l'étranger.

Puis, crachant dans ses mains, il reprit ses avirons.

Il fallut pourtant se séparer ! Les adieux furent tristes. C'était chez la mère Rolet qu'il devait envoyer ses lettres; et elle lui fit des recommandations si précises à propos de la double enveloppe, qu'il admira grandement son astuce amoureuse.

— Ainsi, tu m'affirmes que tout est bien ? dit-elle dans le dernier baiser.

— Oui, certes ! — Mais pourquoi donc, songea-t-il après, en s'en revenant seul par les rues, tient-elle si fort à cette procuration ?

IV

Léon, bientôt, prit devant ses camarades un air de supériorité, s'abstint de leur compagnie, et négligea complètement les dossiers.

Il attendait ses lettres; il les relisait. Il lui écrivait. Il l'évoquait de toute la force de son désir et de ses souvenirs. Au lieu de diminuer par l'absence, cette envie de la revoir s'accrut, si bien qu'un samedi matin [927] il s'échappa de son étude.

Lorsque, du haut de la côte, il aperçut dans la vallée le clocher de l'église avec son drapeau de fer-blanc qui tournait au vent, il sentit cette délectation [928] mêlée de vanité triomphante et d'attendrissement égoïste que doivent avoir les millionnaires, quand ils reviennent visiter leur village.

Il alla rôder autour de sa maison. Une lumière brillait dans la cuisine [929]. Il guetta son ombre derrière les rideaux. Rien ne parut.

La mère Lefrançois, en le voyant, fit de grandes exclamations, et elle le trouva « grandi et minci », tandis qu'Artémise, au contraire, le trouva « forci et bruni ».

Il dîna dans la petite salle, comme autrefois, mais seul, sans le percepteur; car Binet, *fatigué* d'attendre l'*Hirondelle*, avait définitivement avancé son repas d'une heure, et, maintenant, il dînait à cinq heures juste, encore prétendait-il le plus souvent que la *vieille patraque retardait*.

Léon pourtant se décida; il alla frapper à la porte du médecin. Madame était dans sa chambre, d'où elle ne descendit qu'un quart d'heure après. Monsieur parut enchanté de le revoir; mais il ne bougea de la soirée, ni de tout le jour suivant.

Il la vit seule, le soir, très tard, derrière le jardin, dans la ruelle; — dans la ruelle, comme avec l'autre [930] ! Il

faisait de l'orage, et ils causaient sous un parapluie, à la
lueur des éclairs.

Leur séparation devenait intolérable.

— Plutôt mourir ! disait Emma.

Elle se tordait sur son bras, tout en pleurant.

— Adieu !... adieu !... Quand te reverrai-je ?

Ils revinrent sur leurs pas pour s'embrasser encore; et
ce fut là qu'elle lui fit la promesse de trouver bientôt, par
n'importe quel moyen, l'occasion permanente de se voir
en liberté, au moins une fois par semaine, Emma n'en
doutait pas. Elle était, d'ailleurs, pleine d'espoir. Il allait
lui venir de l'argent.

Aussi, elle acheta pour sa chambre une paire de rideaux
jaunes à larges raies, dont M. Lheureux lui avait vanté le
bon marché; elle rêva un tapis, et Lheureux, affirmant
« que ce n'était pas la mer à boire », s'engagea poliment à
lui en fournir un. Elle ne pouvait plus se passer de ses
services. Vingt fois dans la journée elle l'envoyait chercher,
et aussitôt il plantait là [931] ses affaires, sans se permettre
un murmure. On ne comprenait point davantage pourquoi
la mère Rolet déjeunait chez elle tous les jours, et même
lui faisait des visites en particulier.

Ce fut vers cette époque, c'est-à-dire vers le commencement de l'hiver, qu'elle parut prise d'une grande ardeur
musicale.

Un soir que Charles l'écoutait, elle recommença quatre
fois de suite le même morceau, et toujours en se dépitant,
tandis que, sans y remarquer la différence [932], il s'écriait :

— Bravo !... très bien !... Tu as tort ! va donc !

— Eh ! non ! c'est exécrable ! j'ai les doigts rouillés.

Le lendemain, il la pria *de lui jouer encore quelque chose.*

— Soit, pour te faire plaisir !

Et Charles avoua qu'elle avait un peu perdu. Elle se
trompait de portée, barbouillait; puis, s'arrêtant court :

— Ah ! c'est fini ! il faudrait que je prisse des leçons;
mais...

Elle se mordit les lèvres, et ajouta :

— Vingt francs par cachet, c'est trop cher !

— Oui, en effet... un peu..., dit Charles tout en ricanant
niaisement. Pourtant, il me semble que l'on pourrait
peut-être à moins; car il y a des artistes sans réputation qui
souvent valent mieux que les célébrités.

— Cherche-les, dit Emma.

Le lendemain, en rentrant, il la contempla d'un œil finaud, et ne put à la fin retenir cette phrase :

— Quel entêtement tu as quelquefois ! J'ai été à Barfeuchères aujourd'hui. Eh bien ! Mme Liégeard m'a certifié que ses trois demoiselles, qui sont à la Miséricorde, prenaient des leçons moyennant cinquante sous la séance, et d'une fameuse maîtresse encore !

Elle haussa les épaules, et ne rouvrit plus son instrument.

Mais lorsqu'elle passait auprès (si Bovary se trouvait là), elle soupirait :

— Ah ! mon pauvre piano !

Et quand on venait la voir, elle ne manquait pas de vous apprendre qu'elle avait abandonné la musique et ne pouvait [933] maintenant s'y remettre, pour des raisons majeures. Alors on la plaignait. C'était dommage ! elle qui avait un si beau talent ! On en parla même à Bovary. On lui faisait honte, et surtout le pharmacien :

— Vous avez tort ! Il ne faut jamais laisser en friche les facultés de la nature. D'ailleurs, songez, mon bon ami, qu'en engageant Madame à étudier, vous économisez pour plus tard sur l'éducation musicale de votre enfant ! Moi, je trouve que les mères doivent instruire elles-mêmes leurs enfants. C'est une idée de Rousseau, peut-être un peu neuve encore, mais qui finira par triompher, j'en suis sûr, comme l'allaitement maternel et la vaccination.

Charles revint donc encore une fois sur cette question du piano. Emma répondit avec aigreur qu'il valait mieux le vendre [934]. Ce pauvre piano, qui lui avait causé tant de vaniteuses satisfactions, le voir s'en aller, c'était pour Bovary comme l'indéfinissable [935] suicide d'une partie d'elle-même.

— Si tu voulais..., disait-il, de temps à autre, une leçon, cela ne serait pas, après tout, extrêmement ruineux.

— Mais les leçons, répliquait-elle, ne sont profitables [936] que suivies.

Et voilà comme elle s'y prit pour obtenir de son époux la permission d'aller à la ville, une fois la semaine, voir son amant. On trouva même, au bout d'un mois, qu'elle avait fait des progrès considérables.

V

C'était le jeudi [937]. Elle se levait, et elle s'habillait silencieusement pour ne point éveiller Charles, qui lui aurait
fait des observations sur ce qu'elle s'apprêtait de trop
bonne heure. Ensuite elle marchait de long en large;
elle se mettait devant les fenêtres et regardait la Place [938].
Le petit jour circulait entre les piliers des halles, et la
maison du pharmacien, dont les volets étaient fermés,
laissait apercevoir dans la couleur pâle de l'aurore les
majuscules de son enseigne.

Quand la pendule marquait sept heures et un quart,
elle s'en allait au *Lion d'or*, dont Artémise, en bâillant,
venait lui ouvrir la porte. Celle-ci déterrait pour Madame
les charbons enfouis sous les cendres. Emma restait seule
dans la cuisine. De temps à autre, elle sortait. Hivert
attelait sans se dépêcher, et en écoutant, d'ailleurs, la mère
Lefrançois, qui, passant par un guichet sa tête en bonnet
de coton, le chargeait de commissions et lui donnait des
explications à troubler un tout autre homme. Emma
battait la semelle de ses bottines contre les pavés de la cour.

Enfin, lorsqu'il avait mangé sa soupe, endossé sa limou-
sine, allumé sa pipe et empoigné son fouet, il s'installait
tranquillement sur le siège.

L'*Hirondelle* partait au petit trot, et, durant trois quarts
de lieue, s'arrêtait de place en place pour prendre des voyageurs, qui la guettaient debout, au bord du chemin, devant
la barrière des cours. Ceux qui avaient prévenu la veille
se faisaient attendre; quelques-uns même étaient encore
au lit dans leur maison [939]; Hivert appelait, criait, sacrait,
puis il descendait de son siège et allait frapper de grands
coups contre les portes. Le vent soufflait par les vasistas
fêlés.

Cependant les quatre banquettes se garnissaient, la
voiture roulait, les pommiers à la file se succédaient; et
la route, entre ses deux longs fossés pleins d'eau jaune,
allait continuellement se rétrécissant vers l'horizon.

Emma la connaissait d'un bout à l'autre; elle savait
qu'après un herbage il y avait un poteau, ensuite un orme,
une grange ou une cahute de cantonnier; quelquefois même,

afin de se faire des surprises, elle fermait les yeux. Mais
elle ne perdait jamais le sentiment net de la distance à
parcourir.

Enfin, les maisons de briques se rapprochaient, la terre
résonnait sous les roues, l'*Hirondelle* glissait entre des
jardins, où l'on apercevait, par une claire-voie, des statues,
un vignot, des ifs taillés et une escarpolette. Puis, d'un
seul coup d'œil, la ville apparaissait.

Descendant tout en amphithéâtre [940] et noyée dans le
brouillard, elle s'élargissait au delà des ponts, confusément. La pleine campagne remontait ensuite d'un mouvement monotone, jusqu'à toucher au loin la base indécise
du ciel pâle. Ainsi vu d'en haut, le paysage tout entier
avait l'air immobile comme une peinture; les navires à
l'ancre se tassaient dans un coin; le fleuve arrondissait
sa courbe au pied des collines vertes, et les îles, de forme
oblongue, semblaient sur l'eau de grands poissons noirs
arrêtés. Les cheminées des usines poussaient d'immenses
panaches bruns qui s'envolaient par le bout. On entendait
le ronflement des fonderies avec le carillon clair des églises
qui se dressaient dans la brume. Les arbres des boulevards,
sans feuilles, faisaient des broussailles violettes au milieu
des maisons, et les toits, tout reluisants de pluie, miroitait
inégalement, selon la hauteur des quartiers. Parfois un
coup de vent emportait les nuages vers la côte Sainte-
Catherine, comme des flots aériens qui se brisaient en silence
contre une falaise.

Quelque chose de vertigineux se dégageait pour elle
de ces existences amassées, et son cœur s'en gonflait abondamment, comme si les cent vingt mille âmes qui palpi-
taient là eussent envoyé toutes à la fois la vapeur des passions qu'elle leur supposait. Son amour s'agrandissait
devant l'espace, et s'emplissait de tumulte aux bourdon-
nements vagues qui montaient. Elle le reversait au dehors,
sur les places, sur les promenades, sur les rues, et la vieille
cité normande s'étalait à ses yeux comme une capitale
démesurée, comme une Babylone où elle entrait. Elle se
penchait des deux mains par le vasistas, en humant la brise;
les trois chevaux galopaient. Les pierres grinçaient [941]
dans la boue, la diligence se balançait, et Hivert, de loin,
hélait les carrioles sur la route, tandis que les bourgeois
qui avaient passé la nuit au Bois-Guillaume descendaient

la côte tranquillement dans leur petite voiture de famille.

On s'arrêtait à la barrière; Emma débouclait ses socques, mettait d'autres gants, rajustait son châle, et, vingt pas plus loin, elle sortait de l'*Hirondelle*.

La ville alors s'éveillait. Des commis, en bonnet grec, frottaient la devanture des boutiques, et des femmes qui tenaient des paniers sur la hanche poussaient par intervalles un cri sonore, au coin des rues. Elle marchait les yeux à terre, frôlant les murs, et souriant de plaisir sous son voile noir baissé.

Par peur d'être vue, elle ne prenait pas ordinairement le chemin le plus court. Elle s'engouffrait dans les ruelles sombres, et elle arrivait tout en sueur vers le bas de la rue Nationale, près de la fontaine qui est là. C'est le quartier du théâtre, des estaminets et des filles ⁹⁴². Souvent une charrette passait près d'elle, portant quelque décor qui tremblait. Des garçons en tablier versaient du sable sur des dalles ⁹⁴³, entre des arbustes verts. On sentait l'absinthe, le cigare et les huîtres.

Elle tournait une rue; elle le reconnaissait à sa chevelure frisée qui s'échappait de son chapeau.

Léon, sur le trottoir, continuait à marcher. Elle le suivait jusqu'à l'hôtel; il montait, il ouvrait la porte, il entrait... Quelle étreinte !

Puis les paroles, après les baisers, se précipitaient. On se racontait les chagrins de la semaine, les pressentiments, les inquiétudes pour les lettres; mais à présent tout s'oubliait, et ils se regardaient face à face, avec des rires de volupté et des appellations de tendresse.

Le lit était un grand lit d'acajou en forme de nacelle. Les rideaux de levantine rouge ⁹⁴⁴, qui descendaient du plafond, se cintraient trop bas près du chevet évasé ⁹⁴⁵; — et rien au monde n'était beau comme sa tête brune et sa peau blanche se détachant sur cette couleur pourpre, quand, par un geste de pudeur, elle fermait ses deux bras nus, en se cachant la figure dans les mains ⁹⁴⁶.

Le tiède appartement, avec son tapis discret, ses ornements folâtres et sa lumière tranquille, semblait tout commode pour les intimités de la passion. Les bâtons se terminant en flèche, les patères de cuivre et les grosses boules de chenets reluisaient tout à coup, si le soleil entrait. Il y avait sur la cheminée, entre les candélabres, deux de ces

grandes coquilles roses où l'on entend le bruit de la mer
quand on les applique à son oreille.

Comme ils aimaient cette bonne chambre pleine de
gaîté, malgré sa splendeur un peu fanée [947] ! Ils retrouvaient
toujours les meubles à leur place, et parfois des épingles
à cheveux qu'elle avait oubliées, l'autre jeudi, sous le
socle de la pendule. Ils déjeunaient au coin du feu, sur
un petit guéridon incrusté de palissandre. Emma découpait,
lui mettait les morceaux dans son assiette en débitant toutes
sortes de chatteries ; et elle riait d'un rire sonore et libertin
quand la mousse du vin de Champagne débordait du verre
léger sur les bagues de ses doigts. Ils étaient si complètement perdus en la possession d'eux-mêmes, qu'ils se
croyaient là dans leur maison particulière, et devant y
vivre jusqu'à la mort, comme deux éternels jeunes époux.
Ils disaient notre chambre, notre tapis, nos fauteuils, même
elle disait mes pantoufles, un cadeau de Léon, une fantaisie
qu'elle avait eue. C'étaient des pantoufles en satin rose,
bordées de cygne. Quand elle s'asseyait sur ses genoux,
sa jambe, alors trop courte, pendait en l'air ; et la mignarde
chaussure [948], qui n'avait pas de quartier, tenait seulement
par les orteils à son pied nu.

Il savourait pour la première fois l'inexprimable délicatesse des élégances féminines [949]. Jamais il n'avait rencontré cette grâce de langage, cette réserve du vêtement,
ces poses de colombe assoupie. Il admirait l'exaltation de
son âme et les dentelles de sa jupe. D'ailleurs, n'était-ce
pas *une femme du monde*, et une femme mariée ! une vraie
maîtresse enfin ?

Par la diversité de son humeur, tour à tour mystique
ou joyeuse, babillarde, taciturne, emportée, nonchalante,
elle allait rappelant en lui mille désirs, évoquant des instincts
ou des réminiscences. Elle était l'amoureuse de tous les
romans, l'héroïne de tous les drames, le vague *elle* de tous
les volumes de vers. Il retrouvait sur ses épaules la couleur
ambrée de l'*Odalisque au bain ;* elle avait le corsage long des
châtelaines féodales ; elle ressemblait aussi à la *Femme pâle
de Barcelone*, mais elle était par-dessus tout Ange !

Souvent [950], en la regardant, il lui semblait que son
âme, s'échappant vers elle, se répandait comme une onde
sur le contour de sa tête, et descendait entraînée dans
la blancheur de sa poitrine.

Il se mettait par terre, devant elle; et, les deux coudes sur les genoux [951], il la considérait avec un sourire, et le front tendu.

Elle se penchait vers lui et murmurait, comme suffoquée d'enivrement :

— Oh ! ne bouge pas ! ne parle pas ! regarde-moi ! Il sort de tes yeux quelque chose de si doux, qui me fait tant de bien !

Elle l'appelait enfant :

— Enfant, m'aimes-tu ?

Et elle n'entendait guère sa réponse, dans la précipitation de ses lèvres qui lui montaient à la bouche.

Il y avait sur la pendule un petit Cupidon de bronze, qui minaudait en arrondissant les bras sous une guirlande dorée. Ils en rirent bien des fois; mais, quand il fallait se séparer, tout leur semblait sérieux.

Immobiles l'un devant l'autre, ils se répétaient :

— A jeudi !... A jeudi !...

Tout à coup elle lui prenait la tête dans les deux mains, le baisait vite au front en s'écriant: « Adieu ! » et s'élançait dans l'escalier.

Elle allait rue de la Comédie [952], chez un coiffeur, se faire arranger ses bandeaux. La nuit tombait; on allumait le gaz dans la boutique.

Elle entendait la clochette du théâtre qui appelait les cabotins à la représentation; et elle voyait, en face, passer des hommes à figure blanche et des femmes en toilette fanée, qui entraient par la porte des coulisses.

Il faisait chaud dans ce petit appartement trop bas, où le poêle bourdonnait au milieu des perruques et des pommades. L'odeur des fers, avec ces mains grasses qui lui maniaient la tête, ne tardait pas à l'étourdir, et elle s'endormait un peu sous son peignoir. Souvent le garçon, en la coiffant, lui proposait des billets pour le bal masqué.

Puis elle s'en allait ! Elle remontait les rues; elle arrivait à la *Croix rouge ;* elle reprenait ses socques, qu'elle avait cachés le matin sous une banquette, et se tassait à sa place, parmi les voyageurs impatientés. Quelques-uns descendaient au bas de la côte. Elle restait seule dans la voiture.

A chaque tournant, on apercevait de plus en plus tous les éclairages de la ville qui faisaient une large vapeur

lumineuse au-dessus des maisons confondues. Emma
se mettait à genoux sur les coussins, et elle égarait ses
yeux dans cet éblouissement. Elle sanglotait, appelait
Léon, et lui envoyait des paroles [953] tendres, et des baisers
qui se perdaient au vent.

Il y avait dans la côte un pauvre diable [954] vagabondant
avec son bâton, tout au milieu des diligences. Un amas
de guenilles lui recouvrait les épaules, et un vieux castor
défoncé, s'arrondissant en cuvette, lui cachait la figure;
mais, quand il le retirait, il découvrait à la place des paupières, deux orbites béantes tout ensanglantées [955]. La
chair s'effiloquait [956] par lambeaux rouges; et il en coulait
des liquides qui se figeaient en gales vertes jusqu'au nez,
dont les narines noires reniflaient convulsivement. Pour
vous parler, il se renversait la tête avec un rire idiot;
— alors ses prunelles bleuâtres, roulant d'un mouvement
continu, allaient se cogner, vers les tempes, sur le bord
de la plaie vive.

Il chantait une petite chanson en suivant les voitures :

> *Souvent la chaleur d'un beau jour*
> *Fait rêver fillette à l'amour.*

Et il y avait dans tout le reste des oiseaux, du soleil et
du feuillage.

Quelquefois, il apparaissait tout à coup derrière Emma,
tête nue. Elle se retirait avec un cri. Hivert venait le plai-
santer. Il l'engageait à prendre une baraque à la foire Saint-
Romain, ou bien lui demandait, en riant, comment se
portait sa bonne amie.

Souvent, on était en marche, lorsque son chapeau,
d'un mouvement brusque, entrait dans la diligence par
le vasistas, tandis qu'il se cramponnait, de l'autre bras,
sur le marchepied, entre l'éclaboussure des roues. Sa
voix, faible d'abord et vagissante, devenait aiguë. Elle se
traînait dans la nuit, comme l'indistincte lamentation
d'une vague détresse; et, à travers la sonnerie des gre-
lots, le murmure des arbres et le ronflement de la boîte
creuse, elle avait quelque chose de lointain qui boule-
versait Emma. Cela lui descendait au fond de l'âme comme
un tourbillon dans un abîme, et l'emportait parmi les
espaces d'une mélancolie sans bornes. Mais Hivert, qui

s'apercevait d'un contre-poids, allongeait à l'aveugle de grands coups avec son fouet. La mèche le cinglait sur ses plaies et il tombait dans la boue en poussant un hurlement.

Puis les voyageurs de l'*Hirondelle* finissaient par s'endormir, les uns la bouche ouverte, les autres le menton baissé, s'appuyant sur l'épaule de leur voisin, ou bien le bras passé dans la courroie, tout en oscillant régulièrement au branle de la voiture; et le reflet de la lanterne [957] qui se balançait en dehors, sur la croupe des limoniers, pénétrant dans l'intérieur par les rideaux de calicot chocolat, posait des ombres sanguinolentes sur tous ces individus immobiles. Emma, ivre de tristesse, grelottait sous ses vêtements et se sentait de plus en plus froid aux pieds, avec la mort dans l'âme [958].

Charles, à la maison, l'attendait; l'*Hirondelle* était toujours en retard le jeudi. Madame arrivait enfin ! A peine si elle embrassait la petite. Le dîner n'était pas prêt,` n'importe ! Elle excusait la cuisinière. Tout maintenant semblait permis à cette fille.

Souvent son mari, remarquant sa pâleur, lui demandait si elle ne se trouvait point malade.

— Non, disait Emma.

— Mais, répliquait-il, tu es toute drôle ce soir ?

— Eh ! ce n'est rien ! ce n'est rien !

Il y avait même des jours où, à peine rentrée, elle montait dans sa chambre; et Justin, qui se trouvait là, circulait à pas muets, plus ingénieux à la servir qu'une excellente camériste. Il plaçait les allumettes, le bougeoir, un livre, disposait sa camisole, ouvrait les draps.

— Allons, disait-elle, c'est bien, va-t'en !

Car il restait debout, les mains pendantes et les yeux ouverts, comme enlacé dans les fils innombrables d'une rêverie soudaine.

La journée du lendemain était affreuse, et les suivantes étaient plus intolérables encore par l'impatience qu'avait Emma de ressaisir son bonheur, — convoitise âpre enflammée d'images connues, et qui, le septième jour, éclatait tout à l'aise dans les caresses de Léon. Ses ardeurs, à lui [959], se cachaient sous des expansions d'émerveillement et de reconnaissance. Emma goûtait cet amour d'une façon discrète et absorbée, l'entretenait par tous

les artifices de sa tendresse, et tremblait un peu qu'il ne
se perdît plus tard.

Souvent elle lui disait, avec des douceurs de voix mélancolique :

— Ah ! tu me quitteras, toi !... tu te marieras !... tu
seras comme les autres.

Il demandait :

— Quels autres ?

— Mais les hommes, enfin, répondait-elle.

Puis elle ajoutait, en le repoussant d'un geste langoureux :

— Vous êtes tous des infâmes !

Un jour qu'ils causaient philosophiquement des désillusions terrestres, elle vint à dire (pour expérimenter sa
jalousie ou cédant peut-être à un besoin d'épanchement
trop fort) qu'autrefois, avant lui, elle avait aimé quelqu'un « pas comme toi ! » reprit-elle vite, protestant sur
la tête de sa fille *qu'il ne s'était rien passé* [960].

Le jeune homme la crut, et néanmoins la questionna
pour savoir ce qu'il faisait.

— Il était capitaine de vaisseau, mon ami.

N'était-ce pas prévenir toute recherche, et en même
temps se poser très haut par cette prétendue fascination
exercée sur un homme qui devait être de nature belli-
queuse et accoutumé à des hommages ?

Le clerc sentit alors l'infimité de sa position; il envia
des épaulettes, des croix, des titres. Tout cela devait lui
plaire; il s'en doutait à ses habitudes dispendieuses.

Cependant Emma taisait quantité de ses extravagances,
telle que l'envie [961] d'avoir, pour l'amener à Rouen, un
tilbury bleu, attelé d'un cheval anglais, et conduit par
un groom en bottes à revers. C'était Justin qui lui en avait
inspiré le caprice, en la suppliant de le prendre chez elle
comme valet de chambre; et, si cette privation n'atténuait
pas à chaque rendez-vous le plaisir de l'arrivée, elle aug-
mentait certainement l'amertume du retour.

Souvent, lorsqu'ils parlaient ensemble de Paris, elle
finissait par murmurer :

— Ah ! que nous serions bien là pour vivre !

— Ne sommes-nous pas heureux ? reprenait doucement le jeune homme, en lui passant la main sur ses bandeaux.

— Oui, c'est vrai, disait-elle, je suis folle : embrasse-moi !

Elle était pour son mari plus charmante que jamais, lui faisait des crèmes à la pistache et jouait des valses après dîner. Il se trouvait donc le plus fortuné des mortels, et Emma vivait sans inquiétude, lorsqu'un soir, tout à coup :

— C'est Mlle Lempereur, n'est-ce pas, qui te donne des leçons ?

— Oui.

— Eh bien ! je l'ai vue tantôt, reprit Charles, chez Mme Liégeard. Je lui ai parlé de toi : elle ne te connaît pas.

Ce fut comme un coup de foudre. Cependant elle répliqua d'un air naturel [962] :

— Ah ! sans doute, elle aura oublié mon nom [963] !

— Mais il y a peut-être à Rouen, dit le médecin, plusieurs demoiselles Lempereur qui sont maîtresses de piano ?

— C'est possible !

Puis vivement :

— J'ai pourtant ses reçus, tiens ! regarde.

Et elle alla au secrétaire, fouilla tous les tiroirs, confondit les papiers et finit si bien par perdre la tête, que Charles l'engagea fort à ne point se donner tant de mal pour ces misérables quittances.

— Oh ! je les trouverai, dit-elle.

En effet, dès le vendredi suivant, Charles, en passant une de ses bottes dans le cabinet noir où l'on serrait ses habits, sentit une feuille de papier entre le cuir et sa chaussette, il la prit et lut :

« Reçu, pour trois mois de leçons, plus diverses fournitures, la somme de soixante-cinq francs. Félicie Lempereur, professeur de musique. »

— Comment diable est-ce dans mes bottes ?

— Ce sera, sans doute, répondit-elle, tombé du vieux carton aux factures, qui est sur le bord de la planche.

A partir de ce moment, son existence ne fut plus qu'un assemblage de mensonges, où elle enveloppait son amour comme dans des voiles, pour le cacher.

C'était un besoin, une manie, un plaisir, au point que, si elle disait avoir passé, hier, par le côté droit d'une rue, il fallait croire qu'elle avait pris par le côté gauche.

Un matin qu'elle venait de partir, selon sa coutume, assez légèrement vêtue, il tomba de la neige tout à coup; et comme Charles regardait le temps à la fenêtre, il aperçut M. Bournisien dans le boc du sieur Tuvache qui le conduisait à Rouen. Alors il descendit confier à l'ecclésiastique un gros châle pour qu'il le remît à Madame, sitôt qu'il arriverait à la *Croix rouge*. A peine fut-il à l'auberge que Bournisien demanda où était la femme du médecin d'Yonville. L'hôtelière répondit qu'elle fréquentait fort peu son établissement. Aussi, le soir [964], en reconnaissant Mme Bovary dans l'*Hirondelle*, le curé lui conta son embarras, sans paraître du reste, y attacher de l'importance; car il entama l'éloge d'un prédicateur qui pour lors faisait merveilles à la cathédrale [965], et que toutes les dames couraient entendre.

N'importe, s'il n'avait point demandé d'explications, d'autres, plus tard, pourraient se montrer moins discrets. Aussi jugea-t-elle utile de descendre chaque fois à la *Croix rouge*, de sorte que les bonnes gens de son village qui la voyaient dans l'escalier ne se doutaient de rien.

Un jour, pourtant, M. Lheureux la rencontra qui sortait de l'*Hôtel de Boulogne* au bras de Léon; et elle eut peur, s'imaginant qu'il bavarderait. Il n'était pas si bête.

Mais, trois jours après, il entra dans sa chambre, ferma la porte et dit :

— J'aurais besoin d'argent.

Elle déclara ne pouvoir lui en donner. Lheureux se répandit en gémissements, et rappela toutes les complaisances qu'il avait eues.

En effet, des deux billets souscrits par Charles, Emma jusqu'à présent n'en avait payé qu'un seul. Quant au second, le marchand, sur sa prière, avait consenti à le remplacer par deux autres, qui même avaient été renouvelés à une forte longue échéance. Puis il tira de sa poche une liste de fournitures non soldées, à savoir : les rideaux, le tapis, l'étoffe pour les fauteuils, plusieurs robes et divers articles de toilette, dont la valeur se montait à la somme de deux mille francs environ.

Elle baissa la tête; il reprit :

— Mais, si vous n'avez pas d'espèces, vous avez *du bien*.

Et il indiqua une méchante masure sise à Barneville,

près d'Aumale [966], qui ne rapportait pas grand'chose.
Cela dépendait autrefois d'une petite ferme vendue par
M. Bovary père, car Lheureux savait tout, jusqu'à la
contenance d'hectares, avec le nom des voisins.

— Moi, à votre place, disait-il, je me libérerais, et j'aurais
encore le surplus de l'argent.

Elle objecta la difficulté d'un acquéreur; il donna l'espoir
d'en trouver; mais elle demanda comment faire [967] pour
qu'elle pût vendre.

— N'avez-vous pas la procuration? répondit-il.

Ce mot lui arriva comme une bouffée d'air frais.

— Laissez-moi la note, dit Emma.

— Oh! ce n'est pas la peine! reprit Lheureux.

Il revint la semaine suivante, et se vanta d'avoir, après
force démarches, fini par découvrir un certain Langlois qui,
depuis longtemps, guignait la propriété sans faire connaître son prix.

— N'importe le prix! s'écria-t-elle.

Il fallait attendre, au contraire, tâter ce gaillard-là.
La chose valait la peine d'un voyage, et, comme elle ne
pouvait faire ce voyage, il offrit de se rendre sur les lieux,
pour s'aboucher avec Langlois. Une fois revenu, il annonça
que l'acquéreur proposait quatre mille francs.

Emma s'épanouit à cette nouvelle.

— Franchement, ajouta-t-il, c'est bien payé [968].

Elle toucha la moitié de la somme immédiatement, et,
quand elle fut pour solder son mémoire, le marchand lui
dit:

— Cela me fait de la peine, parole d'honneur, de vous
voir vous dessaisir tout d'un coup d'une somme aussi
conséquente que celle-là.

Alors elle regarda les billets de banque; et, rêvant au
nombre illimité de rendez-vous que ces deux mille francs
représentaient:

— Comment! comment! balbutia-t-elle.

— Oh! reprit-il en riant d'un air bonhomme, on met
tout ce que l'on veut sur les factures. Est-ce que je ne
connais pas les ménages?

Et il la considérait fixement, tout en tenant à sa main
deux longs papiers qu'il faisait glisser entre ses ongles.
Enfin, ouvrant son portefeuille, il étala sur la table quatre
billets à ordre, de mille francs chacun.

— Signez-moi cela, dit-il, et gardez tout.

Elle se récria, scandalisée.

— Mais, si je vous donne le surplus, répondit effrontément M. Lheureux, n'est-ce pas vous rendre service, à vous ?

Et, prenant une plume, il écrivit au bas du mémoire « Reçu de Mme Bovary quatre mille francs. »

— Qui vous inquiète, puisque vous toucherez dans six mois l'arriéré de votre baraque, et que je vous place l'échéance du dernier billet pour après le payement ?

Emma s'embarrassait un peu dans ses calculs, et les oreilles lui tintaient comme si des pièces d'or, s'éventrant de leurs sacs, eussent sonné tout autour d'elle sur le parquet. Enfin Lheureux expliqua qu'il avait un sien ami Vinçart, banquier à Rouen, lequel allait escompter ces quatre billets, puis il remettrait lui-même à Madame le surplus de la dette réelle.

Mais, au lieu de deux mille francs, il n'en apporta que dix-huit cents, car l'ami Vinçart (comme *de juste*) en avait prélevé deux cents, pour frais de commission et d'escompte.

Puis il réclama négligemment une quittance.

— Vous comprenez..., dans le commerce..., quelquefois... Et avec la date, s'il vous plaît, la date.

Un horizon de fantaisies réalisables s'ouvrit alors devant Emma. Elle eut assez de prudence pour mettre en réserve mille écus, avec quoi furent payés, lorsqu'ils échurent, les trois premiers billets; mais le quatrième, par hasard, tomba dans la maison un jeudi, et Charles, bouleversé, attendit patiemment le retour de sa femme [969] pour avoir des explications.

Si elle ne l'avait point instruit de ce billet, c'était afin de lui épargner des tracas domestiques; elle s'assit sur ses genoux, le caressa, roucoula, fit une longue énumération de toutes les choses indispensables prises à crédit.

— Enfin, tu conviendras que, vu la quantité, ce n'est pas trop cher.

Charles, à bout d'idées, bientôt eut recours à l'éternel Lheureux, qui jura de calmer les choses, si Monsieur lui signait deux billets, dont l'un de sept cents francs, payable dans trois mois. Pour se mettre en mesure, il écrivit à sa mère une lettre pathétique. Au lieu d'envoyer la réponse, elle vint elle-même; et, quand Emma voulut savoir s'il en avait tiré quelque chose :

— Oui, répondit-il. Mais elle demande à connaître la facture.

Le lendemain, au point du jour, Emma courut chez M. Lheureux le prier de refaire une autre note, qui ne dépassât point mille francs; car, pour montrer celle de quatre mille, il eût fallu dire qu'elle en avait payé les deux tiers, avouer conséquemment la vente de l'immeuble, négociation bien conduite par le marchand, et qui ne fut effectivement connue que plus tard [970].

Malgré le prix très bas de chaque article, Mme Bovary mère ne manqua point de trouver la dépense exagérée.

— Ne pouvait-on se passer d'un tapis ? Pourquoi avoir renouvelé l'étoffe des fauteuils ? De mon temps, on avait dans une maison un seul fauteuil, pour les personnes âgées, — du moins, c'était comme cela chez ma mère, qui était une honnête femme, je vous assure. — Tout le monde ne peut être riche ! Aucune fortune ne tient contre le coulage ! Je rougirais de me dorloter comme vous faites ! et pourtant, moi, je suis vieille, j'ai besoin de soins... En voilà ! en voilà, des ajustements ! des flaflas [971] ! Comment ! de la soie pour doublure à deux francs !... tandis qu'on trouve du jaconas à dix sous, et même à huit sous, qui fait parfaitement l'affaire !

Emma, renversée sur la causeuse, répliquait le plus tranquillement possible !

— Eh ! madame, assez ! assez !...

L'autre continuait à la sermonner, prédisant qu'ils finiraient à l'hôpital. D'ailleurs, c'était la faute de Bovary. Heureusement qu'il avait promis d'anéantir cette procuration...

— Comment ?

— Ah ! il me l'a juré, reprit la bonne femme.

Emma ouvrit la fenêtre, appela Charles, et le pauvre garçon fut contraint d'avouer la parole arrachée par sa mère.

Emma disparut, puis rentra vite en lui tendant majestueusement une grosse feuille de papier.

— Je vous remercie, dit la vieille femme.

Et elle jeta dans le feu la procuration.

Emma se mit à rire d'un rire strident, éclatant, continu : elle avait une attaque de nerfs.

— Ah ! mon Dieu ! s'écria Charles. Eh ! tu as tort aussi, toi ! tu viens lui faire des scènes !...

Sa mère, en haussant les épaules, prétendait que *tout cela c'étaient des gestes* [972].

Mais Charles, pour la première fois se révoltant, prit la défense de sa femme, si bien que Mme Bovary mère voulut s'en aller. Elle partit dès le lendemain, et, sur le seuil, comme il essayait à la retenir, elle répliqua :

— Non, non ! Tu l'aimes mieux que moi, et tu as raison, c'est dans l'ordre. Au reste, tant pis ! tu verras !... Bonne santé !... car je ne suis pas près, comme tu dis, de venir lui faire des scènes.

Charles n'en resta pas moins fort penaud vis-à-vis d'Emma, celle-ci ne cachant point la rancune qu'elle lui gardait pour avoir manqué de confiance; il fallut [973] bien des prières avant qu'elle consentît à reprendre sa procuration, et même il l'accompagna chez M. Guillaumin pour lui en faire faire une seconde, toute pareille.

— Je comprends cela, dit le notaire, un homme de science ne peut s'embarrasser aux détails pratiques de la vie.

Et Charles se sentit soulagé par cette réflexion pateline, qui donnait à sa faiblesse les apparences flatteuses d'une préoccupation supérieure.

Quel débordement, le jeudi d'après, à l'hôtel, dans leur chambre, avec Léon ! Elle rit, pleura, chanta, dansa, fit monter des sorbets, voulut fumer des cigarettes, lui parut extravagante, mais adorable, superbe.

Il ne savait pas quelle réaction de tout son être la poussait davantage à se précipiter sur les jouissances de la vie. Elle devenait irritable, gourmande et voluptueuse; et elle se promenait avec lui dans les rues, tête haute, sans peur, disait-elle, de se compromettre. Parfois, cependant, Emma tressaillit à l'idée soudaine [974] de rencontrer Rodolphe; car il lui semblait, bien qu'ils fussent séparés pour toujours, qu'elle n'était pas complètement affranchie de sa dépendance.

Un soir, elle ne rentra point à Yonville. Charles en perdait la tête, et la petite Berthe, ne voulant pas se coucher sans sa maman, sanglotait à se rompre la poitrine. Justin était parti au hasard sur la route. M. Homais en avait quitté sa pharmacie.

Enfin, à onze heures, n'y tenant plus, Charles attela

son boc, sauta dedans, fouetta sa bête et arriva vers deux heures du matin à la *Croix rouge*. Personne. Il pensa que le clerc peut-être l'avait vue; mais où demeurait-il? Charles, heureusement, se rappela l'adresse de son patron. Il y courut.

Le jour commençait à paraître. Il distingua des panonceaux au-dessus d'une porte; il frappa. Quelqu'un, sans ouvrir, lui cria le renseignement demandé, tout en ajoutant force injures contre ceux qui dérangeaient le monde pendant la nuit.

La maison que le clerc habitait n'avait ni sonnette, ni marteau, ni portier. Charles donna de grands coups de poing contre les auvents. Un agent de police vint à passer; alors il eut peur et s'en alla.

— Je suis fou, se disait-il; sans doute on l'aura retenue à dîner chez M. Lormeaux.

La famille Lormeaux n'habitait plus Rouen.

— Elle sera restée à soigner Mme Dubreuil. Eh! Mme Dubreuil est morte depuis dix mois!... Où est-elle donc!

Une idée lui vint. Il demanda dans un café, l'*Annuaire*, et chercha vite le nom de Mlle Lempereur, qui demeurait rue de la Renelle-des-Maroquiniers, n° 74.

Comme il entrait dans cette rue, Emma parut elle-même à l'autre bout; il se jeta sur elle plutôt qu'il ne l'embrassa, en s'écriant:

— Qui t'a retenue, hier?

— J'ai été malade.

— Et de quoi?... Où?... Comment?...

Elle se passa la main sur le front, et répondit.

— Chez Mlle Lempereur.

— J'en étais sûr! J'y allais.

— Oh! ce n'est pas la peine, dit Emma. Elle vient de sortir tout à l'heure; mais, à l'avenir, tranquillise-toi. Je ne suis pas libre, tu comprends, si je sais que le moindre retard te bouleverse ainsi.

C'était une manière de permission qu'elle se donnait de ne point se gêner dans ses escapades. Aussi en profitat-elle tout à son aise, largement. Lorsque l'envie la prenait de voir Léon, elle partait sous n'importe quel prétexte, et, comme il ne l'attendait pas ce jour-là, elle allait le chercher à son étude.

Ce fut un grand bonheur, les premières fois; mais bientôt il ne cacha plus la vérité, à savoir : que son patron [975] se plaignait fort de ces dérangements.

— Ah bah ! viens donc, disait-elle.

Et il s'esquivait.

Elle voulut qu'il se vêtit tout en noir et se laissât pousser une pointe au menton, pour ressembler aux portraits de Louis XIII. Elle désira connaître son logement, le trouva médiocre; il en rougit, elle n'y prit garde, puis lui conseilla d'acheter des rideaux pareils aux siens, et, comme il objectait la dépense :

— Ah ! ah ! tu tiens à tes petits écus ! dit-elle en riant.

Il fallait que Léon, chaque fois, lui racontât toute sa conduite, depuis le dernier rendez-vous. Elle demanda des vers, des vers pour elle, *une pièce d'amour* en son honneur; jamais il ne put parvenir à trouver la rime du second vers, et il finit par copier un sonnet dans un keepsake.

Ce fut moins par vanité que dans le seul but de lui complaire. Il ne discutait pas ses idées; il acceptait tous ses goûts; il devenait sa maîtresse plutôt qu'elle n'était la sienne. Elle avait des paroles tendres avec des baisers qui lui emportaient l'âme [976]. Où donc avait-elle appris cette corruption, presque immatérielle à force d'être profonde et dissimulée ?

VI

Dans les voyages qu'il faisait pour la voir, Léon souvent avait dîné chez le pharmacien, et s'était cru contraint, par politesse, de l'inviter à son tour.

— Volontiers ! avait répondu M. Homais; il faut, d'ailleurs, que je me retrempe un peu, car je m'encroûte ici. Nous irons au spectacle, au restaurant, nous ferons des folies !

— Ah ! bon ami ! murmura tendrement Mme Homais, effrayée des périls vagues qu'il se disposait à courir.

— Eh bien, quoi ? tu trouves que je ne ruine pas assez ma santé à vivre parmi les émanations continuelles de la pharmacie ! Voilà, du reste, le caractère des femmes :

elles sont jalouses de la Science, puis s'opposent à ce
que l'on prenne les plus légitimes distractions. N'importe,
comptez sur moi, un de ces jours, je tombe à Rouen et
nous ferons sauter ensemble les *monacos*.

L'apothicaire, autrefois, se fût bien gardé d'une telle
expression; mais il donnait maintenant dans un genre
folâtre et parisien qu'il trouvait du meilleur goût, et comme
Mme Bovary, sa voisine, il interrogeait le clerc curieusement sur les mœurs de la capitale, même il parlait argot
afin d'éblouir... les bourgeois, disant *turne, bazar, chicard, chi-
candard, Breda-street*, et *Je me la casse*, pour : Je m'en vais.

Donc, un jeudi, Emma fut surprise de rencontrer, dans
la cuisine du *Lion d'or*, M. Homais en costume de voyageur,
c'est-à-dire couvert d'un vieux manteau qu'on ne lui
connaissait pas, tandis qu'il portait d'une main une valise
et, de l'autre, la chancelière de son établissement. Il n'avait
confié son projet à personne, dans la crainte d'inquiéter
le public par son absence.

L'idée de revoir les lieux où s'était passée sa jeunesse
l'exaltait sans doute, car tout le long du chemin il n'arrêta
pas de discourir; puis, à peine arrivé, il sauta vivement
de la voiture pour se mettre en quête de Léon; et le clerc
eut beau se débattre, M. Homais l'entraîna vers le grand
café de *Normandie* [977], où il entra majestueusement, sans
retirer son chapeau, estimant fort provincial de se découvrir
dans un endroit public.

Emma attendit Léon trois quarts d'heure. Enfin elle
courut à son étude et, perdue dans toute sorte de conjectures [978], l'accusant d'indifférence et se reprochant à
elle-même sa faiblesse, elle passa l'après-midi le front
collé contre les carreaux.

Ils étaient encore, à deux heures, attablés l'un devant
l'autre. La grande salle se vidait; le tuyau du poêle, en
forme de palmier, arrondissait au plafond blanc sa gerbe
dorée; et près d'eux, derrière le vitrage, en plein soleil,
un petit jet d'eau gargouillait dans un bassin de marbre
où, parmi du cresson et des asperges, trois homards engour-
dis s'allongeaient jusqu'à des cailles, toutes couchées en
pile, sur le flanc.

Homais se délectait. Quoiqu'il se grisât de luxe encore
plus que de bonne chère, le vin de Pomard, cependant,
lui excitait un peu les facultés, et lorsque apparut l'ome-

lette au rhum, il exposa sur les femmes des théories immorales. Ce qui le séduisait par-dessus tout, c'était le *chic*.
Il adorait une toilette élégante dans un appartement bien
meublé, et, quant aux qualités corporelles, ne détestait
pas le *morceau* [979].

Léon contemplait la pendule avec désespoir. L'apothicaire buvait, mangeait, parlait.

— Vous devez être, dit-il tout à coup, bien privé à
Rouen. Du reste, vos amours ne logent pas loin.

Et, comme l'autre rougissait :

— Allons, soyez franc ! Nierez-vous qu'à Yonville... ?
Le jeune homme balbutia.

— Chez Mme Bovary, vous ne courtisiez point... ?

— Et qui donc ?

— La bonne !

Il ne plaisantait pas; mais, la vanité l'emportant sur
toute prudence, Léon, malgré lui, se récria. D'ailleurs
il n'aimait que les femmes brunes.

— Je vous approuve, dit le pharmacien : elles ont plus
de tempérament [980].

Et, se penchant à l'oreille de son ami, il indiqua les
symptômes auxquels on reconnaissait qu'une femme avait
du tempérament. Il se lança même dans une digression
ethnographique : l'Allemande était vaporeuse, la Française libertine, l'Italienne passionnée.

— Et les négresses ? demanda le clerc.

— C'est un goût d'artiste, dit Homais. — Garçon !
deux demi-tasses !

— Partons-nous ? reprit à la fin Léon s'impatientant.

— *Yes*.

Mais il voulut, avant de s'en aller, voir le maître de
l'établissement et lui adressa quelques félicitations.

Alors le jeune homme, pour être seul, allégua qu'il avait
affaire.

— Ah ! je vous escorte ! dit Homais.

Et, tout en descendant les rues avec lui, il parlait de
sa femme, de ses enfants, de leur avenir et de sa pharmacie,
racontait en quelle décadence elle était autrefois, et le
point de perfection où il l'avait montée.

Arrivé devant l'*Hôtel de Boulogne*, Léon le quitta brusquement, escalada l'escalier, et trouva sa maîtresse en grand
émoi.

Au nom du pharmacien, elle s'emporta. Cependant, il accumulait de bonnes raisons; ce n'était pas sa faute [981], ne connaissait-elle pas M. Homais? Pouvait-elle croire qu'il préférât sa compagnie? Mais elle se détournait; il la retint; et, s'affaissant sur les genoux, il lui entoura la taille de ses deux bras, dans une pose langoureuse toute pleine de concupiscence [982] et de supplication.

Elle était debout; se grands yeux enflammés le regardaient sérieusement et presque d'une façon terrible. Puis des larmes les obscurcirent, ses paupières roses s'abaissèrent, elle abandonna ses mains, et Léon les portait à sa bouche lorsque parut un domestique, avertissant Monsieur [983] qu'on le demandait.

— Tu vas revenir? dit-elle.

— Oui.

— Mais quand?

— Tout à l'heure.

— C'est un *truc*, dit le pharmacien en apercevant Léon. J'ai voulu interrompre cette visite qui me paraissait vous contrarier. Allons chez Bridoux prendre un verre de garus.

Léon jura qu'il lui fallait retourner à son étude. Alors l'apothicaire fit des plaisanteries sur les paperasses, la procédure.

— Laissez donc un peu Cujas et Barthole, que diable! Qui vous empêche? Soyez un brave! Allons chez Bridoux; vous verrez son chien. C'est très curieux!

Et comme le clerc s'obstinait toujours:

— J'y vais aussi. Je lirai un journal en vous attendant, ou je feuilletterai un Code.

Léon, étourdi par la colère d'Emma, le bavardage de M. Homais et peut-être les pesanteurs du déjeuner, restait indécis et comme sous la fascination du pharmacien qui répétait:

— Allons chez Bridoux! c'est à deux pas, rue Malpalu.

Alors, par lâcheté, par bêtise, par cet inqualifiable sentiment qui nous entraîne aux actions les plus antipathiques, il se laissa conduire chez Bridoux; et ils le trouvèrent dans sa petite cour, surveillant trois garçons qui haletaient à tourner la grande roue d'une machine pour faire de l'eau de Seltz [984]. Homais leur donna des conseils; il embrassa Bridoux; on prit le garus. Vingt fois Léon

voulut s'en aller; mais l'autre l'arrêtait par le bras en lui
disant :

— Tout à l'heure ! je sors. Nous irons au *Fanal de
Rouen*, voir ces messieurs. Je vous présenterai à Tho-
massin.

Il s'en débarrassa pourtant et courut d'un bond jusqu'à
l'hôtel. Emma n'y était plus.

Elle venait de partir, exaspérée. Elle le détestait maintenant. Ce manque de parole au rendez-vous lui semblait
un outrage, et elle cherchait encore d'autres raisons pour
s'en détacher : il était incapable d'héroïsme, faible, banal,
plus mou qu'une femme, avare, d'ailleurs, et pusillanime.

Puis, se calmant, elle finit par découvrir qu'elle l'avait sans
doute calomnié. Mais le dénigrement de ceux que nous
aimons, toujours nous en détache quelque peu. Il ne faut
pas toucher aux idoles : la dorure en reste aux mains.

Ils en vinrent à parler plus souvent de choses indifférentes à leur amour; et, dans les lettres qu'Emma lui
envoyait, il était question de fleurs, de vers, de la lune
et des étoiles, ressources naïves d'une passion affaiblie,
qui essayait de s'aviver à tous les secours extérieurs. Elle
se promettait continuellement, pour son prochain voyage,
une félicité profonde; puis elle s'avouait ne rien sentir
d'extraordinaire. Cette déception [985] s'effaçait vite sous
un espoir nouveau, et Emma revenait à lui plus enflammée,
plus avide [986]. Elle se déshabillait brutalement [987], arrachant
le lacet mince de son corset, qui sifflait autour de ses hanches
comme une couleuvre qui glisse. Elle allait sur la pointe
de ses pieds nus regarder, encore une fois si la porte était
fermée, puis elle faisait d'un seul geste tomber ensemble
tous ses vêtements; — et, pâle, sans parler, sérieuse, elle
s'abattait contre sa poitrine, avec un long frisson [988].

Cependant, il y avait sur ce front couvert de gouttes
froides, sur ces lèvres balbutiantes, dans ces prunelles
égarées, dans l'étreinte de ces bras, quelque chose d'extrême,
de vague et de lugubre, qui semblait à Léon se glisser
entre eux, subtilement, comme pour les séparer.

Il n'osait lui faire des questions [989]; mais, la discernant
si expérimentée, elle avait dû passer, se disait-il, par toutes
les épreuves de la souffrance et du plaisir. Ce qui le charmait autrefois l'effrayait un peu maintenant. D'ailleurs,
il se révoltait contre l'absorption, chaque jour plus grande,

de sa personnalité. Il en voulait à Emma de cette victoire permanente. Il s'efforçait même à ne pas la chérir; puis, au craquement de ses bottines, il se sentait lâche, comme les ivrognes à la vue des liqueurs fortes [990].

Elle ne manquait point, il est vrai, de lui prodiguer toutes sortes d'attentions, depuis les recherches de table jusqu'aux coquetteries du costume et aux langueurs du regard. Elle apportait d'Yonville des roses dans son sein, qu'elle lui jetait à la figure, montrait des inquiétudes pour sa santé, lui donnait des conseils sur sa conduite, et, afin de le retenir davantage, espérant que le ciel peut-être s'en mêlerait, elle lui passa autour du cou une médaille de la Vierge. Elle s'informait, comme une mère vertueuse, de ses camarades. Elle lui disait :

— Ne les vois pas, ne sors pas, ne pense qu'à nous; aime-moi !

Elle aurait voulu pouvoir surveiller sa vie, et l'idée lui vint de le faire suivre dans les rues. Il y avait toujours, près de l'hôtel, une sorte de vagabond qui accostait les voyageurs et qui ne refuserait pas... Mais sa fierté se révolta.

— Eh ! tant pis ! qu'il me trompe, que m'importe ! Est-ce que j'y tiens ?

Un jour qu'ils s'étaient quittés de bonne heure [991], et qu'elle s'en revenait seule par le boulevard, elle aperçut les murs de son couvent; alors elle s'assit sur un banc, à l'ombre des ormes. Quel calme dans ce temps-là ! Comme elle enviait les ineffables sentiments d'amour qu'elle tâchait, d'après des livres, de se figurer.

Les premiers mois de son mariage, ses promenades à cheval dans la forêt, le vicomte qui valsait, et Lagardy chantant, tout repassa devant ses yeux... Et Léon lui parut soudain dans le même éloignement que les autres.

— Je l'aime pourtant ! se disait-elle.

N'importe ! elle n'était pas heureuse, ne l'avait jamais été. D'où venait donc cette insuffisance de la vie, cette pourriture instantanée des choses où elle s'appuyait ?... Mais, s'il y avait quelque part un être fort et beau, une nature valeureuse, pleine à la fois d'exaltation et de raffi-nements, un cœur de poète sous une forme d'ange, lyre aux cordes d'airain, sonnant vers le ciel des épithalames élégiaques, pourquoi, par hasard, ne le trouverait-elle

pas ? Oh ! quelle impossibilité ! Rien, d'ailleurs, ne valait la
peine d'une recherche; tout mentait ! Chaque sourire
cachait un bâillement d'ennui, chaque joie une malédiction, tout plaisir son dégoût, et les meilleurs baisers ne
vous laissaient sur la lèvre qu'une irréalisable envie [992]
d'une volupté plus haute.

Un râle métallique se traîna dans les airs et quatre coups
se firent entendre à la cloche du couvent. Quatre heures !
et il lui semblait qu'elle était là, sur ce banc, depuis l'éternité. Mais un infini de passions peut tenir dans une
minute [993], comme une foule dans un petit espace.

Emma vivait tout occupée des siennes, et ne s'inquiétait
pas plus de l'argent qu'une archiduchesse.

Une fois, pourtant, un homme d'allure chétive, rubicond
et chauve, entra chez elle, se déclarant envoyé par M. Vinçart, de Rouen. Il retira les épingles qui fermaient la poche
latérale de sa longue redingote verte, les piqua sur sa manche
et tendit poliment un papier.

C'était un billet de sept cents francs [994], souscrit par
elle, et que Lheureux, malgré toutes ses protestations,
avait passé à l'ordre de Vinçart.

Elle expédia chez lui sa domestique. Il ne pouvait venir.

Alors, l'inconnu, qui était resté debout, lançant de
droite et de gauche des regards curieux que dissimulaient
ses gros sourcils blonds, demanda d'un air naïf :

— Quelle réponse apporter à M. Vinçart ?

— Eh bien ! répondit Emma [995], dites-lui... que je n'en
ai pas... Ce sera la semaine prochaine... Qu'il attende...
oui, la semaine prochaine.

Et le bonhomme s'en alla sans souffler mot [996].

Mais, le lendemain, à midi, elle reçut un protêt; et la
vue du papier timbré, où s'étalait à plusieurs reprises et
en gros caractères : « Maître Hareng, huissier à Buchy »,
l'effraya si fort, qu'elle courut en toute hâte chez le marchand d'étoffes.

Elle le trouva dans sa boutique, en train de ficeler un
paquet.

— Serviteur ! dit-il, je suis à vous.

Lheureux n'en continua pas moins sa besogne, aidé
par une jeune fille de treize ans environ, un peu bossue,
et qui lui servait à la fois de commis et de cuisinière.

Puis, faisant claquer ses sabots sur les planches de la

boutique, il monta devant Madame au premier étage, et l'introduisit dans un étroit cabinet, où un gros bureau en bois de sape supportait quelques registres, défendus transversalement par une barre de fer cadenassée. Contre le mur, sous des coupons d'indienne, on entrevoyait un coffre-fort, mais d'une telle dimension, qu'il devait contenir autre chose que des billets et de l'argent. M. Lheureux, en effet, prêtait sur gages, et c'est là qu'il avait mis la chaîne en or de Mme Bovary, avec les boucles d'oreilles du pauvre père Tellier, qui, enfin contraint de vendre, avait acheté à Quincampoix un maigre fonds d'épicerie, où il se mourait de son catarrhe, au milieu de ses chandelles moins jaunes que sa figure.

Lheureux s'assit dans son large fauteuil de paille, en disant :

— Quoi de neuf ?

— Tenez.

Et elle lui montra le papier.

— Eh bien ! qu'y puis-je ?

Alors, elle s'emporta, rappelant la parole qu'il avait donnée de ne pas faire circuler ses billets; il en convenait.

— Mais, j'ai été forcé moi-même, j'avais le couteau sur la gorge.

— Et que va-t-il arriver, maintenant ? dit-elle [997].

— Oh ! c'est bien simple : un jugement du tribunal, et puis la saisie...; *bernique !*

Emma se retenait pour ne pas le battre. Elle lui demanda doucement s'il n'y avait pas moyen de calmer M. Vinçart.

— Ah bien, oui ! calmer Vinçart; vous ne le connaissez guère; il est plus féroce qu'un Arabe.

Pourtant il fallait que M. Lheureux s'en mêlât.

— Écoutez donc ! il me semble que, jusqu'à présent, j'ai été assez bon pour vous.

Et, déployant un de ses registres :

— Tenez !

Puis remontant la page avec son doigt :

— Voyons... voyons... Le 3 août, deux cents francs... Au 17 juin, cent cinquante... 23 mars, quarante-six... En avril... [998]

Il s'arrêta, comme craignant de faire quelque sottise.

— Et je ne dis rien des billets souscrits par Monsieur, un de sept cents francs, un autre de trois cents ! [999] Quant

à vos petits acomptes, aux intérêts, ça n'en finit pas, on
s'y embrouille. Je ne m'en mêle plus !

Elle pleurait, elle l'appela même « son bon monsieur
Lheureux ». Mais il se rejetait toujours sur ce « mâtin
de Vinçart ». D'ailleurs, il n'avait pas un centime, personne
à présent ne le payait, on lui mangeait la laine sur le dos,
un pauvre boutiquier comme lui ne pouvait faire d'avances.

Emma se taisait; et M. Lheureux, qui mordillonnait
les barbes d'une plume, sans doute s'inquiéta de son
silence, car il reprit :

— Au moins, si un de ces jours j'avais quelques rentrées...
je pourrais...

— Du reste, dit-elle, dès que l'arriéré de Barneville...

— Comment ?...

Et, en apprenant que Langlois n'avait pas encore payé,
il parut fort surpris. Puis, d'une voix mielleuse :

— Et nous convenons, dites-vous... ?

— Oh ! de ce que vous voudrez !

Alors, il ferma les yeux pour réfléchir, écrivit quelques
chiffres, et, déclarant qu'il aurait grand mal, que la chose
était scabreuse et qu'il se *saignait*, il dicta quatre billets
de deux cent cinquante francs chacun, espacés les uns des
autres à un mois d'échéance.

— Pourvu que Vinçart veuille m'entendre ! Du reste,
c'est convenu, je ne lanterne pas, je suis rond comme une
pomme.

Ensuite, il lui montra négligemment plusieurs marchandises nouvelles, mais dont pas une, dans son opinion,
n'était digne de Madame.

— Quand je pense que voilà une robe à sept sous le
mètre, et certifiée bon teint [1000] ! Ils gobent cela pourtant !
On ne leur conte pas ce qui en est, vous pensez bien,
voulant, par cet aveu de coquinerie envers les autres, la
convaincre tout à fait de sa probité.

Puis il la rappela, pour lui montrer trois aunes de guipure
qu'il avait trouvées dernièrement « dans une *vendue* ».

— Est-ce beau ! disait Lheureux : on s'en sert beaucoup
maintenant, comme tête de fauteuils, c'est le genre.

Et, plus prompt qu'un escamoteur, il enveloppa la
guipure de papier bleu et la mit dans les mains d'Emma.

— Au moins, que je sache... ?

— Ah ! plus tard, reprit-il en lui tournant les talons.

Dès le soir, elle pressa Bovary d'écrire à sa mère pour qu'elle leur envoyât bien vite tout l'arriéré de l'héritage. La belle-mère répondit n'avoir plus rien : la liquidation était close, et il leur restait, outre Barneville, six cents livres de rente, qu'elle leur servirait exactement.

Alors Madame expédia des factures chez deux ou trois clients, et bientôt usa largement de ce moyen, qui lui réussissait. Elle avait toujours soin d'ajouter en post-scriptum : « N'en parlez pas à mon mari, vous savez comme il est fier... Excusez-moi... Votre servante... » Il y eut quelques réclamations; elle les intercepta.

Pour se faire de l'argent, elle se mit à vendre ses vieux gants, ses vieux chapeaux, la vieille ferraille; et elle marchandait avec rapacité, — son sang de paysanne la poussant au gain. Puis, dans ses voyages à la ville, elle brocanterait des babioles [1001], que M. Lheureux, à défaut d'autres, lui prendrait certainement. Elle s'acheta des plumes d'autruche, de la porcelaine chinoise et des bahuts; elle empruntait à Félicité, à Mme Lefrançois, à l'hôtelière de la *Croix rouge*, à tout le monde, n'importe où. Avec l'argent qu'elle reçut enfin de Barneville, elle paya deux billets, les quinze cents autres francs s'écoulèrent. Elle s'engagea de nouveau, et toujours ainsi !

Parfois, il est vrai, elle tâchait de faire des calculs, mais elle découvrait des choses si exorbitantes, qu'elle n'y pouvait croire. Alors elle recommençait, s'embrouillait vite, plantait tout là et n'y pensait plus.

La maison était bien triste, maintenant ! On en voyait sortir les fournisseurs avec des figures furieuses. Il y avait des mouchoirs traînant sur les fourneaux; et la petite Berthe, au grand scandale de Mme Homais, portait des bas percés. Si Charles, timidement, hasardait une observation, elle répondait avec brutalité que ce n'était point sa faute !

Pourquoi ces emportements ? Il expliquait tout par son ancienne maladie nerveuse; et, se reprochant d'avoir pris pour des défauts ses infirmités, il s'accusait d'égoïsme, avait envie de courir l'embrasser.

— Oh ! non, se disait-il, je l'ennuierais !

Et il restait.

Après le dîner, il se promenait seul dans le jardin; il prenait la petite Berthe sur ses genoux [1002] et, déployant

son journal de médecine, essayait de lui apprendre à lire.
L'enfant, qui n'étudiait jamais [1003], ne tardait pas à ouvrir
de grands yeux tristes et se mettait à pleurer. Alors il la
consolait; il allait lui chercher de l'eau dans l'arrosoir pour
faire des rivières sur le sable, ou cassait les branches des
troènes [1004] pour planter des arbres dans les plates-bandes,
ce qui gâtait peu le jardin, tout encombré de longues
herbes; on devait tant de journées à Lestiboudois! Puis
l'enfant avait froid et demandait sa mère.

— Appelle ta bonne, disait Charles. Tu sais bien, ma
petite, que ta maman ne veut pas [1005] qu'on la dérange.

L'automne commençait et déjà les feuilles tombaient,
— comme il y a deux ans, lorsqu'elle était malade! —
Quand donc tout cela finira-t-il!... [1006] Et il continuait à
marcher, les deux mains derrière le dos.

Madame était dans sa chambre [1007]. On n'y montait
pas. Elle restait là tout le long du jour, engourdie, à peine
vêtue, et, de temps à autre, faisant fumer des pastilles
du sérail qu'elle avait achetées à Rouen, dans la boutique
d'un Algérien. Pour ne pas avoir, la nuit, auprès d'elle
cet homme étendu qui dormait [1008], elle finit, à force de
grimaces, par le reléguer au second étage; et elle lisait
jusqu'au matin des livres extravagants où il y avait des
tableaux orgiaques avec des situations sanglantes. Souvent une terreur la prenait, elle poussait un cri. Charles
accourait.

— Ah! va-t'en! disait-elle.

Ou, d'autres fois, brûlée plus fort par cette flamme
intime que l'adultère avivait, haletante, émue, tout en
désir [1009], elle ouvrait sa fenêtre, aspirait l'air froid, éparpillait au vent sa chevelure trop lourde, et, regardant les
étoiles, souhaitait des amours de prince. Elle pensait à
lui, à Léon. Elle eût alors tout donné pour un seul de
ces rendez-vous, qui la rassasiaient.

C'était ses jours de gala. Elle les voulait splendides!
et, lorsqu'il ne pouvait payer seul la dépense, elle complétait le surplus libéralement, ce qui arrivait à peu près
toutes les fois. Il essaya de lui faire comprendre qu'ils
seraient aussi bien ailleurs, dans quelque hôtel plus modeste;
mais elle trouva des objections.

Un jour, elle tira de son sac six petites cuillers en vermeil
(c'était le cadeau de noces du père Rouault), en le priant

d'aller immédiatement porter cela, pour elle, au mont-de-piété; et Léon obéit, bien que cette démarche lui déplût. Il avait peur de se compromettre.

Puis, en y réfléchissant, il trouva que sa maîtresse prenait des allures étranges, et qu'on n'avait peut-être pas tort de vouloir l'en détacher.

En effet, quelqu'un avait envoyé à sa mère une longue lettre anonyme, pour la prévenir qu'il *se perdait avec une femme mariée;* et aussitôt la bonne dame, entrevoyant l'éternel épouvantail des familles, c'est-à-dire la vague créature pernicieuse, la sirène, le monstre, qui habite fantastiquement les profondeurs de l'amour, écrivit à maître Dubocage [1010], son patron, lequel fut parfait dans cette affaire. Il le tint durant trois quarts d'heure, voulant lui dessiller les yeux, l'avertir du gouffre. Une telle intrigue nuirait plus tard à son établissement. Il le supplia de rompre, et, s'il ne faisait ce sacrifice dans son propre intérêt, qu'il le fît au moins pour lui, Dubocage !

Léon enfin avait juré de ne plus revoir Emma; et il se reprochait de n'avoir pas tenu sa parole [1011], considérant tout ce que cette femme pourrait encore lui attirer d'embarras et de discours, sans compter les plaisanteries de ses camarades, qui se débitaient le matin, autour du poêle. D'ailleurs, il allait devenir premier clerc : c'était le moment d'être sérieux. Aussi renonçait-il à la flûte, aux sentiments exaltés, à l'imagination : — car tout bourgeois, dans l'échauffement de sa jeunesse, ne fût-ce qu'un jour, une minute, s'est cru capable d'immenses passions, de hautes entreprises. Le plus médiocre libertin a rêvé des sultanes; chaque notaire porte en soi les débris d'un poète.

Il s'ennuyait maintenant lorsque Emma, tout à coup, sanglotait sur sa poitrine; et son cœur, comme les gens qui ne peuvent endurer qu'une certaine dose de musique, s'assoupissait d'indifférence au vacarme d'un amour dont il ne distinguait plus les délicatesses.

Ils se connaissaient trop pour avoir ces ébahissements de la possession qui en centuplent la joie. Elle était aussi dégoûtée de lui qu'il était fatigué d'elle. Emma retrouvait dans l'adultère toutes les platitudes du mariage [1012].

Mais comment pouvoir s'en débarrasser [1013] ? Puis, elle avait beau se sentir humiliée de la bassesse d'un tel bonheur, elle y tenait par habitude [1014] ou par corruption;

et, chaque jour, elle s'y acharnait davantage, tarissant toute félicité à la vouloir trop grande. Elle accusait Léon de ses espoirs déçus, comme s'il l'avait trahie; et même elle souhaitait une catastrophe qui amenât leur séparation, puisqu'elle n'avait pas le courage de s'y décider.

Elle n'en continuait pas moins à lui écrire des lettres amoureuses, en vertu de cette idée, qu'une femme doit toujours écrire à son amant.

Mais, en écrivant, elle percevait un autre homme, un fantôme fait de ses plus ardents souvenirs, de ses lectures les plus belles, de ses convoitises les plus fortes; et il devenait à la fin si véritable, et accessible, qu'elle en palpitait émerveillée, sans pouvoir néanmoins le nettement imaginer, tant il se perdait comme un dieu, sous l'abondance de ses attributs. Il habitait la contrée bleuâtre où les échelles de soie se balancent à des balcons, sous le souffle des fleurs, dans la clarté de la lune. Elle le sentait près d'elle, il allait venir et l'enlèverait tout entière dans un baiser. Ensuite elle retombait à plat, brisée; car ces élans d'amour vague la fatiguaient plus que de grandes débauches.

Elle éprouvait maintenant une courbature incessante et universelle. Souvent même, Emma recevait des assignations, du papier timbré qu'elle regardait à peine. Elle aurait voulu ne plus vivre, ou continuellement dormir.

Le jour de la mi-carême, elle ne rentra pas à Yonville; elle alla le soir au bal masqué. Elle mit un pantalon de velours et des bas rouges, avec une perruque à catogan et un lampion sur l'oreille. Elle sauta toute la nuit, au son furieux des trombones; on faisait cercle autour d'elle; et elle se trouva le matin sur le péristyle du théâtre parmi cinq ou six masques, débardeuses ou matelots [1015], des camarades de Léon, qui parlaient d'aller souper.

Les cafés d'alentour étaient pleins. Il avisèrent sur le port un restaurant des plus médiocres, dont le maître leur ouvrit, au quatrième étage, une petite chambre.

Les hommes chuchotèrent dans un coin, sans doute se consultant sur la dépense. Il y avait un clerc, deux carabins et un commis : quelle société pour elle ! Quant aux femmes, Emma s'aperçut vite, au timbre de leurs voix, qu'elles devaient être, presque toutes, du dernier rang. Elle eut peur alors, recula sa chaise et baissa les yeux.

Les autres se mirent à manger. Elle ne mangea pas;

elle avait le front en feu, des picotements aux paupières
et un froid de glace à la peau. Elle sentait dans sa tête
le plancher du bal, rebondissant encore sous la pulsation
rythmique des mille pieds qui dansaient. Puis, l'odeur
du punch avec la fumée des cigares l'étourdit. Elle s'évanouissait : on la porta devant la fenêtre.

Le jour commençait à se lever, et une grande tache
de couleur pourpre s'élargissait dans le ciel pâle du côté
de Sainte-Catherine. La rivière livide frissonnait au vent;
il n'y avait personne sur les ponts; les réverbères s'étei-
gnaient.

Elle se ranima cependant, et vint à penser à Berthe,
qui dormait là-bas, dans la chambre de sa bonne. Mais
une charrette pleine de longs rubans de fer passa, en jetant
contre le mur des maisons une vibration métallique assourdissante.

Elle s'esquiva brusquement, se débarrassa de son costume,
dit à Léon qu'il lui fallait s'en retourner, et enfin resta
seule à l'*Hôtel de Boulogne*. Tout et elle-même lui étaient
insupportables. Elle aurait voulu, s'échappant comme un
oiseau, aller se rajeunir quelque part, bien loin, dans les
espaces immaculés.

Elle sortit, elle traversa le boulevard, la place Cauchoise
et le faubourg, jusqu'à une rue découverte qui dominait
les jardins [1016]. Elle marchait vite, le grand air la calmait :
et peu à peu les figures de la foule, les masques, les quadrilles,
les lustres, le souper, ces femmes, tout disparaissait comme
des brumes emportées. Puis, revenue à la *Croix rouge*,
elle se jeta sur son lit, dans la petite chambre du second,
où il y avait des images de la *Tour de Nesle*. A quatre heures
du soir, Hivert la réveilla.

En rentrant chez elle, Félicité lui montra derrière la
pendule un papier gris. Elle lut :

« En vertu de la grosse [1017], en forme exécutoire d'un
jugement... »

Quel jugement ? La veille, en effet, on avait apporté
un autre papier qu'elle ne connaissait pas; aussi fut-elle
stupéfaite de ces mots :

« Commandement, de par le roi, la loi et justice, à
madame Bovary... »

Alors, sautant plusieurs lignes, elle aperçut :

« Dans vingt-quatre heures pour tout délai. » — Quoi

donc ? « Payer la somme totale de huit mille francs. »
Et même, il y avait plus bas : « Elle y sera contrainte par
toute voie de droit, et notamment par la saisie exécutoire
de ses meubles et effets. »

Que faire ?... C'était dans vingt-quatre heures; demain !
Lheureux, pensa-t-elle, voulait sans doute l'effrayer encore;
car elle devina du coup toutes ses manœuvres, le but de
ses complaisances. Ce qui la rassurait, c'était l'exagération de la somme [1018].

Cependant, à force d'acheter, de ne pas payer, d'emprunter, de souscrire des billets, puis de renouveler ces billets,
qui s'enflaient à chaque échéance nouvelle, elle avait fini
par préparer au sieur Lheureux un capital, qu'il attendait
impatiemment pour ses spéculations.

Elle se présenta chez lui d'un air dégagé.

— Vous savez ce qui m'arrive ? C'est une plaisanterie,
sans doute !

— Non.

— Comment cela ?

Il se détourna lentement, et lui dit en se croisant les
bras :

— Pensiez-vous, ma petite dame, que j'allais, jusqu'à
la consommation des siècles, être votre fournisseur et
banquier pour l'amour de Dieu ? Il faut bien que je rentre
dans mes déboursés, soyons justes !

Elle se récria sur la dette.

— Ah ! tant pis ! le tribunal l'a reconnue ! Il y a jugement ! On vous l'a signifié ! D'ailleurs, ce n'est pas moi,
c'est Vinçart.

— Est-ce que vous ne pourriez... ?

— Oh ! rien du tout.

— Mais..., cependant..., raisonnons.

Et elle battit la campagne; elle n'avait rien su... c'était
une surprise...

— A qui la faute ? dit Lheureux en saluant ironiquement [1019]. Tandis que je suis, moi, à bûcher comme un
nègre, vous vous repassez du bon temps.

— Ah ! pas de morale !

— Ça ne nuit jamais, répliqua-t-il.

Elle fut lâche, elle le supplia; et même elle appuya
sa jolie main [1020] blanche et longue sur les genoux du
marchand.

— Laissez-moi donc ! On dirait que vous voulez me séduire !

— Vous êtes un misérable ! s'écria-t-elle.

— Oh ! oh ! comme vous y allez ! reprit-il en riant.

— Je ferai savoir qui vous êtes. Je dirai à mon mari...

— Eh bien ! moi, je lui montrerai quelque chose à votre mari !

Et Lheureux tira de son coffre-fort un reçu de dix-huit cents francs [1021], qu'elle lui avait donné lors de l'escompte Vinçart.

— Croyez-vous, ajouta-t-il, qu'il ne comprenne pas votre petit vol, ce pauvre cher homme [1022] ?

Elle s'affaissa, plus assommée qu'elle n'eût été par un coup de massue. Il se promenait depuis la fenêtre jusqu'au bureau, tout en répétant :

— Ah ! je lui montrerai bien... je lui montrerai bien... [1025].

Ensuite il se rapprocha d'elle, et, d'une voix douce :

— Ce n'est pas amusant, je le sais ; personne, après tout, n'en est mort, et, puisque c'est le seul moyen qui vous reste de me rendre mon argent...

— Mais où en trouverai-je ? dit Emma en se tordant les bras.

— Ah ! bah ! quand on a comme vous des amis !

Et il la regardait d'une façon si perspicace et si terrible, qu'elle en frissonna jusqu'aux entrailles.

— Je vous promets, dit-elle, je signerai...

— J'en ai assez, de vos signatures !

— Je vendrai encore...

— Allons donc ! fit-il en haussant les épaules, vous n'avez plus rien.

Et il cria dans le judas qui s'ouvrait sur la boutique :

— Annette ! n'oublie pas les trois coupons du nº 14.

La servante parut ; Emma comprit et demanda « ce qu'il faudrait d'argent pour arrêter toutes les poursuites ».

— Il est trop tard !

— Mais si je vous apportais plusieurs mille francs, le quart de la somme, le tiers, presque tout ?

— Eh ! non, c'est inutile !

Il la poussait doucement vers l'escalier.

— Je vous en conjure, monsieur Lheureux, quelques jours encore !

Elle sanglotait.

— Allons, bon ! des larmes !

— Vous me désespérez !

— Je m'en moque pas mal ! dit-il en refermant la porte.

VII

Elle fut stoïque [1624], le lendemain, lorsque maître Hareng [1025], l'huissier, avec deux témoins, se présenta chez elle pour faire le procès-verbal de la saisie.

Ils commencèrent par le cabinet de Bovary [1026] et n'inscrivirent point la tête phrénologique, qui fut considérée comme *instrument de sa profession ;* mais ils comptèrent dans la cuisine les plats, les marmites, les chaises, les flambeaux, et, dans sa chambre à coucher, toutes les babioles de l'étagère. Ils examinèrent ses robes, le linge, le cabinet de toilette ; et son existence, jusque dans ses recoins les plus intimes, fut, comme un cadavre que l'on autopsie, étalée tout du long aux regards de ces trois hommes.

Maître Hareng, boutonné dans un mince habit noir, en cravate blanche, et portant des sous-pieds fort tendus, répétait de temps à autre :

— Vous permettez, madame ? vous permettez ?

Souvent, il faisait des exclamations :

— Charmant !... fort joli !

Puis il se remettait à écrire, trempant sa plume dans l'encrier de corne qu'il tenait de la main gauche.

Quand ils en eurent fini avec les appartements, ils montèrent au grenier.

Elle y gardait un pupitre où étaient enfermées les lettres de Rodolphe. Il fallut l'ouvrir.

— Ah ! une correspondance ! dit maître Hareng avec un sourire discret. Mais, permettez ! car je dois m'assurer si la boîte ne contient pas autre chose.

Et il inclina les papiers, légèrement, comme pour en faire tomber les napoléons. Alors l'indignation la prit, à voir cette grosse main, aux doigts rouges et mous comme des limaces, qui se posait sur ces pages [1027] où son cœur avait battu.

Ils partirent enfin ! Félicité rentra. Elle l'avait envoyée aux aguets pour détourner Bovary; et elles installèrent vivement sous les toits le gardien de la saisie, qui jura de s'y tenir [1028].

Charles, pendant la soirée, lui parut soucieux. Emma l'épiait d'un regard plein d'angoisse [1029], croyant apercevoir dans les rides de son visage des accusations. Puis, quand ses yeux se reportaient sur la cheminée garnie d'écrans chinois, sur les larges rideaux, sur les fauteuils, sur toutes ces choses enfin. qui avaient adouci l'amertume de sa vie, un remords la prenait, ou plutôt un regret immense et qui irritait la passion, loin de l'anéantir. Charles tisonnait avec placidité, les deux pieds sur les chenets.

Il y eut un moment où le gardien, sans doute s'ennuyant dans sa cachette, fit un peu de bruit.

— On marche là-haut [1030] ? dit Charles.

— Non ! reprit-elle, c'est une lucarne restée ouverte que le vent remue [1031].

Elle partit pour Rouen, le lendemain dimanche, afin d'aller chez tous les banquiers dont elle connaissait le nom [1032]. Ils étaient à la campagne ou en voyage. Elle ne se rebuta pas, et ceux qu'elle put rencontrer, elle leur demandait de l'argent, protestant qu'il lui en fallait, qu'elle le rendrait. Quelques-uns lui rirent au nez; tous refusèrent [1033].

A deux heures, elle courut chez Léon, frappa contre sa porte. On n'ouvrit pas [1034]. Enfin il parut.

— Qui t'amène ?

— Cela te dérange !

— Non..., mais...

Et il avoua que le propriétaire n'aimait point que l'on reçût [1035] « des femmes ».

— J'ai à te parler, reprit-elle.

Alors il atteignit sa clef. Elle l'arrêta.

— Oh ! non, là-bas, chez-nous.

Et ils allèrent dans leur chambre, à l'*Hôtel de Boulogne*.

Elle but en arrivant un grand verre d'eau. Elle était très pâle. Elle lui dit :

— Léon, tu vas me rendre un service.

Et, le secouant par ses deux mains, qu'elle serrait étroitement, elle ajouta :

— Écoute, j'ai besoin de huit mille francs !

— Mais tu es folle !

— Pas encore !

Et, aussitôt, racontant l'histoire de la saisie, elle lui exposa sa détresse; car Charles ignorait tout : sa belle-mère la détestait, le père Rouault ne pouvait rien; mais lui, Léon, il allait se mettre en course pour trouver cette indispensable somme...

— Comment veux-tu... ?

— Quel lâche tu fais ! s'écria-t-elle.

Alors il dit bêtement :

— Tu t'exagères le mal. Peut-être qu'avec un millier d'écus ton bonhomme se calmerait [1036].

Raison de plus pour tenter quelque démarche; il n'était pas possible que l'on ne découvrît point trois mille francs. D'ailleurs, Léon pouvait s'engager à sa place.

— Va ! essaye ! il le faut ! cours !... Oh ! tâche ! tâche ! je t'aimerai bien [1037] !

Il sortit, revint au bout d'une heure, et dit avec une figure solennelle :

— J'ai été chez trois personnes... inutilement [1038] !

Puis il restèrent assis l'un en face de l'autre, aux deux coins de la cheminée, immobiles, sans parler. Emma haussait les épaules tout en trépignant. Il l'entendit qui murmurait :

— Si j'étais à ta place, moi, j'en trouverais bien !

— Où donc ?

— A ton étude !

Et elle le regarda.

Une hardiesse infernale s'échappait de ses prunelles [1039] enflammées, et les paupières se rapprochaient d'une façon lascive et encourageante; — si bien que le jeune homme se sentit faiblir sous la muette volonté de cette femme qui lui conseillait un crime. Alors il eut peur, et, pour éviter tout éclaircissement, il se frappa le front en s'écriant :

— Morel doit revenir cette nuit ! Il ne me refusera pas, j'espère (c'était un de ses amis, le fils d'un négociant fort riche), et je t'apporterai cela demain, ajouta-t-il.

Emma n'eut point l'air d'accueillir cet espoir avec autant de joie qu'il l'avait imaginé. Soupçonnait-elle le mensonge ? Il reprit en rougissant :

— Pourtant, si tu ne me voyais pas à trois heures, ne m'attends plus, ma chérie. Il faut que je m'en aille, excuse-moi. Adieu [1040] !

Il serra sa main, mais il la sentit tout inerte. Emma n'avait plus la force d'aucun sentiment.

Quatre heures sonnèrent; et elle se leva pour s'en retourner à Yonville, obéissant comme un automate à l'impulsion des habitudes.

Il faisait beau; c'était un de ces jours du mois de mars clairs et âpres, où le soleil reluit dans un ciel tout blanc. Des Rouennais endimanchés se promenaient d'un air heureux. Elle arriva sur la place du Parvis. On sortait des vêpres; la foule s'écoulait par les trois portails, comme un fleuve par les trois arches d'un pont, et, au milieu, plus immobile qu'un roc, se tenait le suisse [1041].

Alors elle se rappela ce jour où, tout anxieuse et pleine d'espérance [1042], elle était entrée sous cette grande nef qui s'étendait devant elle moins profonde que son amour; et elle continua de marcher, en pleurant sous son voile, étourdie, chancelante, près de défaillir [1043].

— Gare ! cria une voix sortant d'une porte cochère qui s'ouvrait.

Elle s'arrêta pour laisser passer un cheval noir, piaffant dans les brancards d'un tilbury que conduisait un gentleman en fourrure de zibeline. Qui était-ce donc ? Elle le connaissait... La voiture s'élança et disparut.

Mais c'était lui, le vicomte ! Elle se détourna; la rue était déserte. Et elle fut si accablée, si triste, qu'elle s'appuya contre un mur pour ne pas tomber.

Puis elle pensa qu'elle s'était trompée. Au reste, elle n'en savait rien. Tout, en elle-même et au dehors, l'abandonnait. Elle se sentait perdue, roulant au hasard dans les abîmes indéfinissables; et ce fut presque avec joie qu'elle aperçut, en arrivant à la *Croix rouge*, ce bon Homais qui regardait charger sur l'*Hirondelle* une grande boîte pleine de provisions pharmaceutiques; il tenait à sa main, dans un foulard, six *cheminots* pour son épouse [1044].

Mme Homais aimait beaucoup ces petits pains lourds, en forme de turban, que l'on mange dans le carême avec du beurre salé : dernier échantillon des nourritures gothiques, qui remonte peut-être au siècle des croisades, et dont les robustes Normands s'emplissaient autrefois, croyant voir sur la table [1045], à la lueur des torches jaunes, entre les brocs d'hypocras et les gigantesques charcuteries [1046], des têtes de Sarrasins à dévorer. La femme de l'apothicaire les

croquait comme eux, héroïquement, malgré sa détestable
dentition; aussi, toutes les fois que M. Homais faisait un
voyage à la ville, il ne manquait pas de lui en rapporter,
qu'il prenait toujours chez le grand faiseur, rue Massacre.

— Charmé de vous voir ! dit-il en offrant la main à
Emma pour l'aider à monter dans l'*Hirondelle*.

Puis il suspendit les *cheminots* aux lanières du filet, et
resta nu-tête et les bras croisés, dans une attitude pensive
et napoléonienne.

Mais, quand l'aveugle, comme d'habitude, apparut au
bas de la côte, il s'écria :

— Je ne comprends pas que l'autorité tolère encore de
si coupables industries ! On devrait enfermer ces malheureux, que l'on forcerait à quelque travail. Le Progrès, ma
parole d'honneur, marche à pas de tortue [1047] ! Nous patau-
geons en pleine barbarie !

L'aveugle tendait son chapeau, qui ballottait au bord de
la portière, comme une poche de la tapisserie déclouée.

— Voilà, dit le pharmacien, une affection scrofuleuse [1048] !

Et, bien qu'il connût ce pauvre diable, il feignit de le
voir pour la première fois, murmura les mots de *cornée*,
cornée opaque, *sclérotique*, *facies*, puis lui demanda d'un ton
paterne :

— Y a-t-il longtemps, mon ami, que tu as cette épouvantable infirmité ? Au lieu de t'enivrer au cabaret, tu ferais
mieux de suivre un régime.

Il l'engageait à prendre de bon vin, de bonne bière, de
bons rôtis. L'aveugle continuait sa chanson; il paraissait,
d'ailleurs, presque idiot. Enfin, M. Homais ouvrit sa
bourse.

— Tiens, voilà un sou, rends-moi deux liards : et n'oublie
pas mes recommandations, tu t'en trouveras bien.

Hivert se permit tout haut quelque doute sur leur effica-
cité. Mais l'apothicaire [1049] certifia qu'il le guérirait lui-
même, avec une pommade antiphlogistique de sa composition, et il donna son adresse :

— M. Homais, près des halles [1050], suffisamment connu.

— Eh bien ! pour la peine, dit Hivert, tu vas nous
montrer la comédie.

L'aveugle s'affaissa sur ses jarrets, et, la tête renversée,
tout en roulant ses yeux verdâtres et tirant la langue, il se
frottait l'estomac à deux mains, tandis qu'il poussait une

sorte de hurlement sourd, comme un chien affamé. Emma,
prise de dégoût, lui envoya, par-dessus l'épaule, une pièce
de cinq francs. C'était toute sa fortune. Il lui semblait beau
de la jeter ainsi.

La voiture était repartie, quand, soudain, M. Homais
se pencha en dehors du vasistas et cria :

— Pas de farineux ni de laitage ! Porter de la laine sur
la peau et exposer les parties malades à la fumée de baies
de genièvre !

Le spectacle des objets connus qui défilaient devant
ses yeux peu à peu détournait Emma de sa douleur présente. Une intolérable fatigue l'accablait, et elle arriva
chez elle hébétée, découragée, presque endormie.

— Advienne que pourra ! se disait-elle.

Et puis, qui sait ? pourquoi, d'un moment à l'autre, ne
surgirait-il pas un événement extraordinaire ? Lheureux
même pouvait mourir.

Elle fut, à neuf heures du matin, réveillée par un bruit
de voix sur la place. Il y avait un attroupement autour des
halles pour lire une grande affiche collée contre un des
poteaux, et elle vit Justin qui montait sur une borne et
qui déchirait l'affiche [1051]. Mais à ce moment, le garde
champêtre lui posa la main sur le collet. M. Homais sortit
de la pharmacie, et la mère Lefrançois, au milieu de la
foule, avait l'air de pérorer.

— Madame ! madame ! s'écria Félicité en entrant, c'est
une abomination !

Et la pauvre fille, émue, lui tendit un papier jaune qu'elle
venait d'arracher à la porte. Emma lut d'un clin d'œil que
tout son mobilier était à vendre [1052].

Alors elles se considérèrent silencieusement. Elles
n'avaient, la servante et la maîtresse, aucun secret l'une
pour l'autre. Enfin Félicité soupira :

— Si j'étais de vous, madame, j'irais chez M. Guillaumin.

— Tu crois ?

Et cette interrogation voulait dire :

— Toi qui connais la maison par le domestique, est-ce
que le maître quelquefois aurait parlé de moi ?

— Oui, allez-y, vous ferez bien.

Elle s'habilla, mit sa robe noire avec sa capote à grains
de jais; et, pour qu'on ne la vît pas (il y avait toujours

beaucoup de monde sur la place), elle prit en dehors du village, par le sentier au bord de l'eau.

Elle arriva tout essoufflée devant la grille du notaire; le ciel était sombre et un peu de neige tombait.

Au bruit de la sonnette, Théodore, en gilet rouge, parut sur le perron; il vint lui ouvrir presque familièrement, comme à une connaissance, et l'introduisit dans la salle à manger.

Un large poêle de porcelaine bourdonnait sous un cactus qui emplissait la niche, et, dans les cadres de bois noir [1653], contre la tenture de papier de chêne, il y avait la *Esméralda* de Steuben, avec la *Putiphar* de Schopin. La table servie, deux réchauds d'argent, le bouton des portes en cristal, le parquet et les meubles, tout reluisait d'une propreté méticuleuse, anglaise; les carreaux étaient décorés, à chaque angle, par des verres de couleur.

— Voilà une salle à manger, pensait Emma, comme il m'en faudrait une.

Le notaire entra, serrant du bras gauche contre son corps sa robe de chambre à palmes, tandis qu'il ôtait et remettait vite de l'autre main sa toque de velours marron, prétentieusement posée sur le côté droit, où retombaient les bouts de trois mèches blondes qui, prises à l'occiput, contournaient son crâne chauve.

Après qu'il eut offert un siège, il s'assit pour déjeuner, tout en s'excusant beaucoup de l'impolitesse.

— Monsieur, dit-elle, je vous prierais...

— De quoi, madame ? J'écoute.

Elle se mit à lui exposer sa situation.

Maître Guillaumin la connaissait, étant lié secrètement avec le marchand d'étoffes, chez lequel il trouvait toujours des capitaux pour les prêts hypothécaires qu'on lui demandait à contracter.

Donc, il savait (et mieux qu'elle) la longue histoire de ces billets, minimes d'abord, portant comme endosseurs des noms divers, espacés à de longues échéances et renouvelés continuellement, jusqu'au jour [1054] où, ramassant tous les protêts, le marchand avait chargé son ami Vinçart de faire en son nom propre les poursuites qu'il fallait, ne voulant point passer pour un tigre parmi ses concitoyens.

Elle entremêla son récit de récriminations contre Lheureux, récriminations auxquelles [1055] le notaire répondait de temps à autre par une parole insignifiante. Mangeant sa côtelette et buvant son thé, il baissait le menton dans sa cravate bleu de ciel [1056], piquée par deux épingles de diamants [1057] que rattachait une chaînette d'or, et il souriait d'un singulier sourire, d'une façon douceâtre et ambiguë. Mais, s'apercevant qu'elle avait les pieds humides :

— Approchez-vous donc du poêle... plus haut..., contre la porcelaine.

Elle avait peur de la salir. Le notaire reprit d'un ton galant :

— Les belles choses ne gâtent rien.

Alors elle tâcha de l'émouvoir, et, s'émotionnant elle-même, elle vint à lui conter l'étroitesse de son ménage, ses tiraillements, ses besoins. Il comprenait cela : une femme élégante ! et, sans s'interrompre de manger, il s'était tourné vers elle complètement, si bien qu'il frôlait du genou sa bottine, dont la semelle se recourbait tout en fumant contre le poêle.

Mais, lorsqu'elle lui demanda mille écus, il serra les lèvres, puis se déclara très peiné de n'avoir pas eu autrefois la direction de sa fortune, car il y avait cent moyens fort commodes, même pour une dame, de faire valoir son argent. On aurait pu, soit dans les tourbières de Grumesnil ou les terrains du Havre, hasarder presque à coup sûr d'excellentes spéculations; et il la laissa se dévorer [1058] de rage à l'idée des sommes fantastiques qu'elle aurait certainement gagnées.

— D'où vient, reprit-il, que vous n'êtes pas venue chez moi ?

— Je ne sais trop, dit-elle.

— Pourquoi, hein ? Je vous faisais donc bien peur ? C'est moi, au contraire, qui devrais me plaindre ! A peine si nous nous connaissons ! Je vous suis pourtant très dévoué : vous n'en doutez plus, j'espère ?

Il tendit sa main [1059], prit la sienne, la couvrit d'un baiser vorace, puis la garda sur son genou; et il jouait avec ses doigts délicatement, tout en lui contant mille douceurs.

Sa voix fade susurrait, comme un ruisseau qui coule; une étincelle jaillissait de sa pupille à travers le miroitement de ses lunettes, et ses mains s'avançaient dans la manche d'Emma, pour lui palper le bras. Elle sentait contre

sa joue le souffle d'une respiration haletante. Cet homme
la gênait horriblement.

Elle se leva d'un bond et lui dit :

— Monsieur, j'attends !

— Quoi donc ! fit le notaire [1060], qui devint tout à coup
extrêmement pâle.

— Cet argent.

— Mais...

Puis, cédant à l'irruption d'un désir trop fort :

— Eh bien, oui !...

Il se traînait à genoux vers elle, sans égard pour sa
robe de chambre.

— De grâce, restez ! je vous aime !

Il la saisit par la taille.

Un flot de pourpre monta vite au visage de Mme Bovary [1061]. Elle se recula d'un air terrible, en s'écriant :

— Vous profitez impudemment de ma détresse, monsieur ! Je suis à plaindre, mais pas à vendre !

Et elle sortit.

Le notaire resta fort stupéfait, les yeux fixés sur ses belles
pantoufles en tapisserie. C'était un présent de l'amour.
Cette vue à la fin le consola. D'ailleurs, il songeait qu'une
aventure pareille l'aurait entraîné trop loin.

— Quel misérable ! quel goujat !... quelle infamie !
se disait-elle, en fuyant d'un pied nerveux sous les trembles
de la route. Le désappointement de l'insuccès renfor-
çait l'indignation de sa pudeur outragée ; il lui semblait
que la Providence s'acharnait à la poursuivre, et, s'en
rehaussant d'orgueil, jamais elle n'avait eu tant d'estime
pour elle-même ni tant de mépris pour les autres. Quelque
chose de belliqueux la transportait. Elle aurait voulu battre
les hommes, leur cracher au visage, les broyer tous ; et
elle continuait à marcher, rapidement devant elle, pâle,
frémissante, enragée, furetant d'un œil en pleurs l'horizon
vide, et comme se délectant à la haine qui l'étouffait.

Quand elle aperçut sa maison, un engourdissement
la saisit. Elle ne pouvait plus avancer [1062] ; il le fallait, cependant ; d'ailleurs, où fuir ?

Félicité l'attendait sur la porte.

— Eh bien ?

— Non ! dit Emma.

Et, pendant un quart d'heure, toutes les deux, elles

avisèrent les différentes personnes d'Yonville disposées
peut-être à la secourir. Mais, chaque fois que Félicité
nommait quelqu'un, Emma répliquait :

— Est-ce possible ! Ils ne voudront pas !

— Et monsieur qui va rentrer !

— Je le sais bien... Laisse-moi seule.

Elle avait tout tenté. Il n'y avait plus rien à faire maintenant; et quand Charles paraîtrait, elle allait donc lui dire :

— Retire-toi. Ce tapis où tu marches n'est plus à nous.
De ta maison, tu n'as pas un meuble, une épingle, une
paille, et c'est moi qui t'ai ruiné, pauvre homme !

Alors ce serait un grand sanglot, puis il pleurerait abondamment, et enfin, la surprise passée, il pardonnerait.

— Oui, murmurait-elle en grinçant des dents, il me
pardonnera, lui qui n'aurait pas assez d'un million à m'offrir
pour que je l'excuse de m'avoir connue... Jamais ! jamais !

Cette idée de la supériorité de Bovary sur elle l'exaspérait. Puis, qu'elle avouât ou n'avouât pas, tout à l'heure,
tantôt, demain, il n'en saurait pas moins la catastrophe;
donc il fallait attendre cette horrible scène et subir le poids
de sa magnanimité. L'envie lui vint de retourner chez
Lheureux : à quoi bon ? d'écrire à son père : il était trop
tard; et peut-être qu'elle se repentait maintenant de n'avoir
pas cédé à l'autre, lorsqu'elle entendit le trot d'un cheval
dans l'allée. C'était lui, il ouvrait la barrière, il était plus
blême que le mur de plâtre. Bondissant dans l'escalier,
elle s'échappa vivement par la place; et la femme du maire,
qui causait devant l'église avec Lestiboudois, la vit entrer
chez le percepteur.

Elle courut le dire à Mme Caron. Ces deux dames montèrent dans le grenier; et, cachées par du linge étendu sur
des perches, se postèrent commodément pour apercevoir
tout l'intérieur de Binet.

Il était seul, dans sa mansarde, en train d'imiter, avec
du bois, une de ces ivoireries indescriptibles, composées
de croissants, de sphères creusées les unes dans les autres,
le tout droit comme un obélisque et ne servant à rien; et il
entamait la dernière pièce, il touchait au but ! Dans le
clair-obscur de l'atelier, la poussière blonde s'envolait de
son outil, comme une aigrette d'étincelles sous les fers
d'un cheval au galop; les deux roues tournaient, ronflaient;
Binet souriait, le menton baissé, les narines ouvertes et

semblait enfin perdu dans un de ces bonheurs complets, n'appartenant sans doute qu'aux occupations médiocres, qui amusent l'intelligence par des difficultés faciles, et l'assouvissent en une réalisation au delà de laquelle il n'y a pas à rêver.

— Ah ! la voici ! fit Mme Tuvache.

Mais il n'était guère possible, à cause du tour, d'entendre ce qu'elle disait.

Enfin, ces dames crurent distinguer le mot *francs*, et la mère Tuvache souffla tout bas :

— Elle le prie, pour obtenir un retard à ses contributions.

— D'apparence ! reprit l'autre.

Elles la virent qui marchait de long en large, examinant contre les murs les ronds de serviette, les chandeliers, les pommes de rampe, tandis que Binet se caressait la barbe avec satisfaction.

— Viendrait-elle lui commander quelque chose ? dit Mme Tuvache.

— Mais il ne vend rien ! objecta sa voisine.

Le percepteur avait l'air d'écouter, tout en écarquillant les yeux, comme s'il ne comprenait pas. Elle continuait d'une manière tendre, suppliante. Elle se rapprocha; son sein haletait; ils ne parlaient plus.

— Est-ce qu'elle lui fait des avances ? dit Mme Tuvache.

Binet était rouge jusqu'aux oreilles. Elle lui prit les mains.

— Ah ! c'est trop fort !

Et sans doute qu'elle lui proposait une abomination; car le percepteur, — il était brave, pourtant, il avait combattu à Bautzen et à Lutzen, fait la campagne de France, et même été *porté pour la croix*, — tout à coup, comme à la vue d'un serpent, se recula bien loin [1063] en s'écriant :

— Madame ! y pensez-vous ?...

— On devrait fouetter ces femmes-là ! dit Mme Tuvache.

— Où est-elle donc ? reprit Mme Caron.

Car elle avait disparu durant ces mots; puis, l'apercevant qui enfilait la Grande-Rue [1064] et tournait à droite comme pour gagner le cimetière, elles se perdirent en conjectures.

— Mère Rolet, dit-elle en arrivant chez la nourrice, j'étouffe ! délacez-moi.

Elle tomba sur le lit ; elle sanglotait. La mère Rolet la couvrit d'un jupon et resta debout près d'elle. Puis, comme elle ne répondait pas [1065], la bonne femme s'éloigna, prit son rouet et se mit à filer du lin.

— Oh ! finissez ! murmura-t-elle, croyant entendre le tour de Binet.

— Qui la gêne ? se demandait la nourrice. Pourquoi vient-elle ici ?

Elle y était accourue, poussée par une sorte d'épouvante, qui la chassait de sa maison.

Couchée sur le dos, immobile et les yeux fixes, elle discernait vaguement les objets, bien qu'elle y appliquât son attention avec une persistance idiote. Elle contemplait les écaillures de la muraille, deux tisons fumant bout à bout, et une longue araignée qui marchait au-dessus de sa tête dans la fente de la poutrelle. Enfin, elle rassembla ses idées. Elle se souvenait... Un jour, avec Léon... Oh ! comme c'était loin... Le soleil brillait sur la rivière et les clématites embaumaient... Alors, emportée dans ses souvenirs, comme dans un torrent qui bouillonne, elle arriva bientôt à se rappeler la journée de la veille.

— Quelle heure est-il ? demanda-t-elle.

La mère Rolet sortit, leva les doigts de sa main droite du côté que le ciel était le plus clair, et rentra lentement en disant :

— Trois heures, bientôt.

— Ah ! merci ! merci !

Car il allait venir. C'était sûr ! Il aurait trouvé de l'argent. Mais il irait peut-être là-bas, sans se douter qu'elle fût là ; et elle commanda à la nourrice de courir chez elle pour l'amener.

— Dépêchez-vous !

— Mais, ma chère dame, j'y vais ! j'y vais !

Elle s'étonnait, à présent, de n'avoir pas songé à lui tout d'abord ; hier, il avait donné sa parole [1066], il n'y manquerait pas ; et elle se voyait déjà chez Lheureux, étalant sur son bureau les trois billets de banque. Puis il faudrait inventer une histoire qui expliquât les choses à Bovary. Laquelle ?

Cependant la nourrice était bien longue à revenir.

Mais, comme il n'y avait point d'horloge dans la chaumière, Emma craignait de s'exagérer peut-être la longueur
du temps. Elle se mit à faire des tours de promenade
dans le jardin, pas à pas; elle alla dans le sentier le long
de la haie, et s'en retourna [1067] vivement, espérant que
la bonne femme serait rentrée par une autre route. Enfin,
lasse d'attendre, assaillie de soupçons qu'elle repoussait,
ne sachant plus si elle était là depuis un siècle ou une
minute, elle s'assit dans un coin et ferma les yeux, se
boucha les oreilles. La barrière grinça : elle fit un bond;
avant qu'elle eût parlé, la mère Rolet lui avait dit :

— Il n'y a personne chez vous !

— Comment ?

— Oh ! personne ! Et monsieur pleure. Il vous appelle.
On vous cherche.

Emma ne répondit rien. Elle haletait, tout en roulant
les yeux autour d'elle [1068], tandis que la paysanne, effrayée
de son visage, se reculait instinctivement, la croyant
folle. Tout à coup elle se frappa le front [1069], poussa un
cri, car le souvenir de Rodolphe [1070], comme un grand
éclair dans une nuit sombre, lui avait passé dans l'âme. Il
était si bon, si délicat, si généreux ! Et, d'ailleurs, s'il hésitait à lui rendre ce service, elle saurait bien l'y contraindre
en rappelant d'un seul clin d'œil leur amour perdu. Elle
partit donc vers la Huchette, sans s'apercevoir qu'elle
courait s'offrir à ce qui l'avait tantôt si fort exaspérée,
ni se douter le moins du monde de cette prostitution.

VIII

Elle se demandait tout en marchant : « Que vais-je
dire ? Par où commencerai-je ? » Et, à mesure qu'elle
avançait, elle reconnaissait les buissons, les arbres, les
joncs marins sur la colline, le château là-bas. Elle se retrouvait dans les sensations de sa première tendresse, et son
pauvre cœur comprimé s'y dilatait amoureusement. Un
vent tiède lui soufflait au visage; la neige, se fondant,
tombait goutte à goutte des bourgeons sur l'herbe.

Elle entra, comme autrefois, par la petite porte du

parc, puis arriva à la cour d'honneur [1071], que bordait un double rang de tilleuls touffus. Ils balançaient, en sifflant, leurs longues branches. Les chiens au chenil aboyèrent tous, et l'éclat de leurs voix retentissait sans qu'il parût personne.

Elle monta le large escalier droit, à balustrades de bois, qui conduisait au corridor pavé de dalles poudreuses où s'ouvraient plusieurs chambres à la file, comme dans les monastères ou les auberges. La sienne était au bout, tout au fond, à gauche. Quand elle vint à poser les doigts [1072] sur la serrure, ses forces subitement l'abandonnèrent. Elle avait peur qu'il ne fût pas là, le souhaitait presque, et c'était pourtant son seul espoir, la dernière chance du salut. Elle se recueillit [1073] une minute, et, retrempant son courage au sentiment de la nécessité présente, elle entra.

Il était devant le feu, les deux pieds sur le chambranle, en train de fumer une pipe.

— Tiens ! c'est vous ! dit-il en se levant brusquement.

— Oui, c'est moi !... je voudrais [1074], Rodolphe, vous demander un conseil.

Et, malgré tous ses efforts, il lui était impossible de desserrer la bouche.

— Vous n'avez pas changé, vous êtes toujours charmante !

— Oh ! reprit-elle amèrement, ce sont de tristes charmes, mon ami, puisque vous les avez dédaignés.

Alors il entama une explication de sa conduite, s'excusant en termes vagues, faute de pouvoir inventer mieux.

Elle se laissa prendre [1075] à ses paroles, plus encore à sa voix et par le spectacle de sa personne ; si bien qu'elle fit semblant de croire, ou crut-elle peut-être [1076], au prétexte de leur rupture ; c'était un secret d'où dépendaient l'honneur et même la vie d'une troisième personne.

— N'importe ! fit-elle en le regardant tristement, j'ai bien souffert !

Il répondit d'un ton philosophique :

— L'existence est ainsi !

— A-t-elle du moins, reprit Emma, été bonne pour vous depuis notre séparation ?

— Oh ! ni bonne... ni mauvaise.

— Il aurait peut-être mieux valu ne jamais nous quitter [1077].

— Oui…, peut-être !

— Tu crois ? dit-elle en se rapprochant.

Et elle soupira :

— O Rodolphe ! si tu savais !…, je t'ai bien aimé !

Ce fut alors qu'elle prit sa main, et ils restèrent quelque temps les doigts entrelacés, — comme le premier jour, aux Comices ! Par un geste d'orgueil, il se débattait [1078] sous l'attendrissement. Mais, s'affaissant contre sa poitrine, elle lui dit :

— Comment voulais-tu que je vécusse sans toi [1079] ? On ne peut pas se déshabituer du bonheur ! J'étais désespérée ! j'ai cru mourir ! Je te conterai tout cela, tu verras. Et toi, tu m'as fuie !… [1080].

Car, depuis trois ans, il l'avait soigneusement évitée, par suite de cette lâcheté naturelle qui caractérise le sexe fort; et Emma continuait avec des gestes mignons de tête, plus câline qu'une chatte amoureuse :

— Tu en aimes d'autres, avoue-le [1081]. Oh ! je les comprends, va ! je les excuse; tu les auras séduites, comme tu m'avais séduite. Tu es un homme, toi ! tu as tout ce qu'il faut pour te faire chérir. Mais nous recommencerons, n'est-ce pas [1082] ? Nous nous aimerons ! Tiens, je ris, je suis heureuse !… parle donc !

Et elle était ravissante à voir, avec son regard où tremblait une larme, comme l'eau d'un orage dans un calice bleu.

Il l'attira sur ses genoux [1083], et il caressait du revers de la main ses bandeaux lisses, où, dans la clarté du crépuscule, miroitait comme une flèche d'or un dernier rayon du soleil. Elle penchait le front; il finit par la baiser sur les paupières, tout doucement, du bout de ses lèvres [1084].

— Mais tu as pleuré ! dit-il. Pourquoi ?

Elle éclata en sanglots. Rodolphe crut que c'était l'explosion de son amour; comme elle se taisait [1085], il prit ce silence pour une dernière pudeur, et alors il s'écria :

— Ah ! pardonne-moi ! tu es la seule qui me plaise. J'ai été imbécile et méchant ! Je t'aime, je t'aimerai toujours ! Qu'as-tu ? dis-le donc !

Il s'agenouillait.

— Eh bien !… je suis ruinée, Rodolphe ! Tu vas me prêter trois mille francs !

— Mais... mais..., dit-il en se relevant peu à peu, tandis que sa physionomie prenait une expression grave.

— Tu sais, continuait-elle vite, que mon mari avait placé toute sa fortune chez un notaire; il s'est enfui. Nous avons emprunté; les clients ne payaient pas. Du reste la liquidation n'est pas finie; nous en aurons plus tard. Mais, aujourd'hui, faute de trois mille francs, on va nous saisir; c'est à présent, à l'instant même; et comptant sur ton amitié, je suis venue.

— Ah! pensa Rodolphe, qui devint très pâle tout à coup, c'est pour cela qu'elle est venue!

Enfin il dit d'un air très calme :

— Je ne les ai pas, chère madame.

Il ne mentait point. Il les eût eus qu'il les aurait donnés, sans doute, bien qu'il soit généralement désagréable de faire de si belles actions; une demande pécuniaire, de toutes les bourrasques qui tombent sur l'amour, étant la plus froide et la plus déracinante.

Elle resta d'abord quelques minutes à le regarder.

— Tu ne les as pas!

Elle répéta plusieurs fois :

— Tu ne les as pas!... J'aurais dû m'épargner cette dernière honte. Tu ne m'as jamais aimée! tu ne vaux pas mieux que les autres!

Elle se trahissait, elle se perdait.

Rodolphe l'interrompit, affirmant qu'il se trouvait « gêné » lui-même.

— Ah! je te plains! dit Emma. Oui, considérablement !..

Et, arrêtant ses yeux sur une carabine damasquinée qui brillait dans la panoplie :

— Mais, lorsqu'on est si pauvre, on ne met pas d'argent à la crosse de son fusil! On n'achète pas une pendule avec des incrustations d'écailles [1086] ! continuait-elle en montrant l'horloge de Boulle; ni des sifflets de vermeil pour ses fouets — elle les touchait ! — ni des breloques pour sa montre ! Oh ! rien ne lui manque ! jusqu'à un porteliqueurs dans sa chambre; car tu t'aimes, tu vis bien, tu as un château, des fermes, des bois; tu chasses à courre, tu voyages à Paris... Eh ! quand ce ne serait que cela, s'écria-t-elle en prenant sur la cheminée ses boutons de manchettes, que la moindre de ces niaiseries ! on en peut faire de l'argent !... Oh ! je n'en veux pas ! garde-les.

Et elle lança bien loin les deux boutons, dont la chaîne d'or se rompit en cognant contre la muraille [1087].

— Mais, moi, je t'aurais tout donné, j'aurais tout vendu, j'aurais travaillé de mes mains, j'aurais mendié sur les routes, pour un sourire, pour un regard, pour t'entendre dire : « Merci ! » [1088] Et tu restes là tranquillement dans ton fauteuil, comme si déjà tu ne m'avais pas fait assez souffrir ? Sans toi, sais-tu bien, j'aurais pu vivre heureuse ! Qui t'y forçait ? Était-ce une gageure ? Tu m'aimais cependant, tu le disais... Et tout à l'heure encore... Ah ! il eût mieux valu me chasser ! J'ai les mains chaudes de tes baisers, et voilà la place, sur le tapis, où tu jurais à mes genoux une éternité d'amour. Tu m'y as fait croire : tu m'as, pendant deux ans, traînée dans le rêve le plus magnifique et le plus suave !... Hein ? nos projets de voyage, tu te rappelles ? Oh ! ta lettre, ta lettre ! elle m'a déchiré le cœur ! Et puis, quand je reviens vers lui, vers lui, qui est riche, heureux, libre ! pour implorer un secours que le premier venu rendrait, suppliante et lui rapportant toute ma tendresse, il me repousse, parce que ça lui coûterait trois mille francs !

— Je ne les ai pas ! répondit Rodolphe avec ce calme parfait dont se recouvrent, comme d'un bouclier, les colères résignées.

Elle sortit. Les murs tremblaient, le plafond l'écrasait; et elle repassa par la longue allée, en trébuchant contre les tas de feuilles mortes que le vent dispersait. Enfin elle arriva au saut-du-loup devant la grille; elle se cassa les ongles contre la serrure, tant elle se dépêchait pour l'ouvrir. Puis, cent pas plus loin, essoufflée, près de tomber, elle s'arrêta. Et alors, se détournant, elle aperçut encore une fois l'impassible château, avec le parc, les jardins, les trois cours, et toutes les fenêtres de la façade.

Elle resta perdue de stupeur [1089], et n'ayant plus conscience d'elle-même que par le battement de ses artères, qu'elle croyait entendre s'échapper comme une assourdissante musique qui emplissait la campagne. Le sol, sous ses pieds, était plus mou qu'une onde, et les sillons lui parurent d'immenses vagues brunes, qui déferlaient. Tout ce qu'il y avait dans sa tête de réminiscences, d'idées, s'échappait à la fois, d'un seul bond, comme les mille pièces d'un feu d'artifice. Elle vit son père, le cabinet de Lheureux, leur chambre là-bas, un autre paysage. La folie la prenait, elle eut peur, et parvint à se ressaisir, d'une manière confuse, il est vrai; car elle ne se rappelait point la cause de son horrible état, c'est-à-dire la question d'argent. Elle ne souffrait que de son amour, et sentait son âme l'abandonner par ce souvenir, comme les blessés, en agonisant, sentent l'existence qui s'en va par leur plaie qui saigne.

La nuit tombait, des corneilles volaient.

Il lui sembla tout à coup que des globules couleur de feu éclataient dans l'air comme des balles fulminantes en s'aplatissant, et tournaient, tournaient, pour aller se fondre dans la neige [1090], entre les branches des arbres. Au milieu de chacun d'eux, la figure de Rodolphe apparaissait. Ils se multiplièrent, et ils se rapprochaient, la pénétraient; tout disparut. Elle reconnut les lumières des maisons, qui rayonnaient de loin dans le brouillard.

Alors sa situation, telle qu'un abîme, se présenta. Elle haletait à se rompre la poitrine. Puis, dans un transport d'héroïsme qui la rendait presque joyeuse, elle descendit la côte en courant, traversa la planche aux vaches, le sentier, l'allée, les halles, et arriva devant la boutique du pharmacien.

Il n'y avait personne. Elle allait entrer; mais, au bruit de la sonnette, on pouvait venir; et, se glissant par la barrière, retenant son haleine, tâtant les murs, elle s'avança jusqu'au seuil de la cuisine, où brûlait une chandelle posée sur le fourneau. Justin, en manches de chemise, emportait un plat.

— Ah ! ils dînent. Attendons.

Il revint. Elle frappa contre la vitre. Il sortit.

— La clef ! celle d'en haut, où sont les...

— Comment [1091] !

Et il la regardait, tout étonné par la pâleur de son visage, qui tranchait en blanc sur le fond noir de la nuit. Elle lui apparut extraordinairement belle, et majestueuse [1092] comme un fantôme; sans comprendre ce qu'elle voulait, il pressentait quelque chose de terrible.

Mais elle reprit vivement, à voix basse, d'une voix douce, dissolvante :

— Je la veux ! Donnez-la-moi.

Comme la cloison [1093] était mince, on entendait le cliquetis des fourchettes sur les assiettes dans la salle à manger.

Elle prétendit avoir besoin de tuer les rats [1094] qui l'empêchaient de dormir.

— Il faudrait que j'avertisse monsieur.

— Non ! reste !

Puis, d'un air indifférent :

— Eh ! ce n'est pas la peine, je lui dirai tantôt. Allons,
éclaire-moi !

Elle entra dans le corridor où s'ouvrait la porte du
laboratoire. Il y avait contre la muraille une clef étiquetée
Capharnaüm.

— Justin ! cria l'apothicaire, qui s'impatientait.

— Montons !

Et il la suivit.

La clef tourna dans la serrure, et elle alla droit vers la
troisième tablette, tant son souvenir la guidait bien, saisit
le bocal bleu, en arracha le bouchon, y fourra sa main,
et, la retirant pleine d'une poudre blanche, elle se mit à
manger à même.

— Arrêtez ! s'écria-t-il en se jetant sur elle.

— Tais-toi ! on viendrait...

Il se désespérait, voulait appeler.

— N'en dis rien, tout retomberait sur ton maître !

Puis elle s'en retourna subitement apaisée, et presque
dans la sérénité d'un devoir accompli.

Quand Charles, bouleversé par la nouvelle de la saisie,
était rentré à la maison, Emma venait d'en sortir. Il cria,
pleura, s'évanouit, mais elle ne revint pas. Où pouvait-
elle être ? Il envoya Félicité chez Homais, chez M. Tuvache,
chez Lheureux, au *Lion d'or*, partout ; et, dans les intermittences de son angoisse, il voyait sa considération anéantie,
leur fortune perdue, l'avenir de Berthe brisé ! Par quelle
cause !... pas un mot ! Il attendit jusqu'à six heures du soir.
Enfin, n'y pouvant plus tenir, et imaginant qu'elle était
partie pour Rouen [1095], il alla sur la grande route, fit une
demi-lieue, ne rencontra personne, attendit encore et s'en
revint.

Elle était rentrée.

— Qu'y avait-il ?... Pourquoi ?... Explique-moi [1096] ?...

Elle s'assit à son secrétaire, et écrivit une lettre qu'elle
cacheta lentement, ajoutant la date du jour et l'heure [1097].

Puis elle dit d'un ton solennel :

— Tu la liras demain; d'ici là, je t'en prie, ne m'adresse pas une seule question !... Non, pas une !

— Mais...

— Oh ! laisse-moi !

Et elle se coucha tout du long sur son lit [1098].

Une saveur âcre qu'elle sentait dans sa bouche la réveilla. Elle entrevit Charles et referma les yeux.

Elle s'épiait curieusement, pour discerner si elle ne souffrait pas. Mais non ! rien encore. Elle entendait le battement de la pendule, le bruit du feu, et Charles, debout près de sa couche, qui respirait.

— Ah ! c'est bien peu de chose, la mort ! pensait-elle : je vais dormir [1099], et tout sera fini !

Elle but une gorgée d'eau et se tourna vers la muraille.

Cet affreux goût d'encre continuait.

— J'ai soif !... oh ! j'ai bien soif ! soupira-t-elle.

— Qu'as-tu donc ? dit Charles, qui lui tendait un verre.

— Ce n'est rien !... Ouvre la fenêtre... j'étouffe !

Et elle fut prise d'une nausée si soudaine, qu'elle eut à peine le temps de saisir son mouchoir sous l'oreiller.

— Enlève-le ! dit-elle vivement; jette-le !

Il la questionna; elle ne répondit pas. Elle se tenait immobile, de peur que la moindre émotion ne la fît vomir [1100]. Cependant, elle sentait un froid de glace qui lui montait des pieds jusqu'au cœur.

— Ah ! voilà que ça commence ! murmura-t-elle.

— Que dis-tu ?

Elle roulait sa tête avec un geste doux, plein d'angoisse [1101], et tout en ouvrant continuellement les mâchoires, comme si elle eût porté sur sa langue quelque chose de très lourd. A huit heures, les vomissements reparurent.

Charles observa qu'il y avait au fond de la cuvette une sorte de gravier blanc, attaché aux parois de la porcelaine.

— C'est extraordinaire ! c'est singulier ! répéta-t-il.

Mais elle dit d'une voix forte :

— Non, tu te trompes [1102] !

Alors, délicatement et presque en la caressant, il lui passa la main sur l'estomac. Elle jeta un cri aigu. Il se recula tout effrayé.

Puis elle se mit à geindre, faiblement d'abord. Un grand
frisson lui secouait les épaules, et elle devenait plus pâle
que le drap où s'enfonçaient ses doigts crispés. Son pouls,
inégal, était presque insensible maintenant.

Des gouttes suintaient sur sa figure bleuâtre, qui semblait comme figée dans l'exhalaison d'une vapeur métallique. Ses dents claquaient, ses yeux agrandis regardaient
vaguement autour d'elle, et à toutes les questions elle ne
répondait qu'en hochant la tête; même elle sourit deux ou
trois fois. Peu à peu, ses gémissements furent plus forts.
Un hurlement sourd lui échappa; elle prétendit qu'elle
allait mieux et qu'elle se lèverait tout à l'heure. Mais les
convulsions la saisirent; elle s'écria !

— Ah ! c'est atroce, mon Dieu !

Il se jeta à genoux contre son lit.

— Parle ! qu'as-tu mangé ? Réponds, au nom du ciel !

Et il la regardait avec des yeux d'une tendresse comme
elle n'en avait jamais vu.

— Eh bien, là..., là !... dit-elle d'une voix défaillante.

Il bondit au secrétaire, brisa le cachet et lut tout haut !
Qu'on n'accuse personne... Il s'arrêta, se passa la main sur les
yeux, et relut encore.

— Comment ! Au secours ! A moi !

Et il ne pouvait que répéter ce mot [1103] : « Empoisonnée !
empoisonnée ! » Félicité courut chez Homais, qui l'exclama
sur la place; Mme Lefrançois l'entendit au *Lion d'or ;*
quelques-uns se levèrent pour l'apprendre à leurs voisins,
et toute la nuit le village fut en éveil.

Éperdu [1104], balbutiant, près de tomber, Charles tournait dans la chambre. Il se heurtait aux meubles, s'arra-
chait les cheveux, et jamais le pharmacien n'avait cru qu'il
pût y avoir de si épouvantable spectacle.

Il revint chez lui pour écrire à M. Canivet et au docteur
Larivière. Il perdait la tête; il fit plus de quinze brouillons.
Hippolyte partit à Neufchâtel, et Justin talonna si fort
le cheval de Bovary, qu'il le laissa dans la côte du Bois-
Guillaume, fourbu et aux trois quarts crevé.

Charles voulut feuilleter son dictionnaire de médecine; il n'y voyait pas, les lignes dansaient.

— Du calme ! dit l'apothicaire. Il s'agit seulement
d'administrer quelque puissant antidote. Quel est le poison ?

Charles montra la lettre. C'était de l'arsenic.

— Eh bien ! reprit Homais, il faudrait en faire l'analyse.

Car il savait qu'il faut, dans tous les empoisonnements, faire une analyse ; et l'autre, qui ne comprenait pas, répondit :

— Ah ! faites ! faites ! sauvez-la...

Puis, revenu près d'elle, il s'affaissa par terre sur le tapis, et il restait la tête appuyée contre le bord de sa couche à sangloter.

— Ne pleure pas ! lui dit-elle. Bientôt je ne te tourmenterai plus !

— Pourquoi ? Qui t'a forcée ?

Elle répliqua :

— Il le fallait, mon ami.

— N'étais-tu pas heureuse ? Est-ce ma faute ? J'ai fait tout ce que j'ai pu, pourtant !

— Oui..., c'est vrai..., tu es bon, toi !

Et elle lui passait la main dans les cheveux, lentement. La douceur de cette sensation [1105] surchargeait sa tristesse ; il sentait tout son être s'écrouler de désespoir à l'idée qu'il fallait la perdre, quand, au contraire, elle avouait pour lui plus d'amour que jamais ; et il ne trouvait rien ; il ne savait pas, il n'osait, l'urgence d'une résolution immédiate achevant de le bouleverser.

Elle en avait fini, songeait-elle, avec toutes les trahisons, les bassesses et les innombrables convoitises qui la torturaient. Elle ne haïssait personne, maintenant ; une confusion de crépuscule s'abattait en sa pensée, et de tous les bruits de la terre Emma n'entendait plus que l'intermittente lamentation de ce pauvre cœur, douce et indistincte, comme le dernier écho d'une symphonie qui s'éloigne [1106].

— Amenez-moi la petite, dit-elle en se soulevant du coude.

— Tu n'es pas plus mal, n'est-ce pas ? demanda Charles [1107].

— Non ! non !

L'enfant arriva sur le bras de sa bonne, dans sa longue chemise de nuit, d'où sortaient ses pieds nus, sérieuse et presque rêvant encore. Elle considérait avec étonnement la chambre tout en désordre, et clignait des yeux, éblouie par les flambeaux qui brûlaient sur les meubles. Ils lui rappelaient sans doute [1108] les matins du jour de l'an ou de la mi-carême [1109], quand, ainsi réveillée de bonne heure

à la clarté des bougies, elle venait dans le lit de sa mère pour
y recevoir ses étrennes, car elle se mit à dire :

— Où est-ce donc, maman ?

Et, comme tout le monde se taisait :

— Mais je ne vois pas mon petit soulier !

Félicité la penchait vers le lit, tandis qu'elle regardait
toujours du côté de la cheminée.

— Est-ce nourrice qui l'aurait pris ? demanda-t-elle.

Et, à ce nom, qui la reportait dans le souvenir de ses
adultères et de ses calamités, Mme Bovary détourna sa
tête, comme au dégoût d'un autre poison plus fort qui lui
remontait à la bouche. Berthe, cependant, restait posée
sur le lit.

— Oh ! comme tu as de grands yeux, maman ! comme
tu es pâle ! comme tu sues !...

Sa mère la regardait.

— J'ai peur ! dit la petite en se reculant.

Emma prit sa main pour la baiser; elle se débattait [1110].

— Assez ! qu'on l'emmène ! s'écria Charles, qui sanglotait dans l'alcôve.

Puis les symptômes s'arrêtèrent un moment; elle paraissait moins agitée; et, à chaque parole insignifiante, à chaque
souffle de sa poitrine un peu plus calme, il reprenait espoir.
Enfin, lorsque Canivet entra, il se jeta dans ses bras en
pleurant.

— Ah ! c'est vous ! merci ! vous êtes bon ! Mais tout
va mieux. Tenez, regardez-la...

Le confrère ne fut nullement de cette opinion, et, n'y
allant pas, comme il le disait lui-même, *par quatre chemins*,
il prescrivit de l'émétique, afin de dégager complètement
l'estomac.

Elle ne tarda pas à vomir du sang. Ses lèvres se serrè-
rent davantage. Elle avait les membres crispés, le corps
couvert de taches brunes, et son pouls glissait sous les
doigts comme un fil tendu, comme une corde de harpe
près de se rompre.

Puis elle se mettait à crier, horriblement. Elle maudissait
le poison, l'invectivait, le suppliait de se hâter, et repoussait
de ses bras raidis [1111] tout ce que Charles, plus agonisant
qu'elle, s'efforçait de lui faire boire. Il était debout, son
mouchoir sur les lèvres, râlant, pleurant, suffoqué par
des sanglots [1112] qui le secouaient jusqu'aux talons; Félicité

courait çà et là dans la chambre; Homais, immobile, poussait de gros soupirs, et M. Canivet, gardant toujours son aplomb, commençait néanmoins à se sentir troublé.

— Diable !... cependant... elle est purgée, et, du moment que la cause cesse...

— L'effet doit cesser, dit Homais [1113]; c'est évident.

— Mais sauvez-là ! exclamait Bovary.

Aussi, sans écouter le pharmacien qui hasardait encore cette hypothèse : « C'est peut-être un paroxysme salutaire », Canivet allait administrer de la thériaque, lorsqu'on entendit le claquement d'un fouet; toutes les vitres frémirent, et une berline de poste, qu'enlevaient à plein poitrail trois chevaux crottés jusqu'aux oreilles, débusqua d'un bond au coin des halles. C'était le docteur Larivière [1114].

L'apparition d'un dieu [1115] n'eût pas causé plus d'émoi. Bovary leva les mains, Canivet s'arrêta court, et Homais retira son bonnet grec bien avant que le docteur fût entré [1116].

Il appartenait à la grande école chirurgicale sortie du tablier de Bichat, à cette génération maintenant disparue, de praticiens philosophes qui, chérissant leur art d'un amour fanatique, l'exerçaient avec exaltation et sagacité ! Tout tremblait dans son hôpital quand il se mettait en colère, et ses élèves le vénéraient si bien, qu'ils s'efforçaient, à peine établis, de l'imiter le plus possible; de sorte que l'on retrouvait sur eux, par les villes d'alentour, sa longue douillette de mérinos et son large habit noir, dont les parements déboutonnés couvraient un peu ses mains charnues, de fort belles mains, et qui n'avaient jamais de gants, comme pour être plus promptes à plonger dans les misères. Dédaigneux des croix, des titres et des académies, hospitalier, libéral, paternel avec les pauvres et pratiquant la vertu sans y croire, il eût presque passé pour un saint si la finesse de son esprit ne l'eût fait craindre comme un démon. Son regard, plus tranchant que ses bistouris, vous descendait droit dans l'âme et désarticulait tout mensonge à travers les allégations et les pudeurs. Et il allait ainsi, plein de cette majesté débonnaire que donnent la conscience d'un grand talent, de la fortune, et quarante ans d'une existence laborieuse et irréprochable.

Il fronça les sourcils dès la porte, en apercevant la face cadavéreuse d'Emma étendue sur le dos, la bouche ouverte.

Puis, tout en ayant l'air d'écouter Canivet, il se passait
l'index sous les narines et répétait :

— C'est bien, c'est bien.

Mais il fit un geste lent des épaules. Bovary l'observa :
ils se regardèrent; et cet homme, si habitué pourtant à
l'aspect des douleurs, ne put retenir une larme qui tomba
sur son jabot.

Il voulut emmener Canivet dans la pièce voisine. Charles
le suivit.

— Elle est bien mal, n'est-ce pas ? Si l'on posait des
sinapismes ? je ne sais quoi ! Trouvez donc quelque chose,
vous qui en avez tant sauvé !

Charles lui entourait le corps de ses deux bras, et il le
contemplait d'une manière effarée, suppliante, à demi
pâmé contre sa poitrine.

— Allons, mon pauvre garçon, du courage ! Il n'y a
plus rien à faire.

Et le docteur Larivière se détourna.

— Vous partez ?

— Je vais revenir.

Il sortit, comme pour donner un ordre au postillon, avec
le sieur Canivet, qui ne se souciait pas non plus de voir
Emma mourir entre ses mains.

Le pharmacien les rejoignit [1117] sur la place. Il ne pouvait,
par tempérament, se séparer des gens célèbres. Aussi
conjura-t-il M. Larivière de lui faire cet insigne honneur
d'accepter à déjeuner.

On envoya bien vite prendre des pigeons au *Lion d'or*,
tout ce qu'il y avait de côtelettes à la boucherie, de la crème
chez Tuvache, des œufs chez Lestiboudois, et l'apothicaire
aidait lui-même aux préparatifs, tandis que Mme Homais
disait, en tirant les cordons de sa camisole :

— Vous ferez excuse, monsieur ; car, dans notre
malheureux pays, du moment qu'on n'est pas prévenu la
veille...

— Les verres à pattes ! ! ! [1118] souffla Homais.

— Au moins, si nous étions à la ville, nous aurions
la ressource des pieds farcis.

— Tais-toi !... A table, docteur !

Il jugea bon, après les premiers morceaux, de fournir
quelques détails sur la catastrophe :

— Nous avons eu d'abord un sentiment de siccité au

pharynx, puis des douleurs intolérables à l'épigastre, super-purgation, coma.

— Comment s'est-elle donc empoisonnée ?

— Je l'ignore, docteur, et même je ne sais pas trop [1119] où elle a pu se procurer cet acide arsénieux.

Justin, qui apportait alors une pile d'assiettes, fut saisi d'un tremblement.

— Qu'as-tu ? dit le pharmacien.

Le jeune homme [1120], à cette question, laissa tout tomber par terre, avec un grand fracas.

— Imbécile ! s'écria Homais, maladroit ! lourdaud ! fichu âne !

Mais, soudain, se maîtrisant :

— J'ai voulu, docteur, tenter une analyse, et *primo*, j'ai délicatement introduit dans un tube...

— Il aurait mieux valu, dit le chirurgien, lui introduire vos doigts dans la gorge.

Son confrère se taisait, ayant tout à l'heure reçu confidentiellement une forte semonce à propos de son émétique, de sorte que ce bon Canivet, si arrogant et verbeux lors du pied bot, était très modeste aujourd'hui; il souriait sans discontinuer, d'une manière approbative.

Homais s'épanouissait dans son orgueil d'amphitryon, et l'affligeante idée de Bovary contribuait vaguement à son plaisir [1121], par un retour égoïste qu'il faisait sur lui-même. Puis la présence du Docteur [1122] le transportait. Il étalait son érudition, il citait pêle-mêle les cantharides, l'upas, le mancenillier, la vipère...

— Et même j'ai lu que différentes personnes s'étaient trouvées intoxiquées, docteur, et comme foudroyées par des boudins qui avaient subi une trop véhémente fumigation ! Du moins, c'était dans un fort beau rapport, composé par une de nos sommités pharmaceutiques, un de nos maîtres, l'illustre Cadet de Gassicourt !

Mme Homais réapparut, portant une de ces vacillantes machines que l'on chauffe avec de l'esprit-de-vin; car Homais tenait à faire son café sur la table, l'ayant, d'ailleurs, torréfié lui-même, porphyrisé lui-même, mixtionné lui-même.

— *Saccharum*, docteur, dit-il en offrant du sucre.

Puis il fit descendre tous ses enfants, curieux d'avoir l'avis du chirurgien sur leur constitution.

Enfin, M. Larivière allait partir, quand Mme Homais lui demanda une consultation pour son mari. Il s'épaississait le sang à s'endormir chaque soir après le dîner.

— Oh ! ce n'est pas le *sens* qui le gêne.

Et, souriant un peu de ce calembour inaperçu, le docteur ouvrit la porte. Mais la pharmacie regorgeait de monde, et il eut grand'peine à pouvoir se débarrasser du sieur Tuvache, qui redoutait pour son épouse une fluxion de poitrine, parce qu'elle avait coutume de cracher dans les cendres; puis de M. Binet, qui éprouvait parfois des fringales, et de Mme Caron, qui avait des picotements; de Lheureux, qui avait des vertiges; de Lestiboudois, qui avait un rhumatisme; de Mme Lefrançois, qui avait des aigreurs. Enfin les trois chevaux détalèrent et l'on trouva généralement qu'il n'avait point montré de complaisance.

L'attention publique [1123] fut distraite par l'apparition de M. Bournisien, qui passait sous les halles avec les saintes huiles.

Homais, comme il le devait à ses principes [1124], compara les prêtres à des corbeaux qu'attire l'odeur des morts; la vue d'un ecclésiastique lui était personnellement désagréable, car la soutane le faisait rêver au linceul, et il exécrait l'une un peu par épouvante de l'autre.

Néanmoins, ne reculant pas devant ce qu'il appelait *sa mission*, il retourna chez Bovary en compagnie de Canivet, que M. Larivière, avant de partir, avait engagé fortement à cette démarche; et même, sans les représentations de sa femme, il eût emmené avec lui ses deux fils, afin de les accoutumer aux fortes circonstances, pour que ce fût une leçon, un exemple, un tableau solennel qui leur restât plus tard dans la tête.

La chambre, quand ils entrèrent [1125], était toute pleine d'une solennité lugubre. Il y avait sur la table à ouvrage, recouverte d'une serviette blanche, cinq ou six petites boules de coton dans un plat d'argent, près d'un gros crucifix, entre deux chandeliers qui brûlaient. Emma, le menton contre sa poitrine, ouvrait démesurément les paupières, et ses pauvres mains se traînaient sur les draps, avec ce geste hideux et doux des agonisants qui semblent vouloir déjà se recouvrir du suaire. Pâle comme une statue, et les yeux rouges comme des charbons, Charles, sans pleurer, se tenait en face d'elle au pied du lit, tandis que le prêtre, appuyé sur un genou, marmottait des paroles basses.

Elle tourna sa figure lentement, et parut saisie de joie à voir tout à coup l'étole violette, sans doute retrouvant au milieu d'un apaisement extraordinaire la volupté perdue de ses premiers élancements mystiques, avec des visions de béatitude éternelle qui commençaient.

Le prêtre se releva pour prendre le crucifix; alors elle allongea le cou comme quelqu'un qui a soif, et, collant ses lèvres sur le corps de l'Homme-Dieu [1126], elle y déposa de toute sa force expirante le plus grand baiser d'amour qu'elle eût jamais donné. Ensuite il récita le *Misereatur* et l'*Indulgentiam*, trempa son pouce droit dans l'huile et commença les onctions : d'abord sur les yeux, qui avaient tant convoité toutes les somptuosités terrestres; puis sur les narines, friandes de brises tièdes et de senteurs amoureuses; puis sur la bouche, qui s'était ouverte pour le mensonge, qui avait gémi d'orgueil et crié dans la luxure; puis sur les mains, qui se délectaient aux contacts suaves, et enfin sur la plante des pieds, si rapides autrefois quand elle courait à l'assouvissement de ses désirs, et qui maintenant ne marcheraient plus.

Le curé s'essuya les doigts, jeta dans le feu les brins de coton trempés d'huile, et revint s'asseoir près de la moribonde pour lui dire qu'elle devait à présent joindre ses souffrances à celles de Jésus-Christ et s'abandonner à la miséricorde divine.

En finissant ses exhortations, il essaya de lui mettre dans la main un cierge bénit, symbole des gloires célestes dont elle allait tout à l'heure être environnée. Emma, trop faible [1127], ne put fermer les doigts, et le cierge, sans M. Bournisien, serait tombé à terre [1128].

Cependant elle n'était pas aussi pâle, et son visage avait une expression de sérénité, comme si le sacrement l'eût guérie.

Le prêtre ne manqua point d'en faire l'observation, il expliqua [1129] même à Bovary que le Seigneur, quelquefois, prolongeait l'existence des personnes lorsqu'il le jugeait convenable pour le salut [1130]; et Charles se rappela un jour où, ainsi près de mourir, elle avait reçu la communion.

— Il ne fallait peut-être pas se désespérer, pensa-t-il.

En effet, elle regarda tout autour d'elle, lentement, comme quelqu'un qui se réveille d'un songe, puis, d'une

voix distincte, elle demanda son miroir, et elle resta penchée
dessus quelque temps; jusqu'au moment où de grosses
larmes lui découlèrent des yeux. Alors elle se renversa la
tête en poussant un soupir et retomba sur l'oreiller.

Sa poitrine aussitôt se mit à haleter rapidement. La
langue tout entière lui sortit hors de la bouche; ses yeux,
en roulant, pâlissaient comme deux globes de lampe qui
s'éteignent, à la croire déjà morte, sans l'effrayante accélé-
ration de ses côtes, secouées par un souffle furieux, comme
si l'âme eût fait des bonds pour se détacher. Félicité s'agenouilla devant le crucifix, et le pharmacien lui-même fléchit
un peu les jarrets, tandis que M. Canivet regardait vaguement sur la place. Bournisien s'était remis en prière, la
figure inclinée contre le bord de la couche, avec sa longue
soutane noire qui traînait derrière lui dans l'appartement.
Charles était de l'autre côté, à genoux, les bras étendus vers
Emma [1131]. Il avait pris ses mains et il les serrait, tressaillant à
chaque battement de son cœur, comme au contre-coup
d'une ruine qui tombe. A mesure que le râle [1132] devenait
plus fort, l'ecclésiastique précipitait ses oraisons : elles se
mêlaient aux sanglots étouffés de Bovary, et quelquefois
tout semblait disparaître dans le sourd murmure des syllabes
latines, qui tintaient comme un glas de cloche.

Tout à coup, on entendit sur le trottoir [1133] un bruit de
gros sabots, avec le frôlement d'un bâton; et une voix
s'éleva, une voix rauque, qui chantait :

> *Souvent la chaleur d'un beau jour*
> *Fait rêver fillette à l'amour.*

Emma se releva [1134] comme un cadavre que l'on galvanise,
les cheveux dénoués, la prunelle fixe, béante.

> *Pour amasser diligemment*
> *Les épis que la faux moissonne,*
> *Ma Nanette va s'inclinant*
> *Vers le sillon qui nous les donne.*

— L'aveugle ! s'écria-t-elle.

Et Emma se mit à rire, d'un rire atroce, frénétique,
désespéré, croyant voir la face hideuse du misérable, qui
se dressait dans les ténèbres éternelles comme un épouvantement.

Il souffla bien fort ce jour-là,
Et le jupon court s'envola !

Une convulsion la rabattit sur le matelas. Tous s'approchèrent. Elle n'existait plus [1135].

IX

Il y a toujours, après la mort de quelqu'un, comme une stupéfaction qui se dégage, tant il est difficile de comprendre cette survenue du néant et de se résigner à croire. Mais, quand il s'aperçut pourtant de son immobilité [1136], Charles se jeta sur elle en criant :

— Adieu ! adieu !

Homais et Canivet l'entraînèrent hors de la chambre.

— Modérez-vous !

— Oui, disait-il en se débattant, je serai raisonnable, je ne ferais pas de mal. Mais laissez-moi ! je veux la voir ! c'est ma femme !

Et il pleurait.

— Pleurez, reprit le pharmacien, donnez cours à la nature, cela vous soulagera.

Devenu plus faible qu'un enfant, Charles se laissa conduire en bas, dans la salle, et M. Homais, bientôt, s'en retourna chez lui.

Il fut, sur la place, accosté par l'aveugle, qui, s'étant traîné jusqu'à Yonville, dans l'espoir de la pommade antiphlogistique, demandait à chaque passant où demeurait l'apothicaire.

— Allons, bon ! comme si je n'avais pas d'autres chiens à fouetter ! Ah ! tant pis, reviens plus tard !

Et il entra précipitamment dans la pharmacie.

Il avait à écrire deux lettres, à faire une potion calmante pour Bovary, à trouver un mensonge qui pût cacher l'empoisonnement et à le rédiger en article pour le *Fanal*, sans compter les personnes qui l'attendaient, afin d'avoir des informations; et, quand les Yonvillais eurent tous entendu son histoire d'arsenic qu'elle avait pris pour du sucre, en

faisant une crème à la vanille, Homais, encore une fois
retourna chez Bovary.

Il le trouva seul (M. Canivet venait de partir), assis dans
le fauteuil, près de la fenêtre, et contemplant d'un regard
idiot les pavés de la salle.

— Il faudrait à présent, dit le pharmacien, fixer vous-
même l'heure de la cérémonie.

— Pourquoi ? Quelle cérémonie ?

Puis, d'une voix balbutiante et effrayée :

— Oh ! non, n'est-ce pas ? non, je veux la garder.

Homais, par contenance, prit une carafe sur l'étagère
pour arroser les géraniums.

— Ah ! merci, dit Charles, vous êtes bon !

Et il n'acheva pas, suffoquant sous une abondance de
souvenirs que ce geste du pharmacien lui rappelait.

Alors pour le distraire, Homais jugea convenable de
causer un peu horticulture; les plantes avaient besoin
d'humidité. Charles baissa la tête en signe d'approbation.

— Du reste, les beaux jours maintenant vont revenir.

— Ah ! fit Bovary.

L'apothicaire, à bout d'idées, se mit à écarter doucement
les petits rideaux du vitrage.

— Tiens, voila M. Tuvache qui passe.

Charles répéta comme une machine.

— M. Tuvache qui passe.

Homais n'osa lui reparler des dispositions funèbres;
ce fut l'ecclésiastique [1137] qui parvint à l'y résoudre.

Il s'enferma dans son cabinet, prit une plume, et, après
avoir sangloté quelque temps, il écrivit :

*Je veux qu'on l'enterre dans sa robe de noces, avec des souliers
blancs, une couronne. On lui étalera ses cheveux* [1138] *sur les épaules ;
trois cercueils, un de chêne, un d'acajou, un de plomb. Qu'on ne me
dise rien, j'aurai de la force. On lui mettra par-dessus toute* [1139]
une grande pièce de velours vert. Je le veux. Faites-le.

Ces messieurs s'étonnèrent beaucoup des idées roma-
nesques de Bovary, et aussitôt le pharmacien alla lui dire :

— Ce velours me paraît une superfétation. La dépense,
d'ailleurs...

— Est-ce que cela vous regarde ? s'écria Charles. Laissez-
moi ! vous ne l'aimiez pas ! Allez-vous-en !

L'ecclésiastique le prit par-dessous le bras pour lui faire

faire un tour de promenade dans le jardin. Il discourait sur la vanité des choses terrestres. Dieu était bien grand, bien bon; on devait sans murmure se soumettre à ses décrets, même le remercier.

Charles éclata en blasphèmes.

— Je l'exècre, votre Dieu !

— L'esprit de la révolte [1140] est encore en vous, soupira l'ecclésiastique.

Bovary était loin. Il marchait à grands pas, le long du mur, près de l'espalier, et il grinçait des dents, il levait au ciel des regards de malédiction; mais pas une feuille seulement n'en bougea.

Une petite pluie tombait. Charles, qui avait la poitrine nue, finit par grelotter; il rentra s'asseoir dans la cuisine.

A six heures, on entendit un bruit de ferraille sur la place : c'était l'*Hirondelle* qui arrivait; et il resta le front contre les carreaux, à voir descendre les uns après les autres [1141] tous les voyageurs. Félicité lui étendit un matelas dans le salon; il se jeta dessus et s'endormit.

Bien que philosophe, M. Homais respectait les morts. Aussi, sans garder rancune au pauvre Charles, il revint le soir pour faire la veillée du cadavre [1142], apportant avec lui trois volumes, et un portefeuille, afin de prendre des notes.

M. Bournisien s'y trouvait, et deux grands cierges brûlaient au chevet du lit, que l'on avait tiré hors de l'alcôve.

L'apothicaire, à qui le silence pesait, ne tarda pas à formuler quelques plaintes sur cette « infortunée jeune femme »; et le prêtre répondit qu'il ne restait plus maintenant qu'à prier pour elle.

— Cependant, reprit Homais, de deux choses l'une : ou elle est morte en état de grâce (comme s'exprime l'Église), et alors elle n'a nul besoin de nos prières [1143]; ou bien elle est décédée impénitente (c'est, je crois, l'expression ecclésiastique), et alors...

Bournisien l'interrompit, répliquant d'un ton bourru qu'il n'en fallait pas moins prier.

— Mais, objecta le pharmacien, puisque Dieu connaît tous nos besoins [1144], à quoi peut servir la prière ?

— Comment ! fit l'ecclésiastique, la prière [1145] ! Vous n'êtes donc pas chrétien ?

— Pardonnez ! dit Homais. J'admire le christianisme. Il a d'abord affranchi les esclaves, introduit dans le monde une morale...

— Il ne s'agit pas de cela ! Tous les textes...

— Oh ! oh ! quant aux textes, ouvrez l'histoire ; on sait [1146] qu'ils ont été falsifiés par les Jésuites.

Charles entra, et, s'avançant vers le lit, il tira lentement les rideaux.

Emma avait la tête penchée sur l'épaule droite. Le coin de sa bouche, qui se tenait ouverte, faisait comme un trou noir au bas de son visage, les deux pouces restaient infléchis dans la paume des mains ; une sorte de poussière blanche lui parsemait les cils, et ses yeux commençaient à disparaître dans une pâleur visqueuse qui ressemblait à une toile mince, comme si des araignées avaient filé dessus. Le drap se creusait [1147] depuis ses seins jusqu'à ses genoux, se relevant ensuite à la pointe des orteils ; et il semblait à Charles que des masses infinies, qu'un poids énorme pesait sur elle.

L'horloge de l'église sonna deux heures. On entendait le gros murmure de la rivière qui coulait dans les ténèbres, au pied de la terrasse, M. Bournisien, de temps à autre, se mouchait bruyamment, et Homais faisait grincer sa plume sur le papier.

— Allons, mon bon ami, dit-il, retirez-vous, ce spectacle vous déchire !

Charles une fois parti, le pharmacien et le curé recommencèrent leurs discussions.

— Lisez Voltaire ! disait l'un ; lisez d'Holbach, lisez l'*Encyclopédie* !

— Lisez les *Lettres de quelques juifs portugais* ! disait l'autre ; lisez la *Raison du christianisme*, par Nicolas, ancien magistrat !

Ils s'échauffaient, ils étaient rouges, ils parlaient à la fois, sans s'écouter ; Bournisien se scandalisait d'une telle audace ; Homais s'émerveillait d'une telle bêtise ; et ils n'étaient pas loin de s'adresser des injures, quand Charles, tout à coup, reparut. Une fascination l'attirait. Il remontait continuellement l'escalier.

Il se posait en face d'elle pour la mieux voir, et il se

perdait en cette contemplation, qui n'était plus douloureuse à force d'être profonde.

Il se rappelait des histoires de catalepsie, les miracles
du magnétisme; et il se disait qu'en le voulant extrêmement,
il parviendrait peut-être à la ressusciter. Une fois même il se
pencha vers elle, et il cria tout bas : « Emma ! Emma ! » Son
haleine, fortement poussée, fit trembler la flamme des
cierges contre le mur.

Au petit jour, Mme Bovary mère arriva; Charles [1148],
en l'embrassant, eut un nouveau débordement de pleurs.
Elle essaya, comme avait tenté le pharmacien, de lui faire
quelques observations sur les dépenses de l'enterrement. Il
s'emporta [1149] si fort qu'elle se tut, et même il la chargea de
se rendre immédiatement à la ville pour acheter ce qu'il
fallait.

Charles resta seul toute l'après-midi; on avait conduit
Berthe chez Mme Homais; Félicité se tenait en haut, dans
la chambre, avec la mère Lefrançois.

Le soir, il reçut des visites. Il se levait, vous serrait les
mains sans pouvoir parler, puis on s'asseyait [1150] auprès
des autres, qui faisaient devant la cheminée un grand demi-
cercle. La figure basse et le jarret sur le genou, ils dandi-
naient leur jambe, tout en poussant par intervalles un gros
soupir; et chacun s'ennuyait d'une façon démesurée;
c'était pourtant à qui ne partirait pas.

Homais, quand il revint à neuf heures (on ne voyait que
lui sur la place, depuis deux jours), était chargé d'une provision de camphre, de benjoin et d'herbes aromatiques. Il
portait aussi un vase plein de chlore, pour bannir les
miasmes. A ce moment, la domestique, Mme Lefrançois
et la mère Bovary tournaient autour d'Emma, en achevant
de l'habiller; et elles abaissèrent le long voile raide [1151],
qui la recouvrit jusqu'à ses souliers de satin.

Félicité sanglotait :

— Ah ! ma pauvre maîtresse ! ma pauvre maîtresse !

— Regardez-la, disait en soupirant l'aubergiste, comme
elle est mignonne encore [1152] ! Si l'on ne jurerait pas [1153]
qu'elle va se lever tout à l'heure.

Puis elles se penchèrent pour lui mettre sa couronne.

Il fallut soulever un peu [1154] la tête, et alors un flot de
liquides noirs sortit, comme un vomissement, de sa bouche.

— Ah ! mon Dieu ! la robe, prenez garde ! s'écria

Mᵐᵉ Lefrançois. Aidez-nous donc ! disait-elle au pharmacien. Est-ce que vous avez peur, par hasard ?

— Moi, peur ? répliqua-t-il [1155] en haussant les épaules. Ah bien, oui ! J'en ai vu d'autres à l'Hôtel-Dieu, quand j'étudiais la pharmacie ! Nous faisions du punch dans l'amphithéâtre aux dissections ! Le néant n'épouvante pas un philosophe; et même, je le dis souvent, j'ai l'intention de léguer mon corps aux hôpitaux, afin de servir plus tard à la Science [1156].

En arrivant, le curé demanda comment se portait Monsieur; et, sur la réponse de l'apothicaire, il reprit :

— Le coup [1157], vous comprenez, est encore trop récent !

Alors Homais le félicita [1158] de n'être pas exposé, comme tout le monde, à perdre une compagne chérie; d'où s'ensuivit une discussion sur le célibat des prêtres.

— Car, disait le pharmacien, il n'est pas naturel qu'un homme se passe de femmes ! On a vu des crimes...

— Mais, sabre de bois ! s'écria l'ecclésiastique, comment voulez-vous qu'un individu pris dans le mariage puisse garder, par exemple, le secret de la confession ?

Homais attaqua [1159] la confession. Bournisien la défendit; il s'étendit sur les restitutions [1160] qu'elle faisait opérer. Il cita différentes anecdotes de voleurs devenus honnêtes tout à coup. Des militaires, s'étant approchés du tribunal de la pénitence, avaient senti les écailles leur tomber des yeux. Il y avait à Fribourg un ministre...

Son compagnon dormait. Puis, comme il étouffait un peu dans l'atmosphère trop lourde de la chambre, il ouvrit la fenêtre, ce qui réveilla le pharmacien.

— Allons, une prise ! lui dit-il. Acceptez, cela dissipe [1161].

Des aboiements [1162] continus se traînaient au loin, quelque part.

— Entendez-vous un chien qui hurle ? dit le pharmacien.

— On prétend qu'ils sentent les morts, répondit l'ecclésiastique [1163]. C'est comme les abeilles; elles s'envolent de la ruche au décès des personnes. — Homais ne releva pas ces préjugés [1164], car il s'était rendormi.

M. Bournisien, plus robuste, continua quelque temps à remuer tout bas les lèvres; puis, insensiblement, il baissa le menton, lâcha son gros livre noir et se mit à ronfler.

Ils étaient en face l'un de l'autre, le ventre en avant, la figure bouffie, l'air renfrogné, après tant de désaccord se rencontrant enfin dans la même faiblesse humaine; et ils ne bougeaient pas plus que le cadavre à côté d'eux qui avait l'air de dormir.

Charles, en entrant, ne les réveilla point. C'était la dernière fois. Il venait lui faire ses adieux.

Les herbes aromatiques fumaient encore, et des tourbillons de vapeur bleuâtre se confondaient au bord de la croisée avec le brouillard qui entrait. Il y avait quelques étoiles, et la nuit était douce [1165].

La cire des cierges tombait par grosses larmes sur les draps du lit. Charles les regardait brûler, fatiguant ses yeux contre le rayonnement de leur flamme jaune.

Des moires frissonnaient sur la robe de satin, blanche comme un clair de lune. Emma disparaissait dessous; et il lui semblait que, s'épandant au dehors d'elle-même, elle se perdait confusément dans l'entourage des choses, dans le silence, dans la nuit, dans le vent qui passait, dans les senteurs humides qui montaient.

Puis, tout à coup, il la voyait dans le jardin de Tostes, sur le banc, contre la haie d'épines, ou bien à Rouen, dans les rues, sur le seuil de leur maison, dans la cour des Berteaux. Il entendait encore le rire des garçons en gaieté qui dansaient sous les pommiers; la chambre était pleine du parfum de sa chevelure et sa robe lui frissonnait dans les bras avec un bruit d'étincelles. C'était la même, celle-là !

Il fut longtemps à se rappeler [1166] ainsi toutes les félicités disparues, ses attitudes, ses gestes, le timbre de sa voix. Après un désespoir, il en venait un autre et toujours, intarissablement, comme les flots d'une marée qui déborde.

Il eut une curiosité terrible : lentement, du bout des doigts, en palpitant, il releva son voile. Mais il poussa un cri d'horreur qui réveilla les deux autres. Ils l'entraînèrent en bas, dans la salle.

Puis Félicité vint dire qu'il demandait des cheveux.

— Coupez-en ! répliqua l'apothicaire.

Et, comme elle n'osait, il s'avança lui-même, les ciseaux à la main. Il tremblait si fort, qu'il piqua la peau des tempes en plusieurs places. Enfin, se raidissant [1167] contre l'émotion, Homais donna deux ou trois grands coups au hasard [1168], ce qui fit des marques blanches dans cette belle chevelure noire.

Le pharmacien et le curé se replongèrent dans leurs

occupations, non sans dormir de temps à autre, ce dont ils
s'accusaient réciproquement à chaque réveil nouveau.
Alors M. Bournisien [1169] aspergeait la chambre d'eau
bénite et Homais jetait un peu de chlore par terre.

Félicité avait soin [1170] de mettre pour eux, sur la commode,
une bouteille d'eau-de-vie, un fromage et une grosse brioche.
Aussi l'apothicaire, qui n'en pouvait plus, soupira, vers
quatre heures du matin :

— Ma foi, je me sustenterais avec plaisir !

L'ecclésiastique ne se fit point prier [1171]; il sortit pour
aller dire sa messe, revint; puis ils mangèrent et trinquèrent [1172], tout en ricanant un peu, sans savoir pourquoi,
excités par cette gaieté vague qui nous prend après des
séances de tristesse; et, au dernier petit verre [1173], le prêtre
dit au pharmacien, tout en lui frappant sur l'épaule :

— Nous finirons par nous entendre !

Ils rencontrèrent en bas, dans le vestibule, les ouvriers
qui arrivaient. Alors, Charles, pendant deux heures, eut à
subir le supplice du marteau qui résonnait sur les planches.
Puis on la descendit dans son cercueil de chêne que l'on
emboîta dans les deux autres; mais, comme la bière était
trop large [1174], il fallut boucher les interstices avec la laine
d'un matelas. Enfin, quand les trois couvercles furent
rabotés, cloués, soudés, on l'exposa devant la porte; on
ouvrit toute grande la maison, et les gens d'Yonville
commencèrent à affluer.

Le père Rouault arriva. Il s'évanouit sur la place en apercevant le drap noir.

X

Il n'avait reçu la lettre du pharmacien que trente-six
heures après l'événement; et, par égard pour sa sensibilité,
M. Homais l'avait rédigée de telle façon qu'il était impossible
de savoir à quoi s'en tenir.

Le bonhomme tomba d'abord comme frappé d'apoplexie. Ensuite il comprit qu'elle n'était pas morte. Mais
elle pouvait l'être... Enfin il avait passé sa blouse [1175], pris

son chapeau, accroché un éperon à son soulier et était parti ventre à terre; et, tout le long de la route, le père Rouault, haletant, se dévora d'angoisses. Une fois même, il fut obligé de descendre. Il n'y voyait plus [1176], il entendait des voix autour de lui, il se sentait devenir fou.

Le jour se leva. Il aperçut trois poules noires qui dormaient dans un arbre; il tressaillit, épouvanté de ce présage. Alors il promit à la sainte Vierge trois chasubles pour l'église, et qu'il irait nus pieds depuis le cimetière des Berteaux jusqu'à la chapelle de Vassonville.

Il entra dans Maromme en hélant les gens de l'auberge, enfonça la porte d'un coup d'épaule, bondit au sac d'avoine, versa dans la mangeoire une bouteille de cidre doux, et renfourcha son bidet, qui faisait feu des quatre fers.

Il se disait qu'on la sauverait sans doute; les médecins découvriraient un remède, c'était sûr. Il se rappelait toutes les guérisons miraculeuses qu'on lui avait contées.

Puis elle lui apparaissait morte. Elle était là, devant lui, étendue sur le dos, au milieu de la route. Il tirait la bride et l'hallucination disparaissait.

A Quincampoix, pour se donner du cœur, il but trois cafés l'un sur l'autre.

Il songea qu'on s'était trompé de nom en écrivant. Il chercha la lettre dans sa poche, l'y sentit, mais n'osa pas l'ouvrir [1177].

Il en vint à supposer que c'était peut-être une *farce*, une vengeance de quelqu'un, une fantaisie d'homme en goguette; et, d'ailleurs, si elle était morte, on le saurait [1178]? Mais non! la campagne n'avait rien d'extraordinaire : le ciel était bleu, les arbres se balançaient; un troupeau de moutons passa. Il aperçut le village; on le vit accourant tout penché sur son cheval, qu'il bâtonnait à grands coups, et dont les sangles dégouttelaient de sang.

Quand il eut repris connaissance, il tomba tout en pleurs dans les bras de Bovary :

— Ma fille ! Emma ! mon enfant ! expliquez-moi... ? [1179].

Et l'autre répondit [1180] avec des sanglots :

— Je ne sais pas, je ne sais pas ! c'est une malédiction !

L'apothicaire les sépara.

— Ces horribles détails sont inutiles. J'en instruirai monsieur. Voici le monde qui vient. De la dignité, fichtre ! de la philosophie !

Le pauvre garçon voulut paraître fort, et il répéta plusieurs fois :

— Oui..., du courage.

— Eh bien ! s'écria le bonhomme, j'en aurai, nom d'un tonnerre de Dieu ! Je m'en vas la conduire jusqu'au bout.

La cloche tintait [1181]. Tout était prêt. Il fallut se mettre en marche.

Et, assis dans une stalle du chœur, l'un près de l'autre, ils virent passer devant eux et repasser continuellement les trois chantres qui psalmodiaient. Le serpent soufflait à pleine poitrine. M. Bournisien, en grand appareil, chantait d'une voix aiguë; il saluait le tabernacle, élevait les mains, étendait les bras. Lestiboudois circulait dans l'église [1182] avec sa latte de baleine; près du lutrin [1183], la bière reposait entre quatre rangs de cierges. Charles avait envie de se lever pour les éteindre.

Il tâchait cependant de s'exciter à la dévotion, de s'élancer dans l'espoir d'une vie future, où il la reverrait. Il imaginait qu'elle était partie en voyage, bien loin, depuis longtemps. Mais, quand il pensait qu'elle se trouvait là-dessous, et que tout était fini, qu'on l'emportait dans la terre, il se prenait [1184] d'une rage farouche, noire, désespérée. Parfois, il croyait [1185] ne plus rien sentir; et il savourait cet adoucissement de sa douleur, tout en se reprochant d'être un misérable.

On entendit sur les dalles comme le bruit sec d'un bâton ferré qui les frappait à temps égaux. Cela venait du fond, et s'arrêta court dans les bas-côtés de l'église. Un homme en grosse veste brune s'agenouilla péniblement. C'était Hippolyte, le garçon du *Lion d'or*. Il avait mis sa jambe neuve.

L'un des chantres vint faire le tour de la nef pour quêter, et les gros sous, les uns après les autres [1186], sonnaient dans le plat d'argent.

— Dépêchez-vous donc ! je souffre, moi ! s'écria Bovary, tout en lui jetant [1187] avec colère une pièce de cinq francs.

L'homme d'église le remercia par une longue révérence.

On chantait, on s'agenouillait, on se relevait, cela n'en finissait pas ! Il se rappela qu'une fois, dans les premiers temps, ils avaient ensemble assisté à la messe, et ils s'étaient mis de l'autre côté, à droite, contre le mur. La cloche recommença. Il y eut un grand mouvement de chaises.

Les porteurs glissèrent leurs trois bâtons sous la bière, et l'on sortit de l'église.

Justin alors parut sur le seuil de la pharmacie. Il y rentra tout à coup, pâle, chancelant.

On se tenait aux fenêtres pour voir passer le cortège [1188], Charles, en avant, se cambrait la taille. Il affectait un air brave et saluait d'un signe ceux qui, débouchant des ruelles ou des portes, se rangeaient dans la foule. Les six hommes, trois de chaque côté, marchaient au petit pas et en haletant un peu. Les prêtres, les chantres et les deux enfants de chœur récitaient le *De Profundis;* et leurs voix s'en allaient [1189] sur la campagne, montant et s'abaissant avec des ondulations. Parfois ils disparaissaient aux détours du sentier; mais la grande croix d'argent se dressait toujours entre les arbres.

Les femmes suivaient, couvertes de mantes noires à capuchon rabattu; elles portaient à la main un gros cierge qui brûlait, et Charles se sentait défaillir à cette continuelle répétition de prières et de flambeaux, sous ces odeurs affadissantes de cire et de soutane. Une brise fraîche soufflait, les seigles et les colzas verdoyaient, des gouttelettes de rosée [1190] tremblaient au bord du chemin, sur les haies d'épines. Toutes sortes de bruits joyeux emplissaient l'horizon : le claquement d'une charrette roulant au loin dans les ornières, le cri d'un coq qui se répétait ou la galopade d'un poulain que l'on voyait s'enfuir sous les pommiers. Le ciel pur était tacheté de nuages roses; des lumignons bleuâtres [1191] se rabattaient sur les chaumières couvertes d'iris; Charles, en passant, reconnaissait les cours. Il se souvenait de matins comme celui-ci, où, après avoir visité quelque malade, il en sortait, et retournait vers elle.

Le drap noir, semé de larmes blanches, se levait de temps à autre en découvrant la bière. Les porteurs fatigués se ralentissaient; et elle avançait par saccades continues, comme une chaloupe qui tangue à chaque flot.

On arriva.

Les hommes continuèrent jusqu'en bas, à une place dans le gazon où la fosse était creusée.

On se rangea tout autour; et tandis que le prêtre parlait, la terre rouge, rejetée sur les bords, coulait, par les coins sans bruit, continuellement.

Puis, quand les quatre cordes furent disposées, on

poussa la bière dessus. Il la regarda descendre. Elle descendait toujours.

Enfin on entendit un choc; les cordes en grinçant remon-
tèrent. Alors Bournisien prit la bêche que lui tendait
Lestiboudois; de sa main [1192] gauche, tout en aspergeant
de la droite, il poussa vigoureusement une large pelletée;
et le bois du cercueil, heurté par les cailloux, fit ce bruit
formidable qui nous semble être le retentissement de
l'éternité.

L'ecclésiastique passa le goupillon à son voisin. C'était
M. Homais. Il le secoua gravement, puis le tendit à Charles,
qui s'affaissa jusqu'aux genoux dans la terre, et il en jetait
à pleines mains tout en criant : « Adieu ! » Il lui envoyait
des baisers; il se traînait vers la fosse pour s'y engloutir
avec elle.

On l'emmena; et il ne tarda pas à s'apaiser, éprouvant
peut-être, comme tous les autres, la vague satisfaction
d'en avoir fini.

Le père Rouault, en revenant, se mit tranquillement à
fumer une pipe; ce que Homais, dans son for intérieur,
jugea peu convenable. Il remarqua de même que M. Binet
s'était abstenu de paraître, que Tuvache « avait filé » après
la messe, et que Théodore, le domestique du notaire,
portait un habit bleu, « comme si l'on ne pouvait pas
trouver un habit noir, puisque c'est l'usage, que diable ! »
Et, pour communiquer ses observations, il allait d'un
groupe à l'autre. On y déplorait la mort d'Emma, et surtout
Lheureux, qui n'avait pas manqué [1193] de venir à l'enterrement.

— Cette pauvre petite dame ! quelle douleur pour son
mari !

L'apothicaire reprenait :

— Sans moi, savez-vous bien, il se serait porté sur
lui-même à quelque attentat funeste [1194] !

— Une si bonne personne ! Dire pourtant que je l'ai
encore vue samedi dernier dans ma boutique !

— Je n'ai pas eu le loisir, dit Homais, de préparer
quelques paroles que j'aurais jetées sur sa tombe.

En rentrant, Charles se déshabilla, et le père Rouault
repassa sa blouse bleue. Elle était neuve, et, comme il
s'était, pendant la route, souvent essuyé les yeux avec les
manches elle avait déteint sur sa figure; et la trace des

pleurs y faisait des lignes dans la couche de poussière qui la salissait.

Mme Bovary mère était avec eux. Ils se taisaient tous les trois. Enfin le bonhomme soupira !

— Vous rappelez-vous, mon ami, que je suis venu à Tostes, une fois quand vous veniez de perdre votre première défunte. Je vous consolais dans ce temps-là ! Je trouvais quoi dire; mais à présent...

Puis avec un long gémissement qui souleva toute sa poitrine :

— Ah ! c'est la fin pour moi, voyez-vous ! J'ai vu partir ma femme..., mon fils après..., et voilà ma fille, aujourd'hui !

Il voulut s'en retourner tout de suite aux Bertaux, disant qu'il ne pourrait pas dormir dans cette maison-là. Il refusa même de voir sa petite-fille [1195].

— Non ! non ! ça me ferait trop de deuil. Seulement vous l'embrasserez bien ! Adieu !... vous êtes un bon garçon ! Et puis, jamais je n'oublierai ça, dit-il en se frappant la cuisse, n'ayez peur ! vous recevrez toujours votre dinde.

Mais, quand il fut au haut de la côte, il se détourna, comme autrefois il s'était détourné sur le chemin de Saint-Victor, en se séparant d'elle. Les fenêtres du village étaient tout en feu [1196] sous les rayons obliques du soleil qui se couchait dans la prairie. Il mit sa main devant ses yeux, et il aperçut à l'horizon un enclos de murs où des arbres, çà et là, faisaient des bouquets noirs entre des pierres blanches, puis il continua sa route, au petit trot, car son bidet boitait.

Charles et sa mère restèrent le soir, malgré leur fatigue, fort longtemps à causer ensemble. Ils parlèrent des jours d'autrefois et de l'avenir [1197]. Elle viendrait habiter Yonville, elle tiendrait son ménage, ils ne se quitteraient plus. Elle fut ingénieuse et caressante, se réjouissait intérieurement à ressaisir une affection qui depuis tant d'années lui échappait. Minuit sonna. Le village, comme d'habitude, était silencieux, et Charles, éveillé, pensait toujours à elle.

Rodolphe, qui, pour se distraire, avait battu le bois toute la journée, dormait tranquillement dans son château; et Léon, là-bas [1198], dormait aussi.

Il y en avait un autre [1199] qui, à cette heure-là, ne dormait pas.

Sur la fosse, entre les sapins, un enfant pleurait agenouillé, et sa poitrine, brisée par les sanglots, haletait dans l'ombre, sous la pression d'un regret immense, plus doux que la lune et plus insondable que la nuit.

La grille tout à coup craqua [1200]. C'était Lestiboudois; il venait chercher sa bêche qu'il avait oubliée tantôt. Il reconnut Justin escaladant le mur, et sut alors à quoi s'en tenir sur le malfaiteur qui lui dérobait ses pommes de terre.

XI

Charles, le lendemain, fit revenir la petite. Elle demanda sa maman. On lui répondit qu'elle était absente, qu'elle lui rapporterait des joujoux. Berthe en reparla plusieurs fois; puis, à la longue, elle n'y pensa plus. La gaieté de cette enfant navrait Bovary, et il avait à subir les intolérables consolations du pharmacien.

Les affaires d'argent [1201] bientôt recommencèrent, M. Lheureux excitant de nouveau son ami Vinçart, et Charles s'engagea pour des sommes exorbitantes; car jamais il ne voulut consentir à laisser vendre le moindre des meubles qui *lui* avaient appartenu. Sa mère en fut exaspérée. Il s'indigna plus fort qu'elle. Il avait changé tout à fait. Elle abandonna la maison.

Alors chacun se mit à *profiter*. Mlle Lempereur réclama six mois de leçons, bien qu'Emma n'en eût jamais pris une seule (malgré cette facture acquittée qu'elle avait fait voir à Bovary); c'était une convention entre elles deux; le loueur de livres réclama trois ans d'abonnement; la mère Rolet réclama le port d'une vingtaine de lettres; et, comme Charles demandait des explications, elle eut la délicatesse de répondre :

— Ah ! je ne sais rien ! c'était pour ses affaires.

A chaque dette qu'il payait, Charles croyait en avoir fini. Il en survenait [1202] d'autres, continuellement.

Il exigea l'arriéré d'anciennes visites. On lui montra les lettres que sa femme avait envoyées. Alors il fallut faire des excuses.

Félicité portait maintenant les robes de Madame; non pas toutes, car il en avait gardé quelques-unes, et il les allait voir dans son cabinet de toilette où il s'enfermait; elle était à peu près de sa taille, souvent Charles [1203], en l'apercevant par derrière, était saisi d'une illusion, et s'écriait :

— Oh ! reste ! reste !

Mais, à la Pentecôte, elle décampa d'Yonville, enlevée par Théodore, et en volant tout ce qui restait de la garde-robe.

Ce fut vers cette époque que Mme veuve Dupuis eut l'honneur de lui faire part du « mariage de M. Léon Dupuis, son fils, notaire à Yvetot, avec mademoiselle Léocadie Lebœuf, de Bondeville ». Charles, parmi les félicitations qu'il lui adressa, écrivit cette phrase :

« Comme ma pauvre femme aurait été heureuse ! »

Un jour qu'errant sans but dans la maison, il était monté jusqu'au grenier, il sentit sous sa pantoufle une boulette de papier fin. Il l'ouvrit et il lut : « Du courage, Emma ! du courage ! Je ne veux pas faire le malheur de votre existence. » C'était la lettre de Rodolphe tombée à terre [1204] entre des caisses, qui était restée là, et que le vent de la lucarne venait de pousser vers la porte. Et Charles demeura tout immobile et béant à cette même place où jadis, encore plus pâle que lui, Emma, désespérée, avait voulu mourir. Enfin, il découvrit un petit R. au bas de la seconde page. Qu'était-ce ? [1205] Il se rappela les assiduités de Rodolphe, sa disparition soudaine et l'air contraint qu'il avait eu en le rencontrant depuis, deux ou trois fois. Mais le ton respectueux de la lettre l'illusionna.

— Ils se sont peut-être aimés platoniquement, se dit-il.

D'ailleurs, Charles n'était pas de ceux qui descendent au fond des choses; il recula devant les preuves, et sa jalousie incertaine se perdit dans l'immensité de son chagrin.

On avait dû, pensait-il [1206], l'adorer. Tous les hommes, à coup sûr, l'avaient convoitée. Elle lui en parut plus belle; et il en conçut un désir permanent, furieux, qui, enflammait son désespoir et qui n'avait pas de limites, parce qu'il était maintenant irréalisable.

Pour lui plaire, comme si elle vivait encore, il adopta ses prédilections, ses idées; il s'acheta des bottes vernies, il prit l'usage des cravates blanches. Il mettait du cosmé-

tique à ses moustaches, il souscrivit comme elle des billets
à ordre. Elle le corrompait par delà le tombeau.

Il fut obligé de vendre l'argenterie pièce à pièce, ensuite
il vendit les meubles du salon. Tous les appartements se
dégarnirent; mais la chambre, sa chambre à elle, était
restée comme autrefois. Après son dîner, Charles montait
là. Il poussait devant le feu la table ronde, et il approchait
son fauteuil. Il s'asseyait en face. Une chandelle brûlait
dans un des flambeaux dorés. Berthe, près de lui, enlu-
minait des estampes.

Il souffrait, le pauvre homme, à la voir si mal vêtue,
avec ses brodequins sans lacet et l'emmanchure de ses
blouses déchirée jusqu'aux hanches, car la femme de
ménage n'en prenait guère de souci. Mais elle était si
douce, si gentille, et sa petite tête se penchait si gracieu-
sement en laissant retomber sur ses joues roses sa bonne
chevelure blonde, qu'une délectation infinie l'envahissait, plaisir tout mêlé d'amertume comme ces vins mal
faits qui sentent la résine [1207]. Il raccommodait ses joujoux,
lui fabriquait des pantins avec du carton, ou recousait
le ventre déchiré de ses poupées. Puis, s'il rencontrait
des yeux la boîte à ouvrage, un ruban qui traînait ou
même une épingle restée dans une fente de la table, il
se prenait à rêver, et il avait l'air si triste, qu'elle devenait
triste comme lui.

Personne à présent ne venait les voir; car Justin s'était
enfui à Rouen, où il est devenu garçon épicier, et les
enfants de l'apothicaire fréquentaient de moins en moins
la petite, M. Homais ne se souciant pas, vu la différence de
leurs conditions sociales, que l'intimité se prolongeât.

L'aveugle [1208], qu'il n'avait pu guérir avec sa pommade,
était retourné dans la côte du Bois-Guillaume, où il narrait
aux voyageurs la vaine tentative du pharmacien, à tel
point que Homais, lorsqu'il allait à la ville, se dissimulait
derrière les rideaux de l'*Hirondelle*, afin d'éviter sa rencontre.
Il l'exécrait; et, dans l'intérêt de sa propre réputation,
voulant s'en débarrasser à toute force, il dressa contre lui
une batterie cachée, qui décelait la profondeur de son intelligence et la scélératesse de sa vanité. Durant six mois
consécutifs, on put donc lire dans le *Fanal de Rouen* des
entrefilets ainsi conçus:

« Toutes les personnes qui se dirigent vers les fertiles

contrées de la Picardie auront remarqué, sans doute, dans la côte du Bois-Guillaume, un misérable atteint d'une horrible plaie faciale. Il vous importune, vous persécute et prélève un véritable impôt sur les voyageurs. Sommes-nous encore à ces temps monstrueux du moyen âge [1209], où il était permis aux vagabonds d'étaler par nos places publiques la lèpre et les scrofules qu'ils avaient rapportées de la croisade ? »

Ou bien :

« Malgré les lois contre le vagabondage, les abords de nos grandes villes continuent à être infestés par des bandes de pauvres. On en voit qui circulent isolément, et qui, peut-être, ne sont pas les moins dangereux. A quoi songent nos édiles ? »

Puis Homais inventait des anecdotes :

« Hier, dans la côte du Bois-Guillaume, un cheval ombrageux... » Et suivait le récit d'un accident occasionné par la présence de l'aveugle.

Il fit si bien qu'on l'incarcéra. Mais on le relâcha. Il recommença et Homais aussi recommença. C'était une lutte. Il eut la victoire; car son ennemi fut condamné à une réclusion perpétuelle dans un hospice.

Ce succès l'enhardit; et dès lors il n'y eut plus dans l'arrondissement un chien écrasé, une grange incendiée, une femme battue, dont aussitôt il ne fît part au public, toujours guidé par l'amour du progrès et la haine des prêtres. Il établissait des comparaisons entre les écoles primaires et les frères ignorantins, au détriment de ces derniers, rappelait la Saint-Barthélemy à propos d'une allocation de cent francs faite à l'église, et dénonçait des abus, lançait des boutades. C'était son mot. Homais sapait; il devenait dangereux.

Cependant il étouffait dans les limites étroites du journalisme, et bientôt il lui fallut le livre, l'ouvrage ! Alors il composa une *Statistique générale* [1210] *du canton d'Yonville, suivie d'observations climatologiques*, et la statistique le poussa vers la philosophie. Il se préoccupa des grandes questions : problème social, moralisation des classes pauvres, pisciculture, caoutchouc, chemins de fer, etc. Il en vint à rougir [1211] d'être un bourgeois. Il affectait le *genre artiste*, il fumait ! Il s'acheta deux statuettes *chic* Pompadour, pour décorer son salon.

Il n'abandonnait point la pharmacie; au contraire ! il se tenait au courant des découvertes. Il suivait le grand mouvement des chocolats [1212]. C'est le premier qui ait fait venir dans la Seine-Inférieure du *cho-ca* et de la *revalentia* [1213]. Il s'éprit d'enthousiasme pour les chaînes hydro-électriques Pulvermacher; il en portait une lui-même; et, le soir, quand il retirait son gilet de flanelle, Mme Homais restait tout éblouie devant la spirale d'or sous laquelle il disparaissait, et sentait redoubler ses ardeurs pour cet homme plus garrotté qu'un Scythe et splendide comme un mage.

Il eut de belles idées à propos du tombeau d'Emma. Il proposa d'abord un tronçon de colonne avec une draperie, ensuite une pyramide, puis un temple de Vesta, une manière de rotonde... ou bien « un amas de ruines » Et, dans tous les plans, Homais ne démordait point du saule pleureur [1214], qu'il considérait comme le symbole obligé de la tristesse.

Charles et lui firent ensemble un voyage à Rouen, pour voir des tombeaux, chez un entrepreneur de sépultures — accompagnés d'un artiste peintre, un nommé Vaufrylard, ami de Bridoux, et qui, tout le temps, débita des calembours. Enfin, après avoir examiné une centaine de dessins, s'être commandé un devis et avoir fait un second voyage [1215] à Rouen, Charles se décida pour un mausolée qui devait porter sur ses deux faces principales « un génie tenant une torche éteinte » [1216].

Quant à l'inscription, Homais ne trouvait rien de beau comme : *Sta viator*, et il en restait là; il se creusait l'imagination; il répétait continuellement : *Sta viator...* Enfin, il découvrit : *amabilem* [1217] *conjugem calcas !* qui fut adopté.

Une chose étrange, c'est que Bovary, tout en pensant à Emma continuellement, l'oubliait; et il se désespérait à sentir cette image lui échapper de la mémoire au milieu des efforts qu'il faisait pour la retenir. Chaque nuit, pourtant, il la rêvait; c'était toujours le même rêve : il s'approchait d'elle; mais, quand il venait à l'étreindre, elle tombait en pourriture dans ses bras.

On le vit pendant une semaine entrer le soir à l'église. M. Bournisien lui fit même deux ou trois visites, puis l'abandonna. D'ailleurs, le bonhomme tournait [1218] à l'intolérance, au fanatisme, disait Homais; il fulminait contre l'esprit du siècle et ne manquait pas, tous les quinze jours, au sermon, de raconter l'agonie de Voltaire, lequel mourut en dévorant ses excréments, comme chacun sait.

Malgré l'épargne où vivait Bovary, il était loin de pouvoir amortir ses anciennes dettes. Lheureux refusa de renouveler aucun billet. La saisie devint imminente. Alors il eut recours à sa mère, qui consentit à lui laisser prendre une hypothèque sur ses biens, mais en lui envoyant force récriminations contre Emma; et elle demandait, en retour de son sacrifice, un châle échappé aux ravages de Félicité. Charles le lui refusa. Ils se brouillèrent.

Elle fit les premières ouvertures de raccommodement, en lui proposant de prendre chez elle la petite, qui la soulagerait dans sa maison. Charles y consentit. Mais, au moment du départ, tout courage l'abandonna. Alors ce fut une rupture définitive, complète.

A mesure que ses affections disparaissaient, il se resserrait plus étroitement à l'amour de son enfant. Elle l'inquiétait cependant; car elle toussait quelquefois, et avait des plaques rouges aux pommettes.

En face de lui s'étalait, florissante et hilare, la famille du pharmacien, que tout au monde contribuait à satisfaire. Napoléon l'aidait au laboratoire, Athalie lui brodait un bonnet grec, Irma découpait des rondelles de papier pour couvrir les confitures, et Franklin récitait tout d'une haleine la table de Pythagore. Il était le plus heureux des pères, le plus fortuné des hommes.

Erreur ! une ambition sourde le rongeait : Homais désirait la croix [1219]. Les titres ne lui manquaient point [1220] :

1° S'être, lors du choléra, signalé par un dévouement sans bornes; 2° avoir publié, et à mes frais, différents ouvrages d'utilité publique, tels que... (et il rappelait son mémoire intitulé : *Du cidre, de sa fabrication et de ses effets ;* plus, des observations sur le puceron laniger, envoyées à l'Académie; son volume de statistique, et jusqu'à sa thèse de pharmacien); sans compter que je suis membre de plusieurs sociétés savantes (il l'était d'une seule).

— Enfin, s'écriait-il, en faisant une pirouette, quand ce ne serait que de me signaler aux incendies !

Alors Homais inclinait vers le Pouvoir [1221]. Il rendit secrètement à M. le Préfet de grands services dans les élections. Il se vendit enfin, il se prostitua. Il adressa même au

souverain une pétition où il le suppliait de *lui faire justice ;*
il l'appelait *notre bon roi* et le comparait à Henri IV.

Et, chaque matin, l'apothicaire se précipitait sur le
journal pour y découvrir sa nomination : elle ne venait
pas. Enfin, n'y tenant plus, il fit dessiner dans son jardin
un gazon figurant l'étoile de l'honneur, avec deux petits
tortillons d'herbe qui partaient du sommet pour imiter
le ruban. Il se promenait autour, les bras croisés, en médi-
tant sur l'ineptie du gouvernement et l'ingratitude des
hommes.

Par respect, ou par une sorte de sensualité qui lui faisait
mettre de la lenteur dans ses investigations, Charles n'avait
pas encore ouvert le compartiment secret d'un bureau
de palissandre dont Emma se servait habituellement. Un
jour, enfin, il s'assit devant, tourna la clef et poussa le
ressort. Toutes les lettres de Léon s'y trouvaient. Plus de
doute, cette fois ! Il dévora jusqu'à la dernière, fouilla
dans tous les coins, tous les meubles, tous les tiroirs, derrière
les murs, sanglotant, hurlant, éperdu, fou. Il découvrit
une boîte, la défonça d'un coup de pied. Le portrait de
Rodolphe lui sauta en plein visage, au milieu des billets
doux bouleversés.

On s'étonna de son découragement [1222]. Il ne sortait
plus, ne recevait personne, refusait même d'aller voir ses
malades. Alors on prétendit qu'il *s'enfermait pour boire.*

Quelquefois, pourtant, un curieux se haussait par-dessus
la haie du jardin, et apercevait avec ébahissement cet homme
à barbe longue, couvert d'habits sordides, farouche, et
qui pleurait tout haut en marchant.

Le soir, dans l'été, il prenait avec lui sa petite fille et
la conduisait au cimetière. Ils s'en revenaient à la nuit
close, quand il n'y avait plus d'éclairé sur la place que la
lucarne de Binet.

Cependant la volupté de sa douleur était incomplète,
car il n'avait autour de lui personne [1223] qui la partageât;
et il faisait des visites à la mère Lefrançois afin de pouvoir
parler d'*elle* [1224]. Mais l'aubergiste ne l'écoutait que d'une
oreille, ayant comme lui des chagrins, car M. Lheureux
venait enfin d'établir les *Favorites du Commerce*, et Hivert,
qui jouissait d'une grande réputation pour les commissions, exigeait un surcroît d'appointements et menaçait de
s'engager « à la Concurrence » [1225].

Un jour qu'il était allé au marché d'Argueil pour y vendre son cheval, — dernière ressource, — il rencontra Rodolphe [1226].

Ils pâlirent en s'apercevant. Rodolphe, qui avait seulement envoyé sa carte, balbutia d'abord quelques excuses, puis s'enhardit et même poussa l'aplomb (il faisait très chaud, on était au mois d'août) jusqu'à l'inviter à prendre une bouteille de bière au cabaret.

Accoudé en face de lui, il mâchait son cigare tout en causant, et Charles se perdait en rêveries devant cette figure qu'elle avait aimée. Il lui semblait revoir quelque chose d'elle. C'était un émerveillement. Il aurait voulu être cet homme.

L'autre continuait à parler culture, bestiaux, engrais [1227], bouchant avec des phrases banales tous les interstices où pouvait se glisser une allusion. Charles ne l'écoutait pas; Rodolphe s'en apercevait, et il suivait sur la mobilité de sa figure le passage des souvenirs. Elle s'empourprait peu à peu, les narines battaient vite, les lèvres frémissaient; il y eut même un instant où Charles, plein d'une fureur sombre, fixa ses yeux contre Rodolphe qui, dans une sorte d'effroi, s'interrompit. Mais bientôt la même lassitude funèbre réapparut sur son visage.

— Je ne vous en veux pas, dit-il.

Rodolphe était resté muet. Et Charles [1228], la tête dans ses deux mains, reprit d'une voix éteinte et avec l'accent résigné des douleurs infinies :

— Non, je ne vous en veux plus !

Il ajouta même un grand mot, le seul qu'il ait jamais dit :

— C'est la faute de la fatalité !

Rodolphe, qui avait conduit cette fatalité, le trouva bien débonnaire pour un homme dans sa situation, comique même, et un peu vil.

Le lendemain, Charles alla s'asseoir sur le banc, dans la tonnelle. Des jours passaient par le treillis; les feuilles de vigne dessinaient leurs ombres sur le sable, le jasmin embaumait, le ciel était bleu, des cantharides bourdonnaient autour des lis en fleur [1229], et Charles suffoquait comme un adolescent sous les vagues effluves amoureux [1230] qui gonflaient son cœur chagrin.

A sept heures, la petite Berthe, qui ne l'avait pas vu de toute l'après-midi, vint le chercher pour dîner.

Il avait la tête renversée contre le mur, les yeux clos, la bouche ouverte, et tenait dans ses mains une longue mèche de cheveux noirs.

— Papa, viens donc ! dit-elle.

Et, croyant qu'il voulait jouer, elle le poussa doucement. Il tomba par terre. Il était mort.

Trente-six heures après, sur la demande de l'apothicaire, M. Canivet accourut. Il l'ouvrit et ne trouva rien.

Quand tout fut vendu, il resta douze francs soixante et quinze centimes [1231] qui servirent à payer le voyage de Mlle Bovary chez sa grand'mère. La bonne femme mourut dans l'année même; le père Rouault étant paralysé, ce fut une tante qui s'en chargea. Elle est pauvre et l'envoie, pour gagner sa vie, dans une filature de coton.

Depuis la mort de Bovary, trois médecins se sont succédé à Yonville sans pouvoir y réussir, tant M. Homais les a tout de suite battus [1232] en brèche. Il fait une clientèle d'enfer; l'autorité le ménage et l'opinion publique le protège.

Il vient de recevoir la croix d'honneur [1233].

RÉQUISITOIRE, PLAIDOIRIE
ET JUGEMENT

DU

PROCÈS INTENTÉ A L'AUTEUR

DEVANT LE

TRIBUNAL CORRECTIONNEL DE PARIS
(6e Chambre)

PRÉSIDENCE DE M. DUBARLE

Audiences des 31 *janvier et* 7 *février* 1857.

MINISTÈRE PUBLIC

CONTRE M. GUSTAVE FLAUBERT

RÉQUISITOIRE

DE M. L'AVOCAT IMPÉRIAL

M. ERNEST PINARD

MESSIEURS, en abordant ce débat, le ministère public est en présence d'une difficulté qu'il ne peut pas se dissimuler. Elle n'est pas dans la nature même de la prévention : offenses à la morale publique et à la religion, ce sont là sans doute des expressions un peu vagues, un peu élastiques, qu'il est nécessaire de préciser. Mais, enfin, quand on parle à des esprits droits et pratiques, il est facile de s'entendre à cet égard, de distinguer si telle page d'un livre porte atteinte à la religion ou à la morale. La difficulté n'est pas dans notre prévention, elle est plutôt, elle est davantage dans l'étendue de l'œuvre que vous avez à juger. Il s'agit d'un roman tout entier. Quand on soumet à votre appréciation un article de journal, on voit tout de suite où le délit commence et où il finit; le ministère public lit l'article et le soumet à votre appréciation. Ici il ne s'agit pas d'un article de journal, mais d'un roman tout entier qui commence le 1er octobre, finit le 15 décembre, et se compose de six livraisons, dans la *Revue de Paris*, 1856. Que faire dans cette situation ? Quel est le rôle du ministère public ? Lire tout le roman ? C'est impossible. D'un autre côté, ne lire que les textes incriminés, c'est s'exposer à un reproche très fondé. On pourrait nous dire : si vous n'exposez pas le procès dans toutes ses parties, si vous passez ce qui précède et ce qui suit les passages incriminés, il est évident que vous étouffez le débat en restreignant le terrain de la discussion. Pour éviter ce double inconvénient, il n'y a qu'une marche à suivre, et la voici, c'est de vous raconter d'abord tout le roman sans en lire, sans en incriminer aucun passage, et puis de lire, d'incriminer en citant le texte, et enfin de répondre aux objections qui pourraient s'élever contre le système général de la prévention.

Quel est le titre du roman ? *Madame Bovary*. C'est un titre
qui ne dit rien par lui-même. Il en a un second entre parenthèses : *Mœurs de province*. C'est encore là un titre qui n'explique
pas la pensée de l'auteur, mais qui la fait pressentir. L'auteur
n'a pas voulu suivre tel ou tel système philosophique vrai ou
faux, il a voulu faire des tableaux de genre, et vous allez voir
quels tableaux ! ! ! Sans doute c'est le mari qui commence et
qui termine le livre, mais le portrait le plus sérieux de l'œuvre,
qui illumine les autres peintures, c'est évidemment celui de
Mme Bovary.

Ici je raconte, je ne cite pas. On prend le mari au collège,
et, il faut le dire, l'enfant annonce déjà ce que sera le mari.
Il est excessivement lourd et timide, si timide que lorsqu'il
arrive au collège et qu'on lui demande son nom, il commence
par répondre *Charbovari*. Il est si lourd qu'il travaille sans
avancer. Il n'est jamais le premier, il n'est jamais le dernier
non plus de sa classe ; c'est le type, sinon de la nullité, au moins
de celui du ridicule au collège. Après les études du collège, il
vint étudier la médecine à Rouen, dans une chambre au quatrième, donnant sur la Seine (*), que sa mère lui avait louée
chez un teinturier de sa connaissance. C'est là qu'il fait ses
études médicales et qu'il arrive petit à petit à conquérir, non
pas le grade de docteur en médecine, mais celui d'officier de
santé. Il fréquentait les cabarets, il manquait les cours, mais
il n'avait au demeurant d'autre passion que celle de jouer aux
dominos. Voilà M. Bovary.

Il va se marier. Sa mère lui trouve une femme : la veuve d'un
huissier de Dieppe ; elle est vertueuse et laide, elle a quarante-cinq
ans et 1.200 livres de rente. Seulement le notaire qui avait
le capital de la rente partit un beau matin pour l'Amérique, et
Mme Bovary jeune fut tellement frappée, tellement impressionnée
par ce coup inattendu, qu'elle en mourut. Voilà le premier
mariage, voilà la première scène.

M. Bovary, devenu veuf, songea à se remarier. Il interroge
ses souvenirs ; il n'a pas besoin d'aller bien loin, il lui vient tout
de suite à l'esprit la fille d'un fermier du voisinage qui avait
singulièrement excité les soupçons de Mme Bovary, Mlle Emma
Rouault. Le fermier Rouault n'avait qu'une fille, élevée aux
Ursulines de Rouen. Elle s'occupait peu de la ferme ; son père
désirait la marier. L'officier de santé se présente, il n'est pas difficile sur la dot, et vous comprenez qu'avec de telles dispositions
de part et d'autre les choses vont vite. Le mariage est accompli.
M. Bovary est aux genoux de sa femme, il est le plus heureux des
hommes, le plus aveugle des maris ; sa seule préoccupation est de
prévenir les désirs de sa femme.

* *Sic*, voyez p. 9, ligne 13.

Ici le rôle de M. Bovary s'efface ; celui de Mme Bovary devient l'œuvre sérieuse du livre.

Messieurs, Mme Bovary a-t-elle aimé son mari ou cherché à l'aimer ? Non, et dès le commencement il y eut ce qu'on peut appeler la scène de l'initiation. A partir de ce moment, un autre horizon s'étale devant elle, une vie nouvelle lui apparaît. Le propriétaire du château de la Vaubyessard avait donné une grande fête. On avait invité l'officier de santé, on avait invité sa femme, et là il y eut pour elle comme une initiation à toutes les ardeurs de la volupté ! Elle avait aperçu le duc de Laverdière, qui avait eu des succès à la cour ; elle avait valsé avec un vicomte et éprouvé un trouble inconnu. A partir de ce moment, elle avait vécu d'une vie nouvelle ; son mari, tout ce qui l'entourait, lui était devenu insupportable. Un jour, en cherchant dans un meuble, elle avait rencontré un fil de fer qui lui avait déchiré le doigt ; c'était le fil de son bouquet de mariage. Pour essayer de l'arracher à l'ennui qui la consumait, M. Bovary fit le sacrifice de sa clientèle, et vint s'installer à Yonville. C'est ici que vient la scène de la première chute. Nous sommes à la seconde livraison. Mme Bovary arrive à Yonville, et là, la première personne qu'elle rencontre, sur laquelle elle fixe ses regards, ce n'est pas le notaire de l'endroit, c'est l'unique clerc de ce notaire, Léon Dupuis. C'est un tout jeune homme qui fait son droit et qui va partir pour la capitale. Tout autre que M. Bovary aurait été inquiété des visites du jeune clerc, mais M. Bovary est si naïf qu'il croit à la vertu de sa femme ; Léon, inexpérimenté, éprouvait le même sentiment. Il est parti, l'occasion est perdue, mais les occasions se retrouvent facilement. Il y avait dans le voisinage d'Yonville un M. Rodolphe Boulanger (vous voyez que je raconte). C'était un homme de trente-quatre ans, d'un tempérament brutal ; il avait eu beaucoup de succès auprès des conquêtes faciles ; il avait alors pour maîtresse une actrice ; il aperçut Mme Bovary, elle était jeune, charmante ; il résolut d'en faire sa maîtresse. La chose était facile, il lui suffit de trois occasions. La première fois il était venu aux Comices agricoles, la seconde fois il lui avait rendu une visite, la troisième fois il lui avait fait faire une promenade à cheval que le mari avait jugée nécessaire à la santé de sa femme ; et c'est alors, dans une première visite de la forêt, que la chute a lieu. Les rendez-vous se multiplieront au château de Rodolphe, surtout dans le jardin de l'officier de santé. Les amants arrivent jusqu'aux limites extrêmes de la volupté ! Mme Bovary veut se faire enlever par Rodolphe, Rodolphe n'ose pas dire non, mais il lui écrit une lettre où il cherche à lui prouver, par beaucoup de raisons, qu'il ne peut pas l'enlever. Foudroyée à la réception de cette lettre, Mme Bovary a une fièvre cérébrale, à la suite de laquelle une fièvre typhoïde se déclare. La fièvre tua l'amour, mais resta la malade. Voilà la deuxième scène.

J'arrive à la troisième. La chute avec Rodolphe avait été suivie d'une réaction religieuse, mais elle avait été courte; Mme Bovary va tomber, de nouveau. Le mari avait jugé le spectacle utile à la convalescence de sa femme, et il l'avait conduite à Rouen. Dans une loge, en face de celle qu'occupaient M. et Mme Bovary, se trouvait Léon Dupuis, ce jeune clerc de notaire qui fait son droit à Paris, et qui en est revenu singulièrement instruit, singulièrement expérimenté. Il va voir Mme Bovary; il lui propose un rendez-vous. Mme Bovary lui indique la cathédrale. Au sortir de la cathédrale, Léon lui propose de monter dans un fiacre. Elle résiste d'abord, mais Léon lui dit que cela se fait ainsi à Paris, et alors, plus d'obstacle. La chute a lieu dans le fiacre! Les rendez-vous se multiplient pour Léon comme pour Rodolphe, chez l'officier de santé et puis dans une chambre qu'on avait louée à Rouen. Enfin elle arriva jusqu'à la fatigue même de ce second amour, et c'est ici que commence la scène de détresse, c'est la dernière du roman.

Mme Bovary avait prodigué, jeté les cadeaux à la tête de Rodolphe et de Léon, elle avait mené une vie de luxe, et, pour faire face à tant de dépenses, elle avait souscrit de nombreux billets à ordre. Elle avait obtenu de son mari une procuration générale pour gérer le patrimoine commun; elle avait rencontré un usurier qui se faisait souscrire des billets, lesquels n'étant pas payés à l'échéance, étaient renouvelés, sous le nom d'un compère. Puis étaient venus le papier timbré, les protêts, les jugements, la saisie, et enfin l'affiche de la vente du mobilier de M. Bovary qui ignorait tout. Réduite aux plus cruelles extrémités, Mme Bovary demande de l'argent à tout le monde et n'en obtient de personne. Léon n'en a pas, et il recule épouvanté à l'idée d'un crime qu'on lui suggère pour s'en procurer. Parcourant tous les degrés de l'humiliation, Mme Bovary va chez Rodolphe; elle ne réussit pas, Rodolphe n'a pas trois mille francs. Il ne lui reste plus qu'une issue. De s'excuser auprès de son mari? Non; de s'expliquer avec lui? Mais ce mari aurait la générosité de lui pardonner, et c'est là une humiliation qu'elle ne peut pas accepter : elle s'empoisonne. Viennent alors des scènes douloureuses. Le mari est là, à côté du corps glacé de sa femme. Il fait apporter sa robe de noces, il ordonne qu'on l'en enveloppe et qu'on enferme sa dépouille dans un triple cercueil.

Un jour, il ouvre le secrétaire et il y trouve le portrait de Rodolphe, ses lettres et celles de Léon. Vous croyez que l'amour va tomber alors? Non, non, il s'excite, au contraire, il s'exalte pour cette femme que d'autres ont possédée, en raison de ces souvenirs de volupté qu'elle lui a laissés; et dès ce moment il néglige sa clientèle, sa famille, il laisse aller au vent les dernières parcelles de son patrimoine, et un jour on le trouve mort dans la tonnelle de son jardin, tenant dans ses mains une longue mèche de cheveux noirs.

Voilà le roman; je l'ai raconté tout entier en n'en supprimant aucune scène. On l'appelle *Madame Bovary ;* vous pouvez lui donner un autre titre, et l'appeler avec justesse : *Histoire des adultères d'une femme de province.*

Messieurs, la première partie de ma tâche est remplie; j'ai raconté, je vais citer, et après les citations viendra l'incrimination qui porte sur deux délits : offense à la morale publique, offense à la morale religieuse. L'offense à la morale publique est dans les tableaux lascifs que je mettrai sous vos yeux, l'offense à la morale religieuse dans des images voluptueuses mêlées aux choses sacrées. J'arrive aux citations. Je serai court, car vous lirez le roman tout entier. Je me bornerai à vous citer quatre scènes, ou plutôt quatre tableaux. La première, ce sera celle des amours et de la chute avec Rodolphe; la seconde, la transition religieuse entre les deux adultères; la troisième, ce sera la chute avec Léon, c'est le deuxième adultère, et, enfin, la quatrième, que je veux citer, c'est la mort de Mme Bovary.

Avant de soulever ces quatre coins du tableau, permettez-moi de me demander quelle est la couleur, le coup de pinceau de M. Flaubert, car, enfin, son roman est un tableau, et il faut savoir à quelle école il appartient, quelle est la couleur qu'il emploie, et quel est le portrait de son héroïne.

La couleur générale de l'auteur, permettez-moi de vous le dire, c'est la couleur lascive, avant, pendant et après ces chutes ! Elle est enfant, elle a dix ou douze ans, elle est au couvent des Ursulines. A cet âge où la jeune fille n'est pas formée, où la femme ne peut pas sentir ces émotions premières qui lui révèlent un monde nouveau, elle se confesse.

« Quand elle allait à confesse (cette première citation de la première livraison est à la page 30 du numéro du 1er octobre *), « quand elle allait à confesse, elle inventait de petits péchés « afin de rester là plus longtemps, à genoux dans l'ombre, les « mains jointes, le visage à la grille sous le chuchotement du « prêtre. Les comparaisons de fiancé, d'époux, d'amant céleste « et de mariage éternel qui reviennent dans les sermons lui sou- « levaient au fond de l'âme des douceurs inattendues. »

Est-ce qu'il est naturel qu'une petite fille invente de petits péchés, quand on sait que, pour un enfant, ce sont les plus petits qu'on a le plus de peine à dire ? Et puis, à cet âge-là, quand une petite fille n'est pas formée, la montrer inventant de petits péchés dans l'ombre, sous le chuchotement du prêtre, en se rappelant ces comparaisons de fiancé, d'époux, d'amant céleste et de mariage éternel, qui lui faisaient éprouver comme un

* Voy. p. 33 de la présente édition.

frisson de volupté, n'est-ce pas faire ce que j'ai appelé une peinture lascive ?

Voulez-vous Mme Bovary dans ses moindres actes, à l'état libre, sans l'amant, sans la faute. Je passe sur ce mot du *lendemain*, et sur cette mariée qui ne laissait rien découvrir où l'on pût deviner quelque chose, il y a là déjà un tour de phrase plus qu'équivoque, mais voulez-vous savoir comment était le mari ?

Ce mari du lendemain « que l'on eût pris pour la vierge de la « veille », et cette mariée « qui ne laissait rien découvrir où « l'on pût deviner quelque chose ». Ce mari (p. 29) * qui se lève et part « le cœur plein des félicités de la nuit, l'esprit tran- « quille, la chair contente », s'en allant « ruminant son bonheur « comme ceux qui mâchent encore après dîner le goût des truffes « qu'ils digèrent ».

Je tiens, messieurs, à vous préciser le cachet de l'œuvre littéraire de M. Flaubert et ses coups de pinceau. Il a quelquefois des traits qui veulent beaucoup dire, et ces traits ne lui coûtent rien.

Et puis, au château de la Vaubyessard, savez-vous ce qui attire les regards de cette jeune femme, ce qui la frappe le plus ? C'est toujours la même chose, c'est le duc de Laverdière, amant, « disait-on, de Marie-Antoinette, entre MM. de Coigny et de « Lauzun », et sur lequel « les yeux d'Emma revenaient d'eux- « mêmes, comme sur quelque chose d'extraordinaire et d'au- « guste; il avait vécu à la cour et couché dans le lit des reines ! »

Ce n'est là qu'une parenthèse historique, dira-t-on ? Triste et inutile parenthèse ! L'histoire a pu autoriser des soupçons, mais non le droit de les ériger en certitude. L'histoire a parlé du collier dans tous les romans, l'histoire a parlé de mille choses, mais ce ne sont là que des soupçons, et, je le répète, je ne sache pas qu'elle ait autorisé à transformer ces soupçons en certitude. Et quand Marie-Antoinette est morte avec la dignité d'une souveraine et le calme d'une chrétienne, ce sang versé pourrait effacer des fautes, à plus forte raison des soupçons. Mon Dieu, M. Flaubert a eu besoin d'une image frappante pour peindre son héroïne, et il a pris celle-là pour exprimer tout à la fois et les instincts pervers et l'ambition de Mme Bovary !

Mme Bovary doit très bien valser, et la voici valsant :

« Ils commencèrent lentement, puis allèrent plus vite. Ils « tournaient; tout tournait autour d'eux, les lampes, les meubles, « les lambris et le parquet, comme un disque sur un pivot. En « passant auprès des portes, la robe d'Emma par le bas s'ériflait « au pantalon; leurs jambes entraient l'une dans l'autre, il « baissait ses regards vers elle, elle levait les siens vers lui; une « torpeur la prenait, elle s'arrêta. Ils repartirent, et, d'un mou- « vement plus rapide, le vicomte l'entraînant, disparut avec elle,

* P. 28.

« jusqu'au bout de la galerie où, haletante, elle faillit tomber et,
« un instant, s'appuya la tête sur sa poitrine. Et puis, tournant
« toujours, mais plus doucement, il la reconduisit à sa place; elle
« se renversa contre la muraille et mit la main devant ses yeux. »
    Je sais bien qu'on valse un peu de cette manière, mais cela
n'en est pas plus moral !
    Prenez Mme Bovary dans les actes les plus simples, c'est tou-
jours le même coup de pinceau, il est à toutes les pages. Aussi
Justin, le domestique du pharmacien voisin, a-t-il des émerveil-
lements subits quand il est initié dans le secret du cabinet de
toilette de cette femme. Il poursuit sa voluptueuse admiration
jusqu'à la cuisine.
    « Le coude sur la longue planche où elle (Félicité, la femme
« de chambre) repassait, il considérait avidement toutes ces
« affaires de femme étalées autour de lui, les jupons de basin,
« les fichus, les collerettes et les pantalons à coulisse, vastes de
« hanches et qui se rétrécissaient par le bas.
    « — A quoi cela sert-il ? demandait le jeune garçon, en pas-
« sant sa main sur la crinoline ou les agrafes.
    « — Tu n'as donc jamais rien vu ? » répondait en riant Félicité.
    Aussi le mari se demande-t-il, en présence de cette femme
sentant frais, si l'odeur vient de la peau ou de la chemise.
    « Il trouvait tous les soirs des meubles souples et une femme
« en toilette fine, charmante et sentant frais, à ne savoir même
« d'où venait cette odeur, ou si ce n'était pas la femme qui
« parfumait la chemise.
    Assez de citations de détail ! Vous connaissez maintenant la
physionomie de Mme Bovary au repos, quand elle ne provoque
personne, quand elle ne pèche pas, quand elle est encore complètement innocente, quand, au retour d'un rendez-vous, elle n'est
pas encore à côté d'un mari qu'elle déteste; vous connaissez
maintenant la couleur générale du tableau, la physionomie générale de Mme Bovary. L'auteur a mis le plus grand soin, employé
tous les prestiges de son style pour peindre cette femme. A-t-il
essayé de la montrer du côté de l'intelligence ? Jamais. Du côté
du cœur ? Pas davantage. Du côté de l'esprit ? Non. Du côté de
la beauté physique ? Pas même. Oh ! je sais bien qu'il y a un
portrait de Mme Bovary après l'adultère des plus étincelants;
mais le tableau est avant tout lascif, les poses sont voluptueuses;
la beauté de Mme Bovary est une beauté de provocation.
    J'arrive maintenant aux quatre citations importantes; je n'en
ferai que quatre; je tiens à restreindre mon cadre. J'ai dit que
la première serait sur les amours de Rodolphe, la seconde sur
la transition religieuse, la troisième sur les amours de Léon, la
quatrième sur la mort.
    Voyons la première. Mme Bovary est près de la chute, près
de succomber.

« La médiocrité domestique la poussait à des fantaisies
« luxueuses, les tendresses matrimoniales en des désirs adul-
« tères, »... « elle se maudit de n'avoir pas aimé Léon, elle eut
« soif de ses lèvres. »

Qu'est-ce qui a séduit Rodolphe et l'a préparé ? Le gonflement
de l'étoffe de la robe de Mme Bovary qui s'est crevée de place en
place selon les inflexions du corsage ! Rodolphe a amené son
domestique chez Bovary pour le faire saigner. Le domestique va
se trouver mal, Mme Bovary tient la cuvette.

« Pour la mettre sous la table, dans le mouvement qu'elle
fit en s'inclinant, sa robe s'évasa autour d'elle sur les carreaux
de la salle : et comme Emma, baissée, chancelait un peu en
écartant les bras, le gonflement de l'étoffe se crevait de place
en place selon les inflexions du corsage. » Aussi voici la réflexion
de Rodolphe :
« Il revoyait Emma dans la salle, habillée comme il l'avait
« vue, et il la déshabillait. »

P. 417 *. C'est le premier jour où ils se parlent. « Ils se regar-
« daient, un désir suprême faisait frissonner leurs lèvres sèches,
« et mollement, sans effort, leurs doigts se confondirent. »

Ce sont là les préliminaires de la chute. Il faut lire la chute
elle-même.

« Quand le costume fut prêt, Charles écrivit à M. Boulanger
« que sa femme était à sa disposition et qu'ils comptaient sur
« sa complaisance.

« Le lendemain à midi, Rodolphe arriva devant la porte de
« Charles avec deux chevaux de maître; l'un portait des pom-
« pons roses aux oreilles et une selle de femme en peau de daim.

« Il avait mis de longues bottes molles, se disant que sans
« doute elle n'en avait jamais vu de pareilles; en effet, Emma
« fut charmée de sa tournure, lorsqu'il apparut avec son grand
« habit de velours marron et sa culotte de tricot blanc...

. . . .

« Dès qu'il sentit la terre, le cheval d'Emma prit le galop.
« Rodolphe galopait à côté d'elle. »
Les voilà dans la forêt.

« Il l'entraîna plus loin autour d'un petit étang où des lentilles
« d'eau faisaient une verdure sur les ondes...

. . . .

« — J'ai tort, j'ai tort, disait-elle, je suis folle de vous en-
« tendre.
« — Pourquoi ? Emma ! Emma !
« — O Rodolphe !... fit lentement la jeune femme, en se pen-
« chant sur son épaule.
« Le drap de sa robe s'accrochait au velours de l'habit. Elle

* P. 140.

« renversa son cou blanc, qui se gonflait d'un soupir ; et défail-
« lante, tout en pleurs, avec un long frémissement et se cachant
« la figure, elle s'abandonna. »

Lorsqu'elle se fut relevée, lorsque après avoir secoué les
fatigues de la volupté, elle rentra au foyer domestique, à ce foyer
où elle devait trouver un mari qui l'adorait, après sa première
faute, après ce premier adultère, après cette première chute, est-ce
le remords, le sentiment du remords qu'elle éprouva, au regard
de ce mari trompé qui l'adorait ? Non ! le front haut, elle rentra
en glorifiant l'adultère.

« En s'apercevant dans la glace, elle s'étonna de son visage.
« Jamais elle n'avait eu les yeux si grands, si noirs, ni d'une
« telle profondeur. Quelque chose de subtil épandu sur sa per-
« sonne la transfigurait.

« Elle se répétait : J'ai un amant ! un amant ! se délectant à
« cette idée comme à celle d'une autre puberté qui lui serait
« survenue. Elle allait donc enfin posséder ces plaisirs de l'amour,
« cette fièvre de bonheur dont elle avait désespéré. Elle entrait
« dans quelque chose de merveilleux, où tout serait passion,
« extase, délire... »

Ainsi, dès cette première faute, dès cette première chute, elle
fait glorification de l'adultère, elle chante le cantique de l'adultère, sa poésie, ses voluptés. Voilà, messieurs, qui pour moi est
bien plus dangereux, bien plus immoral que la chute elle-même !

Messieurs, tout est pâle devant cette glorification de l'adultère,
même les rendez-vous de nuit, quelques jours après.

« Pour l'avertir, Rodolphe jetait contre les persiennes une
« poignée de sable. Elle se levait en sursaut ; mais quelquefois
« il lui fallait attendre, car Charles avait la manie de bavarder
« au coin du feu, et il n'en finissait pas. Elle se dévorait d'impa-
« tience ; si ses yeux l'avaient pu, ils l'eussent fait sauter par les
« fenêtres. Enfin elle commençait sa toilette de nuit, puis elle
« prenait un livre et continuait à lire fort tranquillement comme
« si la lecture l'eût amusée. Mais Charles, qui était au lit, l'appe-
« lait pour se coucher.

« — Viens donc, Emma, disait-il, il est temps.

« — Oui, j'y vais ! répondait-elle.

« Cependant, comme les bougies l'éblouissaient, il se tournait
« vers le mur et s'endormait. Elle s'échappait en retenant son
« haleine, souriante, palpitante, déshabillée.

« Rodolphe avait un grand manteau ; il l'en enveloppait tout
« entière, et, passant le bras autour de sa taille, il l'entraînait
« sans parler jusqu'au fond du jardin.

« C'était sous la tonnelle, sur ce même banc de bâtons pourris
« où autrefois Léon la regardait si amoureusement durant les
« soirées d'été ! Elle ne pensait guère à lui, maintenant.

« Le froid de la nuit les faisait s'étreindre davantage, les

« soupirs de leurs lèvres leur semblaient plus forts, leurs yeux,
« qu'ils entrevoyaient à peine, leur paraissaient plus grands, et
« au milieu du silence il y avait des paroles dites tout bas qui
« tombaient sur leur âme avec une sonorité cristalline et qui
« s'y répercutaient en vibrations multipliées. »

Connaissez-vous au monde, messieurs, un langage plus expres-
sif ? Avez-vous jamais vu un tableau plus lascif ? Écoutez encore :

« Jamais Mme Bovary ne fut aussi belle qu'à cette époque ;
« elle avait cette indéfinissable beauté qui résulte de la joie, de
« l'enthousiasme, du succès, et qui n'est que l'harmonie du tem-
« pérament avec les circonstances. Ses convoitises, ses chagrins,
« l'expérience du plaisir et ses illusions toujours jeunes, comme
« font aux fleurs le fumier, la pluie, les vents et le soleil, l'avaient
« par gradations développée, et elle s'épanouissait enfin dans la
« plénitude de sa nature. Ses paupières semblaient taillées tout
« exprès pour ses longs regards amoureux où la prunelle se
« perdait, tandis qu'un souffle fort écartait ses narines minces
« et relevait le coin charnu de ses lèvres, qu'ombrageait à la
« lumière un peu de duvet noir. On eût dit qu'un artiste habile
« en corruptions avait disposé sur sa nuque la torsade de ses
« cheveux. Ils s'enroulaient en une masse lourde, négligemment,
« et selon les hasards de l'adultère qui les dénouait tous les jours.
« Sa voix maintenant prenait des inflexions plus molles, sa taille
« aussi ; quelque chose de subtil qui vous pénétrait se dégageait
« même des draperies de sa robe et de la cambrure de son pied.
« Charles, comme au premier temps de leur mariage, la trouvait
« délicieuse et tout irrésistible. »

Jusqu'ici la beauté de cette femme avait consisté dans sa
grâce, dans sa tournure, dans ses vêtements ; enfin elle vient de
vous être montrée sans voile, et vous pouvez dire si l'adultère ne
l'a pas embellie :

« — Emmène-moi ! s'écria-t-elle. Enlève-moi !... oh ! je t'en
« supplie !

« Et elle se précipita sur sa bouche, comme pour y saisir le
« consentement inattendu qui s'exhalait dans un baiser. »

Voilà un portrait, messieurs, comme sait les faire M. Flaubert.
Comme les yeux de cette femme s'élargissent ! Comme quelque
chose de ravissant est épandu sur elle, depuis sa chute. Sa beauté
a-t-elle jamais été aussi éclatante que le lendemain de sa chute,
que dans les jours qui ont suivi sa chute ? Ce que l'auteur vous
montre, c'est la poésie de l'adultère, et je vous demande encore
une fois si ces pages lascives ne sont pas d'une immoralité
profonde ! ! !

J'arrive à la seconde citation. La seconde citation est une
transition religieuse. Mme Bovary avait été très malade, aux
portes du tombeau. Elle revient à la vie, sa convalescence est
signalée par une petite transition religieuse.

« M. Bournisien (c'était le curé) venait la voir. Il s'enquérait
« de sa santé, lui apportait des nouvelles et l'exhortait à la reli-
« gion dans un petit bavardage câlin, qui ne manquait pas
« d'agrément. La vue seule de sa soutane la réconfortait. »

Enfin elle va faire la communion. Je n'aime pas beaucoup à
rencontrer des choses saintes dans un roman, mais au moins,
quand on en parle, faudrait-il ne pas les travestir par le langage.
Y a-t-il dans cette femme adultère qui va à la communion
quelque chose de la foi de la Madeleine repentante ? Non, non,
c'est toujours la femme passionnée qui cherche des illusions, et
qui les cherche dans les choses les plus saintes, les plus augustes.

« Un jour qu'au plus fort de sa maladie elle s'était crue agoni-
« sante, elle avait demandé la communion; et à mesure que l'on
« faisait dans sa chambre les préparatifs pour le sacrement, que
« l'on disposait en autel la commode encombrée de sirops, et que
« Félicité semait par terre des fleurs de dahlia, Emma sentait
« quelque chose de fort passant sur elle, qui la débarrassait de
« ses douleurs, de toute perception, de tout sentiment. Sa chair
« allégée ne pesait plus, une autre vie commençait; il lui sembla
« que son être montant vers Dieu allait s'anéantir dans cet
« amour, comme un encens allumé qui se dissipe en vapeur. »

Dans quelle langue prie-t-on Dieu avec les paroles adressées
à l'amant dans les épanchements de l'adultère ? Sans doute on
parlera de la couleur locale, et on s'excusera en disant qu'une
femme vaporeuse, romanesque, ne fait pas, même en religion,
les choses comme tout le monde. Il n'y a pas de couleur locale
qui excuse ce mélange ! Voluptueuse un jour, religieuse le lendemain, nulle femme, même dans d'autres régions, même sous le
ciel d'Espagne ou d'Italie, ne murmure à Dieu les caresses adultères qu'elle donnait à l'amant. Vous apprécierez ce langage,
messieurs, et vous n'excuserez pas ces paroles de l'adultère intro-
duites, en quelque sorte, dans le sanctuaire de la divinité ! Voilà
la seconde citation; j'arrive à la troisième, c'est la série des
adultères.

Après la transition religieuse, Mme Bovary est encore prête
à tomber. Elle va au spectacle à Rouen. On jouait *Lucie de Lammermoor*. Emma fit un retour sur elle-même.

« Ah ! si dans la fraîcheur de sa beauté, avant les souillures du
« mariage et les désillusions de l'adultère (il y en a qui auraient
« dit : les désillusions du mariage et les souillures de l'adultère),
« avant les souillures du mariage et les désillusions de l'adultère,
« elle avait pu placer sa vie sur quelque grand cœur solide,
« alors la vertu, la tendresse, les voluptés et le devoir se con-
« fondant, jamais elle ne serait descendue d'une félicité si haute. »

En voyant Lagardy sur la scène, elle eut envie de courir dans
ses « bras pour se réfugier en sa force, comme dans l'incarnation
« de l'amour même, et de lui dire, de s'écrier : Enlève-moi,

« emmène-moi, partons ! à toi, à toi ! toutes mes ardeurs et
tous mes rêves ! »

Léon était derrière elle.

« Il se tenait derrière elle, s'appuyant de l'épaule contre la
« cloison ; et de temps à autre elle se sentait frissonner sous le
« souffle tiède de ses narines qui lui descendait dans la cheve-
« lure. »

On vous a parlé tout à l'heure des souillures du mariage ; on
va vous montrer encore l'adultère dans toute sa poésie, dans
ses ineffables séductions. J'ai dit qu'on aurait dû au moins
modifier les expressions et dire : les désillusions du mariage et
les souillures de l'adultère. Bien souvent, quand on s'est marié,
au lieu du bonheur sans nuages qu'on s'était promis, on rencontre
les sacrifices, les amertumes. Le mot désillusion peut donc être
justifié, celui de souillure ne saurait l'être.

Léon et Emma se sont donné rendez-vous à la cathédrale.
Ils la visitent, ou ils ne la visitent pas. Ils sortent.

« Un gamin polissonnait sur le parvis.

« — Va me chercher un fiacre ! lui crie Léon. L'enfant partit
« comme une balle...

« — Ah ! Léon !... vraiment... je ne sais... si je dois !... et
« elle minaudait. Puis, d'un air sérieux : C'est très inconvenant,
« savez-vous ?

« — En quoi ? répliqua le clerc, cela se fait à Paris.

« Et cette parole, comme un irrésistible argument, la déter-
« mina. »

Nous savons maintenant, messieurs, que la chute n'a pas lieu
dans le fiacre. Par un scrupule qui l'honore, le rédacteur de la
Revue a supprimé le passage de la chute dans le fiacre. Mais si
la *Revue de Paris* baisse les stores du fiacre, elle nous laisse pénétrer dans la chambre où se donnent les rendez-vous.

Emma veut partir, car elle avait donné sa parole qu'elle reviendrait le soir même. « D'ailleurs, Charles l'attendait ; et déjà elle
« se sentait au cœur cette lâche docilité qui est pour bien des
« femmes comme le châtiment tout à la fois et la rançon de
« l'adultère... »

« Léon, sur le trottoir, continuait à marcher, elle le suivait
« jusqu'à l'hôtel ; il montait, il ouvrait la porte, entrait. Quelle
« étreinte !

« Puis les paroles après les baisers se précipitaient. On se
« racontait les chagrins de la semaine, les pressentiments, les
« inquiétudes pour les lettres ; mais à présent tout s'oubliait, et
« ils se regardaient face à face, avec des rires de volupté et des
« appellations de tendresse.

« Le lit était un grand lit d'acajou en forme de nacelle. Les
« rideaux de levantine rouge, qui descendaient du plafond, se
« cintraient trop bas vers le chevet évasé, et rien au monde

« n'était beau comme sa tête brune et sa peau blanche, se déta-
« chant sur cette couleur pourpre, quand, par un geste de pudeur,
« elle fermait ses deux bras nus, en se cachant la figure dans les
« mains.

« Le tiède appartement, avec son tapis discret, ses ornements
« folâtres et sa lumière tranquille, semblait tout commode pour
« les intimités de la passion. »

Voilà ce qui se passe dans cette chambre. Voici encore un
passage très important — comme peinture lascive !

« Comme ils aimaient cette bonne chambre pleine de gaieté
« malgré sa splendeur un peu fanée ! Ils trouvaient toujours
« les meubles à leur place, et parfois des épingles à cheveux
« qu'elle avait oubliées, l'autre jeudi, sous le socle de la pen-
« dule. Ils déjeunaient au coin du feu, sur un petit guéridon
« incrusté de palissandre. Emma découpait, lui mettait les mor-
« ceaux dans son assiette en débitant toutes sortes de chatteries,
« et elle riait d'un rire sonore et libertin, quand la mousse du
« vin de Champagne débordait du verre léger sur les bagues
« de ses doigts. Ils étaient si complètement perdus en la posses-
« sion d'eux-mêmes, qu'ils se croyaient là dans leur maison
« particulière, et devant y vivre jusqu'à la mort, comme deux
« éternels jeunes époux. Ils disaient notre chambre, nos tapis,
« nos fauteuils, même elle disait mes pantoufles, un cadeau de
« Léon, une fantaisie qu'elle avait eue. C'étaient des pantoufles
« en satin rose, bordées de cygne. Quand elle s'asseyait sur ses
« genoux, sa jambe, alors trop courte, pendait en l'air, et la
« mignarde chaussure, qui n'avait pas de quartier, tenait seule-
« ment par les orteils à son pied nu.

« Il savourait pour la première fois, et dans l'exercice de
« l'amour, l'inexprimable délicatesse des élégances féminines.
« Jamais il n'avait rencontré cette grâce de langage, cette réserve
« du vêtement, ces poses de colombe assoupie. Il admirait l'exal-
« tation de son âme et les dentelles de sa jupe. D'ailleurs,
« n'était-ce pas une femme du monde, et une femme mariée ?
« une vraie maîtresse, enfin ? »

Voilà, messieurs, une description qui ne laissera rien à désirer,
j'espère, au point de vue de la prévention ? En voici une autre
ou, plutôt, voici la continuation de la même scène :

« Elle avait des paroles qui l'enflammaient avec des baisers
« qui lui emportaient l'âme. Où donc avait-elle appris ces
« caresses presque immatérielles, à force d'être profondes et
« dissimulées ? »

Oh ! je comprends bien, messieurs, le dégoût que lui inspirait
ce mari qui voulait l'embrasser à son retour; je comprends à
merveille que lorsque les rendez-vous de cette espèce avaient
lieu, elle sentît avec horreur, la nuit, « contre sa chair, cet homme
« étendu qui dormait ».

Ce n'est pas tout, à la page 73 *, il est un dernier tableau que je ne peux pas omettre; elle était arrivée jusqu'à la fatigue de la volupté.

« Elle se promettait continuellement pour son prochain
« voyage une félicité profonde; puis elle s'avouait ne rien sentir
« d'extraordinaire. Mais cette déception s'effaçait vite sous une
« espoir nouveau, et Emma revenait à lui plus enflammée, plus
« haletante, plus avide. Elle se déshabillait brutalement, arra-
« chant le lacet mince de son corset qui sifflait autour de ses
« hanches comme une couleuvre qui glisse. Elle allait sur la
« pointe de ses pieds nus regarder encore une fois si la porte
« était fermée, puis elle faisait d'un seul geste tomber ensemble
« tous ses vêtements; — et pâle, sans parler, sérieuse, elle s'abat-
« tait contre sa poitrine, avec un long frisson. »

Je signale ici deux choses, messieurs, une peinture admirable sous le rapport du talent, mais une peinture exécrable au point de vue de la morale. Oui, M. Flaubert sait embellir ses peintures avec toutes les ressources de l'art, mais sans les ménagements de l'art. Chez lui point de gaze, point de voiles, c'est la nature dans toute sa nudité, dans toute sa crudité !

Encore une citation de la page 78 **.

« Ils se connaissaient trop pour avoir ces ébahissements de
« possession qui en centuplent la joie. Elle était aussi dégoûtée
« de lui qu'il était fatigué d'elle. Emma retrouvait dans l'adul-
« tère toutes les platitudes du mariage. »

Platitudes du mariage, poésie de l'adultère ! Tantôt c'est la souillure du mariage, tantôt ce sont ses platitudes, mais c'est toujours la poésie de l'adultère. Voilà, messieurs, les situations que M. Flaubert aime à peindre, et malheureusement il ne les peint que trop bien.

J'ai raconté trois scènes : la scène avec Rodolphe, et vous y avez vu la chute dans la forêt, la glorification de l'adultère, et cette femme dont la beauté devient plus grande avec cette poésie. J'ai parlé de la transition religieuse, et vous y avez vu la prière emprunter à l'adultère son langage. J'ai parlé de la seconde chute, je vous ai déroulé les scènes qui se passent avec Léon. Je vous ai montré la scène du fiacre — supprimée — mais je vous ai montré le tableau de la chambre et du lit. Maintenant que nous croyons nos convictions faites, arrivons à la dernière scène, à celle du supplice.

Des coupures nombreuses y ont été faites, à ce qu'il paraît, par la *Revue de Paris*. Voici en quels termes M. Flaubert s'en plaint :

« Des considérations que je n'ai pas à apprécier ont contraint

* P. 262.
** P. 269.

« la *Revue de Paris* à faire une suppression dans le numéro du
« 1er décembre. Ses scrupules s'étant renouvelés à l'occasion du
« présent numéro, elle a jugé convenable d'enlever encore plu-
« sieurs passages. En conséquence, je déclare dénier la respon-
« sabilité des lignes qui suivent; le lecteur est donc prié de n'y
« voir que des fragments et non pas un ensemble. »

Passons donc sur ces fragments et arrivons à la mort. Elle
s'empoisonne. Elle s'empoisonne, pourquoi ? « Ah ! c'est bien
« peu de chose, la mort, pensa-t-elle; je vais m'endormir et
« tout sera fini. » Puis, sans un remords, sans un aveu, sans une
larme de repentir sur ce suicide qui s'achève et les adultères
de la veille, elle va recevoir le sacrement des mourants. Pourquoi
le sacrement, puisque, dans sa pensée de tout à l'heure, elle va
au néant ? Pourquoi, quand il n'y a pas une larme, pas un soupir
de Madeleine sur son crime d'incrédulité, sur son suicide, sur
ses adultères ?

Après cette scène, vient celle de l'extrême-onction. Ce sont
des paroles saintes et sacrées pour tous. C'est avec ces paroles-là
que nous avons endormi nos aïeux, nos pères ou nos proches,
et c'est avec elles qu'un jour nos enfants nous endormiront.
Quand on veut les reproduire, il faut le faire exactement; il ne
faut pas du moins les accompagner d'une image voluptueuse
sur la vie passée.

Vous le savez, le prêtre fait les onctions saintes sur le front,
sur les oreilles, sur la bouche, sur les pieds, en prononçant les
phrases liturgiques : *Quidquid per pedes, per aures, per pectus*, etc.,
toujours suivies des mots *misericordia*... péché d'un côté, miséricorde de l'autre. Il faut les reproduire exactement, ces paroles
saintes et sacrées; si vous ne les reproduisez pas exactement,
au moins n'y mettez rien de voluptueux.

« Elle tourna sa figure lentement et parut saisie de joie à
« voir tout à coup l'étole violette, sans doute retrouvant au
« milieu d'un apaisement extraordinaire la volupté perdue de
« ses premiers élancements mystiques, avec des visions de béa-
« titude éternelle qui commençaient.

« Le prêtre se releva pour prendre le crucifix; alors elle
« allongea le cou comme quelqu'un qui a soif, et collant ses
« lèvres sur le corps de l'Homme-Dieu, elle y déposa de toute sa
« force expirante le plus grand baiser d'amour qu'elle eût jamais
« donné. Ensuite il récita le *Misereatur* et l'*Indulgentiam*, trempa
« son pouce droit dans l'huile et commença les onctions; d'abord
« sur les yeux, qui avaient tant convoité toutes les somptuosités
« terrestres; puis sur les narines, friandes de brises tièdes et de
« senteurs amoureuses; puis sur la bouche, qui s'était ouverte
« pour le mensonge, qui avait gémi d'orgueil et crié dans la
« luxure; puis sur les mains, qui se délectaient aux contacts
« suaves, et enfin sur la plante des pieds, si rapides autrefois

« quand elle courait à l'assouvissance de ses désirs, et qui main-
« tenant ne marcheraient plus. »

Maintenant, il y a les prières des agonisants que le prêtre
récite tout bas, où à chaque verset se trouvent les mots : « Ame
« chrétienne, partez pour une région plus haute. » On les murmure au moment où le dernier souffle du mourant s'échappe
de ses lèvres. Le prêtre les récite, etc.

« A mesure que le râle devenait plus fort, l'ecclésiastique
« précipitait ses oraisons; elles se mêlaient aux sanglots étouffés
« de Bovary, et quelquefois tout semblait disparaître dans le
« sourd murmure des syllabes latines qui tintaient comme un
« glas lugubre. »

L'auteur a jugé à propos d'alterner ces paroles, de leur faire
une sorte de réplique. Il fait intervenir sur le trottoir un aveugle
qui entonne une chanson dont les paroles profanes sont une
sorte de réponse aux prières des agonisants.

« Tout à coup on entendit sur le trottoir un bruit de gros
« sabots, avec le frôlement d'un bâton, et une voix s'éleva, une
« voix rauque, qui chantait :

> « *Souvent la chaleur d'un beau jour*
> « *Fait rêver fillette à l'amour.*
> « *Il souffla bien fort ce jour-là,*
> « *Et le jupon court s'envola.* »

C'est à ce moment que Mme Bovary meurt.

Ainsi voilà le tableau : d'un côté, le prêtre qui récite les prières
des agonisants; de l'autre, le joueur d'orgue, qui excite chez la
mourante « un rire atroce, frénétique, désespéré, croyant voir
« la face hideuse du misérable qui se dressait dans les ténèbres
« éternelles comme un épouvantement... Une convulsion la
« rabattit sur le matelas. Tous s'approchèrent. Elle n'existait
« plus. »

Et puis ensuite, lorsque le corps est froid, la chose qu'il faut
respecter par-dessus tout, c'est le cadavre que l'âme a quitté.
Quand le mari est là, à genoux, pleurant sa femme, quand il a
étendu sur elle le linceul, tout autre se serait arrêté, et c'est le
moment où M. Flaubert donna le dernier coup de pinceau.

« Le drap se creusait depuis ses seins jusqu'à ses genoux, se
« relevant ensuite à la pointe des orteils. »

Voilà la scène de la mort. Je l'ai abrégée, je l'ai groupée en
quelque sorte. C'est à vous de juger et d'apprécier si c'est là le
mélange du sacré au profane, ou si ce ne serait pas plutôt le
mélange du sacré au voluptueux.

J'ai raconté le roman, je l'ai incriminé ensuite et, permettez-
moi de le dire, le genre que M. Flaubert cultive, celui qu'il
réalise sans les ménagements de l'art, mais avec toutes les ressources de l'art, c'est le genre descriptif, la peinture réaliste.

Voyez jusqu'à quelle limite il arrive. Dernièrement un numéro de l'*Artiste* me tombait sous la main; il ne s'agit pas d'incriminer l'*Artiste*, mais de savoir quel est le genre de M. Flaubert, et je vous demande la permission de vous citer quelques lignes de l'écrit qui n'engagent en rien l'écrit poursuivi contre M. Flaubert, et j'y voyais à quel degré M. Flaubert excelle dans la peinture; il aime à peindre les tentations, surtout les tentations auxquelles a succombé Mme Bovary. Eh bien! je trouve un modèle du genre dans les quelques lignes qui suivent de l'*Artiste* du mois de janvier, signées *Gustave Flaubert*, sur la tentation de saint Antoine. Mon Dieu! c'est un sujet sur lequel on peut dire beaucoup de choses, mais je ne crois pas qu'il soit possible de donner plus de vivacité à l'image, plus de trait à la peinture que dans ces mots d'Apollinaire * à saint Antoine : « — Est-ce « la science? Est-ce la gloire? Veux-tu rafraîchir tes yeux sur « des jasmins humides? Veux-tu sentir ton corps s'enfoncer « comme dans une onde dans la chair douce des femmes « pâmées? »

Eh bien! c'est la même couleur, la même énergie de pinceau, la même vivacité d'expression!

Il faut se résumer. J'ai analysé le livre, j'ai raconté, sans oublier une page, j'ai incriminé ensuite, c'était la seconde partie de ma tâche : j'ai précisé quelques portraits, j'ai montré Mme Bovary au repos, vis-à-vis de son mari, vis-à-vis de ceux qu'elle ne devait pas tenter, et je vous ai fait toucher les couleurs lascives de ce portrait! Puis, j'ai analysé quelques grandes scènes : la chute avec Rodolphe, la transition religieuse, les amours avec Léon, la scène de la mort, et dans toutes j'ai trouvé le double délit d'offense à la morale publique et à la religion.

Je n'ai besoin que de deux scènes : l'outrage à la morale est-ce que vous ne le verrez pas dans la chute avec Rodolphe? Est-ce que vous ne le verrez pas dans cette glorification de l'adultère? Est-ce que vous ne le verrez pas surtout dans ce qui se passe avec Léon? Et puis, l'outrage à la morale religieuse, je le trouve dans le trait sur la confession, p. 30 ** de la 1re livraison, numéro du 1er octobre, dans la transition religieuse, p. 548 *** et 550 **** du 15 novembre, et enfin dans la dernière scène de la mort.

Vous avez devant vous, messieurs, trois inculpés : M. Flaubert, l'auteur du livre, M. Pichat qui l'a accueilli, et M. Pillet qui l'a imprimé. En cette matière, il n'y a pas de délit sans publicité, et tous ceux qui ont concouru à la publicité doivent

* Apollinaire, *sic*, pour Apollonius de Thyanes!
** Page 33.
*** Page 199.
**** Page 200.

être également atteints. Mais nous nous hâtons de le dire, le gérant de la *Revue* et l'imprimeur ne sont qu'en seconde ligne. Le principal prévenu, c'est l'auteur, c'est M. Flaubert, M. Flaubert qui, averti par la note de la rédaction, proteste contre la suppression qui est faite à son œuvre. Après lui vient au second rang M. Laurent Pichat, auquel vous demanderez compte non de cette suppression qu'il a faite, mais de celles qu'il aurait dû faire, et, enfin, vient en dernière ligne l'imprimeur, qui est une sentinelle avancée contre le scandale. M. Pillet, d'ailleurs, est un homme honorable contre lequel je n'ai rien à dire. Nous ne vous demandons qu'une chose, de lui appliquer la loi. Les imprimeurs doivent lire; quand ils n'ont pas lu ou fait lire, c'est à leurs risques et périls qu'ils impriment. Les imprimeurs ne sont pas des machines; ils ont un privilège, ils prêtent serment, ils sont dans une situation spéciale, ils sont responsables. Encore une fois, ils sont, si vous me permettez l'expression, comme des sentinelles avancées; s'ils laissent passer le délit, c'est comme s'ils laissaient passer l'ennemi. Atténuez la peine autant que vous voudrez vis-à-vis de Pillet; soyez même indulgents vis-à-vis du gérant de la *Revue ;* quant à Flaubert, le principal coupable, c'est à lui que vous devez réserver vos sévérités !

Ma tâche remplie, il faut attendre les objections ou les prévenir. On nous dira comme objection générale : mais, après tout, le roman est moral au fond, puisque l'adultère est puni ?

A cette objection, deux réponses : je suppose l'œuvre morale, par hypothèse, une conclusion morale ne pourrait pas amnistier les détails lascifs qui peuvent s'y trouver. Et puis je dis : l'œuvre au fond n'est pas morale.

Je dis, messieurs, que des détails lascifs ne peuvent pas être couverts par une conclusion morale, sinon on pourrait raconter toutes les orgies imaginables, décrire toutes les turpitudes d'une femme publique, en la faisant mourir sur un grabat à l'hôpital. Il serait permis d'étudier et de montrer toutes ses poses lascives ! Ce serait aller contre toutes les règles du bon sens. Ce serait placer le poison à la portée de tous et le remède à la portée d'un bien petit nombre, s'il y avait un remède. Qui est-ce qui lit le roman de M. Flaubert ? Sont-ce des hommes qui s'occupent d'économie politique ou sociale ? Non ! Les pages légères de *Madame Bovary* tombent en des mains plus légères, dans des mains de jeunes filles, quelquefois de femmes mariées. Eh bien ! lorsque l'imagination aura été séduite, lorsque cette séduction sera descendue jusqu'au cœur, lorsque le cœur aura parlé aux sens, est-ce que vous croyez qu'un raisonnement bien froid sera bien fort contre cette séduction des sens et du sentiment ? Et puis, il ne faut pas que l'homme se drape trop dans sa force et dans sa vertu, l'homme porte les instincts d'en bas et les idées d'en haut, et, chez tous, la vertu n'est que la conséquence d'un

effort, bien souvent pénible. Les peintures lascives ont généralement plus d'influence que les froids raisonnements. Voilà ce que
je réponds à cette théorie, voilà ma première réponse, mais j'en
ai une seconde.

Je soutiens que le roman de *Madame Bovary*, envisagé au
point de vue philosophique, n'est point moral. Sans doute,
Mme Bovary meurt empoisonnée; elle a beaucoup souffert, c'est
vrai; mais elle meurt à son heure et à son jour, mais elle meurt,
non parce qu'elle est adultère, mais parce qu'elle l'a voulu; elle
meurt dans tout le prestige de sa jeunesse et de sa beauté; elle
meurt après avoir eu deux amants, laissant un mari qui l'aime,
qui l'adore, qui trouvera le portrait de Rodolphe, qui trouvera
ses lettres et celles de Léon, qui lira les lettres d'une femme
deux fois adultère, et qui, après cela, l'aimera encore davantage
au delà du tombeau. Qui peut condamner cette femme dans le
livre ? Personne. Telle est la conclusion. Il n'y a pas dans le
livre un personnage qui puisse la condamner. Si vous y trouvez
un personnage sage, si vous y trouvez un seul principe en vertu
duquel l'adultère soit stigmatisé, j'ai tort. Donc, si, dans tout le
livre, il n'y a pas un personnage qui puisse lui faire courber la
tête, s'il n'y a pas une idée, une ligne en vertu de laquelle l'adultère soit flétri, c'est moi qui ai raison, le livre est immoral !

Serait-ce au nom de l'honneur conjugal que le livre serait
condamné ? Mais l'honneur conjugal est représenté par un mari
béat, qui, après la mort de sa femme, rencontrant Rodolphe,
cherche sur le visage de l'amant les traits de la femme qu'il
aime (liv. du 15 décembre, p. 289 *). Je vous le demande, est-ce
au nom de l'honneur conjugal que vous pouvez stigmatiser cette
femme, quand il n'y a pas dans le livre un seul mot où le mari
ne s'incline devant l'adultère.

Serait-ce au nom de l'opinion publique ? Mais l'opinion
publique est personnifiée dans un être grotesque, dans le pharmacien Homais, entouré de personnages ridicules que cette
femme domine.

Le condamnerez-vous au nom du sentiment religieux ? Mais
ce sentiment, vous l'avez personnifié dans le curé Bournisien,
prêtre à peu près aussi grotesque que le pharmacien, ne croyant
qu'aux souffrances physiques, jamais aux souffrances morales,
à peu près matérialiste.

Le condamnerez-vous au nom de la conscience de l'auteur ?
Je ne sais pas ce que pense la conscience de l'auteur; mais, dans
son chapitre x, le seul philosophique de l'œuvre (livr. du
15 déc. **), je lis la phrase suivante :

« Il y a toujours après la mort de quelqu'un comme une stu-

* Page 323.
** Page 303.

« péfaction qui se dégage, tant il est difficile de comprendre
« cette survenue du néant et de se résigner à y croire. »

Ce n'est pas un cri d'incrédulité, mais c'est du moins un cri
de scepticisme. Sans doute il est difficile de le comprendre et
d'y croire ; mais, enfin, pourquoi cette stupéfaction qui se manifeste à la mort ? Pourquoi ? Parce que cette survenue est quelque
chose qui est un mystère, parce qu'il est difficile de le comprendre et de le juger, mais il faut s'y résigner. Et moi je dis que
si la mort est la survenue du néant, que si le mari béat sent
croître son amour en apprenant les adultères de sa femme, que
si l'opinion est représentée par des êtres grotesques, que si le
sentiment religieux est représenté par un prêtre ridicule, une
seule personne a raison, règne, domine : c'est Emma Bovary.
Messaline a raison contre Juvénal.

Voilà la conclusion philosophique du livre, tirée non par
l'auteur, mais par un homme qui réfléchit et approfondit les
choses, par un homme qui a cherché dans le livre un personnage qui pût dominer cette femme. Il n'y en a pas. Le seul personnage qui y domine, c'est Mme Bovary. Il faut donc chercher
ailleurs que dans le livre, il faut chercher dans cette morale
chrétienne qui est le fond des civilisations modernes. Pour cette
morale, tout s'explique et s'éclaircit.

En son nom l'adultère est stigmatisé, condamné, non pas
parce que c'est une imprudence qui expose à des désillusions
et à des regrets, mais parce que c'est un crime pour la famille.
Vous stigmatisez et vous condamnez le suicide, non pas parce
que c'est une folie, le fou n'est pas responsable ; non pas parce
que c'est une lâcheté, il demande quelquefois un certain courage physique, mais parce qu'il est le mépris du devoir dans la
vie qui s'achève, et le cri de l'incrédulité dans la vie qui commence.

Cette morale stigmatise la littérature réaliste, non pas parce
qu'elle peint les passions : la haine, la vengeance, l'amour ; le
monde ne vit que là-dessus, et l'art doit les peindre ; mais quand
elle les peint sans frein, sans mesure. L'art sans règle n'est plus
l'art ; c'est comme une femme qui quitterait tout vêtement.
Imposer à l'art l'unique règle de la décence publique, ce n'est
pas l'asservir, mais l'honorer. On ne grandit qu'avec une règle.
Voilà, messieurs, les principes que nous professons, voilà une
doctrine que nous défendons avec conscience.

PLAIDOIRIE

DU DÉFENSEUR Me SÉNARD

Messieurs, M. Gustave Flaubert est accusé devant vous d'avoir fait un mauvais livre, d'avoir, dans ce livre, outragé la morale publique et la religion. M. Gustave Flaubert est auprès de moi; il affirme devant vous qu'il a fait un livre honnête; il affirme devant vous que la pensée de son livre, depuis la première ligne jusqu'à la dernière, est une pensée morale, religieuse, et que, si elle n'était pas dénaturée (nous avons vu pendant quelques instants ce que peut un grand talent pour dénaturer une pensée), elle serait (et elle reviendra tout à l'heure) pour vous ce qu'elle a été déjà pour les lecteurs du livre, une pensée éminemment morale et religieuse pouvant se traduire par ces mots : l'excitation à la vertu par l'horreur du vice.

Je vous apporte ici l'affirmation de M. Gustave Flaubert, et je la mets hardiment en regard du réquisitoire du ministère public, car cette affirmation est grave; elle l'est par la personne qui l'a faite, elle l'est par les circonstances qui ont présidé à l'exécution du livre que je vais vous faire connaître.

L'affirmation est déjà grave par la personne qui la fait, et, permettez-moi de vous le dire, M. Gustave Flaubert n'était pas pour moi un inconnu qui eût besoin auprès de moi de recommandations, qui eût des renseignements à me donner, je ne dis pas sur sa moralité, mais sur sa dignité. Je viens ici, dans cette enceinte, remplir un devoir de conscience, après avoir lu le livre, après avoir senti s'exhaler par cette lecture tout ce qu'il y a en moi d'honnête et de profondément religieux. Mais, en même temps que je viens remplir un devoir de conscience, je viens remplir un devoir d'amitié. Je me rappelle, je ne saurais oublier que son père a été pour moi un vieil ami. Son père, de l'amitié duquel je me suis longtemps honoré, honoré jusqu'au dernier jour, son père et, permettez-moi de le dire, son illustre père, a été pendant plus de trente années chirurgien en chef de l'Hôtel-Dieu de Rouen. Il a été le prosecteur de Dupuytren; en donnant à la science de grands enseignements, il l'a dotée de grands noms; je n'en veux citer qu'un seul, Cloquet. Il n'a pas seulement laissé lui-même un beau nom dans la science, il y a laissé de grands souvenirs, pour d'immenses services rendus à l'humanité. Et en même temps que je me souviens de mes liaisons avec lui, je veux vous le dire, son fils, qui est traduit en police correctionnelle pour outrage à la morale et à la religion, son fils est l'ami de mes enfants, comme j'étais l'ami de son père. Je sais sa pensée, je sais ses intentions, et l'avocat a ici le droit de se poser comme la caution personnelle de son client.

Messieurs, un grand nom et de grands souvenirs obligent. Les enfants de M. Flaubert ne lui ont pas failli. Ils étaient trois, deux fils et une fille, morte à vingt et un ans. L'aîné a été jugé digne de succéder à son père : et c'est lui qui, aujourd'hui, remplit déjà depuis plusieurs années la mission que son père a remplie pendant trente ans. Le plus jeune, le voici : il est à votre barre. En leur laissant une fortune considérable et un grand nom, leur père leur a laissé le besoin d'être des hommes d'intelligence et de cœur, des hommes utiles. Le frère de mon client s'est lancé dans une carrière où les services rendus sont de chaque jour. Celui-ci a dévoué sa vie à l'étude, aux lettres, et l'ouvrage qu'on poursuit en ce moment devant vous est son premier ouvrage. Ce premier ouvrage, messieurs, qui provoque les passions, au dire de M. l'Avocat impérial, est le résultat de longues études, de longues méditations. M. Gustave Flaubert est un homme d'un caractère sérieux porté par sa nature aux choses graves, aux choses tristes. Ce n'est pas l'homme que le ministère public, avec quinze ou vingt lignes mordues çà et là, est venu vous présenter comme un faiseur de tableaux lascifs. Non; il y a dans sa nature, je le répète, tout ce qu'on peut imaginer au monde de plus grave, de plus sérieux, mais en même temps de plus triste. Son livre, en rétablissant seulement une phrase, en mettant à côté des quelques lignes citées les quelques lignes qui précèdent et qui suivent, reprendra bientôt devant vous sa véritable couleur, en même temps qu'il fera connaître les intentions de l'auteur. Et, de la parole trop habile que vous avez entendue, il ne restera dans vos souvenirs qu'un sentiment d'admiration profonde pour un talent qui peut tout transformer.

Je vous ai dit que M. Gustave Flaubert était un homme sérieux et grave. Ses études, conformes à la nature de son esprit, ont été sérieuses et larges. Elles ont embrassé non seulement toutes les branches de la littérature, mais le droit. M. Flaubert est un homme qui ne s'est pas contenté des observations que pouvait lui fournir le milieu où il a vécu; il a interrogé d'autres milieux :

> *Qui mores multorum vidit et urbes.*

Après la mort de son père et ses études de collège, il a visité l'Italie et, de 1848 à 1851, parcouru ces contrées de l'Orient, l'Égypte, la Palestine, l'Asie Mineure, dans lesquelles, sans doute, l'homme qui les parcourt, en y apportant une grande intelligence, peut acquérir quelque chose d'élevé, de poétique, ces couleurs, ce prestige de style que le ministère public faisait tout à l'heure ressortir, pour établir le délit qu'il nous impute. Ce prestige de style, ces qualités littéraires resteront, ressortiront avec éclat de ces débats, mais ne pourront en aucune façon laisser prise à l'incrimination.

De retour depuis 1852, M. Gustave Flaubert a écrit et cherché à produire dans un grand cadre le résultat d'études attentives et sérieuses, le résultat de ce qu'il avait recueilli dans ses voyages.

Quel est le cadre qu'il a choisi, le sujet qu'il a pris, et comment l'a-t-il traité ? Mon client est de ceux qui n'appartiennent à aucune des écoles dont j'ai trouvé, tout à l'heure, le nom dans le réquisitoire. Mon Dieu ! il appartient à l'école réaliste, en ce sens qu'il s'attache à la réalité des choses. Il appartiendrait à l'école psychologique en ce sens que ce n'est pas la matérialité des choses qui le pousse, mais le sentiment humain, le développement des passions dans le milieu où il est placé. Il appartiendrait à l'école romantique moins peut-être qu'à toute autre, car si le romantisme apparaît dans son livre, de même que si le réalisme y apparaît, ce n'est pas par quelques expressions ironiques, jetées çà et là, que le ministère public a prises au sérieux. Ce que M. Flaubert a voulu surtout, ç'a été de prendre un sujet d'études dans la vie réelle, ç'a été de créer, de constituer des types vrais dans la classe moyenne et d'arriver à un résultat utile. Oui, ce qui a le plus préoccupé mon client dans l'étude à laquelle il s'est livré, c'est précisément ce but utile, poursuivi en mettant en scène trois ou quatre personnages de la société actuelle vivant dans les conditions de la vie réelle, et présentant aux yeux du lecteur le tableau vrai de ce qui se rencontre le plus souvent dans le monde.

Le ministère public, résumant son opinion sur *Madame Bovary*, a dit : Le second titre de cet ouvrage est : *Histoire des adultères d'une femme de province.* Je proteste énergiquement contre ce titre. Il me prouverait à lui seul, si je ne l'avais pas senti d'un bout à l'autre de votre réquisitoire, la préoccupation sous l'empire de laquelle vous avez constamment été. Non ! le second titre de cet ouvrage n'est pas : *Histoire des adultères d'une femme de province ;* il est, s'il vous faut absolument un second titre : histoire de l'éducation trop souvent donnée en province; histoire des périls auxquels elle peut conduire, histoire de la dégradation, de la friponnerie, du suicide considéré comme conséquence d'une première faute, et d'une faute amenée elle-même par de premiers torts auxquels souvent une jeune femme est entraînée; histoire de l'éducation, histoire d'une vie déplorable dont trop souvent l'éducation est la préface. Voilà ce que M. Flaubert a voulu peindre, et non pas les adultères d'une femme de province; vous le reconnaîtrez bientôt en parcourant l'ouvrage incriminé.

Maintenant, le ministère public a aperçu dans tout cela, par-dessus tout, la couleur lascive. S'il m'était possible de prendre le nombre des lignes du livre que le ministère public a décou-pées, et de le mettre en parallèle avec le nombre des autres lignes qu'il a laissées de côté, nous serions dans la proportion totale de un à cinq cents, et vous verriez que cette proportion de un à cinq cents n'est pas une couleur lascive, n'est nulle part; elle n'existe que sous la condition des découpures et des commen-taires.

Maintenant, qu'est-ce que M. Gustave Flaubert a voulu peindre ? D'abord une éducation donnée à une femme au-dessus de la condition dans laquelle elle est née, comme il arrive, il faut bien le dire, trop souvent chez nous; ensuite, le mélange d'élé-ments disparates qui se produit ainsi dans l'intelligence de la femme, et puis, quand vient le mariage, comme le mariage ne se proportionne pas à l'éducation, mais aux conditions dans lesquelles la femme est née, l'auteur a expliqué tous les faits qui se passent dans la position qui lui est faite.

Que montre-t-il encore ? Il montre une femme allant au vice par la mésalliance, et du vice au dernier degré de la dégradation et du malheur. Tout à l'heure, quand, par la lecture de différents passages, j'aurai fait connaître le livre dans son ensemble, je demanderai au tribunal la liberté d'accepter la question en ces termes : Ce livre, mis dans les mains d'une jeune femme, pour-rait-il avoir pour effet de l'entraîner vers des plaisirs faciles, vers l'adultère, ou de lui montrer, au contraire, le danger dès les premiers pas, et de la faire frissonner d'horreur ? La question ainsi posée, c'est votre conscience qui la résoudra.

Je dis ceci, quant à présent : M. Flaubert a voulu peindre la femme qui, au lieu de chercher à s'arranger dans la condition qui lui est donnée, avec sa situation, avec sa naissance; au lieu de chercher à se faire à la vie qui lui appartient, reste préoccupée de mille aspirations étrangères puisées dans une éducation trop élevée pour elle; qui, au lieu de s'accommoder des devoirs de sa position, d'être la femme tranquille du médecin de campagne avec lequel elle passe ses jours, au lieu de chercher le bonheur dans sa maison, dans son union, le cherche dans d'interminables rêvasseries, et puis, qui, bientôt, rencontrant sur sa route un jeune homme qui coquette avec elle, joue avec elle le même jeu (mon Dieu ! ils sont inexpérimentés l'un et l'autre), s'excite en quelque sorte par degrés, s'effraye quand, recourant à la religion de ses premières années, elle n'y trouve pas une force suffisante; et nous verrons tout à l'heure pourquoi elle ne l'y trouve pas. Cependant l'ignorance du jeune homme et sa propre ignorance la préservent d'un premier danger. Mais elle est bientôt rencontrée par un homme comme il y en a tant, comme il y en a trop dans le monde, qui se saisit d'elle, pauvre femme déjà déviée, et l'entraîne. Voilà ce qui est capital, ce qu'il fallait voir, ce qu'est le livre lui-même.

Le ministère public s'irrite, et je crois qu'il s'irrite à tort, au point de vue de la conscience et du cœur humain, de ce que, dans la première scène, madame Bovary trouve une sorte de plaisir, de joie à avoir brisé sa prison, et rentre chez elle en disant : « J'ai un amant. » Vous croyez que ce n'est pas là le premier cri du cœur humain ! La preuve est entre vous et moi. Mais il fallait regarder un peu plus loin, et vous auriez vu que, si le premier moment, le premier instant de cette chute excite chez cette femme une sorte de transport de joie, de délire, à quelques lignes plus loin la déception arrive, et, suivant l'expression de l'auteur, elle semble à ses propres yeux humiliée.

Oui, la déception, la douleur, le remords lui arrivent à l'instant même. L'homme auquel elle s'était confiée, livrée, ne l'avait prise que pour s'en servir un instant comme d'un jouet; le remords la ronge, la déchire. Ce qui vous a choqué, ç'a été d'entendre appeler cela les désillusions de l'adultère; vous auriez mieux aimé les *souillures* chez un écrivain qui faisait poser cette femme, laquelle n'ayant pas compris le mariage, se sentait souillée par le contact d'un mari; laquelle, ayant cherché ailleurs son idéal, avait trouvé les désillusions de l'adultère. Ce mot vous a choqué; au lieu des *désillusions*, vous auriez voulu les *souillures* de l'adultère. Le tribunal jugera. Quant à moi, si j'avais à faire poser le même personnage, je lui dirais : Pauvre femme ! si vous croyez que les baisers de votre mari sont quelque chose de monotone, d'ennuyeux, si vous n'y trouvez — c'est le mot qui a été signalé — que les platitudes du mariage, s'il vous semble voir une souillure dans cette union à laquelle l'amour n'a pas présidé, prenez-y garde, vos rêves sont une illusion, et vous serez un jour cruellement détrompée. Celui qui crie bien fort, messieurs, qui se sert du mot souillure pour exprimer ce que nous avons appelé désillusion, celui-là dit un mot vrai, mais vague, qui n'apprend rien à l'intelligence. J'aime mieux celui qui ne crie pas fort, qui ne prononce pas le mot de souillure, mais qui avertit la femme de la déception, de la désillusion, qui lui dit : Là où vous croyez trouver l'amour, vous ne trouverez que le libertinage; là où vous croyez trouver le bonheur, vous ne trouverez que des amertumes. Un mari qui va tranquillement à ses affaires, qui vous embrasse, qui met son bonnet de coton et mange la soupe avec vous est un mari prosaïque qui vous révolte; vous aspirez à un homme qui vous aime, qui vous idolâtre, pauvre enfant ! cet homme sera un libertin, qui vous aura prise une minute pour jouer avec vous. L'illusion se sera produite la première fois, peut-être la seconde; vous serez

rentrée chez vous enjouée, en chantant la chanson de l'adultère :
« J'ai un amant ! » La troisième fois vous n'aurez pas besoin
d'arriver jusqu'à lui, la désillusion sera venue. Cet homme que
vous aviez rêvé, aura perdu tout son prestige; vous aurez
retrouvé dans l'amour les platitudes du mariage; et vous les
aurez retrouvées avec le mépris, le dédain, le dégoût et le remords
poignant.

Voilà, messieurs, ce que M. Flaubert a dit, ce qu'il a peint,
ce qui est à chaque ligne de son livre; voilà ce qui distingue
son œuvre de toutes les œuvres du même genre. C'est que chez
lui les grands travers de la société figurent à chaque page; c'est
que chez lui l'adultère marche plein de dégoût et de honte. Il a
pris dans les relations habituelles de la vie l'enseignement le
plus saisissant qui puisse être donné à une jeune femme. Oh !
mon Dieu, celles de nos jeunes femmes qui ne trouvent pas
dans les principes honnêtes, élevés, dans une religion sévère de
quoi se tenir fermes dans l'accomplissement de leurs devoirs de
mères, qui ne le trouvent pas surtout dans cette résignation,
cette science pratique de la vie qui nous dit qu'il faut s'accommoder de ce que nous avons, mais qui portent leurs rêveries au
dehors, ces jeunes femmes les plus honnêtes, les plus pures qui,
dans le prosaïsme de leur ménage, sont quelquefois tourmentées
par ce qui se passe autour d'elles, un livre comme celui-là,
soyez-en sûrs, en fait réfléchir plus d'une. Voilà ce que M. Flaubert a fait.

Et prenez bien garde à une chose : M. Flaubert n'est pas un
homme qui vous peint un charmant adultère, pour faire arriver
ensuite le *Deus ex machina*, non; vous avez sauté trop vite de
la page que vous avez lue à la dernière. L'adultère, chez lui,
n'est qu'une suite de tourments, de regrets, de remords; et puis
il arrive à une expiation finale, épouvantable. Elle est excessive.
Si M. Flaubert pèche, c'est par l'excès, et je vous dirai tout à
l'heure de qui est ce mot. L'expiation ne se fait pas attendre;
et c'est en cela que le livre est éminemment moral et utile, c'est
qu'il ne promet pas à la jeune femme quelques-unes de ces belles
années au bout desquelles elle peut dire : après cela, on peut
mourir. Non ! Dès le second jour arrive l'amertume, la désillusion. Le dénoûment pour la moralité se trouve à chaque ligne du
livre.

Ce livre est écrit avec une puissance d'observation à laquelle
M. l'Avocat impérial a rendu justice : et c'est ici que j'appelle
votre attention, parce que si l'accusation n'a pas de cause, il
faut qu'elle tombe. Ce livre est écrit avec une puissance vraiment
remarquable d'observation dans les moindres détails. Un article
de l'*Artiste*, signé Flaubert, a servi encore de prétexte à l'accusation. Que M. l'Avocat impérial veuille remarquer d'abord que
cet article est étranger à l'incrimination; qu'il veuille remarquer

ensuite que nous le tenons pour très innocent et très moral aux
yeux du tribunal, à une condition, que M. l'Avocat impérial
aura la bonté de le lire en entier, au lieu de le déchiqueter. Ce
qui a saisi dans le livre de M. Flaubert, c'est ce que quelques
comptes rendus ont appelé une fidélité toute daguerrienne dans
la reproduction du type de toutes les choses, dans la nature
intime de la pensée, du cœur humain, — et cette reproduction
devient plus saisissante encore par la magie du style. Remarquez
bien que s'il n'avait appliqué cette fidélité qu'aux scènes de
dégradation, vous pourriez dire avec raison : l'auteur s'est
complu à peindre la dégradation avec cette puissance de description qui lui est propre. De la première à la dernière page de
son livre, il s'attache sans aucune espèce de réserve à tous les
faits de la vie d'Emma, à son enfance dans la maison paternelle,
à son éducation dans le couvent, il ne fait grâce de rien. Mais
ceux qui ont lu comme moi du commencement à la fin, diront
— chose notable dont vous lui saurez gré, qui non seulement
sera l'absolution pour lui, mais qui aurait dû écarter de lui
toute espèce de poursuite — que, quand il arrive aux parties
difficiles, précisément à la dégradation, au lieu de faire comme
quelques auteurs classiques que le ministère public connaît bien,
mais qu'il a oubliés pendant qu'il écrivait son réquisitoire et
dont j'ai apporté ici des passages, non pas pour vous les lire, mais
pour que vous les parcouriez dans la chambre du conseil (j'en
citerai quelques lignes tout à l'heure), au lieu de faire comme
nos grands auteurs classiques, nos grands maîtres, qui, lorsqu'ils
ont rencontré des scènes de l'union des sens chez l'homme et
la femme, n'ont pas manqué de tout décrire, M. Flaubert se
contente d'un mot. Là, toute sa puissance descriptive disparaît,
parce que sa pensée est chaste, parce que là où il pourrait écrire
à sa manière et avec toute la magie du style, il sent qu'il y a
des choses qui ne peuvent pas être abordées, décrites. Le ministère public trouve qu'il a trop dit encore. Quand je lui montrerai
des hommes qui, dans de grandes œuvres philosophiques, se
sont complu à la description de ces choses, et qu'en regard je
placerai l'homme qui possède la science descriptive à un si haut
degré et qui, loin de l'employer, s'arrête et s'abstient, j'aurai
bien le droit de demander raison à l'accusation qui est produite.

Toutefois, messieurs, de même qu'il se plaît à nous décrire le
riant berceau où se joue Emma encore enfant, avec son feuillage,
avec ses petites fleurs roses ou blanches qui viennent de s'épa-
nouir, et ses sentiers embaumés; — de même, quand elle sera
sortie de là, quand elle ira dans d'autres chemins, dans des chemins où elle trouvera de la fange, quand elle y salira ses pieds,
quand les taches mêmes rejailliront plus haut sur elle, il ne
faudrait pas qu'il le dît ! Mais ce serait supprimer complètement
le livre, je vais plus loin : l'élément moral, sous prétexte de le

défendre, car si la faute ne peut pas être montrée, si elle ne peut
pas être indiquée, si dans un tableau de la vie réelle qui a pour
but de montrer par la pensée le péril, la chute, l'expiation, si
vous voulez empêcher de peindre tout cela, c'est évidemment
ôter au livre sa conclusion.

Ce livre n'a pas été pour mon client l'objet d'une distraction
de quelques heures, il représente deux ou trois années d'études
incessantes. Et je vais vous dire maintenant quelque chose de
plus : M. Flaubert qui, après tant d'années de travaux, tant
d'études, tant de voyages, tant de notes recueillies dans les
auteurs qu'il a lus — vous verrez, mon Dieu ! où il a puisé, car
c'est quelque chose d'étrange qui se chargera de le justifier, —
vous le verrez, lui aux couleurs lascives, tout imprégné de Bossuet et de Massillon. C'est dans l'étude de ces auteurs que nous
allons le retrouver tout à l'heure, cherchant, non pas à les plagier,
mais à reproduire dans ses descriptions les pensées, les couleurs
employées par eux. Quand, après tout ce travail fait avec tant
d'amour, quand son œuvre a son but, est-ce que vous croyez
que, plein de confiance en lui-même et malgré tant d'études et
de méditations, il a voulu immédiatement se lancer dans la lice !
Il l'aurait fait, sans doute, s'il eût été un inconnu dans le monde,
si son nom lui eût appartenu en toute propriété, s'il eût cru
pouvoir en disposer et le livrer comme bon lui semblait; mais,
je le répète, il est de ceux chez lesquels noblesse oblige : il
s'appelle Flaubert, il est le second fils de M. Flaubert; il voulait
se tracer une voie dans la littérature, en respectant profondément
la morale et la religion, — non pas par inquiétude du parquet,
un tel intérêt ne pourrait se présenter à sa pensée, — mais par
dignité personnelle, ne voulant pas laisser son nom à la tête
d'une publication, si elle ne semblait pas, à quelques personnes
en lesquelles il avait foi, digne d'être publiée. M. Flaubert a lu,
par fragments et en totalité même, devant quelques amis haut
placés dans les lettres, les pages qu'un jour il devrait livrer à
l'impression, et j'affirme qu'aucun d'eux n'a été offensé de ce qui
excite en ce moment si vivement la sévérité de M. l'Avocat
impérial. Personne même n'y a songé. On a seulement examiné,
étudié la valeur littéraire du livre. Quant au but moral, il est
si évident, il est écrit à chaque ligne en termes si peu équivoques,
qu'il n'était pas même besoin de le mettre en question. Rassuré
sur la valeur du livre, encouragé d'ailleurs par les hommes les
plus éminents de la presse, M. Flaubert ne songe plus qu'à le
livrer à l'impression, à la publicité. Je le répète, tout le monde
a été unanime pour rendre hommage au mérite littéraire, au
style et en même temps à la pensée excellente qui préside à
l'œuvre depuis la première jusqu'à la dernière ligne. Et quand
la poursuite est venue, ce n'est pas lui seulement qui a été surpris, profondément affligé; mais, permettez-moi de vous le dire,

c'est nous qui ne comprenions pas cette poursuite, c'est moi
tout le premier, qui avais lu le livre avec un intérêt très vif, à
mesure que la publication en a été faite; ce sont des amis intimes.
Mon Dieu ! il y a des nuances qui quelquefois pourraient nous
échapper dans nos habitudes, mais qui ne peuvent pas échapper
à des femmes d'une grande intelligence, d'une grande pureté,
d'une grande chasteté. Il n'y a pas de nom qui puisse se prononcer
dans cette audience, mais si je vous disais ce qui a été dit à
M. Flaubert, ce qui m'a été dit à moi-même par des mères de
famille qui avaient lu ce livre, si je vous disais leur étonnement
après avoir reçu de cette lecture une impression si bonne qu'elles
ont cru devoir en remercier l'auteur, si je vous disais leur étonnement, leur douleur, quand elles ont appris que ce livre devait
être considéré comme contraire à la morale publique, à leur foi
religieuse, à la foi de toute leur vie, mon Dieu ! mais il y aurait
dans la réunion de ces appréciations mêmes de quoi me fortifier,
si j'avais besoin d'être fortifié au moment de combattre les
attaques du ministère public.

Pourtant, au milieu de toutes ces appréciations de la littérature contemporaine, il y en a une que je veux vous dire. Il y en
a une, qui n'est pas seulement respectée par nous à raison d'un
beau et d'un grand caractère, qui, au milieu même de l'adversité,
de la souffrance, contre lesquelles il lutte courageusement chaque
jour, grand par le souvenir de beaucoup d'actions inutiles à
rappeler ici, mais grand par les œuvres littéraires qu'il faut
rappeler parce que c'est là ce qui fait sa compétence, grand surtout par la pureté qui existe dans toutes ses œuvres, par la chasteté de tous ses écrits : Lamartine.

Lamartine ne connaissait pas mon client; il ne savait pas qu'il
existât. Lamartine à la campagne, chez lui, avait lu, dans chacun
des numéros de la *Revue de Paris*, la publication de *Madame Bovary*,
et Lamartine avait trouvé là des impressions telles, qu'elles se
sont reproduites toutes les fois que je vais vous dire maintenant.

Il y a quelques jours, Lamartine est revenu à Paris, et le lendemain il s'est informé de la demeure de M. Gustave Flaubert.
Il a envoyé à la *Revue* savoir la demeure d'un M. Gustave Flaubert, qui avait publié dans le recueil des articles sous le titre
de *Madame Bovary*. Il a chargé son secrétaire d'aller faire à
M. Flaubert tous ses compliments, de lui exprimer toute la
satisfaction qu'il avait éprouvée en lisant son œuvre, et lui
témoigner le désir de voir l'auteur nouveau, se révélant par un
essai pareil.

Mon client est allé chez Lamartine; et il a trouvé chez lui
non pas seulement un homme qui l'a encouragé, mais un homme
qui lui a dit : « Vous m'avez donné la meilleure œuvre que j'aie
lue depuis vingt ans. » C'étaient, en un mot, des éloges tels que
mon client, dans sa modestie, osait à peine me les répéter. Lamar-

tine lui prouvait qu'il avait lu les livraisons, et le lui prouvait de la manière la plus gracieuse, en lui en disant des pages tout entières. Seulement Lamartine ajoutait : « En même temps que je vous ai lu sans restriction jusqu'à la dernière page, j'ai blâmé les dernières. Vous m'avez fait mal, vous m'avez fait littéralement souffrir ! L'expiation est hors de proportion avec le crime ; vous avez créé une mort affreuse, effroyable ! Assurément la femme qui souille le lit conjugal doit s'attendre à une expiation, mais celle-ci est horrible, c'est un supplice comme on n'en a jamais vu. Vous avez été trop loin, vous m'avez fait mal aux nerfs ; cette puissance de description qui s'est appliquée aux derniers instants de la mort m'a laissé une indicible souffrance ! » Et quand Gustave Flaubert lui demandait : « Mais, monsieur de Lamartine, est-ce que vous comprenez que je sois poursuivi, pour avoir fait une œuvre pareille, devant le tribunal de police correctionnelle, pour offense à la morale publique et religieuse ? » Lamartine lui répondait : — « Je crois avoir été toute ma vie l'homme qui, dans ses œuvres littéraires comme dans ses autres, a le mieux compris ce que c'était que la morale publique et religieuse ; mon cher enfant, il n'est pas possible qu'il se trouve en France un tribunal pour vous condamner. Il est déjà très regrettable qu'on se soit ainsi mépris sur le caractère de votre œuvre et qu'on ait ordonné de la poursuivre, mais il n'est pas possible, pour l'honneur de notre pays et de notre époque, qu'il se trouve un tribunal pour vous condamner. »

Voilà ce qui se passait hier, entre Lamartine et Flaubert, et j'ai le droit de vous dire que cette appréciation est de celles qui valent la peine d'être pesées.

Ceci bien entendu, voyons comment il se pourrait faire que ma conscience à moi me dit que *Madame Bovary* est un bon livre, une bonne action ? Et je vous demande la permission d'ajouter que je ne suis pas facile sur ces sortes de choses, la facilité n'est pas dans mes habitudes. Des œuvres littéraires, j'en tiens à la main qui, quoique émanées de nos grands écrivains, n'ont jamais arrêté deux minutes mes yeux. Je vous en ferai passer dans la chambre du conseil quelques lignes que je ne me suis jamais complu à lire, et je vous demanderai la permission de vous dire que lorsque je suis arrivé à la fin de l'œuvre de M. Flaubert, j'ai été convaincu qu'une coupure faite par la *Revue de Paris* a été cause de tout ceci. Je vous demanderai, de plus, la permission de joindre mon appréciation à l'appréciation plus élevée, plus éclairée que je viens de rappeler !

Voici, messieurs, un portefeuille rempli des opinions de tous les littérateurs de notre temps, et parmi lesquels se trouvent les plus distingués, sur l'œuvre dont il s'agit, et sur l'émerveillement qu'ils ont éprouvé en lisant cette œuvre nouvelle, en même temps si morale et si utile !

Maintenant, comment une œuvre pareille a-t-elle pu encourir une poursuite ? Voulez-vous me permettre de vous le dire ? La *Revue de Paris*, dont le comité de lecture avait lu l'œuvre en son entier, car le manuscrit lui avait été envoyé longtemps avant la publication, n'y avait rien trouvé à redire. Quand on est arrivé à imprimer le cahier du 1er décembre 1856, un des directeurs de la *Revue* s'est effarouché de la scène dans un fiacre. Il a dit : « Ceci n'est pas convenable, nous allons le supprimer. » Flaubert s'est offensé de la suppression. Il n'a pas voulu qu'elle eût lieu sans qu'une note fût placée au bas de la page. C'est lui qui a exigé la note. C'est lui qui, pour son amour-propre d'auteur, ne voulant pas que son œuvre fût mutilée, ni que, d'un autre côté, il y eût quelque chose qui donnât des inquiétudes à la *Revue*, a dit : « Vous supprimerez si bon vous semble, mais vous déclarerez que vous avez supprimé »; et alors on convint de la note suivante :

« La direction s'est vue dans la nécessité de supprimer ici un passage qui ne pouvait convenir à la rédaction de la *Revue de Paris ;* nous en donnons acte à l'auteur. »

Voici le passage supprimé, je vais vous le lire. Nous en avons une épreuve, que nous avons eu beaucoup de peine à nous procurer. En voici la première partie, qui n'a pas une seule correction; un mot a été corrigé sur la seconde :

« Où allons-nous ? — Où vous voudrez, dit Léon poussant Emma dans la voiture. Les stores s'abaissèrent, et la lourde machine se mit en route.

« Elle descendit la rue du Grand Pont, traversa la place des Arts, le quai Napoléon, le pont Neuf, et s'arrêta court devant la statue de Pierre Corneille.

« — Continuez ! fit une voix qui sortait de l'intérieur.

« La voiture repartit, et se laissant, dès le carrefour Lafayette, emporter par la descente, elle entra au grand galop dans la gare du chemin de fer.

« — Non ! tout droit ! » cria la même voix.

« Le fiacre sortit des grilles, et bientôt arrivé sur le Cours, trotta doucement, au milieu des grands ormes. Le cocher s'essuya le front, mit son chapeau de cuir entre ses jambes et poussa la voiture en dehors des contre-allées, au bord de l'eau, près du gazon.

« Elle alla le long de la rivière, sur le chemin de halage pavé de cailloux secs, — et, longtemps, du côté d'Oyssel, au delà des îles.

« Mais, tout à coup, elle s'élança d'un bond à travers Quatremares, Sotteville, la grande chaussée, la rue d'Elbeuf, et fit sa troisième halte devant le Jardin des Plantes.

« — Marchez donc ! s'écria la voix plus furieusement.

« Et aussitôt, reprenant sa course, elle passa par Saint-Sever, par le quai des Curandiers, par le quai aux Meules, encore une fois par le pont, par la place du Champ-de-Mars, et derrière les jardins de l'Hôpital où des vieillards en veste noire se promènent au soleil, le long d'une terrasse toute verdie par des lierres. Elle remonta le boulevard Bouvreuil, parcourut le boulevard Cauchoise, puis tout le mont Riboudet jusqu'à la côte de Deville !

« Elle revint; et alors, sans parti pris ni direction, au hasard, elle vagabonda. On la vît à Saint-Paul, à Lescure, au mont Gargan, à la Rouge-Mare et place du Gaillarbois, rue Maladrerie, rue Dinanderie, devant Saint-Romain, Saint-Vivien, Saint-Maclou, Saint-Nicaise, devant la Douane, à la basse Vieille-Tour, aux Trois-Pipes et au Cimetière-Monumental ! De temps à autre, le cocher, sur son siège, jetait aux cabarets des regards désespérés. Il ne comprenait pas quelle fureur de locomotion poussait ces individus à ne vouloir point s'arrêter. Il essayait quelquefois; et aussitôt il entendait derrière lui partir des exclamations de colère. Alors il cinglait de plus belle ses deux rosses tout en sueur, mais sans prendre garde aux cahots, accrochant par-ci, par-là, ne s'en souciant, démoralisé, et presque pleurant de soif, de fatigue et de tristesse.

« Et sur le port, au milieu des camions et des barriques, et dans les rues au coin des bornes les bourgeois ouvraient de grands yeux ébahis devant cette chose si extraordinaire en province, une voiture à stores tendus, et qui apparaissait ainsi continuellement, plus close qu'un tombeau et ballottée comme un navire.

« Une fois, au milieu du jour, en pleine campagne, au moment où le soleil dardait le plus fort contre les vieilles lanternes argentées, une main nue passa sous les petits rideaux de toile jaune et jeta des déchirures de papier, qui se dispersèrent au vent, et s'abattirent plus loin, comme des papillons blancs, sur un champ de trèfles rouges, tout en fleurs.

« Puis, vers six heures, la voiture s'arrêta dans une ruelle du quartier Beauvoisine; et une femme en descendit qui marchait le voile baissé, sans détourner la tête.

« En arrivant à l'auberge, Mᵐᵉ Bovary fut étonnée de ne pas apercevoir la diligence. Hivert, qui l'avait attendue cinquante-trois minutes, avait fini par s'en aller.

« Rien pourtant ne la forçait à partir; mais elle avait donné sa parole qu'elle reviendrait le soir même. D'ailleurs, Charles l'attendait; et déjà elle se sentait au cœur cette lâche docilité qui est pour bien des femmes comme le châtiment tout à la fois et la rançon de l'adultère. »

M. Flaubert me fait remarquer que le ministère public lui a reproché cette dernière phrase.

M. *l'Avocat impérial*. — Non, je l'ai indiquée.

Mᵉ *Sénard*. — Ce qui est certain, c'est que s'il y avait un reproche, il tomberait devant ces mots : « Le châtiment tout à la fois et la rançon de l'adultère. » Au surplus, cela pourrait faire la matière d'un reproche tout aussi fondé que les autres; car dans tout ce que vous avez reproché, il n'y a rien qui puisse se soutenir sérieusement.

Or, messieurs, cette espèce de course fantastique ayant déplu à la rédaction de la *Revue*, la suppression en fut faite. Ce fut là un excès de réserve de la part de la *Revue*; et très certainement ce n'est pas un excès de réserve qui pouvait donner matière à un procès; vous allez voir cependant comment elle a donné matière au procès. Ce qu'on ne voit pas, ce qui est supprimé ainsi paraît une chose fort étrange. On a supposé beaucoup de choses qui n'existaient pas, comme vous l'avez vu par la lecture du passage primitif. Mon Dieu, savez-vous ce qu'on a supposé ? Qu'il y avait probablement dans le passage supprimé quelque chose d'analogue à ce que vous aurez la bonté de lire dans un des plus merveilleux romans sortis de la plume d'un honorable membre de l'Académie française, M. Mérimée.

M. Mérimée, dans un roman intitulé *La Double Méprise*, raconte une scène qui se passe dans une chaise de poste. Ce n'est pas la localité de la voiture qui a de l'importance, c'est, comme ici, dans le détail de ce qui se fait dans son intérieur. Je ne veux pas abuser de l'audience, je ferai passer le livre au ministère public et au tribunal. Si nous avions écrit la moitié ou le quart de ce qu'a écrit M. Mérimée, j'éprouverais quelque embarras dans la tâche qui m'est donnée, ou plutôt je la modifierais. Au lieu de dire ce que j'ai dit, ce que j'affirme, que M. Flaubert a écrit un bon livre, un livre honnête, utile, moral, je dirais : la littérature a ses droits; M. Mérimée a fait une œuvre littéraire très remarquable, et il ne faut pas se montrer si difficile sur les détails quand l'ensemble est irréprochable. Je m'en tiendrais là, j'absoudrais et vous absoudriez. Eh ! mon Dieu ! ce n'est pas par omission qu'un auteur peut pécher en pareille matière. Et, d'ailleurs, vous aurez le détail de ce qui se passa dans le fiacre. Mais comme mon client, lui, s'était contenté de faire une course, et que l'intérieur ne s'était révélé que par « une main nue qui passa sous les petits rideaux de toile jaune et jeta des déchirures de papier qui se dispersèrent au vent et s'abattirent plus loin comme des papillons blancs sur un champ de trèfles rouges tout en fleurs »; comme mon client s'était contenté de cela, personne n'en savait rien et tout le monde supposait — par la suppression même — qu'il avait dit au moins autant que le membre de l'Académie française. Vous avez vu qu'il n'en était rien.

Eh bien ! cette malheureuse suppression, c'est le procès, c'est-à-dire que, dans les bureaux qui sont chargés, avec infiniment de raison, de surveiller tous les écrits qui peuvent offenser la morale publique, quand on a vu cette coupure, on s'est tenu en éveil. Je suis obligé de l'avouer, et messieurs de la *Revue de*

Paris me permettront de dire cela, ils ont donné le coup de
ciseaux deux mots trop loin; il fallait le donner avant qu'on
montât dans le fiacre; couper après, ce n'était plus la peine. La
coupure a été très malheureuse; mais si vous avez commis cette
petite faute, messieurs de la *Revue*, assurément vous l'expiez
bien aujourd'hui.

On a dit dans les bureaux : prenons garde à ce qui va suivre;
quand le numéro suivant est venu, on a fait la guerre aux syllabes. Les gens des bureaux ne sont pas obligés de tout lire;
et quand ils ont vu qu'on avait écrit qu'une femme avait retiré
tous ses vêtements, ils se sont effarouchés sans aller plus loin.
Il est vrai qu'à la différence de nos grands maîtres, M. Flaubert
ne s'est pas donné la peine de décrire l'albâtre de ses bras nus,
de sa gorge, etc. Il n'a pas dit comme un poète que nous aimons :

> *Je vis de ses beaux flancs l'albâtre ardent et pur,*
> *Lis, chêne, corail, roses, veines d'azur.*
> *Telle enfin qu'autrefois tu me l'avais montrée,*
> *De sa nudité seule embellie et parée,*
> *Quand nos nuits s'envolaient, quand le mol oreiller*
> *La vit sous tes baisers dormir et s'éveiller.*

Il n'a rien dit de semblable a ce qu'a dit André Chénier.
Mais enfin il a dit : « Elle s'abandonna... Ses vêtements tombèrent. »

Elle s'abandonna ! Eh quoi ! toute description est donc in-
terdite ! Mais quand on incrimine, on devrait tout lire, et
M. l'Avocat impérial n'a pas tout lu. Le passage qu'il incrimine ne s'arrête pas où il s'est arrêté; il y a le correctif que
voici :

« Cependant il y avait sur ce front couvert de gouttes froides,
« sur ces lèvres balbutiantes, dans ces prunelles égarées, dans
« l'étreinte de ces bras quelque chose d'extrême, de vague et de
« lugubre qui semblait à Léon se glisser entre eux subtilement,
« comme pour les séparer. »

Dans les bureaux on n'a pas lu cela. M. l'Avocat impérial
tout à l'heure n'y prenait pas garde, Il n'a vu que ceci : « Puis
elle faisait d'un seul geste tomber ensemble tous ses vêtements, »
et il s'est écrié : outrage à la morale publique ! Vraiment, il est
par trop facile d'accuser avec un pareil système. Dieu garde les
auteurs de dictionnaires de tomber sous la main de M. l'Avocat
impérial ! Quel est celui qui échapperait à une condamnation
si, au moyen de découpures, non de phrases mais de mots,
on s'avisait de faire une liste de tous les mots qui pourraient
offenser la morale ou la religion ?

La première pensée de mon client, qui a malheureusement
rencontré de la résistance, avait été celle-ci : « Il n'y a qu'une
seule chose à faire : imprimer immédiatement, non pas avec

des coupures, mais dans son entier, l'œuvre telle qu'elle est sortie de mes mains, en rétablissant la scène du fiacre. » J'étais tout à fait de son avis, c'était la meilleure défense de mon client que l'impression complète de l'ouvrage avec l'indication de quelques points, sur lesquels nous aurions plus spécialement prié le tribunal de porter son attention. J'avais donné moi-même le titre de cette publication : *Mémoire de M. Gustave Flaubert contre la prévention d'outrage à la morale religieuse dirigée contre lui.* J'avais écrit de ma main : *Tribunal de police correctionnelle, sixième chambre,* avec l'indication du président et du ministère public. Il y avait une préface dans laquelle on lisait : « On m'accuse avec des phrases prises çà et là dans mon livre; je ne puis me défendre qu'avec mon livre. » Demander à des juges la lecture d'un roman tout entier, c'est leur demander beaucoup, mais nous sommes devant des juges qui aiment la vérité, qui la veulent; qui, pour la connaître, ne reculeront devant aucune fatigue; nous sommes devant des juges qui veulent la justice, qui la veulent énergiquement et qui liront, sans aucune espèce d'hésitation, tout ce que nous les supplierons de lire. J'avais dit à M. Flaubert : « Envoyez tout de suite cela à l'impression et mettez au bas mon nom à côté du vôtre : Sénard, *avocat.* » On avait commencé l'impression; la déclaration était faite pour cent exemplaires que nous voulions faire tirer; l'impression marchait avec une rapidité extrême, on y passait les jours et les nuits, lorsque nous est venue la défense de continuer l'impression, non pas d'un livre, mais d'un mémoire dans lequel l'œuvre incriminée se trouvait avec des notes explicatives ! On a réclamé au parquet de M. le Procureur impérial, — qui nous a dit que la défense était absolue, qu'elle ne pouvait pas être levée.

Eh bien, soit ! Nous n'aurons pas publié le livre avec nos notes et nos observations, mais si votre première lecture, messieurs, vous avait laissé un doute, je vous le demande en grâce, vous en feriez une seconde. Vous aimez, vous voulez la vérité; vous ne pouvez pas être de ceux qui, quand on leur porte deux lignes de l'écriture d'un homme, sont assurés de le faire pendre à quelque condition que ce soit. Vous ne voulez pas qu'un homme soit jugé sur des découpures, plus ou moins habilement faites. Vous ne voulez pas cela; vous ne voulez pas nous priver des ressources ordinaires de la défense. Eh bien ! vous avez le livre, et quoique ce soit moins commode ce que nous voulions faire, vous ferez vous-mêmes les divisions, les observations, les rapprochements, parce que vous voulez la vérité et qu'il faut que ce soit la vérité qui serve de base à votre jugement, et la vérité sortira de l'examen sérieux du livre.

Cependant je ne puis pas m'en tenir là. Le ministère public attaque le livre, il faut que je prenne le livre même pour le défendre, que je complète les citations qu'il en a faites, et que, sur chaque passage incriminé, je montre le néant de l'incrimination; ce sera toute ma défense.

Je n'essayerai pas, assurément, d'opposer aux appréciations élevées, animées, pathétiques, dont le ministère public a entouré tout ce qu'il a dit, des appréciations du même genre; la défense n'aurait pas le droit de prendre de telles allures; elle se contentera de citer les textes tels qu'ils sont.

Et d'abord, je déclare que rien n'est plus faux que ce qu'on a dit tout à l'heure de la couleur lascive. La couleur lascive ! Où donc avez-vous pris cela ? Mon client a dépeint dans *Madame Bovary* quelle femme ? Eh ! mon Dieu ! c'est triste à dire, mais cela est vrai, une jeune fille, née comme elles le sont presque toutes, honnête; c'est du moins le plus grand nombre, mais bien fragiles quand l'éducation, au lieu de les fortifier, les a amollies ou jetées dans une mauvaise voie. Il a pris une jeune fille; est-ce une nature perverse ? Non, c'est une nature impressionnable, accessible à l'exaltation.

M. l'Avocat impérial a dit : Cette jeune fille, on la présente constamment comme lascive. Mais non ! on la représente née à la campagne, née à la ferme, où elle s'occupe de tous les travaux de son père, et où aucune espèce de lascivité n'avait pu passer dans son esprit ou dans son cœur. On la représente ensuite, au lieu de suivre la destinée qui lui appartenait tout naturellement d'être élevée pour la ferme dans laquelle elle devait vivre ou dans un milieu analogue, on la représente sous l'autorité imprévoyante d'un père qui s'imagine de faire élever au couvent cette fille née à la ferme, qui devait épouser un fermier, un homme de la campagne. La voilà conduite dans un couvent hors de sa sphère. Il n'y a rien qui ne soit grave dans la parole du ministère public, il ne faut donc rien laisser sans réponse. Ah ! vous avez parlé de ses petits péchés; en citant quelques lignes de la première livraison, vous avez dit : « Quand elle allait à confesse, elle inventait de petits péchés, afin de rester là plus longtemps, à genoux dans l'ombre... sous le chuchotement du prêtre. » Vous vous êtes déjà gravement trompé sur l'appréciation de mon client. Il n'a pas fait la faute que vous lui reprochez, l'erreur est tout entière de votre côté, d'abord sur l'âge de la jeune fille. Comme elle n'est entrée au couvent qu'à treize ans, il est évident qu'elle en avait quatorze lorsqu'elle allait à confesse. Ce n'était donc pas une enfant de dix ans comme il vous a plu de le dire; vous vous êtes trompé là-dessus matériellement. Mais je n'en suis pas sur l'invraisemblance d'une enfant de dix ans qui aime à rester au confessionnal « sous le chuchotement du prêtre ». Ce que je veux, c'est que vous lisiez les lignes qui précèdent, ce qui n'est pas facile, j'en conviens. Et voilà l'inconvénient pour nous de n'avoir pas un mémoire : avec un mémoire nous n'aurions pas à chercher dans six volumes.

J'appelais votre attention sur ce passage, pour restituer à *Madame Bovary* son véritable caractère. Voulez-vous me permettre de vous dire ce qui me paraît bien grave, ce que M. Flaubert a compris et qu'il a mis en relief ? Il y a une espèce de religion qui est celle qu'on parle généralement aux jeunes filles et qui est la plus mauvaise de toutes. On peut, à cet égard, différer dans les appréciations. Quant à moi, je déclare nettement ceci : que je ne connais rien de beau, d'utile, de nécessaire pour soutenir, non pas seulement les femmes dans le chemin de la vie, mais les hommes eux-mêmes qui ont quelquefois de bien pénibles épreuves à traverser ; que je ne connais rien de plus utile et de plus nécessaire que le sentiment religieux, mais le sentiment religieux grave et, permettez-moi d'ajouter, sévère.

Je veux que mes enfants comprennent un Dieu, non pas un Dieu dans les abstractions du panthéisme, non, mais un être suprême avec lequel ils sont en rapport, vers lequel ils s'élèvent pour le prier, et qui, en même temps, les grandit et les fortifie. Cette pensée-là, voyez-vous, qui est ma pensée, qui est la vôtre, c'est la force dans les mauvais jours, la force dans ce qu'on appelle le monde, le refuge, ou, mieux encore, la force des faibles. C'est cette pensée-là qui donne à la femme cette consistance qui la fait se résigner sur les mille petites choses de la vie, qui la fait rapporter à Dieu ce qu'elle peut souffrir, et lui demander la grâce de remplir son devoir. Cette religion-là, messieurs, c'est le christianisme, c'est la religion qui établit les rapports entre Dieu et l'homme. Le christianisme, en faisant intervenir entre Dieu et nous une sorte de puissance intermédiaire, nous rend Dieu plus accessible, et cette communication avec lui plus facile. Que la mère de celui qui se fit Homme-Dieu reçoive aussi les prières de la femme, je ne vois rien encore là qui altère ni la pureté, ni la sainteté religieuse, ni le sentiment lui-même. Mais voici où commence l'altération. Pour accommoder la religion à toutes les natures, on fait intervenir toutes sortes de petites choses chétives, misérables, mesquines. La pompe des cérémonies, au lieu d'être cette grande pompe qui nous saisit l'âme, cette pompe dégénère en petit commerce de reliques, de médailles, de petits bons dieux de petites bonnes vierges. A quoi messieurs se prend l'esprit des enfants curieux, ardents, tendres, l'esprit des jeunes filles surtout ? A toutes ces images, affaiblies, atténuées, misérables de l'esprit religieux. Elles se font alors de petites religions de pratique, de petites dévotions de tendresse, d'amour, et au lieu d'avoir dans leur âme le sentiment de Dieu, le sentiment du devoir, elles s'abandonnent à des rêvasseries, à de petites pratiques, à de petites dévotions. Et puis vient la poésie, et puis viennent, il faut bien le dire, mille pensées de charité, de tendresse, d'amour mystique, mille formes qui trompent les jeunes filles, qui sensualisent la religion. Ces pauvres enfants, naturel-

lement crédules et faibles, se prennent à tout cela, à la poésie,
à la rêvasserie, au lieu de s'attacher à quelque chose de raisonnable et de sévère. D'où il arrive que vous avez beaucoup de
femmes fort dévotes, qui ne sont pas religieuses du tout. Et
quand le vent les pousse hors du chemin où elles devraient marcher, au lieu de trouver la force, elles ne trouvent que toute espèce
de sensualités qui les égarent.

Ah ! vous m'avez accusé d'avoir, dans le tableau de la société
moderne, confondu l'élément religieux avec le sensualisme !
Accusez donc la société au milieu de laquelle nous sommes, mais
n'accusez pas l'homme qui, comme Bossuet, s'écrie : Réveillez-
vous et prenez garde au péril ! Mais venir dire aux pères de
famille : Prenez garde, ce ne sont pas là de bonnes habitudes à
donner à vos filles, il y a dans tous ces mélanges de mysticisme
quelque chose qui sensualise la religion ; venir dire cela, c'est
dire la vérité. C'est pour cela que vous accusez Flaubert, c'est
pour cela que j'exalte sa conduite. Oui, il a bien fait d'avertir,
ainsi, les familles des dangers de l'exaltation chez les jeunes
personnes qui s'en prennent aux petites pratiques, au lieu de
s'attacher à une religion forte et sévère qui les soutiendrait au
jour de la faiblesse. Et, maintenant, vous allez voir d'où vient
l'intention des petits péchés « sous le chuchotement du prêtre ».
Lisons la page 30 *.

« Elle avait lu *Paul et Virginie* et elle avait rêvé la maison-
« nette de bambous, le nègre Domingo, le chien Fidèle, mais
« surtout l'amitié douce de quelque bon petit frère, qui va cher-
« cher pour vous des fruits rouges dans des grands arbres plus
« hauts que des clochers ou qui court pieds nus sur le sable,
« vous apportant un nid d'oiseaux. »

Est-ce lascif cela, messieurs ? Continuons.

M. l'Avocat impérial. — Je n'ai pas dit que ce passage fût
lascif.

Me Sénard. — Je vous en demande bien pardon, c'est précisément dans ce passage que vous avez relevé une phrase lascive,
et vous n'avez pu la trouver lascive qu'en l'isolant de ce qui
précédait et de ce qui suivait :

« Au lieu de suivre la messe, elle regardait dans son livre les
« vignettes pieuses bordées d'azur qui servent de signets, et elle
« aimait la brebis malade, le sacré-cœur percé de flèches aiguës,
« ou le pauvre Jésus qui tombe en marchant sous sa croix. Elle
« essaya, par mortification, de rester tout un jour sans manger.
« Elle cherchait dans sa tête quelque vœu à accomplir. »

N'oubliez pas cela ; quand on invente de petits péchés à
confesse et qu'on cherche dans sa tête quelque vœu à accomplir, ce que vous trouverez à la ligne qui précède, évidemment

* Page 33.

on a eu les idées un peu faussées, quelque part. Et je vous demande maintenant si j'ai à discuter votre passage ! Mais je continue :

« Le soir, avant la prière, on faisait dans l'étude une lecture
« religieuse. C'était, pendant la semaine, quelque résumé d'his-
« toire sainte ou les conférences de l'abbé Frayssinous, et, le
« dimanche, des passages du *Génie du Christianisme*, par récréa-
« tion. Comme elle écouta, les premières fois, la lamentation
« sonore des mélancolies romantiques se répétant à tous les
« échos de la terre et de l'éternité ! Si son enfance se fût écoulée
« dans l'arrière-boutique obscure d'un quartier marchand, elle
« se serait peut-être alors ouverte aux envahissements lyriques
« de la nature, qui, d'ordinaire, ne nous arrivent que par la
« traduction des écrivains. Mais elle connaissait trop la cam-
« pagne; elle savait le bêlement des troupeaux, les laitages, les
« charrues. Habituée aux aspects calmes, elle se tournait, au
« contraire, vers les accidentés. Elle n'aimait la mer qu'à cause
« de ses tempêtes, et la verdure seulement lorsqu'elle était clair-
« semée parmi les ruines. Il fallait qu'elle pût retirer des choses
« une sorte de profit personnel; et elle rejetait comme inutile
« tout ce qui ne contribuait pas à la consommation immédiate
« de son cœur, étant de tempérament plus sentimental qu'artis-
« tique, cherchant des émotions et non des paysages. »

Vous allez voir avec quelles délicates précautions l'auteur introduit cette vieille sainte fille, et comment, pour enseigner la religion, il va se glisser dans le couvent un élément nouveau, l'introduction du roman apporté par une étrangère. N'oubliez jamais ceci quand il s'agira d'apprécier la morale religieuse.

« Il y avait au couvent une vieille fille qui venait tous les
« mois, pendant huit jours, travailler à la lingerie. Protégée par
« l'archevêché comme appartenant à une ancienne famille de
« gentilhommes ruinée sous la Révolution, elle mangeait au
« réfectoire à la table des bonnes sœurs et faisait avec elles, après
« le repas, un petit bout de causette avant de remonter à son
« ouvrage. Souvent les pensionnaires s'échappaient de l'étude
« pour l'aller voir. Elle savait par cœur des chansons galantes
« du siècle passé, qu'elle chantait à demi-voix en poussant son
« aiguille. Elle contait des histoires, vous apprenait des nouvelles,
« faisait en ville vos commissions, et prêtait aux grandes, en
« cachette, quelque roman qu'elle avait toujours dans les poches
« de son tablier, et dont la bonne demoiselle elle-même avalait
« de longs chapitres dans les intervalles de sa besogne. »

Ceci n'est pas seulement merveilleux littérairement parlant : l'absolution ne peut pas être refusée à l'homme qui écrit ces admirables passages, pour signaler à tous les périls d'une éducation de ce genre, pour indiquer à la jeune femme les écueils de la vie dans laquelle elle va s'engager. Continuons :

« Ce n'étaient qu'amours, amants, amantes, dames persécutées
« s'évanouissant dans des pavillons solitaires, postillons qu'on
« tue à tous les relais, chevaux qu'on crève à toutes les pages,
« forêts sombres, troubles du cœur, serments, sanglots, larmes et
« baisers, nacelles au clair de lune, rossignols dans les bosquets,
« *Messieurs* braves comme des lions, doux comme des agneaux,
« vertueux comme on ne l'est pas, toujours bien mis et qui
« pleurent comme des urnes. Pendant six mois, à quinze ans,
« Emma se graissa donc les mains à cette poussière des vieux
« cabinets de lecture. Avec Walter Scott, plus tard, elle s'éprit
« de choses historiques, rêva bahuts, salles des gardes et ménes-
« trels. Elle aurait voulu vivre dans quelque vieux manoir,
« comme ces châtelaines au long corsage qui, sous le trèfle des
« ogives, passaient leurs jours le coude sur la pierre et le menton
« dans la main à regarder venir du fond de la campagne un
« cavalier à plume blanche, qui galope sur un cheval noir. Elle
« eut, dans ce temps-là, le culte de Marie Stuart et des véné-
« rations enthousiastes à l'endroit des femmes illustres ou infor-
« tunées. Jeanne d'Arc, Héloïse, Agnès Sorel, la belle Ferron-
« nière et Clémence Isaure, pour elle se détachaient comme des
« comètes sur l'immensité ténébreuse de l'histoire, où saillis-
« saient encore çà et là, mais plus perdus dans l'ombre et sans
« aucun rapport entre eux, saint Louis avec son chêne, Bayard
« mourant, quelques férocités de Louis XI, un peu de Saint-
« Barthélemy, le panache du Béarnais, et toujours le souvenir
« des assiettes peintes où Louis XIV était vanté.

« A la classe de musique, dans les romances qu'elle chantait, il
« n'était question que de petits anges aux ailes d'or, de madones,
« de lagunes, de gondoliers, pacifiques compositions qui lais-
« saient entrevoir, à travers la niaiserie du style et les imprudences
« de la note, l'attirante fantasmagorie de réalités sentimentales. »
Comment, vous ne vous êtes pas souvenu de cela, quand cette
pauvre fille de la campagne rentrée à la ferme, ayant trouvé à
épouser un médecin de village, est invitée à une soirée d'un
château, sur laquelle vous avez cherché à appeler l'attention du
tribunal, pour montrer quelque chose de lascif dans une valse
qu'elle vient de danser ! Vous ne vous êtes pas souvenu de cette
éducation, quand cette pauvre femme enlevée par une invitation
qui est venue la prendre au foyer vulgaire de son mari, pour la
mener à ce château, quand elle a vu ces beaux messieurs, ces
belles dames, ce vieux duc qui, disait-on, avait eu des bonnes
fortunes à la cour !... M. l'Avocat impérial a eu de beaux mouvements, à propos de la reine Antoinette ! Il n'y a pas un de
nous, assurément, qui ne se soit associé par la pensée à votre
pensée. Comme vous, nous avons frémi au nom de cette victime
des révolutions ; mais ce n'est pas de Marie-Antoinette qu'il s'agit
ici, c'est du château de la Vaubyessard.

Il y avait là un vieux duc qui avait eu — disait-on — des rapports avec la reine, et sur lequel se portaient tous les regards. Et quand cette jeune femme, voyant se réaliser tous les rêves fantastiques de sa jeunesse, se trouve ainsi transportée au milieu de ce monde, vous vous étonnez de l'enivrement qu'elle a ressenti; vous l'accusez d'avoir été lascive ! Mais accusez donc la valse elle-même, cette danse de nos grands bals modernes où, dit un auteur qui l'a décrite, la femme « s'appuie la tête sur l'épaule du cavalier, dont la jambe l'embarrasse ». Vous trouvez que dans la description de Flaubert Mme Bovary est lascive. Mais il n'y a pas un homme, et je ne vous excepte pas, qui, ayant assisté à un bal, ayant vu cette sorte de valse, n'ait eu en sa pensée le désir que sa femme ou sa fille s'abstînt de ce plaisir qui a quelque chose de farouche. Si, comptant sur la chasteté qui enveloppe une jeune fille, on la laisse quelquefois se livrer à ce plaisir que la mode a consacré, il faut beaucoup compter sur cette enveloppe de chasteté, et quoiqu'on y compte, il n'est pas impossible d'exprimer les impressions que M. Flaubert a exprimées au nom des mœurs et de la chasteté.

La voilà au château de la Vaubyessard, la voilà qui regarde ce vieux duc, qui étudie tout avec transport, et vous vous écriez : Quels détails ! Qu'est-ce à dire ? Les détails sont partout, quand on ne cite qu'un passage.

« Mme Bovary remarqua que plusieurs dames n'avaient pas
« mis leurs gants dans leurs verres.

« Cependant, au haut bout de la table, seul parmi toutes ces
« femmes, courbé sur son assiette remplie, et la serviette nouée
« dans le dos comme un enfant, un vieillard mangeait, laissant
« tomber de sa bouche des gouttes de sauce. Il avait les yeux
« éraillés et portait une petite queue enroulée d'un ruban noir.
« C'était le beau-père du marquis, le vieux duc de Laverdière,
« l'ancien favori du comte d'Artois, dans le temps des parties
« de chasse au Vaudreuil, chez le marquis de Conflans, et qui
« avait été, disait-on, l'amant de la reine Marie-Antoinette, entre
« MM. de Coigny et de Lauzun. »

Défendez la reine, défendez-la surtout devant l'échafaud, dites que par son titre elle avait droit au respect, mais supprimez vos accusations, quand on se contentera de dire qu'il avait été, disait-on, l'amant de la reine. Est-ce que c'est sérieusement que vous nous reprocherez d'avoir insulté à la mémoire de cette femme infortunée ?

« Il avait mené une vie bruyante de débauches, pleine de
« duels, de paris, de femmes enlevées, avait dévoré sa fortune
« et effrayé toute sa famille. Un domestique derrière sa chaise
« lui nommait tout haut dans l'oreille les plats qu'il désignait du
« doigt en bégayant. Et sans cesse les yeux d'Emma revenaient
« d'eux-mêmes sur ce vieil homme à lèvres pendantes, comme

« sur quelque chose d'extraordinaire et d'auguste. Il avait vécu
« à la Cour et couché dans le lit des reines !

« On versa du vin de Champagne à la glace. Emma frissonna
« de toute sa peau en sentant ce froid à sa bouche. Elle n'avait
« jamais vu de grenades ni mangé d'ananas. »

Vous voyez que ces descriptions sont charmantes, incontestablement, mais qu'il n'est pas possible d'y prendre çà et là une
ligne pour créer une espèce de couleur contre laquelle ma conscience proteste. Ce n'est pas la couleur lascive, c'est la couleur
du livre ; c'est l'élément littéraire, et en même temps l'élément
moral.

La voilà, cette jeune fille dont vous avez fait l'éducation, la
voilà devenue femme. M. l'Avocat impérial a dit : Essaye-t-
elle même d'aimer son mari ? Vous n'avez pas lu le livre ; si
vous l'aviez lu, vous n'auriez pas fait cette objection.

La voilà, messieurs, cette pauvre femme, elle rêvassera d'abord.
A la page 34 * vous verrez ses rêvasseries. Et il y a plus, il y a
quelque chose dont M. l'Avocat impérial n'a pas parlé, et
qu'il faut que je vous dise, ce sont ses impressions quand sa mère
mourut ; vous verrez si c'est lascif, cela ! Ayez la bonté de prendre
la page 33 ** et de me suivre :

« Quand sa mère mourut, elle pleura beaucoup les premiers
« jours. Elle se fit faire un tableau funèbre avec les cheveux de
« la défunte, et, dans une lettre qu'elle envoyait aux Bertaux,
« toute pleine de réflexions tristes sur la vie, elle demandait
« qu'on l'ensevelit plus tard dans le même tombeau. Le bon-
« homme la crut malade, et vint la voir. Emma fut intérieure-
« ment satisfaite de se sentir arrivée, du premier coup, à ce rare
« idéal des existences pâles où ne parviennent jamais les cœurs
« médiocres. Elle se laissa donc glisser dans les méandres lamar-
« tiniens, écouta les harpes sur les lacs, tous les chants de cygnes
« mourants, toutes les chutes de feuilles, les vierges pures qui
« montent au ciel, et la voix de l'Éternel discourant dans les
« vallons. Elle s'ennuya, n'en voulut point convenir, continua
« par habitude, ensuite par vanité, et fut enfin surprise de se
« sentir apaisée, et sans plus de tristesse au cœur que de rides
« sur son front. »

Je veux répondre aux reproches de M. l'Avocat impérial,
qu'elle ne fait aucun effort pour aimer son mari.

M. l'Avocat impérial. — Je ne lui ai pas reproché cela ; j'ai dit
qu'elle n'avait pas réussi.

Me Sénard. — Si j'ai mal compris, si vous n'avez pas fait ce
reproche, c'est la meilleure réponse qui puisse être faite. Je
croyais vous l'avoir entendu faire ; mettons que je me sois

* Page 38.
** Page 36.

trompé. Au surplus, voici ce que je lis à la fin de la page 36 * :

« Cependant, d'après des théories qu'elle croyait bonnes, elle
« voulut se donner de l'amour. Au clair de lune, dans le jardin,
« elle récitait tout ce qu'elle savait par cœur de rimes passion-
« nées, et lui chantait en soupirant des adagios mélancoliques;
« mais elle se trouvait ensuite aussi calme qu'auparavant, et
« Charles n'en paraissait ni plus amoureux, ni plus remué.

« Quand elle eut ainsi un peu battu le briquet sur son cœur
« sans en faire jaillir une étincelle, incapable, d'ailleurs, de com-
« prendre ce qu'elle n'éprouvait pas, comme de croire à tout ce
« qui ne se manifestait point par des formes convenues, elle se
« persuada sans peine que la passion de Charles n'avait plus rien
« d'exorbitant. Ses expansions étaient devenues régulières; il
« l'embrassait à de certaines heures. C'était une habitude parmi
« les autres, et comme un dessert prévu d'avance, après la mono-
« tonie du dîner. »

A la page 37** nous trouverons une foule de choses semblables.
Maintenant, voici le péril qui va commencer. Vous savez comment elle avait été élevée; c'est ce que je vous supplie de ne pas
oublier un instant.

Il n'y a pas un homme l'ayant lu, qui ne dise, ce livre à la
main, que M. Flaubert n'est pas seulement un grand artiste,
mais un homme de cœur, pour avoir dans les six dernières pages
déversé toute l'horreur et le mépris sur la femme, et tout l'intérêt
sur le mari. Il est encore un grand artiste, comme on l'a dit,
parce qu'il n'a pas transformé le mari, parce qu'il l'a laissé
jusqu'à la fin ce qu'il était, un bon homme, vulgaire, médiocre,
remplissant les devoirs de sa profession, aimant bien sa femme,
mais dépourvu d'éducation, manquant d'élévation dans la pensée.
Il est de même au lit de mort de sa femme. Et, pourtant, il n'y
a pas un individu dont le souvenir revienne avec plus d'intérêt.
Pourquoi ? Parce qu'il a gardé jusqu'à la fin la simplicité, la
droiture du cœur; parce que jusqu'à la fin il a rempli son devoir,
dont sa femme s'était écartée. Sa mort est aussi belle, aussi tou-
chante, que la mort de sa femme est hideuse. Sur le cadavre de
la femme, l'auteur a montré les taches que lui ont laissées les
vomissements du poison; elles ont sali le linceul blanc dans lequel
elle va être ensevelie, il a voulu en faire un objet de dégoût;
mais il y a un homme qui est sublime, c'est le mari, sur le bord de
cette fosse. Il y a un homme qui est grand, sublime, dont la mort
est admirable, c'est le mari, qui, après avoir vu successivement
se briser par la mort de sa femme tout ce qui pouvait lui rester
d'illusions au cœur, embrasse par la pensée sa femme sous une
tombe. Mettez-le, je vous en prie, dans vos souvenirs, l'auteur

* Page 41.
** Page 42.

a été au delà, — Lamartine le lui a dit, — de ce qui était permis, pour rendre la mort de la femme hideuse et l'expiation plus terrible. L'auteur a su concentrer tout l'intérêt sur l'homme qui n'avait pas dévié de la ligne du devoir, qui est resté avec son caractère médiocre, sans doute, l'auteur ne pouvait pas changer son caractère; mais avec toute la générosité de son cœur, et il a accumulé toutes les horreurs sur la mort de la femme qui l'a trompé, ruiné qui s'est livrée aux usuriers, qui a mis en circulation des billets faux, et enfin est arrivée au suicide. Nous verrons si elle est naturelle la mort de cette femme qui, si elle n'avait pas trouvé le poison pour en finir, aurait été brisée par l'excès même du malheur qui l'étreignait. Voilà ce qu'a fait l'auteur. Son livre ne serait pas lu, s'il l'eût fait autrement, si, pour montrer où peut conduire une éducation aussi périlleuse que celle de Mme Bovary, il n'avait pas prodigué les images charmantes et les tableaux énergiques qu'on lui reproche.

M. Flaubert fait constamment ressortir la supériorité du mari sur la femme, et quelle supériorité, s'il vous plaît ? Celle du devoir rempli, tandis qu'Emma s'en écarte ! Et puis la voilà placée sur la pente de cette mauvaise éducation, la voilà partie après la scène du bal avec un jeune enfant, Léon, inexpérimenté comme elle. Elle coquettera avec lui, mais elle n'osera pas aller plus loin; rien ne se fera. Vient ensuite Rodolphe qui la prendra, lui, cette femme. Après l'avoir regardée un instant, il se dit : Elle est bien cette femme ! et elle sera à lui, car elle est légère et sans expérience. Quant à la chute, vous relirez les pages 42, 43 et 44 *. Je n'ai qu'un mot à vous dire sur cette scène, il n'y a pas de détails, pas de description, aucune image qui nous peigne le trouble des sens; un seul mot nous indique la chute : « elle s'abandonna ». Je vous prierai, encore, d'avoir la bonté de relire les détails de la chute de Clarisse Harlowe, que je ne sache pas avoir été décrite dans un mauvais livre. M. Flaubert a substitué Rodolphe à Lovelace, et Emma à Clarisse. Vous comparerez les deux auteurs et les deux ouvrages; et vous apprécierez.

Mais je rencontre ici l'indignation de M. l'Avocat impérial. Il est choqué de ce que le remords ne suit pas de près la chute, de ce qu'au lieu d'en exprimer les amertumes, elle se dit avec satisfaction : « J'ai un amant. » Mais l'auteur ne serait pas dans le vrai si, au moment où la coupe est encore aux lèvres, il faisait sentir toute l'amertume de la liqueur enchanteresse. Celui qui écrirait, comme l'entend M. l'Avocat impérial, pourrait être moral, mais il dirait ce qui n'est pas dans la nature. Non, ce n'est pas au moment de la première faute, que le sentiment de la faute se réveille; sans cela elle ne serait pas commise. Non, ce n'est pas au moment où elle est dans l'illusion qui l'enivre, que la

* Pages 148 à 154.

femme peut être avertie par cet enivrement même de la faute immense qu'elle a commise. Elle n'en rapporte que l'ivresse; elle rentre chez elle, heureuse, étincelante, elle chante dans son cœur : « Enfin j'ai un amant. » Mais cela dure-t-il longtemps ? Vous avez lu les pages 424 et 425 *. A deux pages de là, s'il vous plaît, à la page 428 **, le sentiment du dégoût de l'amant ne se manifeste pas encore, mais elle est déjà sous l'impression de la crainte, de l'inquiétude. Elle examine, elle regarde, elle ne voudrait jamais abandonner Rodolphe :

« Quelque chose de plus fort qu'elle la poussait vers lui, si « bien qu'un jour, la voyant survenir à l'improviste, il fronça « le visage comme quelqu'un de contrarié.

« — Qu'as-tu donc ? dit-elle. Souffres-tu ? Parle-moi !

« Et enfin il déclara d'un air sérieux que ses visites deve-naient imprudentes et qu'elle se compromettait.

« Peu à peu, cependant, ces craintes de Rodolphe la gagnèrent. L'amour l'avait enivrée d'abord, et elle n'avait songé à rien au delà. Mais à présent qu'il était indispensable à sa vie, elle crai-gnait d'en perdre quelque chose, ou même qu'il ne fût troublé. Quand elle s'en revenait de chez lui, elle jetait tout à l'entour des regards inquiets, épiait chaque forme qui passait à l'horizon, et chaque lucarne du village d'où l'on pouvait l'apercevoir. Elle écoutait les pas, les cris, le bruit des charrues, et elle s'arrêtait plus blême et plus tremblante que les feuilles des peupliers qui se balançaient sur sa tête. »

Vous voyez bien qu'elle ne s'y méprend pas; elle sent bien qu'il y a quelque chose qui n'est pas ce qu'elle avait rêvé. Prenons les pages 433 et 434 ***, et vous en serez encore plus convaincus.

« Lorsque la nuit était pluvieuse, ils s'allaient réfugier dans le cabinet aux consultations, entre le hangar et l'écurie. Elle allumait un des flambeaux de la cuisine, qu'elle avait caché derrière les livres. Rodolphe s'installait là comme chez lui. Cependant, la vue de la bibliothèque et du bureau, de tout l'appartement enfin, excitait sa gaieté, et il ne pouvait se retenir de faire sur Charles quantité de plaisanteries qui embarrassaient Emma. Elle eût désiré le voir plus sérieux et même plus drama-tique à l'occasion, comme cette fois où elle crut entendre dans l'allée un bruit de pas qui s'approchait.

« — On vient ! dit-elle.

« Il souffla la lumière.

« — As-tu tes pistolets ?

« — Pourquoi ?

« — Mais... pour te défendre, reprit Emma.

* Page 148.
** Page 154.
*** Pages 158 et 159.

« — Est-ce de ton mari ? Ah ! le pauvre garçon !

« Et Rodolphe acheva sa phrase avec un geste qui signifiait : je l'écraserais d'une chiquenaude.

« Elle fut ébahie de sa bravoure, bien qu'elle y sentît une sorte d'indélicatesse et de grossièreté naïve, qui la scandalisa.

« Rodolphe réfléchit beaucoup à cette histoire de pistolets. Si elle avait parlé sérieusement, cela était fort ridicule, pensait-il, odieux même, car il n'avait, lui, aucune raison de haïr ce bon Charles, n'étant pas ce qui s'appelle dévoré de jalousie; — et à ce propos Emma lui avait fait un grand serment, qu'il ne trouvait pas, non plus, du meilleur goût.

« D'ailleurs, elle devenait bien sentimentale. Il avait fallu s'échanger des miniatures, on s'était coupé des poignées de cheveux, et elle demandait à présent une bague, un véritable anneau de mariage, en signe d'alliance éternelle. Souvent elle lui parlait des cloches du soir, ou des voix de la nature, puis elle l'entretenait de sa mère à elle, et de sa mère à lui. »

Elle l'ennuyait enfin.

Puis, page 453 * : « Il (Rodolphe) n'avait plus, comme autrefois, de ces mots si doux qui la faisaient pleurer, ni de ces véhémentes caresses qui la rendaient folle; — si bien que leur grand amour, où elle vivait plongée, parut se diminuer sous elle comme l'eau d'un fleuve qui s'absorberait dans son lit, et elle aperçut la vase. Elle n'y voulut pas croire; elle redoubla de tendresse; et Rodolphe, de moins en moins, cacha son indifférence.

« Elle ne savait pas si elle regrettait de lui avoir cédé, ou si elle ne souhaitait point, au contraire, le chérir davantage. L'humiliation de se sentir faible se tournait en une rancune que les voluptés tempéraient. Ce n'était pas de l'attachement, mais comme une séduction permanente. Il la subjuguait. Elle en avait presque peur. »

Et vous craignez, monsieur l'Avocat impérial, que les jeunes femmes lisent cela ! Je suis moins effrayé, moins timide que vous. Pour mon compte personnel, je comprends à merveille que le père de famille dise à sa fille : Jeune femme, si ton cœur, si ta conscience, si le sentiment religieux, si la voix du devoir ne suffisaient pas pour te faire marcher dans la droite voie, regarde, mon enfant, regarde combien d'ennuis, de souffrances, de douleurs et de désolations attendent la femme qui va chercher le bonheur ailleurs que chez elle ! Ce langage ne vous blesserait pas dans la bouche d'un père, eh bien ! M. Flaubert ne dit pas autre chose; c'est la peinture la plus vraie, la plus saisissante de ce que la femme qui a rêvé le bonheur en dehors de sa maison trouve immédiatement.

* Page 159.

Mais marchons, nous arrivons à toutes les aventures de la désillusion. Vous m'opposez les caresses de Léon à la page 60 *. Hélas ! elle va payer bientôt la rançon de l'adultère; et cette rançon vous la trouverez terrible, à quelques pages plus loin de l'ouvrage que vous incriminez. Elle a cherché le bonheur dans l'adultère, la malheureuse ! Et elle y a trouvé, outre le dégoût et la fatigue que la monotonie du mariage peut donner à une femme qui ne marche pas dans la voie du devoir, elle y a trouvé la désillusion, le mépris de l'homme auquel elle s'était livrée. Est-ce qu'il manque quelque chose à ce mépris ? Oh non ! et vous ne le nierez pas, le livre est sous vos yeux : Rodolphe, qui s'est révélé si vil, lui donne une dernière preuve d'égoïsme et de lâcheté. Elle lui dit : « Emmène-moi ! Enlève-moi ! J'étouffe, je ne puis plus respirer dans la maison de mon mari dont j'ai fait la honte et le malheur. » Il hésite; elle insiste, enfin il promet, et le lendemain elle reçoit de lui une lettre foudroyante, sous laquelle elle tombe, écrasée, anéantie. Elle tombe malade, elle est mourante. La livraison qui suit vous la montre dans toutes les convulsions d'une âme qui se débat, qui peut-être serait ramenée au devoir par l'excès de sa souffrance, mais malheureusement elle rencontre bientôt l'enfant avec lequel elle avait joué quand elle était inexpérimentée. Voilà le mouvement du roman, et puis vient l'expiation.

Mais M. l'Avocat impérial m'arrête et me dit : Quand il serait vrai que le but de l'ouvrage soit bon d'un bout à l'autre, est-ce que vous pouviez vous permettre des détails obscènes, comme ceux que vous vous êtes permis ?

Très certainement, je ne pouvais pas me permettre de tels détails, mais m'en suis-je permis ? Où sont-ils ? J'arrive ici aux passages les plus incriminés. Je ne parle plus de l'aventure du fiacre, le tribunal a eu satisfaction à cet égard; j'arrive aux passages que vous avez signalés comme contraires à la morale publique et qui forment un certain nombre de pages du numéro du 1er décembre; et pour faire disparaître tout l'échafaudage de votre accusation je n'ai qu'une chose à faire : restituer ce qui précède et ce qui suit à vos citations, substituer, en un mot, le texte complet à vos découpures.

Au bas de la page 72 **, Léon, après avoir été mis en rapport avec Homais le pharmacien, vient à l'hôtel de Bourgogne; et puis le pharmacien vient le chercher.

« Mais Emma venait de partir, exaspérée; ce manque de parole au rendez-vous lui semblait un outrage.

« Puis, se calmant, elle finit par découvrir qu'elle l'avait sans doute calomnié. Mais le dénigrement de ceux que nous aimons

* Page 245.
** Page 262

toujours nous en détache quelque peu. Il ne faut pas toucher
aux idoles; la dorure en reste aux mains.

« Ils en vinrent à parler plus souvent de choses indifférentes
à leur amour... »

Mon Dieu ! C'est pour les lignes que je viens de vous lire que
nous sommes traduit devant vous. Écoutez maintenant :

« Ils en vinrent à parler plus souvent de choses indifférentes
à leur amour; et dans les lettres qu'Emma lui envoyait, il était
question de fleurs, de vers, de la lune et des étoiles, ressources
naïves d'une passion affaiblie, qui essayait de s'aviver à tous les
secours extérieurs. Elle se promettait continuellement, pour son
prochain voyage, une félicité profonde; puis elle s'avouait ne
rien sentir d'extraordinaire. Mais cette déception s'effaçait vite,
sous un espoir nouveau; et Emma revenait à lui plus enflammée,
plus haletante, plus avide. Elle se déshabillait brutalement,
arrachant le lacet mince de son corset qui sifflait autour de ses
hanches comme une couleuvre qui glisse. Elle allait sur la pointe
de ses pieds nus regarder encore une fois si la porte était fermée,
puis elle faisait d'un seul geste tomber ensemble tous ses vêtements : — et pâle, sans parler, sérieuse, elle s'abattait contre sa
poitrine, avec un long frisson. »

Vous vous êtes arrêté là, monsieur l'Avocat impérial; permettez-moi de continuer :

« Cependant, il y avait sur ce front couvert de gouttes froides,
sur ces lèvres balbutiantes, dans ces prunelles égarées, dans
l'étreinte de ces bras, quelque chose d'extrême, de vague et de
lugubre, qui semblait à Léon se glisser entre eux, subtilement,
comme pour les séparer. »

Vous appelez cela de la couleur lascive; vous dites que cela
donnerait le goût de l'adultère; vous dites que voilà des pages
qui peuvent exciter, émouvoir les sens, — des pages lascives !
Mais la mort est dans ces pages. Vous n'y pensez pas, monsieur
l'Avocat impérial, vous vous effarouchez de trouver là les mot ;
de *corset*, de *vêtements qui tombent ;* et vous vous attachez à ces
trois ou quatre mots de corset et de vêtements qui tombent !
Voulez-vous que je montre comme quoi un corset peut paraître
dans un livre classique, et très classique ? C'est ce que je me
donnerai le plaisir de faire tout à l'heure.

« Elle se déshabillait... (ah ! monsieur l'Avocat impérial, que
vous avez mal compris ce passage !) elle se déshabillait brutalement (la malheureuse), arrachant le lacet mince de son corset
qui sifflait autour de ses hanches, comme une couleuvre qui
glisse; et pâle, sans parler, sérieuse, elle s'abattait contre sa
poitrine, avec un long frisson... Il y avait sur ce front couvert
de gouttes froides... dans l'étreinte de ses bras, quelque chose
de vague et de lugubre... »

C'est ici qu'il faut se demander où est la couleur lascive ? et où est la couleur sévère ? et si les sens de la jeune fille aux mains de laquelle tomberait ce livre peuvent être émus, excités. — comme à la lecture d'un livre classique entre tous les classiques, que je citerai tout à l'heure, et qui a été réimprimé mille fois, sans que jamais procureur impérial, ou royal, ait songé à le poursuivre. Est-ce qu'il y a quelque chose d'analogue dans ce que je viens de vous lire ? Est-ce que ce n'est pas, au contraire, l'excitation à l'horreur du vice que « ce quelque chose de lugubre qui se glisse entre eux pour les séparer » ? Continuons, je vous prie.

« Il n'osait lui faire de questions; mais, la discernant si expérimentée, elle avait dû passer, se disait-il, par toutes les épreuves de la souffrance et du plaisir. Ce qui le charmait autrefois l'effrayait un peu maintenant. D'ailleurs, il se révoltait contre l'absorption, chaque jour plus grande, de sa personnalité. Il en voulait à Emma de cette victoire permanente. Il s'efforçait même à ne pas la chérir; puis, au craquement de ses bottines, il se sentait lâche, comme les ivrognes à la vue des liqueurs fortes. »

Est-ce que c'est lascif, cela ?

Et puis, prenez le dernier paragraphe :

« Un jour qu'ils s'étaient quittés de bonne heure, et qu'elle s'en revenait seule par le boulevard, elle aperçut les murs de son couvent; alors elle s'assit sur un banc, à l'ombre des ormes. Quel calme dans ce temps-là ! Comme elle enviait les ineffables sentiments d'amour qu'elle tâchait, d'après des livres, de se figurer !

« Les premiers mois de son mariage, ses promenades à cheval dans la forêt, le vicomte qui valsait, et Lagardy chantant, tout repassa devant ses yeux. »

N'oubliez donc pas ceci, monsieur l'Avocat impérial, quand vous voulez juger la pensée de l'auteur, quand vous voulez trouver absolument la couleur lascive là où je ne puis trouver qu'un excellent livre.

« Et Léon lui parut soudain dans le même éloignement que les autres. « Je l'aime pourtant », se disait-elle; elle n'était pas heureuse, ne l'avait jamais été. D'où venait donc cette insuffisance de la vie, cette pourriture instantanée des choses où elle s'appuyait ? »

Est-ce lascif, cela ?

« Mais s'il y avait quelque part un être fort et beau, une nature valeureuse, pleine à la fois d'exaltation et de raffinements, un cœur de poète sous une forme d'ange, lyre aux cordes d'airain sonnant vers le ciel des épithalames élégiaques, pourquoi, par hasard, ne le trouverait-elle pas ? Oh ! quelle impossibilité ! Rien, d'ailleurs, ne valait la peine d'une recherche, tout mentait ! Chaque sourire cachait un bâillement d'ennui, chaque joie une malédiction, tout plaisir son dégoût, et les meilleurs baisers ne vous laissaient sur la lèvre que l'irréalisable envie d'une volupté plus haute.

« Un râle métallique se traîna dans les airs, et quatre coups se firent entendre à la cloche du couvent. Quatre heures ! et il lui semblait qu'elle était là, sur ce banc, depuis l'éternité. »

Il ne faut pas chercher au bout d'un livre quelque chose pour expliquer ce qui est au bout d'un autre. J'ai lu le passage incriminé sans y ajouter un mot, pour défendre une œuvre qui se défend par elle-même. Continuons la lecture de ce passage incriminé au point de vue de la morale :

« Madame était dans sa chambre. On n'y montait pas. Elle restait là tout le long du jour, engourdie, à peine vêtue, et de temps à autre faisait fumer des pastilles du sérail, qu'elle avait achetées à Rouen, dans la boutique d'un Algérien. Pour ne pas avoir, la nuit, contre sa chair, cet homme étendu qui dormait, elle finit, à force de grimaces, par le reléguer au second étage ; et elle lisait jusqu'au matin des livres extravagants où il y avait des tableaux orgiaques avec des situations sanglantes. » (Ceci donne envie de l'adultère, n'est-ce pas ?) « Souvent une terreur la prenait, elle poussait un cri. Charles accourait. — Ah ! va-t'en, disait-elle ; ou, d'autres fois, brûlée plus fort par cette flamme intime que l'adultère avivait, haletante, émue, tout en désir, elle ouvrait la fenêtre, aspirait l'air froid, éparpillait au vent sa chevelure trop lourde et regardait les étoiles, souhaitait des amours de prince. Elle pensait à lui, à Léon. Elle eût alors tout donné pour un seul de ces rendez-vous qui la rassasiaient.

« C'était ses jours de gala. Elle les voulait splendides, et, lorsqu'il ne pouvait payer seul la dépense, elle complétait le surplus libéralement ; ce qui arrivait à peu près toutes les fois. Il essaya de lui faire comprendre qu'ils seraient aussi bien ailleurs, dans quelque hôtel plus modeste, mais elle trouva des objections. »

Vous voyez comme tout ceci est simple quand on lit tout ; mais, avec les découpures de M. l'Avocat impérial, le plus petit mot devient une montagne.

M. l'Avocat impérial. — Je n'ai cité aucune de ces phrases-là, et puisque vous en voulez citer que je n'ai point incriminées, il ne fallait pas passer à pieds joints sur la page 50.

Me Sénard. — Je ne passe rien, j'insiste sur les phrases incriminées dans la citation. Nous sommes cités pour les pages 77 et 78 *.

M. l'Avocat impérial. — Je parle des citations faites à l'audience, et je croyais que vous m'imputiez d'avoir cité les lignes que vous venez de lire.

Me Sénard. — Monsieur l'Avocat impérial, j'ai cité tous les

---

* Pages 268 et 269.

passages à l'aide desquels vous vouliez constituer un délit qui maintenant est brisé. Vous avez développé à l'audience ce que bon vous semblait, et vous avez eu beau jeu. Heureusement nous avions le livre, le défenseur savait le livre; s'il ne l'avait pas su, sa position eût été bien étrange, permettez-moi de vous le dire. Je suis appelé à m'expliquer sur tels et tels passages, et à l'audience on y substitue d'autres passages. Si je n'avais possédé le livre comme je le possède, la défense eût été difficile. Maintenant, je vous montre par une analyse fidèle que le roman, loin de devoir être présenté comme lascif, doit être au contraire considéré comme une œuvre éminemment morale. Après avoir fait cela, je prends les passages qui ont motivé la citation en police correctionnelle; et après avoir fait suivre vos découpures de ce qui précède et de ce qui suit, l'accusation est si faible, qu'elle vous révolte vous-même, au moment où je les lis ! Ces mêmes passages que vous signaliez comme incriminables, il y a un instant, j'ai cependant bien le droit de les citer moi-même, pour vous faire voir le néant de votre accusation.

Je reprends ma citation où j'en suis resté, au bas de la page 78 * :

« Il (Léon) s'ennuyait maintenant lorsque Emma, tout à coup, sanglotait sur sa poitrine; et son cœur, comme les gens qui ne peuvent endurer qu'une certaine dose de musique, s'assoupissait d'indifférence au vacarme d'un amour dont il ne distinguait plus les délicatesses.

« Ils se connaissaient trop pour avoir ces ébahissements de la possession qui en centuplent la joie. Elle était aussi dégoûtée de lui qu'il était fatigué d'elle. Emma retrouvait dans l'adultère toutes les platitudes du mariage. »

Platitudes du mariage ! Celui qui a découpé ceci, a dit : Comment, voilà un monsieur qui dit que dans le mariage il n'y a que des platitudes ! C'est une attaque au mariage, c'est un outrage à la morale ! Convenez, monsieur l'Avocat impérial, qu'avec des découpures artistement faites on peut aller loin en fait d'incrimination. Qu'est-ce que l'auteur a appelé les platitudes du mariage ? Cette monotonie qu'Emma avait redoutée, qu'elle avait voulu fuir, et qu'elle retrouvait sans cesse dans l'adultère, ce qui était précisément la désillusion. Vous voyez donc bien que quand, au lieu de découper des membres de phrases et des mots, on lit ce qui précède et ce qui suit, il ne reste plus rien à l'incrimination; et vous comprenez à merveille que mon client, qui sait sa pensée, doit être un peu révolté de la voir ainsi travestir.
Continuons :

« Elle était aussi dégoûtée de lui qu'il était fatigué d'elle. Emma retrouvait dans l'adultère toutes les platitudes du mariage.

---

* Pages 269 et 270.

« Mais comment pouvoir s'en débarrasser ? Puis elle avait beau se sentir humiliée de la bassesse d'un tel bonheur, elle y tenait encore, par habitude ou par corruption; et chaque jour elle s'y acharnait davantage, tarissant toute félicité à la vouloir trop grande. Elle accusait Léon de ses espoirs déçus, comme s'il l'avait trahie; et même elle souhaitait une catastrophe qui amenât leur séparation, puisqu'elle n'avait pas le courage de s'y décider.

« Elle n'en continuait pas moins à lui écrire des lettres amoureuses, en vertu de cette idée : qu'une femme doit toujours écrire à son amant.

« Mais, en écrivant, elle percevait un autre homme, un fantôme, fait de ses plus ardents souvenirs. » Ceci n'est plus incriminé : « ensuite elle retombait à plat, brisée, car ces élans d'amour vague la fatiguaient plus que de grandes débauches ».

« Elle éprouvait maintenant une courbature incessante et universelle... elle recevait du papier timbré qu'elle regardait à peine. Elle aurait voulu ne plus vivre ou continuellement dormir. »

J'appelle cela une excitation à la vertu, par l'horreur du vice, ce que l'auteur annonce lui-même, et ce que le lecteur le plus distrait ne peut pas ne pas voir, sans un peu de mauvaise volonté.

Et maintenant quelque chose de plus, pour vous faire apercevoir quelle espèce d'homme vous avez à juger. Pour vous montrer non pas quelle espèce de justification je puis prendre, mais si M. Flaubert a eu la couleur lascive et où il prend ses inspirations, laissez-moi mettre sur votre bureau ce livre usé par lui, et dans les passages duquel il s'est inspiré pour dépeindre cette concupiscence, les entraînements de cette femme qui cherche le bonheur dans les plaisirs illicites, qui ne peut pas l'y rencontrer, qui cherche encore, qui cherche de plus en plus, et ne le rencontre jamais. Où Flaubert a pris ses inspirations, messieurs ? C'est dans ce livre que voilà; écoutez :

« ILLUSION DES SENS.

« Quiconque donc s'attache au sensible, il faut qu'il erre nécessairement d'objets en objets et se trompe pour ainsi dire, en changeant de place; ainsi la concupiscence, c'est-à-dire l'amour des plaisirs, est toujours changeant, parce que toute son ardeur languit et meurt dans la continuité, et que c'est le changement qui le fait revivre. Aussi qu'est-ce autre chose que la vie des sens, qu'un mouvement alternatif de l'appétit au dégoût et du dégoût à l'appétit, l'âme flottant toujours incertaine entre l'ardeur qui se ralentit et l'ardeur qui se renouvelle ? *Inconstantia, concupiscentia.* Voilà ce que c'est que la vie des sens. Cependant, dans ce mouvement perpétuel, on ne laisse pas de se divertir par l'image d'une liberté errante. »

Voilà ce que c'est que la vie des sens. Qui a dit cela ? qui a écrit les paroles que vous venez d'entendre, sur ces excitations et ces ardeurs incessantes ? Quel est le livre que M. Flaubert feuillette jour et nuit, et dont il s'est inspiré dans les passages qu'incrimine M. l'Avocat impérial ? C'est Bossuet ! Ce que je viens de vous lire, c'est un fragment d'un discours de Bossuet sur les *plaisirs illicites*. Je vous ferai voir que tous ces passages incriminés ne sont, non pas des plagiats, — l'homme qui s'est approprié une idée n'est pas un plagiaire, — mais que des imitations de Bossuet. En voulez-vous un autre exemple ? Le voici :

« Sur le péché.

« Et ne me demandez pas, chrétiens, de quelle sorte se fera ce grand changement de nos plaisirs en supplices; la chose est prouvée par les Écritures. C'est le Véritable qui le dit, c'est le Tout-Puissant qui le fait. Et toutefois, si vous regardez la nature des passions auxquelles vous abandonnez votre cœur, vous comprendrez aisément qu'elles peuvent devenir un supplice intolérable. Elles ont toutes, en elles-mêmes, des peines cruelles, des dégoûts, des amertumes. Elles ont toutes une infinité qui se fâche de ne pouvoir être assouvie; ce qui mêle dans elles toutes des emportements, qui dégénèrent en une espèce de fureur non moins pénible que déraisonnable. L'amour, s'il m'est permis de le nommer dans cette chaire, a ses incertitudes, ses agitations violentes et ses résolutions irrésolues et l'enfer de ses jalousies. »

Et plus loin :

« Eh ! qu'y a-t-il donc de plus aisé que de faire de nos passions une peine insupportable de nos péchés, en leur ôtant, comme il est très juste, ce peu de douceur par où elles nous séduisent, et leur laissant seulement les inquiétudes cruelles et l'amertume dont elles abondent ? Nos péchés contre nous, nos péchés sur nous, nos péchés au milieu de nous : trait perçant contre notre sein, poids insupportable sur notre tête, poison dévorant dans nos entrailles. »

Tout ce que vous venez d'entendre n'est-il pas là pour vous montrer les amertumes des passions ? Je vous laisse ce livre tout marqué, tout flétri par le pouce de l'homme studieux qui y a pris sa pensée. Et celui qui s'est inspiré à une source pareille, celui-là qui a décrit l'adultère dans les termes que vous venez d'entendre, celui-là est poursuivi pour outrage à la morale publique et religieuse !

Quelques lignes encore sur la *Femme pécheresse*, et vous allez voir comment M. Flaubert, ayant à peindre ces ardeurs a su s'inspirer de son modèle :

« Mais punis de notre erreur sans en être détrompés, nous cherchons dans le changement un remède de notre méprise; nous errons d'objet en objet; et s'il en est enfin quelqu'un qui nous fixe, ce n'est pas que nous soyons contents de notre choix, c'est que nous sommes loués de notre inconstance. »

. . . .

« Tout lui paraît vide, faux, dégoûtant dans les créatures : loin d'y retrouver ces premiers charmes, dont son cœur avait eu tant de peine à se défendre, elle n'en voit plus que le frivole, le danger et la vanité. »

. . . .

« Je ne parle pas d'un engagement de passion; quelles frayeurs que le mystère n'éclate ! que de mesures à garder du côté de la bienséance et de la gloire ! que d'yeux à éviter ! que de surveillants à tromper ! que de retours à craindre sur la fidélité de ceux qu'on a choisis pour les ministres et les confidents de sa passion ! quels rebuts à essuyer de celui, peut-être, à qui on a sacrifié son honneur et sa liberté, et dont on n'oserait se plaindre ! A tout cela, ajoutez ces moments cruels où la passion moins vive nous laisse le loisir de retomber sur nous-mêmes, et de sentir toute l'indignité de notre état; ces moments où le cœur, né pour les plaisirs plus solides, se lasse de ses propres idoles, et trouve son supplice dans ses dégoûts et dans son inconstance. Monde profane ! si c'est là cette félicité que tu nous vantes tant, favorises-en tes adorateurs; et punis-les, en les rendant ainsi heureux, de la foi qu'ils ont ajoutée si légèrement à tes promesses. »

Laissez-moi vous dire ceci : quand un homme, dans le silence des nuits, a médité sur les causes des entraînements de la femme; quand il les a trouvées dans l'éducation et que, pour les exprimer, se défiant de ses observations personnelles, il a été se mûrir aux sources que je viens d'indiquer; quand il ne s'est laissé aller à prendre la plume qu'après s'être inspiré des pensées de Bossuet et de Massillon, permettez-moi de vous demander s'il y a un mot pour vous exprimer ma surprise, ma douleur en voyant traduire cet homme en police correctionnelle — pour quelques passages de son livre, et précisément pour les idées et les sentiments les plus vrais et les plus élevés qu'il ait pu rassembler ! Voilà ce que je vous prie de ne pas oublier relativement à l'inculpation d'outrage à la morale religieuse. Et puis, si vous me le permettez, je mettrai en regard de tout ceci, sous vos yeux, ce que j'appelle, moi, des atteintes à la morale, c'est-à-dire la satisfaction des sens sans amertume, sans ces *larges gouttes de sueur* glacée, qui tombent du front chez ceux qui s'y livrent; et je ne vous citerai pas des livres licencieux dans lesquels les auteurs ont cherché à exciter les sens, je vous citerai un livre — qui est donné en prix dans les collèges, mais je vous demanderai la permission de ne vous dire le nom de l'auteur qu'après que je vous en aurai lu un passage. Voici ce passage, je vous ferai passer le volume; c'est un exemplaire qui a été donné en prix à un élève de collège : j'aime mieux vous remettre cet exemplaire que celui de M. Flaubert :

« Le lendemain, je fus reconduit dans son appartement. Là je sentis tout ce qui peut porter à la volupté. On avait répandu dans la chambre les parfums les plus agréables. Elle était sur un lit qui n'était fermé que par des guirlandes de fleurs; elle y paraissait languissamment couchée. Elle me tendit la main, et me fit asseoir auprès d'elle. Tout, jusqu'au voile qui lui couvrait le visage, avait de la grâce. Je voyais la forme de son beau corps. Une simple toile qui se mouvait sur elle me faisait tout à tour perdre et trouver des beautés ravissantes. » Une simple toile, quand elle était étendue sur un cadavre, vous a paru une image lascive; ici elle est étendue sur la femme vivante. « Elle remarqua que mes yeux étaient occupés, et quand elle les vit s'emflammer, la toile sembla s'ouvrir d'elle-même; je vis tous les trésors d'une beauté divine. Dans ce moment, elle me serra la main; mes yeux errèrent partout. Il n'y a, m'écriai-je, que ma chère Ardasire qui soit aussi belle; mais j'atteste les dieux que ma fidélité... Elle se jeta à mon cou, et me serra dans ses bras. Tout d'un coup, la chambre s'obscurcit, son voile s'ouvrit; elle me donna un baiser. Je fus tout hors de moi; une flamme subite coula dans mes veines et échauffa tous mes sens. L'idée d'Ardasire s'éloigna de moi. Un reste de souvenir... mais il ne me paraissait qu'un songe... J'allais... J'allais la préférer à elle-même. Déjà j'avais porté mes mains sur son sein; elles couraient rapidement partout; l'amour ne se montrait que par sa fureur; il se précipitait à la victoire; un moment de plus, et Ardasire ne pouvait pas se défendre. »

Qui a écrit cela ? Ce n'est pas même l'auteur de la *Nouvelle Héloïse*, c'est M. le Président de Montesquieu ! Ici, pas une amertume, pas un dégoût, tout est sacrifié à la beauté littéraire, et on donne cela en prix aux élèves de rhétorique, sans doute pour leur servir de modèle dans les amplifications ou les descriptions qu'on leur donne à faire. Montesquieu décrit dans les *Lettres persanes* une scène qui ne peut pas même être lue. Il s'agit d'une femme que cet auteur place entre deux hommes qui se la disputent. Cette femme ainsi placée entre deux hommes fait des rêves — qui lui paraissent fort agréables.

En sommes-nous là, monsieur l'Avocat impérial ! Faudra-t-il encore vous citer Jean-Jacques Rousseau dans les *Confessions* et ailleurs ! Non, je dirai seulement au tribunal que si, à propos de sa description de la voiture dans la *Double méprise*, M. Mérimée était poursuivi, il serait immédiatement acquitté. On ne verrait dans son livre qu'une œuvre d'art, de grandes beautés littéraires. On ne le condamnerait pas plus qu'on ne condamne les peintres ou les statuaires qui ne se contentent pas de traduire toute la beauté du corps, mais toutes les ardeurs, toutes les passions.

Je n'en suis pas là ; je vous demande de reconnaître que M. Flaubert n'a pas chargé ses images, et qu'il n'a fait qu'une chose :
toucher de la main la plus ferme la scène de la dégradation. A
chaque ligne de son livre il fait ressortir la désillusion, et, au
lieu de terminer par quelque chose de gracieux, il s'attache à
nous montrer cette femme arrivant, après le mépris, l'abandon,
la ruine de sa maison, à la mort la plus épouvantable. En un
mot, je ne puis que répéter ce que j'ai dit en commençant la
plaidoirie, que M. Flaubert est l'auteur d'un bon livre, d'un livre
qui est l'excitation à la vertu par l'horreur du vice.

J'ai maintenant à examiner l'outrage à la religion. L'outrage
à la religion commis par M. Flaubert ! Et en quoi, s'il vous plaît ?
M. l'Avocat impérial a cru voir en lui un sceptique. Je puis
répondre à M. l'Avocat impérial qu'il se trompe. Je n'ai pas
ici de profession de foi à faire, je n'ai que le livre à défendre,
c'est ce qui fait que je me borne à ce simple mot. Mais, quant
au livre, je défie M. l'Avocat impérial d'y trouver quoi que ce
soit qui ressemble à un outrage à la religion. Vous avez vu
comment la religion a été introduite dans l'éducation d'Emma,
et comment cette religion, faussée de mille manières, ne pouvait pas retenir Emma sur la pente qui l'entraînait. Voulez-
vous savoir en quelle langue M. Flaubert parle de la religion ?
Écoutez quelques lignes que je prends dans la première livraison,
pages 231, 232 et 233 *.

« Un soir que la fenêtre était ouverte, et qu'assise au bord
elle venait de regarder Lestiboudois, le bedeau, qui taillait le
buis, elle entendit tout à coup sónner l'*Angélus*.

« On était au commencement d'avril, quand les primevères
sont écloses ; un vent tiède se roule sur les plates-bandes labourées, et les jardins comme des femmes semblent faire leur toilette pour les fêtes de l'été. Par les barreaux de la tonnelle et au
delà, tout autour, on voyait la rivière dans la prairie, où elle
dessinait sur l'herbe des sinuosités vagabondes. La vapeur du
soir passait entre les peupliers sans feuilles, estompant leurs
contours d'une teinte violette, plus pâle et transparente qu'une
gaze subtile arrêtée sur leurs branchages. Au loin, des bestiaux
marchaient ; on n'entendait ni leurs pas, ni les mugissements, et
la cloche sonnant toujours, continuait dans les airs sa lamentation pacifique.

« À ce tintement répété, la pensée de la jeune femme s'égarait
dans ses vieux souvenirs de jeunesse et de pension. Elle se
rappela les grands chandeliers qui dépassaient de l'autel, les
vases pleins de fleurs et le tabernacle à colonnettes. Elle aurait
voulu comme autrefois être encore confondue dans la longue
ligne de voiles blancs que marquaient de noir, çà et là, les capu-

* Page 103.

chons raides des bonnes sœurs inclinées sur leur prie-Dieu. »

Voilà la langue dans laquelle le sentiment religieux est exprimé ; et à entendre M. l'Avocat impérial, le scepticisme règne d'un bout à l'autre dans le livre de M. Flaubert. Où donc, je vous prie, trouvez-vous là du scepticisme ?

M. l'Avocat impérial. — Je n'ai pas dit qu'il y en eût là dedans.

Me Sénard. — S'il n'y en a pas là dedans, où donc y en a-t-il ? Dans vos découpures, évidemment. Mais voici l'ouvrage tout entier, que le tribunal le juge, et il verra que le sentiment religieux y est si fortement empreint, que l'accusation de scepticisme est une vraie calomnie. Et maintenant, monsieur l'Avocat impérial me permettra-t-il de lui dire que ce n'était pas la peine d'accuser l'auteur de scepticisme avec tant de fracas ? Poursuivons :

« Le dimanche à la messe, quand elle relevait sa tête, elle apercevait le doux visage de la Vierge parmi les tourbillons bleuâtres de l'encens qui montait. Alors un attendrissement la saisit, elle se sentit molle et tout abandonnée, comme un duvet d'oiseau qui tournoie dans la tempête, et ce fut sans en avoir conscience qu'elle s'achemina vers l'église, disposée à n'importe quelle dévotion, pourvu qu'elle y absorbât son âme et que l'existence entière y disparût. »

Ceci, messieurs, est le premier appel à la religion, pour retenir Emma sur la pente des passions. Elle est tombée, la pauvre femme, puis repoussée du pied par l'homme auquel elle s'est abandonnée. Elle est presque morte, elle se relève, elle se ranime ; et vous allez voir maintenant ce qui est écrit (numéro du 15 novembre 1856, p. 548 *) :

« Un jour qu'au plus fort de sa maladie elle s'était crue agonisante, elle avait demandé la communion ; et à mesure que l'on faisait dans sa chambre les préparatifs pour le sacrement, que l'on disposait en autel la commode encombrée de sirops, et que Félicité semait par terre des fleurs de dahlia, Emma sentait quelque chose de fort pesant sur elle, qui la débarrassait de ses douleurs, de toute perception, de tout sentiment. Sa chair allégée ne pesait plus, une autre vie commençait ; il lui sembla que son être, montant vers Dieu... (Vous voyez dans quelle langue M. Flaubert parle des choses religieuses.) « Il lui sembla que son être, montant vers Dieu, allait s'anéantir dans cet amour, comme un encens allumé qui se dissipe en vapeur. On aspergea d'eau bénite les draps du lit ; le prêtre retira du saint ciboire la blanche hostie : et ce fut en défaillant d'une joie céleste qu'elle avança les lèvres pour accepter le corps du Sauveur qui se présentait. »

J'en demande pardon à M. l'Avocat impérial, j'en demande

* Pages 198 et 199.

pardon au tribunal, j'interromps ce passage, mais j'ai besoin
de dire que c'est l'auteur qui parle, et de vous faire remarquer
dans quels termes il s'exprime sur le mystère de la communion;
j'ai besoin, avant de reprendre cette lecture, que le tribunal
saisisse la valeur littéraire empruntée à ce tableau; j'ai besoin
d'insister sur ces expressions qui appartiennent à l'auteur :

« Et ce fut en défaillant d'une joie céleste qu'elle avança les
lèvres pour accepter le corps du Sauveur qui se présentait. Les
rideaux de son alcôve se bombaient mollement autour d'elle
en façon de nuées, et les rayons des deux cierges brûlant sur la
commode lui parurent être des gloires éblouissantes. Alors elle
laissa retomber sa tête, croyant entendre dans les espaces le
chant des harpes séraphiques, et apercevoir en un ciel d'azur,
sur un trône d'or, au milieu des saints tenant des palmes vertes,
Dieu le père, tout éclatant de majesté, et qui d'un signe faisait
descendre vers la terre des anges aux ailes de flammes, pour
l'emporter dans leurs bras. »

Il continue :

« Cette vision splendide demeura dans sa mémoire comme
la chose la plus belle qu'il fût possible de rêver; si bien qu'à
présent elle s'efforçait d'en ressaisir la sensation qui continuait
cependant, mais d'une manière moins exclusive et avec une
douceur aussi profonde. Son âme, courbaturée d'orgueil, se
reposait enfin dans l'humilité chrétienne; et, savourant le plaisir
d'être faible, Emma contemplait en elle-même la destruction de
sa volonté, qui devait faire aux envahissements de la grâce une
large entrée. Il existait donc à la place du bonheur des félicités
plus grandes, un autre amour au-dessus de tous les amours, sans
intermittences ni fin, et qui s'accroîtrait éternellement ! Elle
entrevit, parmi les illusions de son espoir, un état de pureté
flottant au-dessus de la terre, se confondant avec le ciel et où
elle soupira d'être. Elle voulut devenir une sainte. Elle acheta
des chapelets; elle porta des amulettes; elle souhaitait avoir
dans sa chambre, au chevet de sa couche, un reliquaire enchâssé
d'émeraudes, pour le baiser tous les soirs. »

Voilà des sentiments religieux ! Et si vous vouliez vous arrêter
un instant à la pensée principale de l'auteur, je vous deman-
derais de tourner la page et de lire les trois lignes suivantes du
deuxième alinéa * :

« Elle s'irrita contre les prescriptions du culte; l'arrogance
des écrits polémiques lui déplut par leur acharnement à poursuivre des gens qu'elle ne connaissait pas, et des contes profanes relevés de la religion lui parurent écrits dans une telle
ignorance du monde, qu'ils l'écartèrent insensiblement des
vérités dont elle attendait la preuve. »

* Page 200.

Voilà le langage de M. Flaubert. Maintenant, s'il vous plaît, arrivons à une autre scène, à la scène de l'extrême-onction. Oh ! monsieur l'Avocat impérial, combien vous vous êtes trompé quand, vous arrêtant aux premiers mots, vous avez accusé mon client de mêler le sacré au profane, quand il s'est contenté de traduire ces belles formules de l'extrême-onction, au moment où le prêtre touche tous les organes de nos sens, au moment où, selon l'expression du rituel, il dit : *Per istam unctionem, et suam piissimam misericordiam, indulgeat tibi Dominus quidquid deliquisti.*

Vous avez dit : Il ne faut pas toucher aux choses saintes. De quel droit travestissez-vous ces saintes paroles : « Que Dieu dans sa sainte miséricorde, vous pardonne toutes les fautes que vous avez commises par la vue, par le goût, par l'ouïe, etc. ? »

Tenez, je vais vous lire le passage incriminé, et ce sera toute ma vengeance. J'ose dire ma vengeance, car l'auteur a besoin d'être vengé. Oui, il faut que M. Flaubert sorte d'ici, non seulement acquitté, mais vengé ! vous allez voir de quelles lectures il est nourri. Le passage incriminé est à la page 271 * du numéro du 15 décembre ; il est ainsi conçu :

« Pâle comme une statue, et les yeux rouges comme des charbons, Charles, sans pleurer, se tenait en face d'elle, au pied du lit, tandis que le prêtre, appuyé sur un genou, marmottait des paroles basses... »

Tout ce tableau est magnifique, et la lecture en est irrésistible ; mais tranquillisez-vous, je ne la prolongerai pas outre mesure. Voici maintenant l'incrimination :

« Elle tourna sa figure lentement, et parut saisie de joie à voir tout à coup l'étole violette, sans doute retrouvant au milieu d'un apaisement extraordinaire la volupté perdue de ses premiers élancements mystiques, avec des visions de béatitude éternelle qui commençaient.

« Le prêtre se releva pour prendre le crucifix ; alors elle allongea le cou comme quelqu'un qui a soif, et, collant ses lèvres sur le corps de l'Homme-Dieu, elle y déposa, de toute sa force expirante, le plus grand baiser d'amour qu'elle eût jamais donné. »

L'extrême-onction n'est pas encore commencée ; mais on me reproche ce baiser. Je n'irai pas chercher dans sainte Thérèse, que vous connaissez peut-être, mais dont le souvenir est trop éloigné ; je n'irai pas même chercher dans Fénelon le mysticisme de Mme Guyon, ni des mysticismes plus modernes dans lesquels je trouve bien d'autres raisons. Je ne veux pas demander à ces écoles, que vous qualifiez de christianisme sensuel, l'explication de ce baiser ; c'est à Bossuet, à Bossuet lui-même que je veux la demander :

« Obéissez et tâchez au reste d'entrer dans les dispositions

* Pages 300 et 301.

de Jésus en communiant, qui sont des dispositions d'union, de jouissance et d'amour : tout l'Évangile le crie. Jésus veut qu'on soit avec lui; il veut jouir, il veut qu'on jouisse de lui. Sa sainte chair est le milieu de cette union et de cette chaste jouissance : il se donne. » Etc.

Je reprends la lecture du passage incriminé :

« Ensuite il récita le *Misereatur* et l'*Indulgentiam*, trempa son pouce droit dans l'huile et commença les onctions : d'abord sur les yeux, qui avaient tant convoité les somptuosités terrestres; puis sur les narines, friandes de brises tièdes et de senteurs amoureuses; puis sur la bouche, qui s'était ouverte pour le mensonge, qui avait gémi d'orgueil et crié dans la luxure; puis sur les mains, qui se délectaient aux contacts suaves, et enfin sur la plante des pieds, si rapides autrefois quand elle courait à l'assouvissance de ses désirs, et qui maintenant ne marcheraient plus.

« Le curé s'essuya les doigts, jeta dans le feu les brins de coton trempés d'huile, et revint s'asseoir près de la moribonde pour lui dire qu'à présent elle devait joindre ses souffrances à celles de Jésus-Christ, et s'abandonner à la miséricorde divine.

« En faisant ses exhortations, il essaya de lui mettre dans la main un cierge béni, symbole des gloires célestes dont elle allait être tout à l'heure environnée. Mais Emma, trop faible, ne put fermer les doigts, et le cierge, sans M. Bournisien, serait tombé par terre.

« Cependant elle n'était plus aussi pâle, et son visage avait une expression de sérénité, comme si le sacrement l'eût guérie.

« Le prêtre ne manqua point d'en faire l'observation; et il expliqua même à Bovary que le Seigneur, quelquefois, prolongeait l'existence des personnes lorsqu'il le jugeait convenable pour leur salut. Et Charles se rappela un jour, où ainsi, près de mourir, elle avait reçu la communion, il ne fallait peut-être pas se désespérer, pensait-il. »

Maintenant, quand une femme meurt, et que le prêtre va lui donner l'extrême-onction; quand on fait de cela une scène mystique et que nous traduisons avec une fidélité scrupuleuse les paroles sacramentelles, on dit que nous touchons aux choses saintes. Nous avons porté une main téméraire aux choses saintes, parce que au *deliquisti per oculos, per os, per aurem, per manus et per pedes,* nous avons ajouté le péché que chacun de ces organes avait commis. Nous ne sommes pas les premiers qui ayons marché dans cette voie. M. Sainte-Beuve, dans un livre que vous connaissez, met aussi une scène d'extrême-onction, et voici comment il s'exprime :

« Oh ! oui donc, à ces yeux d'abord, comme au plus noble et au plus vif des sens; à ces yeux, pour ce qu'ils ont vu, regardé de tendre, de trop perfide en d'autres yeux, de trop mortel;

pour ce qu'ils ont lu et relu d'attachant et de trop chéri; pour ce qu'ils ont versé de vaines larmes sur les biens fragiles et sur les créatures infidèles; pour le sommeil qu'ils ont tant de fois oublié, le soir en y songeant !

« A l'ouïe aussi, pour ce qu'elle a entendu et s'est laissé dire de trop doux, de trop flatteur et enivrant; pour ce son que l'oreille dérobe lentement aux paroles trompeuses; pour ce qu'elle y boit de miel caché !

« A cet odorat ensuite, pour les trop subtils et voluptueux parfums des soirs de printemps au fond des bois, pour les fleurs reçues le matin et tous les jours, respirées avec tant de complaisance !

« Aux lèvres, pour ce qu'elles ont prononcé de trop confus ou de trop avoué; pour ce qu'elles n'ont pas répliqué en certains moments ou ce qu'elles n'ont pas révélé à certaines personnes, pour ce qu'elles ont chanté dans la solitude de trop mélodieux et de trop plein de larmes; pour leur murmure inarticulé, pour leur silence !

« Au cou au lieu de la poitrine, pour l'ardeur du désir selon l'expression consacrée *(propter ardorem libidinis)* ; oui, pour la douleur des affections, des rivalités, pour le trop d'angoisse des humaines tendresses, pour les larmes qui suffoquent un gosier sans voix, pour tout ce qui fait battre un cœur ou ce qui le ronge !

« Aux mains aussi, pour avoir serré une main qui n'était pas saintement liée; pour avoir reçu des pleurs trop brûlants; pour avoir peut-être commencé d'écrire, sans l'achever, quelque réponse non permise !

« Aux pieds, pour n'avoir pas fui, pour avoir suffi aux longues promenades solitaires, pour ne pas s'être lassés assez tôt au milieu des entretiens qui sans cesse recommençaient ! »

Vous n'avez pas poursuivi cela. Voilà deux hommes qui, chacun dans leur sphère, ont pris la même chose, et qui ont, à chacun des sens, ajouté le péché, la faute. Est-ce que vous auriez voulu leur interdire de traduire la formule du rituel : *Quidquid deliquisti per oculos, per aurem*, etc. ?

M. Flaubert a fait ce qu'a fait M. Sainte-Beuve, sans pour cela être un plagiaire. Il a usé du droit, qui appartient à tout écrivain, d'ajouter à ce qu'a dit un autre écrivain, de compléter un sujet. La dernière scène du roman de *Madame Bovary* a été faite comme toute l'étude de ce type, avec les documents religieux. M. Flaubert a fait la scène de l'extrême-onction avec un livre que lui avait prêté un vénérable ecclésiastique de ses amis, qui a lu cette scène, qui en a été touché jusqu'aux larmes, et qui n'a pas imaginé que la majesté de la religion pût en être offensée. Ce livre est intitulé : *Explication historique, dogmatique, morale, liturgique et canonique du catéchisme, avec la réponse aux objections tirées des sciences contre la religion, par M. l'Abbé Ambroise*

Guillois, *curé de Notre-Dame-du-Pré*, *au Mans*, 6ᵉ *édition*, etc.,
ouvrage approuvé par son Éminence le cardinal Gousset, NN.
SS. les Évêques et Archevêques du Mans, de Tours, de Bordeaux, de Cologne, etc., tome 3ᵉ, imprimé au Mans par Charles
Monnoyer, 1851. Or, vous allez voir dans ce livre, comme vous
avez vu tout à l'heure dans Bossuet, les principes et en quelque
sorte le texte des passages qu'incrimine M. l'Avocat impérial.
Ce n'est plus maintenant M. Sainte-Beuve, un artiste, un fantaisiste littéraire que je cite; écoutez l'Église elle-même.

« L'extrême-onction peut rendre la santé du corps si elle est
utile pour la gloire de Dieu... » et le prêtre dit que cela arrive
souvent. Maintenant voici l'extrême-onction :

« Le prêtre adresse au malade une courte exhortation, s'il
est en état de l'entendre, pour le disposer à recevoir dignement
le sacrement qu'il va lui administrer.

« Le prêtre fait ensuite les onctions sur le malade avec le
stylet, ou l'extrémité du pouce droit qu'il trempe chaque fois
dans l'huile des infirmes. Ces onctions doivent être faites surtout
aux cinq parties du corps que la nature a données à l'homme
comme les organes des sensations, savoir : aux yeux, aux
oreilles, aux narines, à la bouche et aux mains.

« A mesure que le prêtre fait les onctions (nous avons suivi
de point en point le Rituel, nous l'avons copié), il prononce
les paroles qui y répondent.

« *Aux yeux, sur la paupière fermée :* Par cette onction sainte
et par sa pieuse miséricorde, que Dieu vous pardonne tous les
péchés que vous avez commis par la vue. Le malade doit, dans
ce moment, détester de nouveau tous les péchés qu'il a commis
par la vue : tant de regards indiscrets, tant de curiosités criminelles, tant de lectures qui ont fait naître en lui une foule de
pensées contraires à la foi et aux mœurs. »

Qu'a fait M. Flaubert ? Il a mis dans la bouche du prêtre, en
réunissant les deux parties, ce qui doit être dans sa pensée et
en même temps dans la pensée du malade. Il a copié purement
et simplement.

« *Aux oreilles :* Par cette onction sainte et par sa pieuse miséricorde, que Dieu vous pardonne tous les péchés que vous avez
commis par le sens de l'ouïe. Le malade doit, dans ce moment,
détester de nouveau toutes les fautes dont il s'est rendu coupable en écoutant avec plaisir des médisances, des calomnies,
des propos déshonnêtes, des chansons obscènes.

« *Aux narines :* Par cette onction sainte et par sa grande
miséricorde, que le Seigneur vous pardonne tous les péchés que
vous avez commis par l'odorat. Dans ce moment, le malade
doit détester de nouveau tous les péchés qu'il a commis par
l'odorat, toutes les recherches raffinées et voluptueuses des parfums, toutes les sensualités, tout ce qu'il a respiré des odeurs de

l'iniquité. — *A la bouche, sur les lèvres :* Par cette onction sainte et par sa grande miséricorde, que le Seigneur vous pardonne tous les péchés que vous avez commis par le sens du goût et par la parole. Le malade doit, dans ce moment, détester de nouveau tous les péchés qu'il a commis, en proférant des jurements et des blasphèmes..., en faisant des excès dans le boire et dans le manger... — *Sur les mains :* Par cette onction sainte et par sa grande miséricorde, que le Seigneur vous pardonne tous les péchés que vous avez commis par le sens du toucher. Le malade doit, dans ce moment, détester de nouveau tous les larcins, toutes les injustices dont il a pu se rendre coupable, toutes les libertés plus ou moins criminelles qu'il s'est permises... Les prêtres reçoivent l'onction des mains en dehors, parce qu'ils l'ont déjà reçue en dedans au moment de leur ordination, et les autres malades en dedans. — *Sur les pieds :* Par cette onction sainte et par sa grande miséricorde, que Dieu vous pardonne tous les péchés que vous avez commis par vos démarches. Le malade doit, dans ce moment, détester de nouveau tous les pas qu'il a faits dans les voies de l'iniquité, tant de promenades scandaleuses, tant d'entrevues criminelles... L'onction des pieds se fait sur le dessus ou sous la plante, selon la commodité du malade, et aussi selon l'usage du diocèse où l'on se trouve. La pratique la plus commune semble être de la faire à la plante des pieds.

« Et enfin à la poitrine (M. Sainte-Beuve a copié, nous ne l'avons pas fait parce qu'il s'agissait de la poitrine d'une femme). *Propter ardorem libidinis,* etc.

« *A la poitrine :* Par cette onction sainte et par sa grande miséricorde, que le Seigneur vous pardonne tous les péchés que vous avez commis par l'ardeur des passions. Le malade doit, en ce moment, détester de nouveau toutes les mauvaises pensées, tous les mauvais désirs auxquels il s'est abandonné, tous les sentiments de haine, de vengeance qu'il a nourris dans son cœur. »

Et nous pourrions, d'après le *Rituel,* parler d'autre chose encore que de la poitrine, mais Dieu sait quelle sainte colère nous aurions excitée chez le ministère public, si nous avions parlé des reins :

« *Aux reins (ad lumbos) :* Par cette sainte onction, et par sa grande miséricorde, que le Seigneur vous pardonne tous les péchés que vous avez commis par les mouvements déréglés de la chair. »

Si nous avions dit cela, de quelle foudre n'auriez-vous pas tenté de nous accabler, monsieur l'Avocat impérial ! et cependant le Rituel ajoute :

« Le malade doit, dans ce moment détester de nouveau tant de plaisirs illicites, tant de délectations charnelles... »

Voilà le Rituel, et vous y avez vu l'article incriminé; il n'y a pas une raillerie, tout y est sérieux et émouvant. Et, je vous le répète, celui qui a donné à mon client ce livre, et qui a vu mon client en faire l'usage qu'il en a fait, lui a serré la main avec des larmes. Vous voyez donc, monsieur l'Avocat impérial, combien est téméraire — pour ne pas me servir d'une expression qui, pour être exacte, serait plus sévère — l'accusation que nous avions touché aux choses saintes. Vous voyez maintenant que nous n'avons pas mêlé le profane au sacré, quand, à chacun des sens, nous avons indiqué le péché commis par ce sens, puisque c'est le langage de l'Église elle-même.

Insisterai-je, maintenant, sur les autres détails du délit d'outrage à la religion ? Voilà que le ministère public me dit : « Ce n'est plus la religion, c'est la morale de tous les temps que vous avez outragée; vous avez insulté la mort ! » Comment ai-je insulté la mort ? Parce qu'au moment où cette femme meurt, il passe dans la rue un homme que, plus d'une fois, elle avait rencontré demandant l'aumône près de la voiture dans laquelle elle revenait des rendez-vous adultères, l'aveugle qu'elle avait accoutumé de voir, l'aveugle qui chantait sa chanson pendant que la voiture montait lentement la côte, à qui elle jetait une pièce de monnaie, et dont l'aspect la faisait frissonner. Cet homme passe dans la rue; et, au moment où la miséricorde divine pardonne ou promet le pardon à la malheureuse qui expie ainsi par une mort affreuse les fautes de sa vie, la raillerie humaine lui apparaît sous la forme de la chanson qui passe sous sa fenêtre. Mon Dieu ! vous trouvez qu'il y a là un outrage; mais M. Flaubert ne fait que ce qu'ont fait Shakspeare et Gœthe, qui, à l'instant suprême de la mort, ne manquent pas de faire entendre quelque chant, soit de plainte, soit de raillerie, qui rappelle à celui qui s'en va dans l'éternité quelque plaisir dont il ne jouira plus, ou quelque faute à expier.

Lisons :

« En effet, elle regarda tout autour d'elle lentement, comme quelqu'un qui se réveille d'un songe; puis, d'une voix distincte, elle demanda son miroir; elle resta penchée dessus quelque temps jusqu'au moment où de grosses larmes lui découlèrent des yeux. Alors elle se renversa la tête en poussant un soupir et retomba sur l'oreiller.

« Sa poitrine aussitôt se mit à haleter rapidement. »

Je ne puis pas lire, je suis comme Lamartine : « L'expiation va pour moi au delà de la vérité... » Je ne croyais pourtant pas faire une mauvaise action, monsieur l'Avocat impérial, en lisant ces pages à mes filles qui sont mariées, honnêtes filles qui ont reçu de bons exemples, de bonnes leçons, et que jamais, jamais on n'a mises, par une indiscrétion, hors de la voie la plus étroite, hors des choses qui peuvent et doivent être entendues... Il m'est impossible de continuer cette lecture, je m'en tiendrai rigoureusement aux passages incriminés :

« Les bras étendus et à mesure que le râle devenait plus fort
(Charles était de l'autre côté, cet homme que vous ne voyez
jamais, et qui est admirable), et à mesure que le râle devenait
plus fort, l'ecclésiastique précipitait ses oraisons ; elles se mêlaient
aux sanglots étouffés de Bovary, et quelquefois tout semblait
disparaître dans le sourd murmure des syllabes latines, qui tintaient comme un glas de cloche.

« Tout à coup on entendit sur le trottoir un bruit de gros
sabots, avec le frôlement d'un bâton ; et une voix s'éleva, une
voix rauque qui chantait :

> « *Souvent la chaleur d'un beau jour*
> « *Fait rêver fillette à l'amour.*

« Elle se releva comme un cadavre que l'on galvanise, les
cheveux dénoués, la prunelle fixe, béante.

> « *Pour amasser diligemment*
> « *Les épis que la faux moissonne,*
> « *Ma Nanette va s'inclinant*
> « *Vers le sillon qui nous les donne.*

« — L'aveugle ! s'écria-t-elle.

« Et Emma se mit à rire, d'un rire atroce, frénétique, désespéré, croyant voir la face hideuse du misérable qui se dressait
dans les ténèbres éternelles comme un épouvantement.

> « *Il souffla bien fort ce jour-là,*
> « *Et le jupon court s'envola !*

« Une convulsion la rabattit sur le matelas. Tous s'approchèrent. Elle n'existait plus. »

Voyez, messieurs, dans ce moment suprême, le rappel de sa
faute, le remords, avec tout ce qu'il a de poignant et d'affreux.
Ce n'est pas une fantaisie d'artiste voulant seulement faire un
contraste sans utilité, sans moralité, c'est l'aveugle qu'elle
entend dans la rue chantant cette affreuse chanson, qu'il chantait quand elle revenait toute suante, toute hideuse des rendez-
vous de l'adultère ; c'est l'aveugle qu'elle voyait à chacun de ces
rendez-vous : c'est cet aveugle qui la poursuivait de son chant,
de son importunité ; c'est lui qui, au moment où la miséricorde
divine est là, vient personnifier la rage humaine qui la poursuit
à l'instant suprême de la mort ! Et on appelle cela un outrage à
la morale publique ! Mais je puis dire, au contraire, que c'est là
un hommage à la morale publique, qu'il n'y a rien de plus moral
que cela ; je puis dire que, dans ce livre, le vice de l'éducation est
animé, qu'il est pris dans le vrai, dans la chair vivante de notre
société, qu'à chaque trait l'auteur nous pose cette question :
« As-tu fait ce que tu devais pour l'éducation de tes filles ? La
religion que tu leur as donnée, est-elle celle qui peut les soutenir

dans les orages de la vie, ou n'est-elle qu'un amas de superstitions charnelles, qui laissent sans appui quand la tempête gronde ? Leur as-tu enseigné que la vie n'est pas la réalisation de rêves chimériques, que c'est quelque chose de prosaïque dont il faut s'accommoder ? Leur as-tu enseigné cela, toi ? As-tu fait ce que tu devais pour leur bonheur ? Leur as-tu dit : Pauvres enfants, hors de la route que je vous indique, dans les plaisirs que vous poursuivez, vous n'avez que le dégoût qui vous attend, l'abandon de la maison, le trouble, le désordre, la dilapidation, les convulsions, la saisie... » Et vous voyez si quelque chose manque au tableau, l'huissier est là, là aussi est le juif qui a vendu pour satisfaire les caprices de cette femme, les meubles sont saisis, la vente va avoir lieu; et le mari ignore tout encore. Il ne reste plus à la malheureuse qu'à mourir !

Mais, dit le ministère public, sa mort est volontaire, cette femme meurt à son heure.

Est-ce qu'elle pouvait vivre ? Est-ce qu'elle n'était pas condamnée ? Est-ce qu'elle n'avait pas épuisé le dernier degré de la honte et de la bassesse ?

Oui, sur nos scènes, on montre les femmes qui ont dévié, gracieuses, souriantes, heureuses, et je ne veux pas dire ce qu'elles ont fait. *Questum corpore fecerant.* Je me borne à dire ceci. Quand on nous les montre heureuses, charmantes, enveloppées de mousseline, présentant une main gracieuse à des comtes, à des marquis, à des ducs, que souvent elles répondent elles-mêmes au nom de marquises ou de duchesses : voilà ce que vous appelez respecter la morale publique. Et celui qui vous présente la femme adultère mourant honteusement, celui-là commet un outrage à la morale publique !

Tenez, je ne veux pas dire que ce n'est pas votre pensée que vous avez exprimée, puisque vous l'avez exprimée, mais vous avez cédé à une grande préoccupation. Non, ce n'est pas vous, le mari, le père de famille, l'homme qui est là, ce n'est pas vous, ce n'est pas possible; ce n'est pas vous qui, sans la préoccupation du réquisitoire et d'une idée préconçue, seriez venu dire que M. Flaubert est l'auteur d'un mauvais livre ! Oui, abandonné à vos inspirations, votre appréciation serait la même que la mienne, je ne parle pas du point de vue littéraire, nous ne pouvons pas différer vous et moi à cet égard, mais au point de vue de la morale et du sentiment religieux tel que vous l'entendez, tel que je l'entends.

On nous a dit encore que nous avions mis en scène un curé matérialiste. Nous avons pris le curé, comme nous avons pris le mari. Ce n'est pas un ecclésiastique éminent, c'est un ecclésiastique ordinaire, un curé de campagne. Et de même que nous n'avons insulté personne, que nous n'avons exprimé aucun sentiment, aucune pensée qui pût être injurieuse pour le mari, nous n'avons pas davantage insulté l'ecclésiastique qui était là. Je n'ai qu'un mot à dire là-dessus.

Voulez-vous des livres dans lesquels les ecclésiastiques jouent un rôle déplorable ? Prenez *Gil-Blas, le Chanoine*, de Balzac; *Notre-Dame de Paris*, de Victor Hugo. Si vous voulez des prêtres qui soient la honte du clergé, prenez-les ailleurs, vous ne les trouveriez pas dans *Madame Bovary*. Qu'est-ce que j'ai montré, moi ? Un curé de campagne qui est dans ses fonctions de curé de campagne ce qu'est M. Bovary, un homme ordinaire. L'ai-je représenté libertin, gourmand, ivrogne ? Je n'ai pas dit un mot de cela. Je l'ai représenté remplissant son ministère, non pas avec une intelligence élevée, mais comme sa nature l'appelait à le remplir. J'ai mis en contact avec lui et en état de discussions presque perpétuelles un type qui vivra — comme a vécu la création de M. Prudhomme — comme vivront quelques autres créations de notre temps, tellement étudiées et prises sur le vrai, qu'il n'y a pas possibilité qu'on les oublie; c'est le pharmacien de campagne, le voltairien, le sceptique, l'incrédule, l'homme qui est en querelle perpétuelle avec le curé. Mais dans ces querelles avec le curé, qui est-ce qui est continuellement battu, bafoué, ridiculisé ? C'est Homais, c'est lui à qui on a donné le rôle le plus comique parce qu'il est le plus vrai, celui qui peint le mieux notre époque sceptique, un enragé, ce qu'on appelle le prêtrophobe. Permettez-moi encore de vous lire la page 206 *. C'est la bonne femme de l'auberge qui offre quelque chose à son curé :

« — Qu'y a-t-il pour votre service, monsieur le curé ? demanda la maîtresse d'auberge tout en atteignant sur la cheminée un des flambeaux de cuivre qui s'y trouvaient rangés en colonnade avec leurs chandelles. Voulez-vous prendre quelque chose ? Un doigt de cassis, un verre de vin ?

« L'ecclésiastique refusa fort civilement. Il venait chercher son parapluie qu'il avait oublié l'autre jour au couvent d'Erne-mont, et, après avoir prié Mme Lefrançois de le lui faire remettre au presbytère dans la soirée, il sortit pour se rendre à l'église où l'on sonnait l'*Angélus*.

« Quand le pharmacien n'entendit plus sur la place le bruit de ses souliers, il trouva fort inconvenante sa conduite de tout à l'heure. Ce refus d'accepter un rafraîchissement lui semblait une hypocrisie des plus odieuses; les prêtres godaillaient tous sans qu'on les vît et cherchaient à ramener le temps de la dîme.

« L'hôtesse prit la défense de son curé :

« — D'ailleurs, il en plierait quatre comme vous sur son genou. Il a, l'année dernière, aidé nos gens à rentrer la paille; il en portait jusqu'à six bottes à la fois, tant il est fort !

* Page 72.

« — Bravo ! fit le pharmacien. Envoyez donc vos filles à confesse à des gaillards d'un tempérament pareil ! Moi, si j'étais le gouvernement, je voudrais qu'on saignât les prêtres une fois par mois. Oui, madame Lefrançois, tous les mois une large phlébotomie, dans l'intérêt de la police et des mœurs !

« — Taisez-vous donc, monsieur Homais, vous êtes un impie, vous n'avez pas de religion !

« Le pharmacien répondit :

« — J'ai une religion, ma religion, et même j'en ai plus qu'eux tous avec leurs mômeries et leurs jongleries. J'adore Dieu, au contraire ! Je crois en l'Être suprême, à un créateur quel qu'il soit, peu m'importe, qui nous a placés ici-bas pour y remplir nos devoirs de citoyen et de père de famille; mais je n'ai pas besoin d'aller dans une église baiser des plats d'argent et engraisser de ma poche un tas de farceurs qui se nourrissent mieux que nous. Car on peut l'honorer aussi bien dans un bois, dans un champ, ou même en contemplant la voûte éthérée, comme les anciens. Mon Dieu, à moi, c'est le Dieu de Socrate, de Franklin, de Voltaire et de Béranger ! Je suis pour la *Profession de foi du vicaire savoyard* et les immortels principes de 89 ! Aussi je n'admets pas un bonhomme de Bon-Dieu qui se promène dans son parterre la canne à la main, loge ses amis dans le ventre des baleines, meurt en poussant un cri et ressuscite au bout de trois jours — choses absurdes en elles-mêmes et complètement opposées, d'ailleurs, à toutes les lois de la physique, ce qui nous démontre, en passant, que les prêtres ont toujours croupi dans une ignorance turpide, où ils s'efforcent d'engloutir avec eux les populations.

« Il se tut, cherchant des yeux un public autour de lui, car, dans son effervescence, le pharmacien, un moment, s'était cru en plein conseil municipal. Mais la maîtresse d'auberge ne l'écoutait plus. »

Qu'est-ce qu'il y a là ? Un dialogue, une scène, comme il y en avait chaque fois que Homais avait occasion de parler des prêtres.

Maintenant il y a quelque chose de mieux dans le dernier passage, page 271 * :

« Mais l'attention publique fut distraite par l'apparition de M. Bournisien, qui passait sous les halles avec les saintes huiles.

« Homais, comme il le devait à ses principes, compara les prêtres à des corbeaux qu'attire l'odeur des morts; la vue d'un ecclésiastique lui était personnellement désagréable, car la soutane le faisait rêver au linceul, et il exécrait l'une un peu par épouvante de l'autre. »

Notre vieil ami, celui qui nous a prêté le catéchisme, était fort heureux de ce passage; il nous disait : C'est d'une vérité frappante; c'est bien le portrait du prêtrophobe que « la sou-

* Page 300.

tane fait rêver au linceul et qui exècre l'une un peu par épouvante de l'autre ». C'était un impie, et il exécrait la soutane, un
peu par impiété peut-être, mais beaucoup plus parce qu'elle le
faisait rêver au linceul.

Permettez-moi de résumer tout ceci.

Je défends un homme qui, s'il avait rencontré une critique
littéraire sur la forme de son livre, sur quelques expressions,
sur trop de détails, sur un point ou sur un autre, aurait accepté
cette critique littéraire du meilleur cœur du monde. Mais se voir
accusé d'outrage à la morale et à la religion ! M. Flaubert n'en
revient pas; et il proteste ici devant vous avec tout l'étonnement
et toute l'énergie dont il est capable contre une telle accusation.

Vous n'êtes pas de ceux qui condamnent des livres sur quelques
lignes, vous êtes de ceux qui jugent avant tout la pensée, les
moyens de mise en œuvre, et qui vous poserez cette question
par laquelle j'ai commencé ma plaidoirie, et par laquelle je la
finis : La lecture d'un tel livre donne-t-elle l'amour du vice,
inspire-t-elle l'horreur du vice ? L'expiation si terrible de la faute
ne pousse-t-elle pas, n'excite-t-elle pas à la vertu ? La lecture
de ce livre ne peut pas produire sur vous une impression autre
que celle qu'elle a produite sur nous, à savoir : que ce livre est
excellent dans son ensemble, et que les détails en sont irrépro-
chables. Toute la littérature classique nous autorisait à des peintures et à des scènes bien autres que celles que nous nous sommes
permises. Nous aurions pu, sous ce rapport, la prendre pour
modèle, nous ne l'avons pas fait; nous nous sommes imposé une
sobriété dont vous nous tiendrez compte. Que s'il était possible
que, par un mot ou par un autre, M. Flaubert eût dépassé la
mesure qu'il s'était imposée, je n'aurais pas seulement à vous
rappeler que c'est une première œuvre, mais j'aurais à vous dire
qu'alors même qu'il se serait trompé, son erreur serait sans dommage pour la morale publique. Et le faisant venir en police correctionnelle — lui, que vous connaissez maintenant un peu par
son livre, lui que vous aimez déjà un peu, j'en suis sûr, et que
vous aimeriez davantage si vous le connaissiez davantage, — il
est bien assez, il est déjà trop cruellement puni. A vous maintenant de statuer. Vous avez jugé le livre dans son ensemble et
dans ses détails; il n'est pas possible que vous hésitiez !

JUGEMENT *

Le tribunal a consacré une partie de l'audience de la huitaine dernière aux débats d'une poursuite exercée contre MM. Léon Laurent-Pichat et Auguste-Alexis Pillet, le premier gérant, le second imprimeur du recueil périodique *La Revue de Paris*, et M. Gustave Flaubert, homme de lettres, tous trois prévenus : 1º Laurent-Pichat, d'avoir, en 1856, en publiant dans les numéros des 1er et 15 décembre de la *Revue de Paris* des fragments d'un roman intitulé *Madame Bovary* et, notamment, divers fragments contenus dans les pages 73, 77, 78, 272, 273, commis les délits d'outrage à la morale publique et religieuse et aux bonnes mœurs; 2º Pillet et Flaubert d'avoir, Pillet en imprimant pour qu'ils fussent publiés, Flaubert en écrivant et remettant à Laurent-Pichat pour être publiés, les fragments du roman intitulé *Madame Bovary*, sus-désignés, aidé et assisté, avec connaissance, Laurent-Pichat dans les faits qui ont préparé, facilité et consommé les délits sus-mentionnés, et de s'être ainsi rendus complices de ces délits prévus par les articles 1er et 8 de la loi du 17 mai 1819, et 59 et 60 du Code pénal.

M. Pinard, substitut, a soutenu la prévention.

Le tribunal, après avoir entendu la défense présentée par Me Sénard pour M. Flaubert, Me Desmarest pour M. Pichat et Me Faverie pour l'imprimeur, a remis à l'audience de ce jour (7 février) le prononcé du jugement, qui a été rendu en ces termes :

« Attendu que Laurent-Pichat, Gustave Flaubert et Pillet sont inculpés d'avoir commis les délits d'outrage à la morale publique et religieuse et aux bonnes mœurs; le premier, comme auteur, en publiant dans le recueil périodique intitulé *La Revue de Paris*, dont il est directeur gérant, et dans les numéros des 1er et 15 octobre, 1er et 15 novembre, 1er et 15 décembre 1856, un roman intitulé *Madame Bovary*, Gustave Flaubert et Pillet, comme complices, l'un en fournissant le manuscrit, et l'autre en imprimant ledit roman;

---

* *Gazette des Tribunaux*, numéro du 9 février 1857.

« Attendu que les passages particulièrement signalés du roman dont il s'agit, lequel renferme près de 300 pages, sont contenus, aux termes de l'ordonnance du renvoi devant le tribunal correctionnel, dans les pages 73, 77 et 78 (numéro du 1er décembre), et 271, 272 et 273 (numéro du 15 décembre 1856);

« Attendu que les passages incriminés, envisagés abstractivement et isolément, présentent effectivement soit des expressions, soit des images, soit des tableaux que le bon goût réprouve et qui sont de nature à porter atteinte à de légitimes et honorables susceptibilités;

« Attendu que les mêmes observations peuvent s'appliquer justement à d'autres passages non définis par l'ordonnance de renvoi et qui, au premier abord, semblent présenter l'exposition de théories qui ne seraient pas moins contraires aux bonnes mœurs, aux institutions, qui sont la base de la société, qu'au respect dû aux cérémonies les plus augustes du culte;

« Attendu qu'à ces divers titres l'ouvrage déféré au tribunal mérite un blâme sévère, car la mission de la littérature doit être d'orner et de récréer l'esprit en élevant l'intelligence et en épurant les mœurs plus encore que d'imprimer le dégoût du vice en offrant le tableau des désordres qui peuvent exister dans la société;

« Attendu que les prévenus, et en particulier Gustave Flaubert, repoussent énergiquement l'inculpation dirigée contre eux, en articulant que le roman soumis au jugement du tribunal a un but éminemment moral; que l'auteur a eu principalement en vue d'exposer les dangers qui résultent d'une éducation non appropriée au milieu dans lequel on doit vivre, et que, poursuivant cette idée, il a montré la femme, personnage principal de son roman, aspirant vers un monde et une société pour lesquels elle n'était pas faite, malheureuse de la condition modeste dans laquelle le sort l'aurait placée, oubliant d'abord ses devoirs de mère, manquant ensuite à ses devoirs d'épouse, introduisant successivement dans sa maison l'adultère et la ruine, et finissant misérablement par le suicide, après avoir passé par tous les degrés de la dégradation la plus complète et être descendue jusqu'au vol;

« Attendu que cette donnée, morale sans doute dans son principe, aurait dû être complétée dans ses développements par une certaine sévérité de langage et par une réserve contenue, en ce qui touche particulièrement l'exposition des tableaux et des situations que le plan de l'auteur lui faisait placer sous les yeux du public;

« Attendu qu'il n'est pas permis, sous prétexte de peinture de caractère ou de couleur locale, de reproduire dans leurs écarts les faits, dits et gestes des personnages qu'un écrivain s'est donné mission de peindre; qu'un pareil système, appliqué aux œuvres de l'esprit aussi bien qu'aux productions des beaux-arts, conduirait à un réalisme qui serait la négation du beau et du bon et qui, enfantant des œuvres également offensantes pour les regards et pour l'esprit, commettrait de continuels outrages à la morale publique et aux bonnes mœurs;

« Attendu qu'il y a des limites que la littérature, même la plus légère, ne doit pas dépasser, et dont Gustave Flaubert et co-inculpés paraissent ne s'être pas suffisamment rendu compte;

« Mais attendu que l'ouvrage dont Flaubert est l'auteur est une œuvre qui paraît avoir été longuement et sérieusement travaillée, au point de vue littéraire et de l'étude des caractères; que les passages relevés par l'ordonnance de renvoi, quelque répréhensibles qu'ils soient, sont peu nombreux si on les compare à l'étendue de l'ouvrage; que ces passages, soit dans les idées qu'ils exposent, soit dans les situations qu'ils représentent, rentrent dans l'ensemble des caractères que l'auteur a voulu peindre, tout en les exagérant et en les imprégnant d'un réalisme vulgaire et souvent choquant;

« Attendu que Gustave Flaubert proteste de son respect pour les bonnes mœurs et tout ce qui se rattache à la morale religieuse; qu'il n'apparaît pas que son livre ait été, comme certaines œuvres, écrit dans le but unique de donner une satisfaction aux passions sensuelles, à l'esprit de licence et de débauche, ou de ridiculiser des choses qui doivent être entourées du respect de tous;

« Qu'il a eu le tort seulement de perdre parfois de vue les règles que tout écrivain qui se respecte ne doit jamais franchir, et d'oublier que la littérature, comme l'art, pour accomplir le bien qu'elle est appelée à produire, ne doit pas seulement être chaste et pure dans sa forme et dans son expression;

« Dans ces circonstances, attendu qu'il n'est pas suffisamment établi que Pichat, Gustave Flaubert et Pillet se soient rendus coupables des délits qui leur sont imputés;

« Le tribunal les acquitte de la prévention portée contre eux et les renvoie sans dépens. »

NOTES ET VARIANTES

Les variantes sont indiquées avec les abréviations suivantes :
Ms = manuscrit.
Orig. = édition originale (1857).
R. P. = texte de la *Revue de Paris* (1856).
Q. = édition Quantin de 1885.
C. = édition Conard de 1910.
D. = édition dite du Centenaire (Librairie de France), texte revu par René Descharmes.

Dans les notes, les renvois à la *Correspondance* de Flaubert sont établis d'après l'édition Conard, nouvelle édition en neuf volumes.

Le texte de *Madame Bovary* a été l'objet d'une étude très minutieuse et très intéressante dans la *Bibliographie de Gustave Flaubert*, de R. Dumesnil et D. L. Demorest (Giraud-Badin 1939). Après la mort de Mme Caroline Commanville-Franklin Grout, nièce du grand écrivain, une partie des papiers de Flaubert a été donnée à la Bibliothèque de Rouen. C'est notamment dans le fonds des manuscrits de cette bibliothèque que se trouve le « dossier » de *Madame Bovary*, comme celui de *Bouvard et Péruchet*.

Le dossier de *Madame Bovary* contient, outre un manuscrit autographe de 487 feuillets, dont les 150 premières pages portent de nombreuses surcharges et ratures, et le manuscrit de 489 feuillets non autographe, qui a servi pour l'impression dans la *Revue de Paris*, un ensemble important de brouillons, 1.800 feuillets écrits recto et verso.

C'est dans cette immense et précieuse masse de documents, que Mlle Gabrielle Leleu, Bibliothécaire à Rouen, a puisé la matière de la remarquable publication qu'elle a donnée en 1936, sous le titre : *Madame Bovary. Ébauches et fragments inédits* (Conard, éditeur). En fait, Mlle Leleu a fait connaître ainsi, pour la première fois « les versions des brouillons, qui, mises en parallèle avec la version définitive, pouvaient prêter à comparaison intéressante et fructueuse. » L'intérêt de cette révélation, pour l'intelligence du chef-d'œuvre de Flaubert, de sa genèse et de son véritable sens, ne saurait être sous-estimé.

Pour donner une idée de l'importance de cette découverte, notons, par exemple, que l'on retrouve dans les papiers de Flaubert, jusqu'à onze versions d'un même passage. La connaissance de ces multiples versions, ou de certaines d'entre elles, permet d'étudier avec précision les différentes formes qu'ont prises une même phrase ou une même image du grand écrivain, au cours de sa lente, patiente, obstinée recherche de la précision, de la couleur ou de l'harmonie. L'édition de Mlle Leleu donne aussi le relevé des variantes du manuscrit autographe et du manuscrit définitif, et celui des variantes de l'édition de 1857 avec le manuscrit définitif.

Depuis 1936, un pas nouveau a été fait dans l'exégèse du texte de *Madame Bovary*. S'appuyant sur la publication de Mlle Gabrielle Leleu, et en collaboration avec elle, M. Jean Pommier a établi une *Nouvelle Version* du célèbre roman, précédée des *Scénarios inédits*, d'après les fameux manuscrits de Rouen *. Les éditeurs ont pensé que, dans ces 1.800 feuillets qui nous ont conservé les ébauches, les étapes, les essais et les repentirs d'une grande œuvre, il pouvait y avoir autre chose que de la matière morte. Ils ont eu la patience de chercher, et ils ont retrouvé le fil conducteur d'une narration suivie : une première *Madame Bovary*, qui précède, qui double, et qui parfois éclaire celle que nous admirons depuis plus de cent ans. Inutile d'ajouter qu'entre ces deux « versions » il n'y a pas le même écart qu'entre *L'Éducation sentimentale* de 1845 et celle de 1869. Mais on peut songer, à titre de comparaison, aux trois versions successives de la *Tentation de saint-Antoine*, qui ont obsédé l'imagination de Flaubert pendant trente ans, comme la pauvre Emma Bovary l'a hantée au moins pendant cinq ou six ans.

Il est évident que cet apport nouveau, considérable, sur le texte de *Madame Bovary* ne pouvait entrer dans le cadre de notre édition classique. Les variantes que nous proposons, toutes empruntées aux éditions Quantin, Conard et du Centenaire, éditions postérieures à la mort de Flaubert, n'ont été retenues que parce qu'elles offrent des divergences intéressantes par rapport au manuscrit définitif, au texte de la *Revue de Paris*, et au texte des éditions de 1857, 1862, 1869 et 1873, sans cesse revu et corrigé par l'auteur.

1. Cette dédicace à Sénard a remplacé celle qui figurait, écrite de la main de Flaubert, sur le manuscrit. Après le titre et les dates : *Madame Bovary. Septembre* 1851-*Avril* 1856, Flaubert avait écrit : A LOUIS BOUILHET. Sur la copie qu'il fit faire pour remettre son roman à la *Revue de Paris*, la disposition du titre et de la dédicace est différente : MADAME BOVARY. Avril 1856. MŒURS DE PROVINCE. A LOUIS BOUILHET,

2. VAR. Ne sera jamais à la hauteur de votre éloquence ni de votre

---

* Gustave Flaubert. *Madame Bovary. Nouvelle version, précédée des Scénarios inédits*, avec une introduction et des notes, par J. Pommier et Mlle Leleu. José Corti. 1949.

dévouement (Orig.). Flaubert a corrigé dans les éditions postérieures cette incorrection, qui, dit-il, avait échappé aux critiques acharnés contre son texte.

3. La réalité des faits et des personnages dont s'est inspiré Flaubert dans *Madame Bovary* a fait l'objet de nombreuses recherches. Nous signalerons dans les notes les rapprochements les plus importants entre la fiction et la réalité. Mais nous croyons utile d'indiquer ici les principales publications, relatives à ce problème des origines de *Madame Bovary*, et de résumer brièvement les données acquises.

En dehors des ouvrages généraux, mentionnés dans notre bibliographie, on pourra consulter sur cette question : Georges DUBOSC, *Trois Normands*, 1917 (p. 164. *La véritable Madame Bovary*). — CLÉREMBRAY (pseudonyme de Charles LEFEBVRE), *Flaubertisme et Bovarysme*, 1912. — Georgette LEBLANC, *Un pèlerinage au pays de Madame Bovary*, 1913. René DUMESNIL, *La publication de Madame Bovary*, 1927. — Raoul BRUNON, *A propos de Madame Bovary* (La Normandie médicale, 1er décembre 1907 et 15 avril 1910). — Paul-Louis ROBERT, *Trois portraits normands*, 1924. — Paul SOUDAY, *Documents et vérité* (Le Temps, 10 mars 1924). — Georges ROCHER, *Les origines de Madame Bovary* (La Revue de France, 1896). — Émile DESHAYES, *La Genèse de Madame Bovary* (La Revue illustrée, septembre 1907). — Jean CANU, *La couleur normande de Madame Bovary* (Publications of the Modern Language Association of America, XLVIII, n° 1, mars 1933). — Gérard GAILLY, *Recherche du pharmacien Homais* (Édition Albert, 1939). — Léo LARGUIER, *La chère Emma Bovary* (Aubanel, 1942). — Armand SOMÈS, *Monsieur Homais* (Figuière, 1931). — Ernest BOVET, *Le Réalisme de Flaubert* (Revue d'histoire littéraire, janvier-mars 1911). — Max BUFFENOIR, *Flaubert et le romantisme d'après Madame Bovary* (Revue bleue, septembre-octobre 1917 et août 1918). — Jean POMMIER et Gabrielle LELEU, *Du nouveau sur Madame Bovary* (Revue d'histoire littéraire, juillet-septembre 1947). — René DUMESNIL, *La véritable Madame Bovary* (Mercure de France, 1er novembre 1948). — Ch. BRUNEAU *Explications de Flaubert : Madame Bovary* (Cours ronéotypé). — Jean POMMIER, *Noms et prénoms dans Madame Bovary* (Mercure de France, 1er juin 1949). — Dr E. FAISANT, *Les médecins dans l'œuvre de Flaubert* (Poinat, 1908). — AURIANT, *Madame Bovary, née Colet* (Mercure de France, 1er juin 1936). — AURIANT, *Une soirée de Madame Bovary* (Mercure de France, 15 décembre 1934). — F. STEEGMULLER, *Flaubert and Madame Bovary* (Hale, septembre 1939).

« Charles Bovary n'était autre qu'un pauvre diable de médecin que Maxime Du Camp appelle Delaunay, bien que ce ne soit pas son nom véritable. C'était un garçon lourdaud, apathique, mais consciencieux, originaire du Mesnil-Esnard, près de Rouen, élevé par sa mère, et qui n'avait pu arriver à passer ses examens d'officier

de santé qu'avec la protection indulgente du père de Flaubert. »
(G. Dubosc, *loc. cit.*)

Le lieu principal de la scène, Yonville-l'Abbaye, est le village de Ry,
sur les confins du Vexin et du pays de Bray : l'église, les halles, l'auberge,
la pharmacie, la maison du médecin, le cimetière, toutes les identifications locales confirment les descriptions de Flaubert.

Le Bovary de la réalité a bien été marié deux fois : sa première femme,
« la veuve Dubuc », était une dame M., morte en 1837, enterrée dans
le cimetière de Ry.

En réalité, Bovary n'a jamais quitté Ry, où il s'est établi dès ses
débuts. Ce n'est pas à Tôtes, mais à Ry qu'il a connu Emma. L'héroïne
du roman s'appelait Delphine Couturier; elle habitait avec son père
et ses sœurs la ferme de Blainville, près de Ry. « C'était une jolie
brune qui, toute jeune fille, gaie, aimait et recherchait les danses des
assemblées normandes; romanesque et ennuyée, elle se perdait en d'infinies lectures, dévorait tous les livres d'un cabinet de lecture de Rouen,
dont on dut régler la note restée impayée à sa mort. Elle avait un goût
fin et sûr qui la guidait dans l'aménagement intérieur de sa maison, et
on parla longtemps de l'arrangement des doubles rideaux jaunes et
noirs de sa chambrette. » (Georges Dubosc, *loc. cit.*)

La maison du Docteur Delamare était située dans la grande rue
de Ry. Elle a disparu, il y a une cinquantaine d'années, lors de l'établissement de la route Blainville-Crevon. Mais le jardin, avec sa tonnelle
de clématites, le ruisseau qui le borde, la prairie et ses peupliers, la
planche aux vaches, la chaumière de la nourrice, tout le décor subsiste.

Le clerc de notaire Léon Dupuis a terminé sa vie dans une ville de
l'Oise où il avait acheté une étude. Le gentilhomme campagnard,
Rodolphe Boulanger, s'appelait Louis Campion; La Huchette était le
château de Cressenville. « Louis Campion, accablé par la mort de
Mme Bovary, venait parfois pleurer avec son mari. Complètement
ruiné, il émigra aux États-Unis, d'où il revint, et se suicida à Paris, en
plein boulevard. » (Georges Dubosc, *ibid.*)

Mme Bovary s'est empoisonnée, dans la réalité comme dans le
roman; l'emplacement de sa tombe a disparu au cimetière; mais on a
conservé un morceau de la pierre qui la recouvrait. Elle mourut le
6 mars 1848.

Même les personnages épisodiques du livre sont pris dans la réalité : « le sieur L'Heureux, qui n'était pas Gascon, mais Auvergnat,
demeurait où se trouve aujourd'hui l'épicerie-mercerie Gilles. »

Mais le témoin le plus intéressant de ce drame de la vie réelle est la
servante Félicité. Elle a longtemps survécu à sa maîtresse, et, au cours
d'une verte vieillesse, elle prodiguait ses souvenirs et ses confidences
à ceux qui se plaisaient à l'interroger. Elle s'appelait Augustine Ménage
et habitait à trois lieues de Ry, à Saint-Germain-des-Essours. Elle
avait soixante-dix-neuf ans en 1905, quand le Docteur Brunon lui
rendit visite; c'était une petite vieille, « très droite, le visage fin, le
sourire agréable, l'œil enfoncé, perçant et doucement interrogateur ».

Pour le Docteur Brunon, comme pour Mme Georgette Leblanc, elle évoquait avec émotion la beauté de sa maîtresse, « sa figure ovale, sa taille, sa stature, ses beaux cheveux châtains », et la voix : « Elle avait une voix si douce, qu'on aurait voulu ramasser tous les mots qu'elle disait. » Augustine contait aussi comment la belle Delphine prêtait à sa petite servante, avide de plaisir, ses plus jolies robes pour aller danser avec son amoureux, — et c'est presque une scène de *Madame Bovary*... Puis elle revivait la scène atroce de l'empoisonnement : « Elle ne voulait pas dire quel poison elle avait pris... tout le monde pleurait... Alors sa petite fille s'est mise à genoux pour la supplier et elle a dit enfin la vérité ! Ah ! c'était bien plus malheureux que dans l'histoire !... » (Georgette Leblanc, *op. cit.*)

Quant au pharmacien Homais, il a déjà autour de lui toute une « littérature », dans laquelle la légende, naturellement, se mélange à l'histoire. Mais ce n'est pas à Ry que Flaubert a pu le connaître et l'observer. Seul le décor, la pharmacie de Ry a passé dans le roman. Longtemps elle a conservé « son comptoir en hémicycle, ses bocaux Louis XVI et Empire et le *capharnaüm* avec la planche aux poisons ». Plus tard, l'extraordinaire et délicieuse officine de M. Tranchepain, à Bihorel, près de Rouen, a recueilli bon nombre d'objets venant de la pharmacie Homais. (R. Brunon, *op. cit.*) Mais le pharmacien lui-même, « un gros bonhomme finassier et clérical », paraît hors de cause. Le prototype de M. Homais serait un pharmacien de Forges-les-Eaux, « anticlérical à tous crins et républicain désintéressé ». Flaubert le connaissait personnellement, et, pour mieux l'étudier, il s'établit un mois à Forges, à l'Hôtel du Mouton. Il est juste d'ajouter que cette identification est contestée par plusieurs flaubertistes, notamment par Clérembray, qui a retracé toute la carrière du pharmacien M..., de Forges, pour établir que le personnage de Flaubert est en contradiction, sur plus d'un point essentiel, avec son prétendu modèle. Il paraît plus vraisemblable que le type de M. Homais a été composé avec des traits empruntés, non seulement au pharmacien de Forges et à celui de Ry lui-même, mais encore à des pharmaciens d'Yvetot et du Havre. (Cf. Clérembray, *op. cit.*)

Si l'on peut suivre encore le trajet que suivait Emma pour aller voir sa petite fille chez la nourrice ou pour se rendre aux rendez-vous de la Huchette, il est impossible de retrouver la vieille auberge du *Lion d'or*, où Mme Lefrançois, M. Homais et Léon attendaient le ménage Bovary, à son arrivée à Yonville, ni la diligence qui menait Emma à Rouen. « Une bâtisse moderne a remplacé la cuisine, avec sa grande cheminée normande... Le père Hivert, de son vrai nom Thérain, est mort il y a deux ans (écrit en 1907). Il n'était pas d'un abord facile, le vieux conducteur, et quand on touchait le sujet, il se hérissait. Que de choses il devait savoir ! C'est lui qui, le mardi et le vendredi, rapportait de la ville, pour Emma, les livres des cabinets de lecture. » (R. Brunon, *op. cit.*)

Ces identifications, plus ou moins précises, plus ou moins valables, mais qui n'ont jamais été présentées comme exclusives, ni définitives, ont été longtemps admises sans discussion. Elles étaient acceptées et répandues particulièrement dans le pays d'Emma Bovary, et dans l'entourage de l'écrivain qui lui avait donné sa véritable vie, la fiction, ici, étant plus vivante que la réalité.

Mais au cours de ces dernières années, une découverte importante est venue remettre en question l'authenticité des sources de *Madame Bovary*, ou du moins leur apporter un affluent nouveau. Est-ce à dire pour cela qu'il faille désormais considérer comme légendaires toutes les traditions qui donnaient à Emma un état-civil, un entourage, un milieu, un décor de vie vraisemblables, une histoire, enfin, qui pouvait être familière à Flaubert ? Nous ne le pensons pas, et nous dirons plus loin pourquoi.

En étudiant le « dossier » de *Bouvard et Pécuchet*, qui, comme celui de *Madame Bovary*, est conservé à la Bibliothèque de Rouen, Mlle Gabrielle Leleu découvrit en 1947 une cinquantaine de feuillets manuscrits, qui n'étaient pas de la main de Flaubert, mais d'une écriture fort maladroite et d'une orthographe grossière. Ce document, qui portait le titre de *Mémoires de Madame Ludovica*, n'avait aucun rapport avec *Bouvard et Pécuchet*. Par contre, une lecture attentive, et courageuse, du grimoire, suggéra à Mlle Leleu, l'idée que Ludovica pouvait bien avoir quelque parenté avec Emma Bovary.

Il est établi aujourd'hui, par Mlle Gabrielle Leleu et par M. Jean Pommier, que la mystérieuse Ludovica n'est autre que Louise d'Arcet, épouse en secondes noces du célèbre sculpteur Pradier, et que ses « mémoires » ont été rédigées, d'après ses confidences, par une amie, femme d'un menuisier parisien *. Avec ce nouveau fantôme d'Emma, nous ne sommes plus à Ry, ni à Yonville-l'Abbaye, mais nous nous retrouvons dans l'intimité de Flaubert et dans une atmosphère *bovaryste*.

Dans l'intimité de Flaubert, parce que celui-ci était un ami de Pradier, parce qu'il avait été au collège le camarade de Charles d'Arcet, frère de Louise-Ludovica. Le futur auteur de *Madame Bovary* s'intéressait beaucoup à la belle Mme Pradier, autant qu'à la belle Mme Colet, que, précisément, il rencontra aussi chez le grand sculpteur. Les aventures de « Ludovica », sa chronique galante, défrayaient les conversations de Flaubert et de ses amis; il prenait plaisir à se les faire conter; il en entretenait volontiers ses correspondants. Il est à croire que les mémoires rédigés par la femme du menuisier ne lui apprenaient pas grand-chose. Mais il avait la passion du document, aussi bien pour donner la vie à la femme romanesque d'un petit médecin de campagne, que pour évoquer un saint de vitrail, une fille d'Hamilcar, ou pour faire en pied le portrait de ses deux « bonshommes », Bouvard et Pécuchet.

---

* Cf. l'article de J. Pommier et de G. Leleu, dans la *Revue d'histoire littéraire*, ainsi que celui de R. Dumesnil, dans le *Mercure de France*, cités plus haut.

Si Mme Pradier n'avait été qu'une femme légère, trompant avec n'importe qui un mari aveugle, il est évident que ses états de service dans le demi-monde de la bohème artistique et littéraire, n'auraient pas suffi à faire d'elle une Bovary. On pourrait même soutenir que son état social, si l'on peut dire, la plaçait fort loin de la petite provinciale qui se morfond dans sa bourgade, à côté d'un mari au-dessous du médiocre.

C'est ici que les *Mémoires de Ludovica* interviennent. Exactement, il nous apparaît qu'ils ont fourni à Flaubert les éléments vraisemblables pour donner au destin d'Emma une fin logique. Nous n'en retiendrons que deux détails : les inextricables embarras d'argent, qui acculent la femme adultère, coquette et gaspilleuse, au suicide. L'effondrement du mari trompé, quand il découvre son malheur; ruiné, incapable de supporter cette épreuve, il meurt subitement, comme Charles Bovary.

Mais Louise Pradier, elle, qui a songé au suicide, ne s'est pas jetée dans la Seine. Et c'est à elle que Flaubert écrira un jour, après la publication et le procès de *Madame Bovary*, ces lignes curieuses : « Quoi écrire qui soit plus inoffensif que ma pauvre *Bovary*, traînée par les cheveux comme une catin en pleine police correctionnelle ? (...) Quelle force que l'hypocrisie sociale ! Par le temps qui court, tout portrait devient une satire, et l'histoire est une accusation. »

On ne peut guère contester que Flaubert ait été souvent visité par le souvenir de Louise Pradier et de sa vie d'aventurière mondaine, quand il écrivait son roman, entre septembre 1851 et avril 1856. C'est précisément dans cet intervalle de temps « que se dénoue le roman vécu de Louise d'Arcet, et que les *Mémoires de Madame Ludovica* sont dictés (ou rédigés de souvenir par la voisine qui lui sert de domestique).

Mais nous nous rallions à l'équitable conclusion de M. René Dumesnil : « Peu importe d'ailleurs, hormis ceci : la découverte de Mlle Leleu enrichit singulièrement l'exégèse flaubertienne. De ce que Mme Pradier entre pour une grande part dans le personnage d'Emma, il n'en résulte pas que Charles Bovary ne doive rien à Delamare, l'officier de santé de Ry, que toutes les autres sources, connues ou supposées, de *Madame Bovary* ne soient qu'inventions pures. » *

A la suite de cette documentation, il peut être intéressant de rappeler les déclarations catégoriques et renouvelées de Flaubert, touchant le caractère fictif et impersonnel de son roman. A Mlle Leroyer de Chantepie, il écrit en mars 1857 : « *Madame Bovary* n'a rien de vrai. C'est une histoire *totalement inventée*, je n'y ai rien mis, ni de mes sentiments ni de mon existence. » Trois mois plus tard, à M. Cailleteaux : « Non, Monsieur, aucun modèle n'a posé devant moi. *Madame Bovary* est une pure invention. Tous les personnages de ce livre sont complètement imaginés, et Yonville-l'Abbaye lui-même est un pays qui *n'existe pas*, ainsi que la Rieulle, etc. Ce qui n'empêche pas qu'ici, en Normandie, on n'ait voulu découvrir dans mon roman une foule d'allusions. Si

---

* René DUMESNIL, *article cité.*

j'en avais fait, mes portraits seraient moins ressemblants parce que j'aurais eu en vue des personnalités et que j'ai voulu, au contraire, reproduire des types. » (*Correspondance*, IV, 164, 191. Voir aussi la lettre à Mme Hortense Cornu, du 20 mars 1870, *Corr.*, VI, 107.)

Même les plus récents historiens de Flaubert, s'ils qualifient parfois de « manie », — innocente manie ! — le besoin d'identifier dans la réalité toutes les caractéristiques de *Madame Bovary*, n'en reconnaissent pas moins l'utilité de ces sortes d'enquêtes. L'un des plus autorisés, Mme Marie-Jeanne Durry, admet que « l'aventure banale de Delphine Delamare », malgré la « relation suspecte » de Maxime Du Camp, « combinée avec celle de Mme Pradier, doit être retenue comme valable. » Et Mme Durry écrit : « Flaubert a besoin de tel ou tel type, et il leur cherche des références dans la réalité, il cherche des points d'appui concrets à sa construction imaginative. (...) Ainsi se concilient les deux affirmations successives de Maupassant : 1° Flaubert imaginait d'abord des types. 2° Chacun des personnages de *Madame Bovary* est le résumé d'une série d'êtres appartenant au même ordre intellectuel. » *

4. VAR. Une heure et demie venaient de sonner à l'horloge du collège, quand le proviseur entra dans l'étude, suivi d'un *nouveau*... (ms.). — quand le proviseur entra... (Q. et D.)

5. VAR. de nous rasseoir, puis, se tournant... (Q.)

6. VAR. le maître d'étude... (Q.)

7. VAR. Ses jambes en bas bleus... (Q.)

8. VAR. d'un pantalon jaunâtre, très tiré... (Q.)

9. Cette coiffure extraordinaire est décrite d'après un dessin du *Charivari* du 21 juin 1833.

10. VAR. des profondeurs d'expression, comme le visage... (Q.)

11. VAR. Renflée de baleine... (Q.)

12. VAR. Il se leva; sa casquette tomba. (Q. et C.)

13. VAR. d'un coup de coude. Il la ramassa... (Q.) — d'un coup de coude, il la ramassa... (C. et D.)

14. VAR. s'il fallait la garder à la main... (Orig.) — s'il fallait la garder à sa main... (Q.)

15. Sur le nom de *Bovary*, et la confusion de ce nom avec celui de *Bovery*, sous lequel le *Nouvelliste* de Rouen avait annoncé le roman de Flaubert, on consultera Clérembray, *op. cit.*, p. 8, 44, 52.

16. *Quos ego*... C'est la fameuse menace que Virgile, dans l'*Énéide* (I, 135), prête à Neptune courroucé contre les vents.

17. VAR. ses bouts de manche. (Q.)

18. On a souvent rappelé, et d'après Flaubert lui-même qui avait

* M. J. Durry. *Flaubert et ses projets inédits*, p. 29-30.

le premier relevé ces coïncidences, l'analogie entre ces scènes de la
vie de collège et certains épisodes, soit du *Louis Lambert* de Balzac,
soit du *Livre posthume* de Maxime Du Camp. Voir sur ce sujet : *Corresp.*
de Flaubert, III, 78. *Mercure de France*, 15 janvier 1935, p. 440-442. —
Mais il est évident que, dans ce récit, Flaubert se souvient surtout de
ses propres impressions du collège de Rouen.

19. Var. Bartholomée. (Q.)

20. Var. une dot d'une soixantaine de mille francs. (Q.)

21. Var. il vécut deux ou trois ans à même la fortune... (Orig.
et Q.)

22. Var. puis se retira à la campagne... (Orig. et Q.)

23. Var. en culture qu'en indiennes... (Q.)

24. Var. il ne tarda pas à s'apercevoir... (Q.)

25. Var. qui l'avaient détaché d'elle encore plus. (Orig. et Q.)

26. Var. et puant l'ivresse; puis... (Orig. et Q.)

27. Var. sans s'inquiéter de rien : il avait à peine le cœur à brosser
ses habits... (Ms.)

28. Var. le marmot, quoique à plaindre, fut gâté... (Orig. et Q.)

29. Var. beau, spirituel, établi, dans les ponts et chaussées... (Orig.)

30. Var. se sentir emporté par elle... (Q.)

31. Var. disant même que le *jeune homme*... (Q. et D.)

32. Var. Impossible à chacun de nous, de se rien rappeler... (Orig.)

33. Var. de tempérament modéré; il ne souhaitait pas l'incendie
du collège et ne se plaignait pas comme nous de la nourriture... (Ms.)

34. Var. écoutait en classe... (Orig. et Q.)

35. Var. pour correspondant, un quincaillier... (Orig.)

36. Var. l'envoyait promener sur le port regarder les bateaux.
(Ms. et Q.)

37. Var. pour le faire étudier la médecine... (Orig.)

38. L'Eau-de-Robec, nom d'un ruisseau de Rouen et d'une vieille
rue pittoresque qui longe ce ruisseau. — Flaubert rêvait d'écrire
« un roman de la jeune fille qui meurt vierge et mystique, entre son
père et sa mère, dans une petite ville de province,... au bord d'une
rivière grande comme l'Eau-de-Robec ». (*Corr.*, II, 253.)

39. Var. Elle conclut les arrangements de sa pension... (Q.)

40. La vie de Charles Bovary, collégien et étudiant, suit d'assez
près celle d'Eugène Delamare, qui a servi de modèle à Flaubert.
Eugène Delamare « fut au collège de Rouen un élève assez médiocre
qui, au sortir de la troisième, passa son « examen de grammaire »
et s'inscrivit à l'École de médecine. A l'Hôtel-Dieu, il suivit les cli-

niques du docteur Flaubert », père du romancier. (R. Dumesnil, *Gustave Flaubert, l'Homme et l'Œuvre*, p. 347.)

Flaubert, avant d'écrire son roman, avait rédigé deux scénarios qui, sur certains points, présentent des différences intéressantes soit entre eux, soit avec le roman. Dans le premier de ces scénarios, voici comment est indiquée l'enfance de Bovary : « Commencer par son entrée au collège avec ses habits de campagne dans la récréation. — Son enfance à la campagne jusqu'à 15 ans; vagabondage dans les champs; époque où l'on brasse; trois ou quatre ans au collège, puis carabin à grand'-peine; loge sur l'Eau-de-Robec; misère sotte et dont il n'a pas conscience, esprit doux sensible, droit, juste, obtus, sans imagination; une ou deux grisettes lui font connaître l'amour. » Les détails sont beaucoup plus nombreux et plus précis dans le second scénario, et Flaubert en a abandonné quelques-uns dans son roman. Voir ces scénarios dans l'édition Conard de *Madame Bovary*, p. 494, 496, 497.

41. Var. l'hygiène ni les matières médicales... (Orig. et Q.)

42. Ce détail du « morceau de veau cuit au four » choqua par son réalisme la direction de la *Revue de Paris*, qui en demanda la suppression. C'est la première de ces mutilations, imposées par la revue, et qui mirent Flaubert en fureur. Nous les signalerons toutes à leur place. Edmond About écrivait à ce sujet à Flaubert : « Mon ami le professeur m'a fait voir les passages supprimés par la *Revue* et ils m'ont paru mille fois plus innocents que les points par lesquels on les avait remplacés. » Ici, l'authenticité du détail est attestée par un témoin de la vie de Delamare : « Une fois par semaine, sa mère lui apportait à Rouen un morceau de veau cuit à la casserole avec de petites carottes et c'était le meilleur de son menu pour la semaine entière. (Dr Brunon, *loc. cit.*, p. 7.)

43. Var. il apprit des couplets par cœur... (Orig. et Q.)

44. Ce punch du carabin romantique, qui buvait le vin chaud dans un crâne, comme Han d'Islande, était accompagné d'une description de 35 lignes, que Flaubert biffa impitoyablement sur son manuscrit. (Cf. Dumesnil et Demorest, *loc. cit.*, p. 500.)

45. *et connut enfin l'amour*. Après cette phrase, Flaubert a supprimé sur le manuscrit du copiste remis à la *Revue de Paris*, et probablement sur les conseils de Bouilhet, toute une page qui détaillait les excès et les désordres de Charles Bovary.

46. Var. pour le fêter de son succès ! (Orig. et Q.)

47. Var. où il fit demander sa mère et lui conta tout. (Q.)

48. Var. Mme Bovary l'excusa. (Q. et C.)

49. *A Tostes*. Le nom du village où s'établit Bovary avant son départ pour Yonville, n'est mentionné que dans le second scénario, sous la forme : *les Tôtes* ou *Tôtes*. La seule indication du lieu est faite en ces termes : « Va s'établir aux Tôtes. Sa mère l'emménage... Poser

la maison de Tôtes ; grand cabas *(sic)* tout en rez-de-chaussée. »

50. VAR. que Charles était déjà installé en face... (Orig. et Q.)

51. VAR. avait entrevu dans le mariage... (Q. et C.)

52. VAR. quand il avait des femmes. (Q.)

53. La *Revue de Paris* supprima toute la phrase : Madame, par pudeur..., montrait le dos. » Flaubert avait lui-même élagué bien des détails dans cette page : sur le manuscrit, Nastasie avait sa camisole à demi passée. L'auteur décrivait le valet des Bertaux, son pantalon, ses bottes trempées, dont la trace reste imprimée sur les carreaux de l'entrée.

54. VAR. Saint-Victor; la nuit était noire; Mme Bovary... (Q.)

55. La *Revue de Paris* supprima la phrase : « L'odeur chaude... et sa femme dormir. »

56. La *Revue de Paris* supprime : « Quand il entra... fit un grand écart. »

57. VAR. par le dessus des portes ouvert... (Q.)

58. VAR. cinq à six paons... (Orig.)

59. VAR. bouillonnait autour. (Orig. et Q.)

60. La *Revue de Paris* supprime : « Suant sous ses couvertures. »

61. Le second scénario contient ces indications sur le père Rouault : « Type carré du fermier cauchois; la mère d'Emma morte d'un cancer au sein et depuis la mort de la mère la ferme décline et le père, moitié par sa faute, moitié par les hasards, va se ruinant de plus en plus. »

62. VAR. comme il le faisait depuis douze heures... (R. P. et Q.)

63. VAR. c'étaient les yeux; quoiqu'ils fussent bruns... (Q. C. et D.)

64. VAR. le trop plein... (Q. et D.)

65. VAR. Elle était tombée par terre... (Orig. et Q.)

66. VAR. ce fut le lendemain même... (Q.)

67. VAR. sur les dalles lavées de la cuisine. Ses talons... (Q.)

68. VAR. de soie gorge-pigeon... (Q.)

69. VAR. tant de *flafla*... (Q.)

70. VAR. après : « Comme un droit de l'aimer. Et puis, la veuve pouvait-elle effacer par son contact l'image fixée sur le cœur de son mari ? La veuve était maigre, elle avait les dents longues...; » (Orig. Q. et D.)

71. *scarifier :* expression de la langue médicale, dont on relève l'emploi caractéristique chez Flaubert, ainsi que d'autres expressions analogues : *caresses chirurgicales* (p. 14); le regard du docteur Larivière, *plus tranchant que ses bistouris* (p. 297).

72. VAR. Elle était morte. (Q.)

73. Sur le développement du caractère du père Rouault, les deux

scénarios présentent entre eux quelques différences. Dans le premier, le père d'Emma est un cultivateur aisé, qui conduit sa fille au spectacle.

74. VAR. soixante-quinze francs... (Orig. et Q.)

75. VAR. l'idée seulement d'aller au café... (Orig. et Q.)

76. *se dissiper* est un de ces normandismes, que Flaubert emploie volontiers dans *Madame Bovary*, comme *se manger le sang, des gestes, charretteries, bouilleries, masures*, etc. Cf. G. DUBOSC, *Les « Normandismes » de G. Flaubert, op. cit.*, 170-175.

77. VAR. étaient en fleurs (Q.)

78. VAR. tel que des petits pots de crème... (Q.)

79. VAR. il allait aux Bertaux tout aise... (Orig.)

80. VAR. en s'y appliquant la paume de ses mains... (Q.)

81. VAR. Il n'y a pas d'alinéa après : *chenets*, dans Q.

82. VAR. Elle se plaignit... (Q.)

83. VAR. Charles de son collège; les phrases leur vinrent; ils montèrent... (Q.)

84. VAR. la portion d'existence qu'elle avait vécue... (Q. et D.)

85. *La Revue de Paris* supprime : « Il se leva pour aller boire à son pot à eau. »

86. Chaque fois qu'elle s'offrit... (Q.)

87. VAR. On n'y voyait jamais de millionnaires. (Q.)

88. VAR. Y perdait tous les ans; car, s'il excellait... (C.) Y perdait tous les ans, car s'il excellait... (Q.) Y perdait tous les ans, car, s'il excellait... (D.)

89. VAR. un peu *gringalet*... (C. et Q.)

90. « S'il me la demande... » Dans la réalité, le père d'Emma était opposé au mariage : « Pour en venir à ses fins, la jeune fille bourrant de serviettes son jupon, simula une grossesse et finit par enlever ainsi le consentement paternel. La noce fut célébrée en 1843. » (R. DUMESNIL, *op. cit.*, 348.)

91. VAR. père Rouault..., balbutiait Charles. (Orig.)

92. VAR. dans les visites que Charles lui faisait... (Q.)

93. Ce célèbre chapitre de la noce aux Bertaux est un de ceux dont Maxime Du Camp avait demandé à Flaubert la suppression.

94. VAR. des connaissances perdues depuis longtemps... (Q.)

95. VAR. de quatorze à seize ans... (Orig. et Q.)

96. VAR. comme une seule écharpe de couleurs... (Q.)

97. VAR. Le ménétrier allait en tête... (Q. et C.)

98. VAR. les mariés ensuite... (Orig. et Q.)

99. VAR. Le crincrin... (Q.)

100. Var. Quand il s'apercevait que l'on était... (Q.)

101. Var. six fricassées de poulet... (Q.)

102. Var. poussait sa mousse épaisse à l'entour des bouchons... (Orig. et Q.)

103. Var. en angélique... (Q.)

104. Var. quartiers d'orange... (Q.)

105. Var. on dit des gaudrioles... (Orig.)

106. « Le lendemain... » tout ce paragraphe est supprimé dans la *Revue de Paris*. C'est, en effet, un des passages dont le réquisitoire, au cours du procès, dénonça l'immoralité. (Cf. p. 332.)

107. Var. C'était lui, plutôt... (Q.)

108. *La Revue de Paris* supprime : « La première grossesse de sa femme. »

109. Var. Comme il eut peur que cette vue... (Q.)

110. Var. et dans un coin, par terre... (Orig. et Q.)

111. Var. une paire de houseaux encore couverte de boue... (Ms. et R. P.)

112. Var. tousser les malades... (Orig.)

113. Var. une haie d'épines... (Q. et D.)

114. Var. un piédestal en maçonnerie... (Q.)

115. Var. qui était la conjugale... (Orig. et Q.)

116. Var. d'autres choses encore où Charles n'aurait jamais soupçonné... (Ms. et R. P.)

117. *La Revue de Paris* supprima depuis : « Au lit... » jusqu'à : « Le haut de sa chemise entr'ouvert. »

118. Var. Vue de si près... (Q.)

119. Var. des couches de couleur successives... (Q.)

120. Var. elle continuait à lui parler... (Q.)

121. Var. il partait; et, sur la grande route... (Q.)

122. *La Revue de Paris* supprima toute la comparaison : « comme ceux qui mâchent... » Bouilhet avait insisté pour que Flaubert la maintînt : « tu ne peux pas finir, lui écrivait-il, comme harmonie sur le mot *bonheur*, la période serait tronquée et si tu ne trouves rien de mieux que les truffes, mieux vaut les laisser, en dépit de la délicatesse du sentiment, qualité inférieure à la beauté du style (les gens de goût rugissent !) » Le procureur impérial, lui aussi, au cours du procès, s'indigna de ce passage. (*Réquisitoire*, p. 332.)

123. Dans ce chapitre qui évoque la jeunesse d'Emma, Flaubert a transporté, ainsi qu'on en a fait la remarque, une partie des rêves de sa propre jeunesse. « S'il a si bien décrit les aspirations folles et vaincues de Mme Bovary, c'est parce qu'il fut *elle*, en homme, de

quinze à vingt-deux ans... Il avait comparé sa jeunesse aux cathédrales lancéolées et fulgurantes du xvᵉ siècle, et ses rêves à quelque chose de plus majestueux que des cardinaux empourprés. » (GÉRARD-GAILLY, *Les Fantômes de Trouville*, p. 136.)

124. VAR. dans de grands arbres... (Q.)

125. VAR. les délicatesses du cœur et les pompes de la cour. (Q.)

126. VAR. Elle jouait fort peu dans les récréations; ce qui lui valut l'estime de ses maîtresses, d'autant qu'elle comprenait bien le catéchisme, et que c'est elle qui répondait toujours... (Ms. et R. P.)

127. VAR. et c'était elle qui répondait toujours... (Q.)

128. VAR. le sacré-cœur... (Q.)

129. VAR. en marchant sous sa croix... (Q.)

130. Sur ce mysticisme de la jeunesse d'Emma, cf. la lettre de Flaubert (*Corresp.*, IV, 168), où il dit que sa première idée avait été de faire de son héroïne « une vierge, vivant au milieu de la province, vieillissant dans le chagrin et arrivant ainsi aux derniers états de mysticisme et de la passion *rêvée*. J'ai gardé de ce premier plan tout l'entourage... la couleur enfin... J'entrevoyais d'ailleurs dans l'exécution de ce premier plan de telles difficultés que je n'ai pas osé. »

131. « Quand elle allait à confesse... », passage dénoncé par le réquisitoire, à la fois comme un trait de perversité raffinée, et comme une offense à la religion. (Cf. p. 331.) L'avocat discute longuement cette accusation. (Cf. plaidoirie, p. 362-364 et 382.)

132. VAR. dans l'arrière-boutique obscure... (Orig. et Q.)

133. VAR. elle se serait peut-être ouverte aux envahissements... (Q.)

134. VAR. à la consommation de son cœur... (Q.)

135. VAR. plus sentimental qu'artistique... (Orig. et Q.) plus sentimental qu'artiste... (édit. de 1869). Sur cette variante intéressante, cf. le commentaire de Dumesnil et Demorest, *op. cit.*, p. 268.

136. VAR. une ancienne famille de gentilshommes ruinée... (Q.)

137. Sur les lectures d'Emma au couvent, cf. L. Degoumois, *Flaubert à l'école de Gœthe*, p. 51. L'auteur note l'analogie de cette éducation romanesque avec celle d'Ottilie dans les *Affinités électives*.

138. VAR. s'évanouissant dans les pavillons solitaires... (Q.)

139. « les imprudences de la note, » expression obscure, qui se retrouve dans toutes les éditions.

140. Les Keepsakes; Flaubert écrit à Louise Colet en mars 1852 : « Je viens de relire pour mon roman plusieurs livres d'enfant. Je suis à moitié fou, ce soir, de tout ce qui a passé aujourd'hui devant mes yeux, depuis de vieux Keepsakes jusqu'à des récits de naufrages et de flibustiers. J'ai retrouvé de vieilles gravures que j'avais coloriées à sept ou huit ans... Voilà deux jours que j'essaie d'entrer dans des

rêves de jeune fille et que je navigue pour cela dans les océans laiteux de la littérature à castels, troubadours à toques de velours à plumes blanches. » (*Corresp.*, II, 371.) Ces « auteurs inconnus », qui ont signé le plus souvent comtes ou vicomtes dans ces Keepsakes, s'appellent, par exemple, comtesse de Brady, comte de Ségur, vicomte de Marquessac, baron de Mortemart, duchesse d'Abrantès, marquis de Custines, comte de Rességuier, etc., dans le *Talisman* de 1832, ou dans le *Nouveau Keepsake français* de 1833. Dans ces mêmes recueils, les gravures d'après Lawrence, Davis, Wood, Devéria, etc. illustrent à merveille les rêveries d'Emma.

141. VAR. sous leurs chapeaux de paille ronds... (Q.)

142. VAR. qui passaient devant elle l'un après l'autre... (Orig. et Q.)

143. VAR. de se sentir, du premier coup, arrivée... (Q.)

144. VAR. échapper à leurs soins... (Q.)

145. VAR. les neuvaines et les sermons... (Q.)

146. Cette jeunesse d'Emma au couvent est à peine indiquée dans le premier scénario : « élevée au couvent à Rouen — souvenir de ses rêves quand elle repasse devant le couvent — nobles amies — toilette, piano. » Le second scénario n'est guère plus explicite : « éducation d'Emma élevée au couvent d'Ernemont avec les filles de gros bonnets : piano, dessin, broderie, etc... élégance native quoique maniérée et fausse souvent; pas artiste mais idéale, dessine mal, excelle dans la danse. »

147. VAR. les plus beaux jours de la vie... (Q.)

148. VAR. vers ce pays à noms sonores... (Q.)

149. VAR. et le bruit de la cascade... (Q.) Il y a dans cette phrase comme un écho du *Cor* romantique d'A. de Vigny.

150. VAR. aux énergies de la passion, à tous les mystères ? (Q.)

151. VAR. plus les doigts y couraient vite... (Q. C. et D.)

152. « les cordes frisaient... », expression obscure, qui se retrouve dans tous les textes. Ne faut-il pas lire, sur le manuscrit : « frémissaient ? »

153. Cette fugitive apparition du clerc d'huissier de Tostes semble comme une préfiguration du clerc de notaire d'Yonville, passant aussi sous les fenêtres d'Emma. (Cf. p. 91.)

154. VAR. elle trouvait moyen... (Q. C. et D.)

155. VAR. des rince-bouches... (Q.) — La *Revue de Paris* supprime la phrase : « servait renversés... pour le dessert. »

156. VAR. Il disait l'un après l'autre... (Orig. et Q.)

157. La *Revue de Paris* supprima le détail : « se couchait sur le dos... »

158. Dans une lettre à Bouilhet d'août 1854, Flaubert signale, pour s'en inquiéter, une analogie de situation entre son roman et un roman de Champfleury, *Madame d'Aigrizelles :* « un caractère de vieille fille

dévote, ennemie de l'héroïne (sa belle-sœur), comme dans la *Bovary*, madame Bovary mère ennemie de sa bru, et ce caractère dans Champfleury s'annonce très bien. » (*Corresp.*, IV, 65.)

159. VAR. d'après des théories... (Q. et C.)

160. VAR. elle lui récitait... (Q.)

161. VAR. incapable d'ailleurs de comprendre... (Orig. et Q.)

162. VAR. l'éternel jardin et la route poussiéreuse. (Q.)

163. Ce détail de la levrette se trouve déjà noté avec précision dans le deuxième scénario : « Une levrette qu'elle élève et qu'elle appelle Djali se promène avec elle dans les blés et va mordillonner les coquelicots. » Un familier de Flaubert, le docteur Fauvel, raconte qu'il voyait dans le cabinet du maître, à Croisset, « une grande chienne longue, qui se chauffait devant la cheminée, le museau allongé sur la pantoufle de feutre de l'écrivain; » cette chienne s'appelait Djali, en souvenir de celle d'Emma. (Cf. G. DUBOSC, *op. cit.*, 131).

164. VAR. se fixaient; et assise... (Q.) — se fixaient, et assise... (C.) — se fixaient et assise... (D.)

165. VAR. mon Dieu ! (Q. C. et D.)

166. VAR. embrassez maîtresse... (Orig. et Q.)

167. VAR. vous qui n'avez pas de chagrins ! (Q. et D.)

168. « un jour vert... » C'est sans doute à cette description que Flaubert fait allusion dans une lettre à Louise Colet de mai 1852 : « Sais-tu à quoi j'ai passé tout mon après-midi avant-hier ? A regarder la campagne par des verres de couleur; j'en avais besoin pour une page de ma *Bovary* qui, je crois, ne sera pas une des plus mauvaises. » (*Corresp.*, II, 412.)

169. VAR. tomba dans sa vie : elle fut invitée... (Q. et C.)

170. le marquis. Ce mot, comme beaucoup d'autres, — *vicomte suisse, aveugle, place, allée, troisième, assises, révolution, restauration, cour, jésuites, flèches, comices, industrie, agriculture, commerce, arts, beaux-arts,* — écrit avec une initiale minuscule dans le manuscrit, porte dans l'édition originale une majuscule, soit que Flaubert ait voulu donner de l'importance au mot, soit qu'il ait voulu désigner un personnage ou une chose symboliques, souligner le caractère emphatique d'un personnage ou d'une institution. (Cf. DUMESNIL et DEMOREST, *op. cit.*, p. 86.)

171. VAR. trouva sa taille jolie... (Orig. et Q.)

172. VAR. une boîte à chapeaux... (Q.)

173. VAR. comme l'on commençait à allumer les lampions... (Q.)

174. Pour tout ce chapitre du bal à la Vaubyessard, Flaubert se souvient d'un bal auquel il assista, quand il était encore collégien, au Héron, chez le marquis de Pomereu. Il a évoqué ce souvenir dans une de ses lettres d'Égypte à L. Bouilhet, en mars 1850. (*Corresp.*, II, 177.) Pourtant, quand il écrira cet épisode, il déclarera à Louise Colet :

« Il faut que je mette mon héroïne dans un bal. Il y a si longtemps que je n'en ai vu un que ça me demande de grands efforts d'imagination. Et puis, c'est si commun, c'est tellement dit partout ! Ce serait une merveille que d'éviter le vulgaire, et je veux l'éviter pourtant. » (*Corresp.*, II, 406.)

Sur cet épisode, le premier scénario porte seulement ces indications : « un commencement d'amour à un bal de château sans résultat — longue attente d'une passion et d'un événement qui n'arrive pas — l'année suivante on ne redonne pas de bal à la même époque. » Le second scénario ajoute des indications très précises sur le passage et le cadre : « Un bal d'automne dans un château, dans une vallée deux rivières, arbustes dans l'escalier — c'est un tourbillon qui lui passe sous le nez — elle s'en retourne dans le boc de son mari — silence — froid d'automne — coucher de soleil rouge au bas d'une côte, au détour d'une route — terrain sablonneux — les jeunes gens partis en chasse le matin passent à cheval au pas, ils s'en reviennent. »

175. VAR. syringas... (Q.)

176. VAR. à travers la brume... (Q.)

177. VAR. bâtiments à toits de chaume... (Q.)

178. VAR. en poussant leurs queues... (Q.)

179. VAR. le 23 janvier... (Q.)

180. VAR. On distinguait... (Q.)

181. VAR. au haut d'un mollet rebondi. (Q. et C.)

182. VAR. à voix traînante... (Orig. 1869 et Q.)

183. VAR. et les messieurs... (Q.)

184. VAR. dans les corbeilles à jour... (Q.)

185. VAR. des fumets montaient... (Q.)

186. VAR. cuillère... (Q.)

187. VAR. dans leurs verres... (Q. et D.)

188. La *Revue de Paris* a supprimé le détail : « laissant tomber de sa bouche des gouttes de sauce. »

189. VAR. à la cour... (Q.)

190. Ce passage suscita l'indignation de l'avocat impérial qui, dans son réquisitoire, proteste contre ce qu'il appelle un soupçon de l'histoire (cf. p. 332). Dans sa plaidoirie, Sénard s'étonne justement de cette indignation (p. 367).

191. VAR. Mais tu as perdu la tête, on se moquerait de toi (Q.).

192. VAR. Laisse-moi, dit-elle... (Q.)

193. VAR. et pour les domestiques en livrée... (Q.)

194. VAR. des mouvements légers du col... (Q.) — Cette émotion d'Emma à son premier bal inspire à Flaubert une curieuse réflexion quand il assiste lui-même pour la première fois à un bal aux Tuileries.

(Voir la lettre de juin 1867 à la princesse Mathilde, *Corresp.*, V, 313.)

195. VAR. lançait un éclat sonore, les pieds retombaient... (Q. C. et D.)

196. VAR. les jupes se bouffissaient... (Orig. et D.)

197. VAR. leurs favoris tombaient... (Q.)

198. VAR. d'où sortait une odeur douce. (Orig.)

199. VAR. la domination des choses... (Q.)

200. VAR. le maniement des chevaux... (Q.)

201. Tout ce passage a été sensiblement abrégé par Flaubert. Il a supprimé sur son manuscrit « les conversations des bourgeois dans le bal, » (lettre à Bouilhet du 1er juin 1856). « Les conversations des bourgeois au bal de la Vaubyessard sont un tissu de clichés, d'idées reçues, le marquis, du reste, y ajoutant sa bonne part de banalité et de faux jugements politiques ; toute cette longue scène est comme une première version de certains passages de l'*Education sentimentale* et surtout de *Bouvard et Pécuchet*. » (DUMESNIL et DEMOREST, *op. cit.*, 497, 499.)

202. VAR. les Caccine... (Q. et D.); la seule forme correcte est *Cascine*.

203. VAR. le Colysée... (Q. et D.)

204. VAR. et cassa deux vitres. Au bruit... (Q.)

205. VAR. la cuillère... (Q.)

206. VAR. avec des gelées autour... (Q.)

207. VAR. les voitures, l'une après l'autre... (Orig. et Q.)

208. VAR. En écartant le coin du rideau... (Q.)

209. VAR. le « Vicomte » (Q.); le vicomte (C.); — sur ces variations, cf. la note 170.

210. VAR. et dont le gilet... (Q.)

211. Sur cette description de la valse, cf. le réquisitoire, p. 332.

212. VAR. se collait au pantalon... (Q.)

213. La *Revue de Paris* supprima : « leurs jambes entraient l'une dans l'autre. »

214. VAR. Elle aspirait le vent humide... (Orig.)

215. VAR. bourdonnait à ses oreilles... (Q.)

216. VAR. Il y eut peu de monde à déjeuner. (Q.)

217. VAR. où des plantes bizarres... (Q. et D.)

218. VAR. de longs cordons entrelacés... (Q.)

219. VAR. en forme de corbeilles... (Q.)

220. VAR. trop larges pour lui; les guides molles... (Q.)

221. VAR. des trots ou du galop... (Q. et D.)

222. Var. Charles, donnant... (Q. et D.)

223. Var. tout brodé de soie verte... (Q.) Cf. p. 53 : « le porte-cigares en soie verte. »

224. Var. Elle lui avait tenu société... (Q.)

225. Var. le lendemain ! (Q.)

226. Var. comme eux. Au frottement... (Q.)

227. Var. j'y étais. » (Q.)

228. Cet épisode du porte-cigares, avec les rêveries qu'il provoque chez Emma, fait songer à la bourse d'*Un caprice* de Musset (1837). Dans son roman *Une histoire de soldat*, qui est une vengeance perfide contre Flaubert, Louise Colet a repris ce détail du porte-cigares offert par Caroline, qui représente Louise Colet elle-même, à Léonce, qui représente Flaubert. (Cf. Gérard-Gailly, *Les Véhémences de Louise Colet*, 129.)

229. Var. comment était-ce Paris ? (Q. et C.)

230. La *Revue de Paris* a supprimé : « jusque sur l'étiquette de ses pots de pommade. »

231. Var. s'amortissait sur la terre... (Q.)

232. Var. « Ils y seront demain, » se disait-elle. (Q.)

233. Var. Mais au bout d'une distance... (Orig. et Q.)

234. Var. sans rien passer... (Q.)

235. Var. aux débuts d'une chanteuse... (Q.)

236. Eugène Sue jouissait comme *dandy* et *fashionable* d'une réputation qui balançait ses grands succès de romancier. Dans *Les Mystères de Paris* (1842), il ne décrit pas seulement les bas-fonds populaires : les aventures du prince Rodolphe entraînent sans cesse le lecteur du boudoir de Mme de Lucenay au repaire de Bras-Rouge, des salons du noble faubourg aux cabarets de barrière.

237. Var. des descriptions d'ameublement... (Q.)

238. Var. plus vague que l'Océan... (Q. et C.)

239. Var. au bas de leurs jupons... (Q.)

240. La *Revue de Paris* a supprimé : « un lit monté sur une estrade. »

241. Var. Le garçon de la poste, chaque matin, qui venait... (Orig. et Q.)

242. Var. Nastasie (qui partit enfin de Tostes...) (Q.)

243. La *Revue de Paris* supprima tout le passage : « et comme Madame, d'habitude... après avoir fait sa prière. »

244. Var. Charles, à la neige et à la pluie... (Q.)

245. Var. écoutait les râles... (Q.)

246. « d'où venait cette odeur... » passage qui excite les sévérités pudibondes de l'avocat impérial. (Réquisitoire, p. 333.)

247. VAR. inspirait la confiance. (Q.)

248. VAR. dans les catarrhes et les maladies de poitrine. (Q.)

249. VAR. Ce n'était pas que la chirurgie... (Q.) Par cette phrase, Flaubert annonce, en quelque sorte, l'épisode essentiel de la seconde partie : l'opération d'Hippolyte.

250. VAR. dans les livres... (Q.)

251. VAR. une brochette de croix... (Q. et D.)

252. VAR. Chez les libraires... (Q.)

253. VAR. en avalant la soupe... (Q.)

254. VAR. il commençait à engraisser... (Orig. et Q.)

255. La *Revue de Paris* supprima : « il coupait au dessert... à chaque gorgée. »

256. VAR. et ce n'était pas, comme il le croyait, pour lui, mais pour elle-même... (Orig. et Q.)

257. VAR. se levant en sursaut... (Q.)

258. VAR. sans lettre ni visite. (Q.)

259. VAR. rien n'arriverait... (Orig. et Q.)

260. VAR. A quoi bon ! à quoi bon ! (Q. et D.)

261. VAR. « J'ai tout lu, » se disait-elle, et elle restait... (Q. et D.)

262. VAR. on sortait de l'église, les femmes... (Q.)

263. VAR. cinq à six hommes... (Orig. et Q.)

264. VAR. sur leurs deux tringles... (Q.)

265. VAR. femmes en turbans roses... (Q.)

266. VAR. tyroliens... (Q.)

267. La *Revue de Paris* supprima : « Tout en lançant contre la borne un long jet de salive brune. »

268. VAR. sous une grille de cuivre en arabesques. (Q.)

269. VAR. sa pensée, bondissant avec les notes... (Orig. et Q.)

270. VAR. la porte criant... (Orig. et Q.)

271. VAR. les pavés humides ! (Q.)

272. VAR. ne s'y refrotta plus... (Orig. et Q.)

273. VAR. qui gardent toujours sur l'âme... (Q.)

274. VAR. ou immorales, ce qui faisait ouvrir... (Q. et D.)

275. VAR. avec une abondance fébrile; puis à ces exaltations... (Orig.)

276. VAR. la cause de sa maladie était dans quelque influence... (Q.).

277. VAR. voir son ancien maître. Tous furent de son avis. C'était... (Ms.)

278. C'était une maladie nerveuse. On devait la changer d'air (Q.)

279. Dans une lettre à Bouilhet de décembre 1853, Flaubert porte le jugement suivant sur la première partie de son roman : « J'ai relu hier toute la première partie. Cela m'a paru maigre. Mais ça marche. Le pire de la chose est que les préparatifs psychologiques, pittoresques, grotesques, etc. qui précèdent, étant fort longs, *exigent*, je crois, un développement d'action qui soit en rapport avec eux. Il ne faut pas que le prologue emporte le récit (quelque déguisé et fondu que soit le récit), et j'aurai fort à faire pour établir une proportion à peu près égale entre les aventures et les pensées. (*Corresp.*, III, 394.)

280. Yonville-l'Abbaye : voir sur toute cette description la note 3. G. Dubosc (*op. cit.*, 141) pense que le nom d'Yonville, donné à Ry, est une réminiscence de cette vallée d'Yonville que Flaubert enfant côtoyait quand il allait de Rouen à la propriété de ses parents, à Déville. Toute la région où coule le ruisseau de Saint-Filleul portait alors ce nom : on disait la Croix d'Yonville, les sources d'Yonville.

281. VAR. de capucins... (Q. et D.)

282. Rapprocher cette description minutieuse des lieux de l'ouvrage de Mme Georgette Leblanc, *Un pèlerinage au pays de Madame Bovary.*

283. VAR. de physionomie distincte. Tout ce qui est à gauche... (Q.)

284. VAR. d'une raie blanche sinueuse... (Orig. et Q.)

285. VAR. des culs de bouteille... (Q.)

286. Sur le cimetière et l'église, cf. Georgette Leblanc, *op. cit.*, p. 23.

287. VAR. commence à se pourrir... (Q. et D.)

288. VAR. en bois de sape... (Orig. et Q.)

289. VAR. le soir... (Q.)

290. VAR. clartés de couleur; alors... (Q.)

291. VAR. feux du Bengale... (Q. et C.)

292. La *Revue de Paris* supprima les détails : « Robs dépuratifs, bandages. »

293. Sur le personnage de Homais, cf. la note 3. M. Gérard-Gailly, dans *Les Fantômes de Trouville* (p. 137), a montré toutes les observations que Flaubert avait pu recueillir au cours d'un séjour qu'il fit, en août 1853, chez un pharmacien, à Trouville.

294. VAR. agite encore au vent, ses deux banderoles... (Orig.)

295. Flaubert se plaint dans ses lettres du mal que lui a donné cette scène fameuse de l'auberge : « Je n'ai jamais de ma vie rien écrit de plus difficile que ce que je fais maintenant, du dialogue trivial ! cette scène d'auberge va peut-être me demander trois mois, je n'en sais rien, j'ai envie de pleurer par moments, tant je sens mon impuissance. Mais je crèverai plutôt que de l'escamoter... »

296. Var. crier les volailles, que la servante poursuivait... (Orig.)

297. Sur ce type immortel du pharmacien Homais, il est intéressant de citer le jugement d'Edmond About, anticlérical notoire;
il écrit à Flaubert : « Je vous ferai une observation sur Homais, que
je trouve un peu poussé à la charge... La discussion du pharmacien
et du curé dans la chambre mortuaire est superbe. Voilà la vraie
comédie : bravo Molière ! » (*Madame Bovary*, édit. Conard, p. 526.)

298. Var. reprit M. Homais... (Q.)

299. Var. allez, allez, monsieur Homais... (Q.)

300. Var. — L'attendre ! (Q.)

301. Suivant les éditions, toute cette conversation des personnages
est typographiquement incorporée au texte ou détachée du texte.
Cf. Dumesnil et Demorest, *op. cit.*, 551.

302. Var. un front chauve, qu'avait encore déprimé davantage...
(Orig.) Qu'avait encore déprimé l'habitude... (Q.)

303. Var. il avait chez lui, un tour... (Orig.)

304. Var. et il retira sa casquette comme d'usage. (Q.)

305. Var. qui lui useront la langue, dit le pharmacien dès qu'il
fut seul... (Q.)

306. Var. deux voyageurs en drap... (Q.)

307. Var. j'en pleurais de rire; eh bien. (Q. et D.)

308. Var. — Oui, dit le pharmacien. (Q.)

309. Var. — Des moyens ?... des moyens ?... (C.) — Des moyens !...
des moyens ! dans sa partie... (Q.)

310. Var. On en cite des traits dans les histoires ! (Q. et D.)

311. Var. la figure rubiconde... (Q. et C.)

312. Var. avec leurs chandelles. Voulez-vous prendre... (Q.)

313. Var. où l'on sonnait l'*Angélus*. (Q. et C.)

314. La *Revue de Paris* supprima toute la tirade du pharmacien
contre les curés. Bien entendu, c'est un des passages que visa le réquisitoire; mais Sénard, dans sa plaidoirie, en tira partie au contraire pour
définir la véritable pensée de Flaubert devant l'Église et les prêtres.
(Cf. p. 394.)

315. Var. vos filles en confesse... (Q. et C.)

316. Var. et leurs jongleries. (Q.)

317. Var. baiser les plats d'argent... (Q.)

318. Var. engraisser de ma poche, un tas de farceurs, qui se nourrissent.. (Orig.)

319. Var. mieux que nous. (Q.)

320. Var. au bout de trois jours; choses absurdes... (Q.)

321. Var. de la physique, ce qui nous démontre... (Q.)

322. Var. ne l'écoutait plus; elle tendait son oreille... (C.) ne l'écoutait plus. Elle tendait... (Q.)

323. Var. des bourriches; Hivert... (C.) des bourriches. Hivert... (Q.)

324. Var. Un accident l'avait retardé : la levrette... (Q.)

325. Var. On l'avait d'abord sifflée... (Orig.)

326. Var. M. L'Heureux... (Q. et D.)

327. Var. et on fut obligé... (Q.)

328. Var. rendre quelques services... (Q.)

329. Var. et les paupières même de ses yeux... (Q.)

330. Léon Dupuis : sur le personnage, cf. la note 3.

331. Var. espérant qu'il viendrait à l'auberge quelque voyageur... (Q.)

332. Var. Les jours en effet que sa besogne... (Orig.)

333. Var. le tête-à-tête de Binet ! (Q.)

334. Var. de peur des coryzas; puis, se tournant... (Q.)

335. Var. logements de paysan... (Q.)

336. « bien des préjugés à combattre. » Même sur ce point, Flaubert s'était documenté sérieusement, comme en témoigne ce passage de sa correspondance : « Je lis en ce moment pour ma *Bovary* un livre qui a eu au commencement de ce siècle assez de réputation : *Des erreurs et des préjugés répandus dans la société*, par Salgues... Ayant besoin de quelques préjugés pour le quart d'heure, je me suis mis à le feuilleter. » (*Corresp.*, III, 153, mars 1853.)

337. Var. entêtements de la routine... (Q. et C.)

338. Var. Fahreinheit... (Q.)

339. Var. pas davantage. (Q.)

340. Var. Avez-vous du moins, quelques promenades... (Orig.)

341. Var. répliqua Mme Bovary s'arrêtant de manger... (Orig. et Q.)

342. Var. paysages de montagne... (Q.)

343. Dans une lettre de juin 1853 à Louise Colet, Flaubert affirme qu'il a retrouvé sous la plume d'un rédacteur du *Pays*, Eugène Guinot, chargé de la *Revue de la semaine*, « en parlant de la Suisse, des phrases textuelles, à peu de chose près, » de Léon et d'Emma parlant de la poésie des montagnes. Il ajoute : « O bêtise humaine, te connais-je donc ? Il y a en effet si longtemps que je te contemple ! » (*Corresp.*, III, 243.)

344. Var. lui énumérait l'un après l'autre... (Orig. et Q.)

345. Var. donnait des renseignements. (Q. et D.)

346. Var. répliqua Léon. Quelle meilleure... (Q.)

347. Var. que la lampe brûle... (Q.)

348. Var. les heures passent; on se promène... (Q.)

349. Flaubert a élagué notablement son manuscrit, en ce qui concerne les prévenances et les offres aimables de Homais à Emma. Dans la version primitive, il l'engageait notamment à utiliser son établissement de bains, consistant en une cuve oblongue. Cette cuve et tout l'appareil étaient décrits longuement. (Cf. Dumesnil et Demorest, *op. cit.*, 501.)

350. Le journal dont Homais était correspondant s'appelait tout d'abord *le Journal de Rouen*, qui est le nom du journal le plus ancien et le plus connu de la ville. Sur la réclamation de Frédéric Baudry, qui craignit de voir ridiculiser ce quotidien estimé, Flaubert supprima ce titre, et, sur les conseils de Bouilhet, le remplaça par celui de *Fanal de Rouen*. Sur ce sujet, cf. *Corresp.* de Flaubert, IV, 129-130; V, 146; VIII, 85; *Madame Bovary*, édit. Conard, p. 484; Dumesnil et Demorest, *op. cit.*, 550. Clérembray, *op. cit.*, 7, 38.

351. Var. Yonville et alentours... (Orig. et Q.)

352. Var. Arthémise... (Q.)

353. Var. les assiettes l'une après l'autre... (Orig. et Q.)

354. Var. laissait la porte du billard entre-bâillée... (Q. et D.)

355. Var. La maison du médecin... (Q.)

356. Var. au clair de la lune... (C.)

357. Var. il ne trouva personne, que M. Binet... (Q. C. et D.)

358. A propos des enfants du pharmacien, Flaubert a renoncé à certains détails qu'il avait complaisamment développés dans la version primitive du roman. Il avait décrit en près de trois pages un « incroyable » jouet donné aux jeunes Homais, qui représentait tout un village, qui avait coûté 50 écus, et que M. Homais considérait comme une véritable pièce de musée. Flaubert décrivait aussi les rivalités des enfants pour la possession de ce jouet, précisant à ce propos le caractère de chacun des enfants et les carrières auxquelles le père les destinait selon leur tempérament. (Cf. Dumesnil et Demorest, *op. cit.*, 501.)

359. Var. Cependant le besoin... (Orig.)

360. Var. Article premier... (Q.)

361. Var. dans les corridors... (Orig. et Q.)

362. Var. Cependant le souvenir de cette admonestation... (Orig. Q. et D.)

363. Var. Elle ne s'amusa pas... (Q.)

364. Var. Galsuinte... (Q.)

365. Var. La mère Bovary se récria... (Q.)

366. La *Revue de Paris* supprima : « Napoléon représentait la gloire. »

367. VAR. la scène française; car ses convictions... (Q.)

368. VAR. Emma se souvint... (Q.)

369. Flaubert a supprimé sur son manuscrit quelques détails relatifs aux cadeaux de Homais. Au jujube, il avait ajouté du sucre candi retrouvé dans un placard ; en outre, le pharmacien, n'ayant pas voulu faire la dépense des dragées, expliquait dans une pédante tirade que ces bonbons sont malsains, irritent l'œsophage, causent des embarras d'intestin. (Cf. DUMESNIL et DEMOREST, *op. cit.*, p. 500.)

370. VAR. six boîtes de jujube... (Q.)

371. VAR. une barcarolle... (Q. C. et D.)

372. VAR. à galon d'argent... (Q.)

373. VAR. sur la Place... (Q. et D.)

374. VAR. des inquiétudes plus sérieuses ? (Q.)

375. La *Revue de Paris* supprima : « M. Bovary était homme à ne rien respecter. »

376. VAR. Rolet... (Q.)

377. Flaubert a rapproché cet épisode de son roman d'une scène analogue dans le *Médecin de campagne*, de Balzac, qui lui avait été signalée par sa mère. (*Corresp.*, III, 78.) Ailleurs, il signale l'analogie de cette visite chez la nourrice avec un chapitre du roman de Maxime Du Camp, *Le livre posthume* : « Je suis en train d'écrire une visite à une nourrice ; on va par un petit sentier et on revient par un autre ; je marche, comme tu le vois, sur les brisées du *Livre posthume*, mais je crois que le parallèle ne m'écrasera pas. Cela sent un peu mieux la campagne, le fumier et les couchettes que la page de notre ami. » (*Corresp.* III, 65.) G. Dubosc (*op. cit.*, 167) décrit encore avec précision le décor de cette scène rustique : le bord de l'eau, la planche aux vaches, les prairies, la chaumière de la mère Rollet, derrière l'église.

378. VAR. — Si ?... reprit Léon... (Q.)

379. VAR. Quelque pourceau sur un fumier, qui dormait au soleil, ou... (Orig.)

380. La *Revue de Paris* supprima : « Couvert de scrofules au visage. »

381. *Mathieu Laensberg*, almanach populaire, très répandu dans les campagnes par les colporteurs.

382. La *Revue de Paris* supprima : « Enfin, la dernière superfluité... clouaient au mur. »

383. VAR. un peu de savon lorsqu'il m'en faut. (Q. et D.)

384. VAR. Mᵐᵉ Bovary s'en alla donc... (Orig.)

385. VAR. j'en frotterais les pieds... (Q.)

386. VAR. des nénuphars... (Q. et D.)

387. VAR. la prairie, au delà, semblait vide. (Q.) au delà, tout autour, la prairie... (Orig.)

388. VAR. N'avaient-ils donc... (Q. et D.)

389. VAR. tous les deux. C'était comme un murmure... (Q. et D.)

390. VAR. et des favoris... (Q.)

391. VAR. Un genre roide et anglais... (Orig. Q. et D.)

392. VAR. pleurant aux catastrophes d'autrui... (Orig. Q. et D.)

393. VAR. et lui parlât chaque jour... (Q.)

394. VAR. Charles n'avait pas paru... (Q.)

395. VAR. cette ombre qui passait tout à coup. (Orig. et Q.) Sur cette apparition du clerc, cf. p. 39 et note 153.

396. VAR. Un défaut plus grave... (Q.)

397. VAR. avec leur dos... (Q.)

398. VAR. de trente et un... (Q.)

399. VAR. s'appâlissant... (Q. et D.)

400.. VAR. d'amour; mais le bruit des dominos... (Q.)

401. VAR. ils s'allongeaient devant le foyer... (Q.)

402. VAR. Léon lisait encore, et Emma l'écoutait... (Q.)

403. VAR. un beau buste phrénologique... (Q.) Noter que l'édition Quantin, p. 138, porte aussi : « Tête phrénologique. »

404. VAR. bien d'autres : jusqu'à lui faire... (Q. et D.)

405. VAR. plus souvent occupée. Car le dimanche... (Q. et D.)

406. VAR. un tapis de velours et laine... (Q.)

407. Sur l'amour naissant de Léon, Flaubert a supprimé dans cette page un assez long développement, dans lequel il semblait s'inspirer de ses propres souvenirs de jeunesse. On y voyait Léon baiser un gant d'Emma et chercher dans des aventures faciles l'oubli de sa passion décevante. MM. Dumesnil et Demorest ont souligné l'analogie entre cette page supprimée et certains passages de l'*Education sentimentale*, évidemment inspirés par la passion de Flaubert pour Mme Schlésinger. (*Op. cit.*, p. 499.)

408. VAR. pour savoir si elle aimait. (Q.)

409. VAR. une lézarde dans son mur. (Orig. et Q.) — Sur ce premier amour d'Emma, Flaubert a modifié plusieurs détails importants d'un scénario à l'autre, ou des scénarios au livre. Emma, dès cette époque, se donne à lui après avoir longtemps « résisté à elle-même ». Mais elle est vite déçue : « Calme. C'est tout comme avec son mari. — Lassitude de la nature molle de ce premier amant. » Le second scénario est beaucoup plus détaillé sur cet épisode; Flaubert, d'ailleurs, a renoncé à la plupart des détails qu'il avait notés, tels que les dîners du clerc chez les Bovary, le jardinage en commun, un baiser au coin

du feu, exprimé d'ailleurs en termes plus vifs. Ici aussi, l'auteur a insisté sur ce fait que « la nature » de l'amoureux est « pareille à celle de Charles », mais que le premier est « supérieur physiquement et moralement surtout comme éducation ». Flaubert a renoncé à faire succomber Emma, mais « elle en veut à son mari de lui avoir fait le sacrifice de l'amour d'un homme si supérieur, et il ne résulte de sa chasteté que la haine de son mari, et un état d'amour général, sans but; l'adultère en elle est d'autant plus fort qu'elle ne l'a pas pratiqué ».

410. VAR. que cette curiosité : un grand espace... (Q. et D.)

411. VAR. elle tourna la tête; Charles était là. (Q.)

412. VAR. enfoncée sur ses sourcils... (Q.)

413. VAR. quelque chose de stupide. Son dos même... (Q.)

414. VAR. le col de la chemise... (Q.)

415. VAR. il eût fallu un couteau. (Q.)

416. VAR. Qui donc? Mais, c'est moi ! (Q. et D.)

417. Sur le personnage de Lheureux, cf. la note 3.

418. VAR. comme leur poche ! (Q. et D.)

419. VAR. des plus rares; et il retira... (Q.)

420. VAR. nous ne sommes pas des juifs. (Q.)

421. VAR. qui passent avant. (Orig. et Q.)

422. VAR. Deux ou trois fois même elle répéta. (Q. et C.)

423. VAR. — Certes, répondit le clerc. (Q.)

424. VAR. la Sachette de *Notre-Dame*. (Orig. Q. et D.) Cette Sachette est en réalité Paquette-la-Chantefleurie, la mère de la petite Agnès, qui, dans le roman de V. Hugo, a été enlevée par des bohémiens et deviendra la Esmeralda.

425. VAR. l'on se sentait auprès d'elle... (Q.)

426. VAR. comme on frissonne... (Q.)

427. VAR. Emma palpitait au bruit de ses pas; en sa présence l'émotion tombait. (Q.)

428. VAR. Plus Emma... (Q.)

429. VAR. la consolaient un peu... (Q.)

430. Flaubert a supprimé ici une phrase où il comparait le cœur d'Emma d'où découle l'ennui de la vie, à une éponge que l'on promène sur un mur et qu'on tord ensuite avec acharnement.

431. La *Revue de Paris* supprima : « et comme l'ardillon pointu de cette courroie complexe qui la bouclait de tous côtés ! »

432. VAR. le laisser croire ! (Q. et D.)

433. VAR. la Guérinne... (Q.)

434. VAR. le pêcheur du Pôlet... (Q.)

435. Var. Après son mariage... (Q.)

436. Var. et qu'assise au bord... (Orig. et D.)

437. Sénard, dans sa plaidoirie, a utilisé ce passage pour montrer avec quel respect Flaubert exprime le sentiment religieux. (Cf. p. 382.)

438. Var. au delà tout autour... (Orig. Q et D.)

439. Var. plus pâle et transparente... (Q.)

440. Var. et la cloche sonnait toujours, continuant... (Q.)

441. Var. les capuçons roides des bonnes Sœurs... (Orig. et Q.)

442. Var. quand elle relevait la tête... (Q.)

443. Var. la saisit, elle se sentit molle... (Q.)

444. Var. pourvu qu'elle y absorbât son cœur... (Q. et D.) — pourvu qu'elle y absorbât son âme... (C.)

445. Var. n'était que pierre... (Q. et D.)

446. Var. je souffre !

447. Var. Riboudet ! (Q.)

448. Var. Je m'en vas te chauffer les oreilles... (Q.)

449. Mont-Riboudet, une des collines qui entourent Rouen, dans la direction de Déville et de Canteleu.

450. Var. qui en a ri. Il a daigné en rire... (Q. et D.)

451. Var. les deux personnes de la paroisse qui ont le plus à faire. (Q.)

452. Var. le bas Diauville (Q. et D.)

453. Var. Le curé, soudain... (Q.)

454. Var. sur le pavé du chœur... (Q.)

455. Var. — Allez ! dit-il,... (Q.)

456. Var. — Comment, qu'importe ? (Q.)

457. Var. — Vous vous trouvez gênée ! (Q.)

458. Var. vous me demandiez quelque chose. (Q.)

459. Var. faites excuse ! mais le devoir... (Q.)

460. Var. de son divin Fils. Bonne santé... (Q. et D.) Nous avons noté une curieuse analogie entre cette scène et une œuvre de jeunesse de Flaubert, *Agonies*. Cf. E. Maynial, *La Jeunesse de Flaubert*, 63.

461. Var. Les meubles à leurs places... (Q.)

462. Var. Le feu dans la cheminée venait de s'éteindre... (Q.)

463. Var. en l'écartant de la main. (Q.)

464. Var. Bientôt la petite fille... (Q.)

465. Var. du coude, et Berthe alla tomber... (Orig. Q. et D.)

466. Var. appela la servante à tue-tête... (Orig.)

467. Var. et il sortit pour aller chercher du diachylum. (ms.)

468. Var. En la contemplant dormir... (Q.)

469. Var. se dissipa par degré... (Q.)

470. Var. Berthe ne sanglotait plus. (Q.)

471. Var. Sa respiration soulevait... (Q.)

472. Flaubert a supprimé ici un passage où l'on voyait Homais essayant de tirer de Léon le secret de ses affaires de cœur et développant longuement ses idées « sur la nécessité que jeunesse se passe »; il disait ce qu'il entendait faire à ce propos pour son fils Napoléon et ne manquait pas de flétrir la perversion des séminaristes soumis à une sévère contrainte. (Cf. Dumesnil et Demorest, *op. cit.*, p 500-501.)

473. Var. répondait le clerc... (Q. et C.)

474. Var. d'aimer sans résultat. Puis il commençait... (Q.)

475. Var. tout bonhomme qu'il fût... (Orig. et Q.)

476. Var. Mais cette appréhension... (Orig. Q. et D.)

477. Var. l'engageait à aviser une autre étude... (Orig. Q. et D.)

478. Var. chercha une place... (Q.)

479. Var. et écrivit enfin... (Q. et D.)

480. Var. Il ne se hâta point cependant. (Orig. Q. et D.)

481. Var. jusqu'à ce qu'il reçut... (Q.)

482. Var. il voulut lui-même... (Q. C. et D.)

483. Var. tant il était hors d'aleine. (Q.)

484. Var. adieu, soupira-t-il. (Q. et D.)

485. Var. adieu; partez ! (Q. et D.)

486. Var. l'un vers l'autre; il tendit la main; elle hésita. (Q. et D.)

487. Var. Mme Bovary cependant avait ouvert... (Orig. et D.)

488. Var. Vous savez, les femmes ! un rien les trouble ! (Q.)

489. « Allons donc ! dit le pharmacien... » Dans les commentaires prudhommesques de M. Homais sur la vie de l'étudiant parisien, Flaubert a utilisé les propos d'un curé de Trouville, qu'il rapporte à Louise Colet en 1853. Mais ce souvenir était beaucoup plus ancien, puisque Flaubert l'avait déjà utilisé dans un passage de *Novembre*, œuvre de sa jeunesse (1842). Cf. sur cet épisode : E. Maynial, *Flaubert et son milieu*, p. 173-181, et Gérard-Gailly, *Les Fantômes de Trouville*, p. 32-33.

490. Var. dans le quartier latin... (Q. et D.)

491. Var. les mets des restaurateurs ! (Q. et D.)

492. Var.... plus vague; il était nombreux comme une foule, plein de luxe lui-même et d'irritations. Mais au souvenir de la vaisselle d'argent et des couteaux de nacre, elle n'avait pas tressailli si fort qu'en se rappelant le rire de sa voix et la rangée de ses dents blanches. Des conversations lui revenaient à la mémoire, plus mélodieuses et

plus pénétrantes que le chant des flûtes et que l'accord des cuivres; les regards qu'elle avait surpris lançaient des feux, comme les girandoles de cristal, et l'odeur de sa chevelure et la douceur de son haleine lui faisaient se gonfler la poitrine mieux qu'à la bouffée des serres chaudes et qu'au parfum des magnolias. Quoiqu'il fût... (Orig. Q. et D.) Le texte est le même dans les trois éditions, sauf : « et d'irritation... » (Q.); « des regards qu'elle avait surpris... » (Orig. et D.) — Sur cette importante suppression, cf. Dumesnil et Demorest (*op. cit.*, p. 217), qui citent un important commentaire d'E. Faguet : « Flaubert aura trouvé sans doute que ce parallèle continu entre Léon et la fête de Vaubyessard, quoique très brillant..., avait quelque chose de forcé. » (E. Faguet, *Propos littéraires*, III, 124.)

493. Var. quand il se présentait ? (Q. et D.)

494. Cette longue comparaison du steppe, venant après celle de la fête, que Flaubert a supprimée, fut l'objet d'hésitations et de scrupules de la part de l'écrivain. En juin 1853, il écrit à Louise Colet : « Je viens de sortir d'une *comparaison soutenue* qui a d'étendue près de deux pages... Peut-être est-ce trop pompeux pour la couleur générale du livre... Ma comparaison, du reste, est une ficelle, elle me sert de transition, et par là rentre donc dans le plan. » Bouilhet consulté conseilla la suppression de la première comparaison, — le bal, — et le maintien de la seconde, — le steppe, — parce que celle-ci a l'avantage de « mener à une transition, qu'il faudrait retrouver, en supprimant la comparaison ». (Cf. Flaubert, *Corresp.*, III, 232. — Dumesnil et Demorest, *op. cit.*, p. 218. — *Madame Bovary*, édit. Conard, p. 507.)

495. Var. et elle dépensa en un mois... (Q. et D.)

496. Var. blanche comme un linge... (Orig. et Q.)

497. Flaubert a supprimé ici une grande discussion de trois pages entre Homais et Mme Bovary mère sur le danger des lectures. Le pharmacien profitait de l'occasion pour exposer ses théories sur « le rapport entre le physique et le moral, entre la littérature, les beaux-arts et la physiologie; « puis il attaquait les néologismes qui envahissent la langue; enfin il évoquait les Italiennes et les Espagnoles, « toutes très religieuses et très voluptueuses, et cachant des poignards meurtriers dans leurs jarretières ». (Cf. Dumesnil et Demorest, *op. cit.*, 501.)

498. Var. les informations et compliments... (Q.)

499. Var. jour du marché... (Ms. et R. P.)

500. Var. passaient leur cou... (Q.)

501. Var. avec Félicité; et le prenant... (Q.)

502. M. Rodolphe Boulanger; sur ce personnage, cf. n. 3. Rodolphe est ainsi présenté dans le premier scénario : « Un second amant, 33 ans, homme d'expérience, brun, cassant, spirituel, — l'empoigne en blaguant et lui remue vigoureusement le tempérament — sans soin — apparente gaîté — c'est un homme archi-positif, chasseur en habits de velours,

rude, hâlé — énergique et viveur, se ruine peu à peu. — Positif lassé sensuel — il la démoralise en lui faisant voir la vie telle qu'elle est. » Le second scénario précise quelques détails du portrait : « 34 ans, carré — brun — un luron dans toutes les extensions du terme, homme d'esprit et d'expérience... — chasseur hâlé en velours vert — maquignon se ruinant petit à petit en chevaux et en voyages à Paris, entretient des actrices à Rouen, aime la table... » Flaubert a noté aussi le geste de Rodolphe en voyant Mme Bovary et les différentes étapes de la séduction d'Emma : la visite le jour du marché, les comices, les visites, la promenade à cheval. — M. P. L. Robert, qui a étudié de très près le personnage et l'épisode, a signalé d'intéressants rapprochements entre ce chapitre de *Madame Bovary* et des scènes analogues d'œuvres de jeunesse de Flaubert, *Passion et Vertu* (1837), *Novembre* (1842). Cf. P.-L. Robert, *Trois portraits normands*, p. 13, 29, 45. M. L. Degoumois a fait le même rapprochement. (*Flaubert à l'école de Gœthe*, p. 21.)

503. Var. Bovary commanda donc... (Q. C. et D.)

504. Var. *Guêtte...* (Orig.)

505. Var. aux cordons de la chemise... (Q.)

506. Var. Mme Bovary prit la cuvette. Pour la mettre sous la table, dans le mouvement... (Q. C. et D.)

507. Tout ce passage est relevé comme immoral dans le réquisitoire. (P. 334.)

508. Var. à exercer la pharmacie ! Car tu peux... (Q.)

509. Var. indispensable !... à la maison !... que je te porte ! (Q. et D.)

510. Var. que l'on chargeait. Elle leva vers lui des yeux tout pleins d'admiration. (Orig. Q. et D.)

511. Var. Et il regarda Emma... (Q.)

512. Var. Il en est fatigué sans doute. Il porte... (Orig.) — Elle en est fatiguée sans doute. Quel rustre ! Il porte... (Q. et D.)

513. Var. trop grosse ! (Q.)

514. Var. avec ses joies ! (Q.)

515. « Oh ! je l'aurai ! » A l'apparition du roman, Cuvillier-Fleury, dans un article d'ailleurs sévère, mais assez perspicace du *Journal des Débats* (26 mai 1857), a relevé ce passage comme un exemple caractéristique du réalisme de Flaubert : « Tel est le procédé de l'auteur. Il y met du sien le moins qu'il peut, ni imagination, ni émotion, ni morale. »

Au moment où commence la séduction d'Emma, signalons cette indication essentielle de Flaubert sur une note additionnelle au premier scénario : « De ses deux amants, la première chute est résistée et au bout d'une longue lutte avec elle-même surtout; la seconde est une surprise dans le bois... Il faut que la première chute comme couleur domine tout le reste de la passion; qu'il y en ait toujours dessus le reflet. » Pour comprendre cette indication, il est nécessaire de se rappeler que, selon le premier scénario, Emma s'était donnée à Léon avant de céder à Rodolphe.

516. Var. toutes sortes de tracasseries... (Q.)

517. Var. c'est le plus sûr ! (Q.)

518. Var. comices. (Q.) — Ce fameux chapitre des comices est un de ceux qui ont donné le plus de mal à Flaubert. Il y voyait avec raison un nœud essentiel de l'action : « c'était, écrit-il, un surpassage, il fallait amener insensiblement le lecteur de la psychologie à l'action sans qu'il s'en aperçoive ». Aussi a-t-il remanié sans cesse cette scène difficile et sa correspondance renferme à chaque instant l'aveu de ses scrupules : il se dit sûr des effets, mais il craint les longueurs; tous les personnages du roman sont mêlés à l'action et au dialogue; les imaginer et les faire parler, alors qu'ils lui répugnent profondément, lui est très pénible; « par là-dessus, un grand paysage qui les enveloppe... ce sera bien symphonique... » Par scrupule d'artiste, avant d'écrire la scène, Flaubert avait tenu à assister à un comice agricole. (*Corresp.*, III, 279, 283, 335, 359, 365, 369-370, 381.) Bouilhet se déclara parfaitement satisfait des comices « refaits, raccourcis et définitivement arrêtés ». (*Ibid.*, III, 372, 384.) Par contre, à la *Revue de Paris*, Maxime Du Camp estimait que toute cette partie était à refaire ou à supprimer. (Dumesnil et Dumorest, *op. cit.*, 544.) Il est à noter que cet épisode essentiel ne figure même pas dans le premier scénario et n'est indiqué dans le second qu'en ces termes : « seconde rencontre à un comice agricole qui serait suivi d'un dîner ». Signalons enfin qu'il n'y a jamais eu de comice agricole à Ry et que c'est celui de Darnétal que Flaubert a décrit. (Cf. R. Dumesnil, *Gustave Flaubert*, 351. Dr R. Brunon, *A propos de Madame Bovary*, I, 9; II, 8.,

519. Var. le buste si roide... (Q. C. et D.)

520. Var. là-bas ! (Q. et D.)

521. Var. Il faut connaître plutôt... (Q.)

522. Var. tous ses principes d'hygiène... (Q. et C.)

523. Var. posséder la botanique ! (Q. et D.)

524. Var. pouvoir discerner les plantes, entendez-vous, quelles sont... (Q. C. et D.)

525. Var. de les arracher par-ci, de les resemer par-là... (Q.) — de les arracher par-ci et de les ressemer par-là... (C. et D.)

526. Var. soixante-douze pages... (Q. et D.)

527. Var. les mailles épaisses de son tricot... (Orig. Q. et D.)

528. Var. ce gros homme, vous savez... (Q.)

529. Var. dans l'ovale élargi de sa capote... (Orig. et Q.)

530. Var. qui sait ? (Q. C. et D.)

531. Var. reprit Rodolphe... (Q.)

532. Var. Cependant le pré... (Orig. et Q.)

533. Var. les cultivateurs, l'un après l'autre... (Orig. Q. et D.)

534. Var. Des porcs assoupis... (Q. et D.)

535. Var. dit-elle, vous n'y pensez pas. (Q.)

536. Var. se dandinant sur leurs chaînettes... (Q.)

537. Var. le cliquetis des capucines se déroulant, sonna... (Orig.)

538. Var. à broderies d'argent... (Q.)

539. Var. les membres du jury tout autour... (Orig. et Q.)

540. La *Revue de Paris* supprima : « en écartant avec soin la fourche du pantalon... le cuir des fortes bottes. »

541. Var. et de riche comme nouveautés... (Q. et D.)

542. Var. que voulez-vous ? (Q. et D.)

543. Var. Quand il eut collationné... (Q.)

544. Dans ce discours, Flaubert se félicite d'avoir si bien reproduit le style officiel, qu'il prétend avoir retrouvé textuellement dans le *Journal de Rouen* une phrase de son discours, sous la plume du maire de Rouen haranguant le maréchal de Saint-Amand, ministre de la Guerre : « même idée, même mot, mêmes *assonances* de style. » (22 juil. 1853, *Corresp.*, III, 285.)

545. Var. tremblait de se voir réveillé... (Q.)

546. Var. toute de civilisation... et de moralité;... (Q.)

547. Var. Et il la regardait. (Q. et D.)

548. Le Conseiller lisait toujours... (Q.)

549. Var. mais cette intelligence profonde et modérée... (Q. et D.)

550. Var. de tout enfin ! (Q. et C.)

551. Var. énumérer l'un après l'autre... (Orig. et Q.)

552. Var. Il n'avait pas besoin de l'appeler, car... (Q.)

553. Var. son fils Napoléon entre ses jambes... (Q.)

554. Var. leurs mentons... (Q.)

555. Var. Néanmoins, son lieutenant... (Q.)

556. Var. On voyait les gens accoudés... (Q. C. et D.)

557. Var. et, levant la figure... (Q.)

558. La *Revue de Paris* supprima : « et même elle sentait... sa chevelure. »

559. Var. elle entre-ferma... (Q.)

560. Var. des races chevaline, bovine, ovine et porcine... (Q.)

561. Var. le vainqueur, en en sortant... (Q. et C.)

562. Var. se rassit; et alors M. Derozerais... (Orig. et Q.)

563. « Pourquoi nous sommes-nous connus ? » On a rapproché
ce passage des *Affinités électives* de Gœthe. (L. Degoumois, *op. cit.*,
p. 51.)

564. Var. soixante-dix francs... (Orig. Q. et D.)

565. Var. comme je resterai... (ms.)

566. Var. fronça le tapis sur la table... (Q.)

567. Var. cinquante-quatre ans de services... (Q.)

568. Var. Enfin ! y est-elle ? (Q. et D.)

569. Ce célèbre portrait de la vieille servante serait pris sur le vif,
d'après le témoignage de la nièce de Flaubert. M. Gérard-Gailly pense
que l'écrivain a dû se rappeler « une pauvre fille-mère, nommée Léonie,
dévouée comme un chien, qu'il connut au service de ses amis Barbey
de Trouville ». (*Les Fantômes de Trouville*, p. 196.)

570. Var. se ratatiner encore... (Orig. et Q.)

571. Var. d'un ton paterne... (Orig. et Q.)

572. Var. et on l'entendit qui marmottait... (Q. et C.)

573. Var. Mais la séance était finie... (Orig.)

574. Var. un panier plein de bouteilles... (Q.)

575. Var. Cependant les pièces pyrotechniques... (Orig. Q. et D.)

576. Var. Mais excusez ! (Q.)

577. Var. Peut-être vous ne feriez pas mal... (Q.)

578. Var. Et s'étant salué... (Q.)

579. Var. Deux jours après, il y avait dans le journal de Rouen...
(R. P.) Cf. la note 350.

580. On a établi l'analogie entre l'article de M. Homais et le discours
en vers prononcé par J.-A. Ancelot au nom de l'Académie française,
à l'inauguration de la statue de Bernardin de Saint-Pierre, au Havre,
le 9 août 1852 ; c'est l'époque à laquelle Flaubert préparait son chapitre.
(Cf. Gérard-Gailly, *L'unique passion de Flaubert*, p. 103 et suiv. —
R. Dumesnil, *Gustave Flaubert*, p. 351, n. 1.) Flaubert lui-même apprécie
en ces termes cet article : « Je ne suis pas mécontent de mon article
de Homais (indirect et avec citations). Il rehausse les comices et les
fait paraître plus courts parce qu'il les résume. » (*Corresp.*, III, 394.)

581. Var. sortes de patriarches... (Q. et D.)

582. Var. battre leur cœur... (Q.)

583. Var. décor d'Opéra... (Q. et C.)

584. Var. L'on y a seulement remarqué... (Q.)

585. Parvenu à cet endroit de son roman, Flaubert se préoccupait
beaucoup de la transition à ménager : « J'ai fait, je crois, écrivait-il,
un grand pas, à savoir, la transition *insensible* de la partie psycholo-

gique à la dramatique. Maintenant, je vais entrer dans l'action et mes passions vont être effectives. Je n'aurai plus autant de demi-teintes à ménager. Cela sera plus amusant, pour le lecteur du moins. » (*Corresp.*, III, 423.) Cf. aussi *ibid*... IV, 52.

586. VAR. — Monsieur, fit-elle... (Q.)

587. VAR. se laissa glisser... (Q.)

588. VAR. Rodolphe en offrit un... (Q.) — en offrit un; mais elle refusa... (Orig. Q. et D.)

589. VAR. et qu'ils comptaient sur sa complaisance... (Q. et C.)

590. VAR. Il avait mis de longues bottes... (Orig. et Q.)

591. Cette scène essentielle de la promenade à cheval n'est indiquée que dans le second scénario, mais avec des détails précis qui en donnent déjà la couleur et le mouvement : « Rodolphe la fait monter à cheval avec lui — dans bois d'automne — figure d'Emma rouge de vent — son voile accroché aux buissons — haletante de la course elle descend et est obligée de s'appuyer contre un tronc de chêne. » Flaubert écrivit ces pages dans un état de sensibilité exaltée, qu'il décrit ainsi dans une lettre à Louise Colet (nuit de vendredi, 2 heures, 23 décembre 1853) : « Je suis à leur promenade à cheval, en plein, au milieu; on sue et on a la gorge serrée. Tantôt à 6 heures, au moment où j'écrivais le mot attaque de nerfs, j'étais si emporté, je gueulais si fort et sentais si profondément ce que ma petite femme éprouvait, que j'ai eu peur moi-même d'en avoir une. Je me suis levé de ma table et j'ai ouvert la fenêtre pour me calmer. La tête me tournait... » — Ce chapitre est un de ceux qui excitèrent les sévérités du réquisitoire. (Cf. p. 334-335.)

592. VAR. Mais, à côté, sur la pelouse... (Orig.)

593. VAR. les chevaux poussaient devant eux, des pommes de pin, tombées... (Orig.)

594. VAR. les troncs des sapins alignés... (Q. et C.)

595. VAR. reprit-il, du courage ! (Q.)

596. VAR. Cent pas plus loin... (Q.)

597. VAR. en remuant avec la pointe de son pied, des copeaux, par terre... (Orig.)

598. VAR. des nénuphars... (Q. et D.)

599. VAR. je suis folle de vous entendre !

600. VAR. de l'habit. Elle renversa... (Q. et D.)

601. VAR. Dès qu'elle fut débarrassée... (Q.)

602. VAR. En s'apercevant dans la glace... (Q.)

603. VAR. et l'existence ordinaire... (Q. C. et D.)

604. VAR. N'avait-elle pas assez souffert ? (Q. et D.)

605. VAR. à queue d'aronde... (Q. C. et D.)

606. VAR. montait vers un corridor. (Q. et C.)

607. VAR. la clanche... (Q. et D.)

608. VAR. Quand la planche aux vaches... (Q.)

609. VAR. elle s'accrochait de sa main... (Q.)

610. VAR. une auréole de topazes... (Q. et C.)

611. VAR. et il la prenait sur son cœur. (Q. et C.)

612. VAR. Et enfin il déclara... (Orig.)

613. VAR. Peu à peu, cependant, ces craintes... (Orig.)

614. Voir dans la plaidoirie de Sénard le parti que l'avocat a tiré de ce passage, ainsi que de la p. 161, pour montrer chez Emma l'inquiétude, le dégoût naissant de l'amant (p. 371-372).

615. VAR. Il dépassait obliquement d'un petit tonneau... (Orig.)

616. VAR. entre les herbes, au rebord d'un fossé... (Orig. Q. et D.)

617. VAR. l'acide sulfurique ! (Q.)

618. VAR. — Acide de sucre ! fit le pharmacien dédaigneusement, je ne connais pas, j'ignore ! (Q.)

619. VAR. besoin *d'un mordant*... (Q. et D.)

620. VAR. la boîte à jujube... (Q. C. et D.)

621. VAR. Il emplissait... (Q. et D.)

622. VAR. c'est qu'il fait un peu chaud... (Q. et C.)

623. « Rodolphe avait un grand manteau... » Sur ces rendez-vous nocturnes, voir les commentaires de l'accusation et ceux de la défense (p. 335 et 371).

624. VAR. Cependant la vue... (Orig.)

625. VAR. un bruit de pas qui s'approchait. (Q. et D.)

626. VAR. On vient, dit-elle. (Q.)

627. VAR. lui avait fait un grand sermon... (Q.)

628. VAR. s'échanger des miniatures... (Orig.) Flaubert avait une préférence accusée pour la forme pronominale du verbe. Il y a peut-être ici un provincialisme. (Cf. DUMESNIL et DEMOREST, *op. cit.*, 215.)

629. VAR. Ce n'était pas de l'attachement, mais comme... (Orig. et Q.)

630. VAR. Et il y avait ici, un intervalle entre les lignes, comme si le bonhomme eût laissé tomber sa plume, pour rêver quelque temps. (Orig.)

631. VAR. un colporteur qui, voyageant cet hiver... (Q. et D.)

632. VAR. à tenir entre ses doigts, ce gros papier. (Orig.)

633. VAR. Elle se rappela les soirs d'été... (Q.)

634. VAR. comme des balles d'or, rebondissantes... (Orig.)

635. Var. les perdant ainsi le long de sa vie... (Q.)

636. Var. La petite fille se roulait alors... (Q. et D.)

637. « Amenez-la-moi ! dit sa mère... » Sur ces accès de tendresse d'Emma avec sa fille, voir un curieux passage d'une lettre où il répond à Louise Colet qui lui reprochait de ne rien comprendre aux sentiments : « Ton reproche est d'autant plus singulier que je fais un livre uniquement consacré à la peinture de ces sentiments que tu m'accuses de ne pas comprendre, et j'ai lu ta pièce de vers trois jours après avoir achevé un petit tableau où je représentais une mère caressant son enfant. » (*Corresp.*, IV, 63.)

638. Var. Puis, quand il revint... (Q.)

639. Var. de ne point remarquer... (Q. et C.)

640. « La cure des pieds bots... » Il est remarquable que cet épisode de l'opération du pied bot ne soit indiqué dans aucun des deux scénarios que nous possédons. La *Revue de Paris* le jugeait absolument inutile à l'économie du livre. (Dumesnil et Demorest, *op. cit.*, 544.) Mais Flaubert attachait à cet épisode une grande importance, et, avant de l'écrire, se documenta avec grand soin, selon son habitude : il consulta son frère Achille Flaubert, chirurgien à l'Hôtel-Dieu de Rouen, sur l'anatomie du pied et la pathologie des pieds bots. Il s'aperçut vite qu'il ignorait tout de la question. Il s'inquiétait aussi de la difficulté de « rendre littéraires et *gais* des détails techniques, tout en les gardant précis ». (*Corresp.*, III, 423.) Ailleurs, il parle des livres qu'il avait lus sur la question et des notes qu'il avait prises. On a établi que le livre dont il s'était surtout servi est le *Traité pratique du pied bot*, de Vincent Duval (Cf. Lambert, *La Source d'un chapitre de Madame Bovary*; Mercure de France, 1er juillet 1931.)

641. Var. qu'il ne fût habile... (Orig. Q. et D.)

642. Var. se trouveraient accrues ! (Q.)

643. Var. autrement dit torsion... (C. et D.) — autrement torsion... (Q.)

644. Var. par toutes sortes de raisonnements... (Q.)

645. Var. pour plaire aux femmes. Et le valet d'écurie... (Q. et D.)

646. Var. se prenait à sourire, lourdement. (Orig.)

647. Var. saprelotte ! ! ! (Q. et D.)

648. Var. tout le monde l'engageait, le sermonnait, lui faisait honte... (Q.)

649. Var. de fournir la machine où l'on devait enfermer son membre après l'opération. (Orig. et Q.)

650. Var. l'on voyait à côté... (Q.)

651. Var. pleine de causerie... (Q.)

652. Var. en tenant à sa main... (Orig.)

653. VAR. C'était la réclame qu'il destinait au journal de Rouen...
(R. P.)

654. VAR. la mère Lefrançois arriva... (Orig. Q. et D.)

655. VAR. semblait prête à se rompre... (Orig. et Q.)

656. VAR. on n'y avait pas pris garde... (Q.)

657. VAR. dans la salle de billard. (Q. et C.)

658. VAR. qui avaient tous guéri... (Q.)

659. VAR. d'un ton paterne... (Q. et C.)

660. VAR. de la sainte table ! (Q.)

661. VAR. tu n'en es pas encore là... (Q.)

662. VAR. parut réussir, car... (Q. et D.)

663. VAR. s'il se guérissait, à quoi M. Bournisien... (Q. et D.)

664. VAR. d'inconvénient. Deux précautions... (Q.)

665. VAR. Il était *la cause de tout*. (Q. et D.)

666. VAR. lui demanda si elle ne pouvait point... (Q.)

667. Sur le personnage du Dr Canivet et le ou les médecins qui
auraient pu servir de modèles à Flaubert, voir la discussion de Clérembray, *op. cit.*, p. 24, et R. DUMESNIL, *op. cit.*, 349.

668. VAR. de la capitale ! (Q. et D.)

669. VAR. nous n'imaginerions jamais d'opérer... (Orig. et Q.)

670. VAR. la grande rue... (Q. et D.)

671. VAR. L'apothicaire, en rougissant... (Q.)

672. VAR. Artémise... (Q.)

673. VAR. N'importe ! (Q. et D.)

674. VAR. une polémique s'ensuivrait ! (Q. et D.)

675. VAR. le regardait. Elle ne partageait pas son humiliation :
elle en éprouvait une autre. (Q.)

676. VAR. dans la chambre. (Q. C. et D.)

677. VAR. en sacrifices continuels ! (Q. et D.)

678. VAR. pour cet être ! pour cet homme ! qui ne comprenait
rien, qui ne sentait rien. (Q. et D.)

679. VAR. un valgus ! (Q. et D.)

680. VAR. Mais il se fit un bruit de pas... (Orig. Q. et D.)

681. VAR. faisait un signe à Justin... (Q. C. et D.)

682. VAR. et son existence affreuse ! (Q. et C.)

683. VAR. du mari, et plus elle se livrait à l'un... (Q. et D.)

684. VAR. de cet homme enfin qui possédait... (Q. et C.)

685. « Le coude sur la longue planche... » Ce passage est un des
exemples d'immoralité cités par le réquisitoire. (P. 333.)

686. Var. toutes ces affaires de femme... (Q.)

687. Var. pour la donner à Rodolphe... (Q. C. et D.)

688. Var. deux cent soixante-dix francs... (Orig. Q. et D.)

689. Var. Charles n'y pensera plus... (Q. et D.)

690. La devise : *Amor nel cor*. La même devise figurait sur un cachet offert par Louise Colet à Flaubert, à l'époque de leur liaison. (Cf. Gérard-Gailly, *Les Véhémences de Louise Colet*, p. 177.)

691. « Puis elle avait d'étranges idées. » Flaubert apprécie en ces termes ce qu'il appelle « la lune de miel de ses amants » : « J'écris présentement des choses fort amoureuses et extra-poétiques. Le difficile c'est de ne pas être *trop ardent*, en ayant peur de tomber dans le bleuâtre.» (*Corresp.*, IV, 47-48.)

692. La *Revue de Paris* supprima : « Tu n'en as pas aimé d'autres... enjolivant de calembours ses protestations. »

693. La *Revue de Paris* supprima : « et ta concubine ».

694. Var. Emma ressemblait à toutes ses maîtresses. (Ms.)

695. Var. de voluptés pour elle... (Q. et D.)

696. Var. Elle voulait partir... (Q.)

697. Var. Charles retourna donc... (Q. et C.)

698. Var. de l'appeler; déjà il avait disparu. (Q.)

699. Var. Bientôt il lui sembla... (Q.)

700. Var. console-toi, patiente ! (Q. et D.)

701. Var. en la regardant s'éloigner; car elle venait... (Q.)

702. Var. Hein ?... Est-ce possible !... (Q. et D.)

703. « Jamais Mme Bovary ne fut aussi belle... » Ce passage est dénoncé comme particulièrement immoral dans le réquisitoire (p. 336). — On rapprochera ce que dit ici Flaubert de la beauté d'Emma d'un passage des *Mémoires d'un fou*, œuvre de jeunesse, où l'écrivain évoque, comme dans la première *Éducation sentimentale* de 1845, la figure de Mme Schlésinger : « ces grands yeux de femme de trente ans, ces yeux longs, fermés, à grand sourcil noir, à la peau fauve fortement ombrée sous la paupière inférieure, regards langoureux, andalous,... ardents comme des flambeaux, doux comme du velours... »

704. Var. par gradations... (Q. C. et D.)

705. Var. pour ces longs regards... (Q.)

706. Var. de ses cheveux. Ils s'enroulaient... (Q. et D.). La *Revue de Paris* supprima : « ils s'enroulaient en une masse lourde... qui les déroulaient tous les jours... »

707. Var. aux premiers temps de leur mariage... (Orig. et Q.)

708. Var. de grands chapeaux de paille;... (Q. et D.)

709. « Elle faisait semblant d'être endormie... » Ici Flaubert sup-

prima sur son manuscrit quelques gestes timides de Charles se glissant dans le lit auprès d'Emma.

710. « Au galop de quatre chevaux... » Primitivement Flaubert avait décrit le soleil sur les cuirs de la capote, la poussière âcre de la route craquant sous les dents. Il supprima ces indications sur son manuscrit. — Manifestement, dans toute cette description, l'écrivain se souvient de ses propres impressions lors du voyage qu'il fit avec sa famille en avril 1845 en Italie, et notamment à Gênes.

711. Var. sonner les cloches, hennir les mulets... (Q.)

712. Var. qu'ils contemplaient. Sur l'immensité... (Q.)

713. Var. n'importe... (Q. C. et D.)

714. Var. prenez cela, vous vous paierez dessus. (Q.)

715. Var. aurait retenu les places... (Q. et C.)

716. « peut-être qu'elle n'y pensait pas. » Sur ces préparatifs de fuite, Clérembray (*op. cit.*, p. 65) apporte quelques précisions : « Le manteau avait été commandé dans un magasin en face de la pharmacie. Les malles étaient faites... mais le mari, prévenu, eut d'autant moins de mal à faire échouer le plan qu'au dernier moment Rodolphe recula. »

717. « La lune, toute ronde... » Ce passage lunaire est inspiré de celui que Flaubert avait à Croisset, sous le balcon de son cabinet de travail, et qu'il a plusieurs fois décrit. — Dans ce passage, Flaubert a supprimé un détail sur son manuscrit : Rodolphe écartant le peignoir d'Emma pour admirer au clair de lune la blanche poitrine de sa maîtresse.

718. Var. le parfum des syringas... (Q.)

719. Var. et projetait dans leur souvenir... (Q.)

720. Var. plus démesurées et mélancoliques... (Orig. et Q.)

721. Var. reprit Emma, et comme se parlant à elle-même : oui... (Q.)

722. Var. ...ou plutôt... non, c'est l'excès... (Q.)

723. Var. Il est encore le temps, s'écria-t-il... (Q.)

724. Var. tu t'en repentiras peut-être ?

725. Var. — Jamais ! fit-elle impétueusement, et se rapprochant... (Q.)

726. Var. éternellement ! Parle donc. (Q. et D.)

727. Var. l'hôtel de Provence... (Q. et D.)

728. Var. Mais il était déjà... (Orig.)

729. Var. lui réapparut... (Q.)

730. Var. la dépense ! (Q.)

731. Var. Alors, afin de ressaisir... (Orig. Q. et D.)

732. Var. une vague odeur de poussière humide... (Q.)

733. VAR. aussi varié... (Q.)

734. VAR. « Quel tas de blagues ! » ce qui résumait... (Q.)

735. VAR. « Du courage, Emma, du courage !... (Q.)

736. VAR. pauvre ange ! (Q.)

737. VAR. à des femmes pareilles ! (Q. C. et D.)

738. VAR. Oh ! mon Dieu ! Non ! non ! (Q.)

739. VAR. Ah ! si vous aviez été... (Orig. et Q.)

740. VAR. Ah ! n'importe, tant pis ! (Q.)

741. VAR. l'outrage peut-être ? (Q. et D.)

742. VAR. comme un talisman. (Q.)

743. VAR. à votre enfant : qu'il le redise... (Q.)

744. VAR. Il me semble que c'est tout ? (Q.)

745. VAR. ce n'est pas de ma faute. (Orig.)

746. VAR. Ah ! bah ! n'importe !

747. VAR. et s'alla coucher. (Q. et C.)

748. VAR. elle le considérait d'un œil hagard... (Q.)

749. VAR. il l'entourait de ses deux bras... et les battements de son cœur... (Q.)

750. VAR. elle ferma les yeux. Puis... sur sa manche ; c'était Félicité... (Q. et D.)

751. VAR. sur l'étagère, et Charles... (Orig.)

752. VAR. — Sens donc ! quelle odeur ! (Q. et D.)

753. VAR. le noyau des abricots... (Q.)

754. VAR. Cependant le pharmacien, au tumulte... (Orig et Q.)

755. VAR. disait Charles. Parle-nous ! (Q. et D.)

756. VAR. un peu maintenant, répondit... (Q.)

757. VAR. eussent occasionné la syncope ? (Q.)

758. VAR. que sous le rapport philosophique. (Q.)

759. VAR. Bois-Guillaume. (Q. et D.)

760. VAR. sous le prétexte d'attaquer... (Orig. et Q.)

761. « une fièvre cérébrale s'était déclarée. » M. L. Degoumois a rapproché cet épisode d'un épisode analogue du *Wilhelm Meister* de Gœthe.

762. VAR. sa première tartine de confiture. (Q. et D.)

763. VAR. et mit sa main devant ses yeux. (Orig. et Q.)

764. VAR. pour regarder. Elle regarda au loin... (Q.)

765. VAR. de grands feux d'herbes. (Q.)

766. VAR. la somme de mille soixante-dix francs... (Orig. Q. et D.)

767. Var. il cherchait, il imaginait... (Q.)

768. Var. qui cherchait des coffres sous la bâche... (Q.)

769. Var. des auvents, l'un après l'autre. (Orig. Q. et D.)

770. « Un jour qu'au plus fort de sa maladie... » Cette crise de mysticisme d'Emma se trouve indiquée en ces termes dans le second scénario : « Désespoir morne; elle rêve le suicide; maladie; peur de la mort, idées religieuses, ça se calme; elle revient à son mari. » Voir dans le réquisitoire et dans la plaidoirie (p. 337 et 383) la discussion sur ces pages, l'avocat impérial y trouvant une offense à la morale religieuse, le défenseur s'appuyant sur ce texte pour montrer au contraire le respect de Flaubert envers la religion.

771. Var. Sa chair allégée ne pesait plus... (Orig. Q. et D.)

772. Var. Les rideaux de son alcôve se bombaient mollement... (Orig. Q. et D.)

773. Var. aux ailes de flammes... (Q. et D.)

774. Var. Son âme, courbaturée d'orgueil... (Orig. Q. et D.)

775. Var. des bas bleus repentis. (Q.)

776. Var. *L'Introduction à la vie dévote* entre le *Pensez-y-bien* et *L'Homme du monde*... (Q. et D.) Sur les conseils de Bouilhet, Flaubert avait supprimé de la liste l'ouvrage célèbre de saint François de Sales.

777. Var. pour s'appliquer à n'importe quoi. (Q.)

778. Var. plus solennel et immobile... (Orig. et Q.)

779. Var. Mais une exhalaison... (Q. et D.)

780. La *Revue de Paris* supprima : « Dans les épanchements de l'adultère. »

781. Var. C'était pour aviver sa foi, pour faire venir la croyance. Aucune délectation... (Orig. et Q.)

782. La *Revue de Paris* supprima : « Elle disait à son enfant : — Ta colique est-elle passée, mon ange ? »

783. Var. ces empressements... ces timidités... (Q.)

784. Var. de lui voir manifester enfin... (Q.)

785. Var. au milieu *du bocage ;* car il appelait... (Orig.)

786. Var. l'eau de seltz... (Q.)

787. Var. Le cidre, pendant... (Q.)

788. Var. Oui ! on jouait... (Q. et D.)

789. Var. Mystères... (Q.)

790. Var. soit qu'ayant les mêmes idées... (Q. et D.)

791. Var. ils avaient tort ! dit Bournisien... (Q. et D.)

792. Var. — Monsieur ! ! ! reprit l'ecclésiastique... (Q. et D.)

793. Var. Il n'y resta que deux minutes... (Q.)

794. Var. par extraordinaire, Charles ne céda pas... (Q.)

795. Var. contraint à n'en pas bouger... (Q. et D.)

796. Var. jolie comme un amour ! (Q. et D.)

797. Var. à balcons de bois... (Q.)

798. Var. *Lucie de Lamermoor*... (Q.)

799. Var. épongeaient les fronts rouges... (Q.) La *Revue de Paris* supprima : « La sueur coulait dans les frisures... épongeaient des fronts rouges. '»

800. La *Revue de Paris* supprima : « Un peu plus bas... où l'on roule des barriques. »

801. Var. garda ses billets... (Orig. et Q.)

802. Var. entrèrent l'un après l'autre... (Orig. Q. et D.)

803. Var. dans les lectures de sa jeunesse... (Orig. et Q.)

804. Var. et comme des gazouillements d'oiseau. (Q. et D.)

805. Var. — Qu'importe ! (Q. et D.)

806. Var. Toutes ces velléités... (Q.)

807. Var. Il la regardait, c'était sûr ! (Orig. Q. et D.)

808. Var. partons ! à toi, à toi toutes mes ardeurs... (Q.)

809. Var. Le rideau s'abaissa... (Q.)

810. La *Revue de Paris* supprima : « Il eut grand'peine à regagner... et lui disant tout essouflé... »

811. Var. en lui disant tout essouflé... (Q.)

812. Var. — Léon ! (Q. et D.)

813. A propos de cette rentrée de Léon dans la vie d'Emma, les scénarios présentent avec le roman quelques différences essentielles. D'abord, dans les deux scénarios, il s'agit non d'un voyage à Rouen, mais d'un voyage à Paris. Dans le second scénario seul, il est dit qu'on « rencontre par hasard Léon au spectacle (à Paris); il est maintenant maître-clerc à Rouen ». Enfin, c'est à Yonville, et non à Rouen, qu'Emma se donne à Léon; les circonstances de la chute sont détaillées avec précision surtout dans le deuxième scénario : « Rentrée à Yonville; Léon a trois ans de plus, il a gagné quelque hardiesse, il veut ravoir Mme Bovary qu'il a maintenant sous la main et qu'il a ratée autrefois, elle l'excite plus que jamais; Emma expérimentée par une première déception et ramenée par vertu à son mari résiste longtemps; elle finit par céder cependant; un soir dans sa chambre sur ce même fauteuil où se donna la première et unique langue;... exquis, ému, fiévreux; délices d'Emma qui trouve enfin son rêve réalisé, pleure. »

814. Var. — Ah ! bonjour ! comment ! vous voilà ! (Q.)

815. Var. plus reculés. Elle se rappelait... (Q.) plus reculés; elle se rappelait... (C. et D.)

816. Var. Pourquoi Léon revenait-il ? (Q.)

817. La *Revue de Paris* supprima : « sous le souffle tiède... dans la chevelure. »

818. Var. — Oh ! mon Dieu... non ! pas beaucoup. (Q.)

819. Var. dit Bovary, elle a les cheveux dénoués... (Q.)

820. Var. M. Léon lui posa délicatement sur les épaules... (Q.)

821. Var. Il fut d'abord question de la maladie d'Emma, bien qu'elle interrompît... (Orig. et Q.)

822. Var. tous fredonnant ou braillant... (Orig. et Q.)

823. Var. qu'ils s'en allaient le lendemain. (Q.)

824. Var. Tout en étudiant son droit, M. Léon... (Q.) — Monsieur Léon, tout en étudiant... (C. et D.)

825. Var. la Chaumière, et obtenu même de fort jolis succès... (Q.)

826. Var. le premier du mois... (Q. et D.)

827. Var. tel qu'un fruit d'or... (Q. et D.)

828. Var. Il fallait, pensa-t-il... (Q.)

829. La *Revue de Paris* supprima : « Et la femme riche semble avoir... dans la doublure de son corset. »

830. Var. à son abord; mais elle lui fit... (Orig.)

831. Var. — Oh ! je m'imagine !... (Q.)

832. Var. de le tourmenter; car ils précisaient... (Q. et D.)

833. Var. et elle ne se souvenait plus sans doute... (Q.)

834. Var. — Si vous saviez... reprit-elle... (Q. et D.)

835. Var. — Et moi donc ? Oh !... (Q.)

836. Var. une existence inutile. (C.) une existence inutile ! (Q. et D.)

837. Var. de dévouement qu'il ne savait où assouvir. (Orig. et Q.)

838. Var. de ses yeux bleus, et tout son visage rayonna. (Q. et D.)

839. Var. de cette existence déjà lointaine... (Orig. Q. et D.)

840. Var. berceau de clématites... (Q.)

841. Var. et que j'apercevais vos deux bras nus... (Orig. Q. et D.)

842. Var. un bruissement dans leur tête... (Q. et D.)

843. Var. *La Tour de Nesles*, le célèbre drame d'A. Dumas (1832).

844. Var. avec une légende en bas... (Orig.)

845. Var. — Eh bien ! répondit-elle. (Q.)

846. Var. ... ne m'a jamais exprimé de sentiments pareils ? (Q.)

847. Var. et qu'il devait se tenir.. (Q.)

848. La *Revue de Paris* supprima : « Sa joue à l'épiderme suave... d'y porter ses lèvres. »

849. Var. Si vous saviez... écoutez-moi... vous ne m'avez donc pas compris, vous n'avez pas deviné... (Q.)

850. Var. — Eh bien ?... Elle s'arrêta... (Q. et D.)

851. Var. — J'y serai, s'écria-t-il en saisissant ses mains qu'elle dégagea; et comme ils se trouvaient debout...

852. Var. Je la lui donnerai moi-même, se dit-elle, quand il viendra. (Q. et D.)

853. Var. et chantonnant sur son balcon. (C. et Q.)

854. La *Revue de Paris* supprima : « fenêtre ouverte... et à plusieurs couches. »

855. Var. et se dirigea lestement... (C. et Q.)

856. Var. vers le parvis de Notre-Dame. (Q.)

857. Var. une compagnie d'oiseaux tourbillonnait... (Q.)

858. Var. sentait les fleurs... (Q. et D.)

859. Var. parmi les cantaloups.. (Q.)

860. Var. Le Suisse... (Q. et D.)

861. Var. au-dessous de Marianne dansant. (Q.) — Au tympan du portail Saint-Jean, parmi d'autres scènes empruntées à la vie de saint Jean le Précurseur, est sculptée *la Danse d'Hérodiade*, où l'on voit Salomé dansant sur les mains, au festin d'Hérode. Flaubert devait se souvenir aussi de ce motif en écrivant son conte d'*Hérodiade*. Le nom de *Marianne dansant* résulte d'une attribution populaire.

862. Var. le tour des bas-côtés. (Q.)

863. « La nef se mirait dans les bénitiers pleins. » Dans une œuvre de jeunesse intitulée *Smarh*, et qui est comme une première ébauche de *La Tentation de saint Antoine*, on retrouve une curieuse description de la cathédrale, qui est à rapprocher de celle de *Madame Bovary*. (Cf. E. Maynial, *La Jeunesse de Flaubert*, p. 57.) — En réalité, c'est à l'église Saint-Ouen, contre le pilier occidental, que se trouve un bénitier en marbre noir où se réfléchit tout l'intérieur de l'église.

864. Var. et quelques portions de vitrail; le reflet des peintures... (Q.)

865. Var. les regards qui la suivaient, avec sa robe à volants. (Q.)

866. Var. Elle ne venait pas. Cependant, il se plaça... (Q.)

867. Le vitrail où l'on voit des bateliers doit être celui de la chapelle Saint-Nicolas, consacrée à la confrérie des mariniers, dans le collatéral du Nord.

868. Var. ne tarda pas à s'ennuyer, car elle n'en finissait. (Ms. et orig.)

869. Var. L'éternel guide continua. (Q.)

870. Var. était ministre du roi Louis XII. (Q. et C.)

871. Var. qui nous l'ont réduite en cet état ! (Q.)

872. Var. Tenez ! voici la porte...

873. Var. La Flèche ! la Flèche ! (Q. et D.) On sait que la flèche primitive de la cathédrale de Rouen, celle du xvie siècle, fut détruite par un incendie en 1822. La flèche en fonte de fer, commencée en 1824, était en pleine construction au moment où Flaubert écrivait *Madame Bovary* ; le travail ne devait être achevé qu'en 1876. La hauteur indiquée par le suisse correspond à peu près à la hauteur réelle : 152 mètres.

874. « Et la lourde machine s'ébranla... » Tout cet épisode, jusqu'à la fin du chapitre, fut supprimé par la *Revue de Paris*. C'est cette suppression maladroite qui fut à l'origine du procès intenté à *Madame Bovary*, comme Sénard l'a établi dans sa plaidoirie. (Cf. son argumentation sur ce point, p. 357-360.) Bien entendu, le réquisitoire loue la *Revue de Paris* d'avoir fait cette suppression, tout en tirant perfidement parti de ce passage pour prouver l'immoralité du livre (p. 338). On remarquera le curieux rapprochement que Sénard a établi entre la scène du fiacre dans *Madame Bovary* et une scène analogue de P. Mérimée dans *La Double méprise*.

Il est à noter que la scène avait été supprimée par la *Revue de Paris* sans autorisation préalable de l'auteur; une note au bas de la page 45 de la revue signalait la coupure en ces termes : « La Direction s'est vue dans la nécessité de supprimer ici un passage qui ne pouvait convenir à la rédaction de la *Revue de Paris* ; nous en donnons acte à l'auteur. » Flaubert riposta par une lettre à Pichat, dans laquelle il refusait catégoriquement d'autoriser aucune suppression et demandant plutôt que l'on arrête la publication du roman. Plus tard, il déclara que « la note aigre-douce de la revue avait tiré l'œil de la censure et lui avait valu son procès. »

875. Var. emporter par la descente... (Q. et C.)

876. Var. sur le Cours... (Q. C. et D.)

877. Var. la grande Chaussée... (Q. et D.)

878. « derrière les jardins de l'hôpital, » cette vision d'hôpital est un souvenir des scènes que Flaubert, enfant, avait pu observer maintes fois à l'Hôtel-Dieu.

879. Var. où les vieillards en veste noire... (Q).

880. Var. et au Cimetière monumental ! (Q.)

881. « Il ne comprenait pas quelle fureur... » Cette psychologie du cocher rouennais provoqua les critiques d'Edmond About, qui, dans une lettre à Flaubert, trouve le personnage *trop effarouché et trop inintelligent*.

882. Var. trèfles rouges tout en fleurs. (Q.)

883. Var. Rien ne la forçait à partir... (Q.)

884. Var. Charles l'attendait... (Q.)

885. Var. parvint à attraper l'*Hirondelle*... (Q.)

886. Var. Madame ! il faut que... (Q.)

887. « C'était le moment des confitures. » Flaubert semble avoir attaché une certaine importance à ce détail, puisqu'il avait pris soin de le noter d'un mot sur la feuille annexée à son premier scénario : « Le pharmacien confident ; toujours en manches de chemise ; les confitures... »

888. Var. parmi des jarres brunes... (Orig. et Q.)

889. Var. dans le Capharnaüm... (Q.)

890. Var. Ce qu'il y a ! reprit l'apothicaire... (Q.)

891. Var. élaborées par ses mains... (Q. et D.)

892. Var. sur le banc des criminels ! en cour d'assises ! (Q. et D.

893. Var. et le pharmacien poursuivit... (Q.)

894. Var. les bontés que l'on a pour toi ! (Q.)

895. Var. comme l'océan... (Q. et D.)

896. Var. à me terriblement repentir... (Ms).

897. Var. Et des gravures ? (Q.)

898. Var. l'étincelle dans leurs cerveaux... (Q.)

899. Var. comme un homme ! (Q.)

900. Var. d'une attaque... (Q.)

901. Var. avec ménagements... (Q.)

902. Var. Le pharmacien avait médité... (Q. et D.)

903. Var. et de transitions... (Q.)

904. Var. et de délicatesses... (Q.)

905. Var. Il y a dedans certains côtés scientifiques... (Q.)

906. La *Revue de Paris* supprima : « Ce n'est pas que je désapprouve... que ton tempérament soit fait. »

907. Var. Charles, qui l'attendait, s'avançant les bras ouverts, lui dit...

908. Var. Au contact de ses lèvres... (Q.)

909. Var. elle se passa la main sur le visage... (Q.)

910. Var. Ma pauvre mère !... (Q.)

911. Var. nul, être un pauvre homme enfin... (Orig. et Q.)

912. Var. qu'il n'avait cru jusqu'alors aimer que médiocrement... (Ms.)

913. Var. sous le regret instructif... (Q. et D.)

914. La *Revue de Paris* supprima : « Tout s'effaçait... s'y tenait un moment suspendue. »

915. VAR. M. L'Heureux, marchand d'étoffes... (Orig. et Q.)

916. VAR. *couci-couça*... (Orig. et Q.)

917. VAR. — Mais vous savez bien... (Orig. et Q.)

918. VAR. pour vos petites fantaisies. (Q. et C.)

919. VAR. en agirait à sa guise. (Q.)

920. VAR. de la succession, si bien qu'un jour... (Q. et D.)

921. VAR. l'Hôtel de Boulogne... (Q. et D.) l'Hôtel de Bourgogne... (Ms).

922. La *Revue de Paris* supprima : « Volets fermés, portes closes,... qu'on leur apportait dès le matin. »

923. VAR. les roulades qu'il écoutait passer... (Q.)

924. VAR. et les deux yeux vers le ciel; parfois... (Q.)

925. VAR. que j'ai promenée l'autre jour ? (Q.)

926. VAR. un grand, bel homme... (Q.)

927. VAR. s'accrut si bien qu'un samedi matin... (Q.)

928. VAR. il se sentit cette délectation... (Orig. et Q.)

929. VAR. dans sa cuisine... (Q.)

930. VAR. comme avec l'autre. (Q.)

931. VAR. elle l'envoyait chercher; aussitôt il plantait là... (Q.)

932. VAR. sans y remarquer de différence... (Q. et C.)

933. VAR. qu'elle avait abandonné la musique et qu'elle ne pouvait... (Q.)

934. VAR. qu'il fallait mieux le vendre. (Orig.)

935. VAR. c'était pour Mme Bovary comme l'indéfinissable... (C.) — c'était comme l'indéfinissable... (Q.)

936. VAR. Mais les leçons, répliqua-t-elle, n'étaient profitables... (Q.)

937. « C'était le jeudi. » Les détails de ces voyages à Rouen sont réduits à l'extrême dans le premier scénario : « Voyages à Rouen jeudis, l'hôtel d'Angleterre — pluie — flambant. » Ils sont au contraire très minutieux dans le deuxième scénario : « Voyages à Rouen sous prétexte de leçons de piano ou d'acquisition — hôtel des Empereurs sur le port — balcon, petite chambre, lit en acajou éraillé avec des ornements de cuivre, rideaux bleus à fleurs blanches — atmosphère chaude et concentrée de sueur et de table, grand feu — avec Rodolphe elle était au second plan, elle était sa maîtresse, ici, c'est Léon plutôt qui est sa maîtresse, elle l'aime, elle, plus qu'il ne l'aime, elle est au-dessus de lui moralement — plaisir de l'amour flambant — mélancolie sur l'avenir de Léon : « tu te marieras, toi, tu auras une femme, etc. » —

ils se font faire une miniature (atroce) — Emma au lit — ses poses —
quand il était pâmé, elle le ranimait par de petits baisers multiples
sur les yeux — intérieur de la gondole, départ d'Yonville le matin
encore à la nuit, elle se levait dès 6 heures du matin pour s'habiller —
départ de Rouen noyée de... et de larmes, de cheveux et de champagne
— froids qu'elle a en sueur dans la gondole en revenant. » Remarquer
que Flaubert a varié plusieurs fois sur le choix de l'hôtel, mais a toujours choisi un hôtel sur le port.

938. Var. devant les fenêtres, elle regardait la place... (C.) —
devant les fenêtres ; elle regardait la Place... (Q.)

939. Var. encore au lit, dans leurs maisons... (Q.)

940. « Descendant tout en amphithéâtre... » Ce célèbre panorama
de Rouen, vu de la côte de Boisguillaume, est un des passages que
Flaubert a le plus travaillés : il l'a corrigé, refait sans cesse, et surtout
resserré et condensé. La description primitive qui occupait une page
tout entière, après six corrections successives, ne tient plus qu'une
quinzaine de lignes. (Cf. A. Albalat, *Le travail du style enseigné par
les corrections manuscrites des grands écrivains.*)

941. Var. les trois chevaux galopaient, les pierres grinçaient...
(Q. C. et D.)

942. La *Revue de Paris* supprima : « C'est le quartier... et des filles. »

943. Var. versaient du sable sur les dalles... (Q.)

944. Var. lévantine rouge... (Q. et D.)

945. Var. se cintraient trop bas vers le chevet évasé... (Q.)

946. La *Revue de Paris* supprima : « Le lit était un grand lit... en se
cachant la figure dans les mains. »

947. Toute cette page est citée dans le réquisitoire comme exemple
de « peinture lascive » (p. 339). — Dans *Novembre*, œuvre de sa jeunesse
(p. 202), Flaubert avait déjà décrit une chambre analogue. (Cf. E.
Maynial, *La Jeunesse de Flaubert*, 65.)

948. Var. pendait en l'air, — la mignarde chaussure... (Q.)

949. Var. Il savourait pour la première fois, — et dans l'exercice
de l'amour, — l'inexprimable délicatesse... » (Ms. et R. P.)

950. Var. elle était par-dessus tout l'Ange ! Souvent... (Q. et D.)

951. Var. les deux coudes sur ses genoux... (Q. et C.)

952. La *Revue de Paris* supprima : « Elle allait rue de la Comédie...
des billets pour le bal masqué. »

953. Var. appelait Léon, lui envoyait des paroles... (Q.)

954. « Il y avait dans la côte un pauvre diable... » D'après G. Dubosc
(*op. cit.*, p. 141), certains traits du mendiant aveugle se rapporteraient
à un mendiant qui se tenait ordinairement sur la route de Déville,
près de Rouen, et que Flaubert enfant avait pu observer quand il

allait en été à la propriété de ses parents. Le choix et les caractéristiques
de ce personnage épisodique furent l'objet de longues discussions
entre Flaubert et son ami Bouilhet. Celui-ci déconseilla à son ami
de choisir, pour son mendiant, un idiot ou un cul-de-jatte, à cause de
précédents littéraires. « Il faut un grand gaillard avec un chancre sous
le nez, ou bien un individu avec un moignon nu et sanguinolent.
(Voir la suite de la discussion dans *Madame Bovary*, édit. Conard,
p. 491.)

955. VAR. deux orbites béants tout ensanglantés. (Q. et D.)

956. La *Revue de Paris* supprima : « La chair s'effiloquait... sur le
bord de la plaie vive. »

957. VAR. au branle de la voiture; le reflet de la lanterne... (Q.)

958. La *Revue de Paris* supprima : « et se sentait de plus en plus froid...
avec la mort dans l'âme. »

959. VAR. Son amour, à lui, cachait une ardeur charnelle sous des
expansions... (Ms.)

960. La *Revue de Paris* supprima : « protestant sur la tête de sa fille
qu'il ne s'était rien passé. »

961. VAR. quantité de ses extravagances, telles que l'envie... (Q.)

962. VAR. elle répliqua d'un air tout naturel... (Orig. et Q.)

963. VAR. elle aura oublié mon nom ? (C.) — mon nom. (Q. et D.)

964. VAR. son établissement; aussi, le soir... (Q. et D.)

965. VAR. faisait merveille à la cathédrale... (Q.)

966. VAR. près Aumale... (Orig.)

967. VAR. l'espoir d'en trouver; elle demanda comment faire...
(Q.)

968. VAR. Franchement, ajouta-t-il, c'était bien payé... (Orig.
et Q.)

969. VAR. attendit impatiemment le retour de sa femme... (Orig.
et Q.). La correction de Flaubert est heureuse; *patiemment* est inattendu, mais « la combinaison de *bouleversé* et de *patiemment* caractérise
merveilleusement Charles ». (Cf. DUMESNIL et DEMOREST, *op. cit.*,
p. 268.)

970. VAR. connue que beaucoup plus tard... (Orig. et Q.)

971. VAR. des *flaflas !* (Q. et D.)

972. « c'étaient des gestes », l'expression est relevée par G. Dubosc,
comme un normandisme caractéristique. (*Op. cit.*, 172.)

973. VAR. pour avoir manqué de confiance. Il fallut... (Q. et D.)

974. VAR. Emma tressaillait à l'idée soudaine... (Q. et D.)

975. VAR. à savoir que son patron... (Q. et D.)

976. VAR. Elle avait des paroles tendres qui lui enflammaient la

chair avec des baisers dévorateurs qui lui emportaient l'âme. (Ms.)

977. VAR. le grand *Café de Normandie* (C.) — le grand café de Normandie... (Q. et D.)

978. VAR. dans toutes sortes de conjectures... (Q.)

979. La *Revue de Paris* supprima : « Ce qui le séduisait par-dessus tout... ne détestait pas *le morceau*. »

980. La *Revue de Paris* supprima : « elles ont plus de tempérament. . C'est un goût d'artiste, dit Homais. »

981. VAR. ce n'était pas de sa faute... (Orig. et Q.)

982. La *Revue de Paris* supprima : « de concupiscence. »

983. VAR. avertissant monsieur... (Q.)

984. VAR. de l'eau de Seltz. (Q.) — M. Gérard-Gailly a retrouvé les traces d'un séjour de Flaubert, en 1853, chez un pharmacien de Trouville, dont une des spécialités était de fabriquer de l'eau de Seltz. (Cf. *Les Fantômes de Trouville*, p. 137.)

985. VAR. d'extraordinaire. Mais cette déception... (Orig.)

986. VAR. plus enflammée, plus haletante, plus avide... (Ms.)

987. « Elle se déshabillait brutalement... » Voir la bataille livrée autour de ce passage par le procureur impérial et par l'avocat, au cours du procès (p. 340, 374 et 380) le réquisitoire reconnaissant « une peinture admirable sous le rapport du talent », la défense soutenant qu'il n'y a rien de lascif dans cette peinture.

988. La *Revue de Paris* supprima : « et Emma revenait à lui... ...avec un long frisson. »

989. VAR. Il n'osait lui faire de questions... (Q.)

990. La *Revue de Paris* supprima : « puis, au craquement de ses bottines... à la vue des liqueurs fortes. »

991. « Un jour qu'ils s'étaient quittés de bonne heure... » Voir le parti que la défense a tiré de ce passage, p. 375.

992. VAR. que l'irréalisable envie... (Q.)

993. VAR. peut se tenir dans une minute... (Orig. et Q.). — Le goût de Flaubert pour la forme pronominale du verbe est une des caractéristiques de son style. (Cf. *s'échanger*, note 628.)

994. « C'était un billet de sept cents francs... » Le 28 juin 1855, Flaubert écrit à Louis Bouilhet : « A propos d'argent, je suis empêtré dans des explications de billets, d'escompte, etc. que je ne comprends pas trop. J'arrange tout cela en dialogue rythmé, miséricorde ! » (*Corresp.*, IV, 79; cf. *ibid.*, 86.)

995. VAR. Eh bien, reprit Emma... (Q.)

996. VAR. sans souffler un mot. (Orig.)

997. VAR. que va-t-il arriver, maintenant ? reprit-elle... (C. et Q.)

998. Var. le 3 août, 200 francs... au 17 juin, 150 francs... 23 mars, 46... en avril... (Q.)

999. Var. un de 700 francs, un autre de 300 francs... (Q.) — un de 700 francs, un autre de 300 ! (D.)

1000. Var. et certifié bon teint... (Q.)

1001. Var. elle brocantait des babioles... (Q. et C.)

1002. « Il prenait la petite Berthe sur ses genoux... » Flaubert a indiqué dans le deuxième scénario ces soins matériels de Charles Bovary : « Elle néglige son enfant — c'est Charles qui est obligé de s'en occuper, qui la couche quand sa mère n'est pas là — il concentre toute expansivité sur elle — tristesse d'âme — il tousse de temps à autre. »

1003. Var. Mais l'enfant, qui n'étudiait jamais... (Q. et D.)

1004. Var. des troënes... (Q.)

1005. Var. Tu sais bien, ma petite, qu'elle ne veut pas... (Orig. Q. et D.)

1006. Var. Quand donc cela finirait-il ! (Q.)

1007. « Madame était dans sa chambre... » Cette page est ainsi annoncée dans le premier scénario : « Désespoir de la sensualité du confortable non assouvie — le besoin d'un bien-être général est développé par l'amour heureux — (le désintéressement de la matière n'est qu'au commencement des passions), auquel se vient joindre le besoin poétique du luxe — vie pécheresse, lecture de romans (au point de vue de la sensualité imaginative), dépenses — les mémoires de fournisseurs ! — Vide de cœur pour son amant à mesure que les sens se développent — vertige — elle ne peut pourtant aimer son mari. » Ces indications sont en partie répétées dans le second scénario, mais avec des traits complémentaires : « L'habitude de — la rend sensuelle — elle jouit de tout, parfums, fleurs, nourriture, vin — elle fait longuement sa toilette — elle frémit de volupté en sentant lorsqu'elle se peigne ses cheveux tomber sur ses épaules — Elle ne porte plus que de la batiste... — rage de la dépense — gâchage déguisé — vie pécheresse — le besoin du mensonge se développe en elle — dans sa passion avec Rodolphe elle faisait lit à part — maintenant elle refait lit en commun — accapare l'argent des clients, fournisseurs. »

1008. Var. pour ne pas avoir la nuit, contre sa chair, cet homme... (Ms.) — La *Revue de Paris* supprima : « cet homme étendu qui dormait. »

1009. Var. toute en désir... (Q.)

1010. Var. à Me Dubocage... (Q. et D.)

1011. Var. de n'avoir pas tenu à sa parole... (Orig. et Q.)

1012. « les platitudes du mariage. » Cette expression fut l'objet d'une attaque passionnée de la part de l'avocat impérial. (Cf. Réquisitoire, p. 340. Voir aussi l'habile défense de Sénard, p. 377.) Il est à noter que Flaubert avait d'abord écrit : « toutes les platitudes de *son mariage* » (édit. orig.), ce qui réduirait presque à néant l'argumentation de l'accusation publique. « En préparant ses corrections pour l'édition de 1862, Flaubert avait d'abord rétabli le *du*, mais Bouilhet lui écrit : « Tu as rétabli *les platitudes du mariage*, moi j'aime ça parbleu ! mais est-ce bien prudent ? tu attaques la société par une de ses bases — tu reliras avec soin ton édition corrigée, prends garde — tu vas rire — mais je dois te dire tout ce qui me passe par la cervelle. » Flaubert l'écoute, et laisse le texte tel quel, dans cette édition et dans celle de 1869, pour rétablir le *du* dans l'édition de 1873. » DUMESNIL et DUMOREST, *op. cit.*, p. 308.)

1013. VAR. Comment pouvoir s'en débarrasser ? (Q.)

1014. VAR. elle y tenait encore par habitude... (Q.)

1015. VAR. débardeuses et matelots... (Q. et C.)

1016. VAR. une rue découverte qui domine des jardins... (Q.) — une rue découverte qui dominait des jardins... (C. et D.)

1017. VAR. *En vertu de la grosse...* tout le texte du jugement est en italique dans Q. et D.

1018. VAR. c'était l'exagération même de la somme... (Q. C et D.)

1019. VAR. en la saluant ironiquement. (Q. et C.)

1020. VAR. elle appuya sa main, sa jolie main... (Orig. et Q.)

1021. VAR. le reçu de dix-huit cents francs... (Q. et C.)

1022. VAR. ce pauvre cher homme ! (Q. et D.)

1023. VAR. je lui montrerais bien... je lui montrerais bien... (Q.)

1024. « Elle fut stoïque... » C'est en pensant à ces souffrances d'Emma que Flaubert écrivit la phrase fameuse : « Ma pauvre Bovary, sans doute, souffre et pleure dans vingt villages de France à la fois, à cette heure même. » (*Corresp.*, III, 291.)

1025. VAR. Mᵉ Hareng... (Q. et D.)

1026. « Ils commencèrent par le cabinet de Bovary... » Sur ce procès-verbal de la saisie et sur la vente (p. 318 du roman), cf. Clérembray, *op. cit.*, p. 50. L'inventaire du mobilier du ménage Delamare rappelle par plus d'un détail celui des époux Bovary.

1027. VAR. qui se posait sur les pages... (Orig. et Q.)

1028. VAR. qui jura de se tenir tranquille. (Orig. et Q.)

1029. VAR. un regard plein d'angoisses... (Q.)

1030. VAR. On marche là-haut ! (Q. et D.)

1031. VAR. restée ouverte et que le vent remue... (Q.)

1032. VAR. dont elle connaissait les noms. (Q. et D.)

1033. VAR. tous la refusèrent. (Q.)

1034. VAR. On n'ouvrit point. (Q.)

1035. VAR. n'aimait point à ce que l'on reçut... (Orig. et Q.)

1036. VAR. ton bonhomme se calmerait ? (Q.)

1037. VAR. Oh ! tâche ! je t'aimerai bien ! (Orig. et Q.)

1038. VAR. chez trois personnes inutilement ! (Q.) — chez trois personnes, inutilement. (C.)

1039. VAR. Une hardiesse infernale s'irradiait de ses prunelles... (Orig. et Q.)

1040. VAR. Adieu. (Q. et D.)

1041. VAR. le Suisse. (Q. et D.)

1042. VAR. et pleine d'espérances... (Q. C. et D.)

1043. VAR. prête à défaillir. (Orig. et Q.)

1044. « six *cheminots* pour son épouse. » Flaubert écrit à son ami L. Bouilhet : « Il faut à toute force que les cheminots trouvent leur place dans la *Bovary*. Mon livre serait incomplet sans lesdits turbans alimentaires, puisque j'ai la prétention de peindre Rouen. C'est bien le cas de dire :

> *D'un pinceau délicat l'artifice agréable*
> *Du plus hideux objet, etc.*

Je m'arrangerai pour que Homais raffole de cheminots. Ce sera un des motifs secrets de son voyage à Rouen et d'ailleurs sa seule faiblesse humaine. Il s'en donnera une bosse chez un ami de la rue Saint-Gervais. N'aie pas peur ! ils seront de la rue Massacre et on les fera cuire dans un poêle, dont on ouvrira la porte avec une règle. » (*Corresp.*, IV, 72.)

1045. VAR. croyant voir sur leur table... (Orig.) — sur leurs tables... (Q.) Flaubert a changé *leur* en *la*, dans l'édition de 1869, pour éviter le rapprochement de *leur* avec la *lueur des torches*.

1046. VAR. *chaircuiteries*... (Orig. et Q.)

1047. VAR. Le progrès... à pas de tortue; (Q. et D.)

1048. « une affection scrofuleuse. » Voir dans *Madame Bovary*, édition Conard, p. 491, les conseils que donne Bouilhet à Flaubert sur l'affection scrofuleuse de l'aveugle et la consultation bouffonne du pharmacien. C'est à Bouilhet que Flaubert doit l'idée du bon régime, du bon vin, des viandes rôties, de s'abstenir de farineux, de laitage, de s'exposer à la fumée des baies de genièvre. « Je crois que ces conseils donnés par un gros homme à ce misérable crève-la-faim seraient d'un effet poignant. »

1049. VAR. Mais alors l'apothicaire... (Orig. et Q.)

1050. VAR. M. Homais près des halles... (Orig. et Q.)

1051. VAR. et qui déchira l'affiche... (Orig. Q. et D.)

1052. VAR. que tout son mobilier était à vendre ! (Q.)

1053. VAR. et dans des cadres de bois noir. (C. et Q.)

1054. VAR. jusqu'au jour enfin où... (Q.)

1055. VAR. de récriminations contre Lheureux, auxquelles... (Orig. et Q.)

1056. VAR. sa cravate bleu ciel... (Orig. et Q.)

1057. VAR. deux épingles de diamant... (Q. et D.)

1058. VAR. il la laissa se dévorer... (Q.)

1059. La *Revue de Paris* supprima : « Il tendit sa main... Cet homme la gênait horriblement. » A noter que cette suppression rendait la suite immédiate et même la fin du chapitre à peu près incompréhensibles.

1060. VAR. Quoi donc ? fit le notaire... (Q. et D.)

1061. VAR. Un flot de pourpre lui monta vite au visage... (Orig.)

1062. VAR. Elle ne pouvait avancer... (Q. C. et D.)

1063. VAR. mais tout à coup, comme à la vue d'un serpent, il se recula bien loin... (Orig. Q. et D.)

1064. VAR. la grande rue... (Q. et D.)

1065. VAR. comme elle ne répondit pas... (Orig.)

1066. VAR. car, hier, il avait donné sa parole... (Q.)

1067. VAR. le long de la haie et elle s'en retourna... (Q.)

1068. VAR. tout en roulant des yeux autour d'elle... (Q.)

1069. VAR. Mais tout à coup elle se frappa le front... (Orig. et Q.)

1070. « le souvenir de Rodolphe. » Ce recours à Léopold (Rodolphe) est à peine indiqué dans le premier scénario. Au contraire, dans le deuxième scénario, cette péripétie est prévue, mais d'une façon sensiblement différente du roman : « dans son intelligence de tout ce qui l'entoure, dans son isolement, et dévorée d'amour de plus en plus, elle pense à revenir à Rodolphe — coup de massue. — Envie de revoir Rodolphe — va chez lui, temps de dégel — re... avec Rodolphe — coup de massue... — impossible vertige, résolution ou plutôt coup manqué — alors d'un mouvement de folie, suicide — le calme lui revient quand elle est sûre qu'elle doit mourir. »

1071. VAR. puis arriva dans la cour d'honneur... (Orig. et Q.)

1072. VAR. Mais quand elle vint à poser les doigts... (Orig. et Q.)

1073. VAR. la dernière chance de salut; elle se recueillit... (Q.)

1074. VAR. c'est moi ! Je voudrais... (Q.)

1075. VAR. Elle se laissait prendre... (Orig. et Q.)

1076. VAR. ou elle crut peut-être... (Q.)

1077. VAR. ne jamais nous quitter ? (Q. et D.)

1078. VAR. Par un reste d'orgueil, il se débattait encore... (Orig. et Q.)

1079. VAR. voulais-tu que je vive sans toi... (Orig.)

1080. VAR. Et toi ? tu m'as fuie ! (Q. et D.)

1081. Var. Tu en aimes d'autres ? avoue-le... (Q.)

1082. La *Revue de Paris* supprima : « Tu as tout ce qu'il faut pour te faire chérir... n'est-ce pas ? »

1083. La *Revue de Paris* supprima : « Il l'attira sur ses genoux... du bout de ses lèvres. » Cette suppression, qui n'est même pas indiquée par des points de suspension, témoigne de scrupules vraiment bien excessifs.

1084. Var. du bout des lèvres. (Orig. et Q.)

1085. Var. l'explosion de son amour, et comme elle se taisait... (Q.)

1086. Var. des incrustations d'écaille... (Q.)

1087. « la chaîne d'or se rompit en cognant contre la muraille. Ce détail familier, tranchant sur le dramatique de la scène, semble comme un pendant bourgeois à la chaînette de Salammbô brisée dans la tente de Mathô.

1088. Var. pour t'entendre dire merci ! (Q. et D.)

1089. « Elle resta perdue de stupeur... » Ici commence le dénouement du roman, souvent discuté ou passionnément admiré. Edmond About, remerciant Flaubert de l'envoi de son livre, formule ces amusantes observations : « J'aurais voulu que pour corser la situation et pour justifier encore mieux le suicide de Mme Bovary, la pauvre femme eût été... par le notaire, et qu'il lui eût ensuite offert 500 francs. Remarquez qu'on s'empoisonne rarement parce qu'on a des dettes. Il y a d'autres moyens de sortir d'affaire. Mais une jolie femme violée par un sale grigou de notaire a toujours le droit de manger de l'arsenic. » — L. Degoumois (*op. cit.*, p. 43) a rapproché le dénouement de *Madame Bovary* de celui de *Werther*. — Dans son premier scénario, Flaubert ne parle pas de suicide : les seules indications sur la fin d'Emma sont : « Maladie. Sa mort. » Dans le deuxième scénario : « Suicide — elle va voler de l'arsenic chez le pharmacien. — Agonie — détails médicaux et précis « à 3 heures du matin elle fut prise de vomissements. Mort. — » Notons enfin que le dénouement du roman est conforme au destin réel de Delphine Delamare : « Cette mort tragique mit tout le petit bourg en émoi, d'autant plus qu'elle arriva le soir d'un jour de marché, le 6 mars 1848. » (G. Dubosc, *op. cit.*, p. 168.)

1090. Var. pour aller se fondre sur la neige... (Q. et C.)

1091. Var. Comment ? (Q.)

1092. Var. Elle lui parut extraordinairement belle... (Orig. et Q.) — belle et majestueuse... (Q.)

1093. Var. Et comme la cloison... (Orig. et Q.)

1094. Var. de tuer des rats... (Orig. et Q.)

1095. Var. qu'elle était partie à Rouen... (Orig. et Q.)

1096. Var. Explique-moi... (Q.)

1097. Var. la date du jour et de l'heure... (Orig. et Q.)

1098. « Et elle se coucha tout du long sur son lit. » Flaubert avait étudié avec une rigueur toute scientifique les symptômes de l'empoisonnement par l'arsenic; aussi son récit de la mort d'Emma est-il strictement documentaire. (Cf. Dumesnil, *Flaubert. Son hérédité. Son milieu. Sa méthode*, p. 127 sqq.) Quand il écrivait ces pages, il était en quelque sorte halluciné par les faits qu'il décrivait : « J'avais si bien le goût d'arsenic dans la bouche, écrit-il à Taine, j'étais si bien empoisonné moi-même, que je me suis donné deux indigestions coup sur coup, deux indigestions réelles, avec vomissements. » (*Corresp.*, V. 350.)

1099. Var. pensait-elle. Je vais m'endormir... (Q.) pensait-elle; je vais m'endormir... (C. et D.)

1100. Var. de peur que la moindre agitation ne la fît vomir. (Orig. et Q.)

1101. Var. plein d'angoisses... (Q.)

1102. Var. Non ! tu te trompes ! (Q. et D.)

1103. Var. Et il ne pouvait faire que répéter ce mot... (Orig. et Q.)

1104. Var. Pâle, éperdu... (Orig. et Q.)

1105. Var. mais la douceur de cette sensation... (Orig. Q. et D.)

1106. « le dernier écho d'une symphonie qui s'éloigne. » Comparez, dans *La Tristesse d'Olympio*, de V. Hugo, les vers célèbres :

> *Toutes les passions s'éloignent avec l'âge,*
> *L'une emportant son masque et l'autre son couteau,*
> *Comme un essaim chantant d'histrions en voyage*
> *Dont le groupe décroît derrière le coteau.*

1107. Var. reprit Charles... (Orig. et Q.)

1108. Var. Ils lui rappelèrent sans doute... (Orig. et Q.)

1109. Var. ou de mi-carême... (Orig.)

1110. Var. mais elle se débattait... (Orig. Q. et D.)

1111. Var. de ses bras roidis... (Q.)

1112. Var. et suffoqué par des sanglots... (Q. et D.)

1113. Var. L'effet doit cesser, reprit Homais... (Q.)

1114. « C'était le docteur Larivière. » Sous les traits de ce grand médecin, Flaubert a fait revivre la belle figure de son père, le docteur Achille-Cléophas Flaubert, chirurgien en chef de l'Hôtel-Dieu de Rouen (1784-1846). (Cf. R. Dumesnil, *op. cit.* p. 19-26.)

1115. Var. L'apparition d'un Dieu... (Q.)

1116. Var. bien avant qu'il ne fût entré... (Orig. et D.) bien avant qu'il fût entré... (Q.)

1117. Var. Mais le pharmacien les rejoignit... (Orig.)

1118. Var. Les verres à patte... (Q. et C.)

1119. Var. Je ne sais trop, docteur... (Orig.) et même je ne sais trop... (Q.)

1120. Var. dit le pharmacien; et le jeune homme... (Q.)

1121. Var. contribuait vaguement à sa joie... (Orig. et Q.)

1122. Var. la présence du docteur... (Q.)

1123. Var. Mais l'attention publique... (Orig. Q. et D.)

1124. « Homais, comme il le devait à ses principes... » L'avocat de Flaubert utilise habilement ce passage, pour justifier l'écrivain de toute hostilité systématique contre l'Église. (Cf. Plaidoirie, p. 394.)

1125. « La chambre, quand ils entrèrent... » Sur cette scène de l'extrême-onction, voir le débat de l'accusation et de la défense au cours du procès (p. 341 et 385); on remarquera particulièrement la comparaison qu'établit Sénard entre ces pages de *Madame Bovary* et un épisode analogue de *Volupté* de Sainte-Beuve.

1126. « collant ses lèvres sur le corps de l'Homme-Dieu... » ce transport passionné fait songer à la fin de Grandet, dans le roman de Balzac.

1127. Var. Mais Emma, trop faible... (Orig. et Q.)

1128. Var. serait tombé par terre... (Orig. et Q.)

1129. Var. d'en faire l'observation, et il expliqua... (Orig.)

1130. Var. convenable pour leur salut. (Q. C. et D.)

1131. Var. les bras étendus vers elle... (Orig. Q. et D.)

1132. Var. Et à mesure que le râle... (Q.)

1133. « On entendit sur le trottoir... » Sur ce retour de l'aveugle à la mort d'Emma, cf. Réquisitoire, p. 342 et Plaidoirie, p. 391. — Flaubert, qui avait demandé à son ami Bouilhet toute sorte de détails techniques sur le personnage de l'aveugle, lui pose aussi cette question : « Je fais inviter le pauvre par le pharmacien à venir le trouver à Yonville, pour avoir mon pauvre à la mort d'Emma ? » (*Corresp.*, IV, 90.)

1134. Var. Elle se releva... (Orig. et Q.)

1135. « Elle n'existait plus. » Dans une lettre à Louis Colet, Flaubert compare la mort d'Emma à celle de Virginie dans le roman de Bernardin de Saint-Pierre : « Que l'on pleure moins à la mort de ma mère Bovary qu'à celle de Virginie, j'en suis sûr d'avance. Mais l'on pleurera plus sur le mari de l'une que sur l'amant de l'autre, et ce dont je ne doute pas, c'est du cadavre. Il faudra qu'il vous poursuive. La première qualité de l'Art et son but est l'*illusion.* » (*Corresp.*, III, 344.)

1136. Var. Mais quand il s'aperçut de son immobilité... (Q.)

1137. Var. lui reparler de dispositions funèbres et ce fut l'ecclésiastique... (Orig. et Q.)

1138. Var. *On lui étalera les cheveux...* (Orig. et Q.)

1139. Var. *On lui mettra par-dessus tout...* (Q. C. et D.)

1140. Var. L'esprit de révolte... (Q. et C.)

1141. Var. à voir descendre l'un après l'autre... (Orig. et Q.)

1142. « il revint le soir pour faire la veillée du cadavre. » C'est une des scènes du roman qui est indiquée avec le plus de précision dans les deux scénarios. Dans le premier : « Veillée de la morte — après-midi pluvieux, diligence qui passe sous la fenêtre ouverte. » Dans le second : d'abord, les mêmes détails, puis, « parents venus de loin pour l'occasion — on se tient compagnie sans rien dire — chacun s'ennuyant et gardant un air triste — gens qui ne veulent pas se coucher, quoiqu'ils soient inutiles — visages pâles le matin, le pharmacien qui tient compagnie à Charles pour veiller ronfle tout le temps. »

1143. Var. elle n'a plus besoin de nos prières... (Q.)

1144. Var. puisque Dieu connaissait tous nos besoins... (Orig. et Q.)

1145. Var. fit l'ecclésiastique. La prière ! (Q.)

1146. Var. ouvrez l'histoire. On sait... (Q.)

1147. « Le drap se creusait... » détail relevé comme immoral par l'accusation (p. 342).

1148. Var. Mᵐᵉ Bovary, mère, arriva et Charles... (Orig. et Q.)

1149. Var. de l'enterrement. Mais il s'emporta... (Orig.)

1150. Var. puis l'on s'assevait... (Q. et C.)

1151. Var. le long voile roide... (Q.)

1152. Var. comme elle est mignonne encore. (Q.)

1153. Var. Si on ne jurerait pas... (Q.)

1154. Var. Mais il fallut soulever un peu... (Orig. Q. et D.)

1155. Var. Moi, peur ? reprit-il... (Orig. et Q.)

1156. Var. à la science. (Q. et D.). La *Revue de Paris* supprima : « Puis elle se penchèrent... afin de servir plus tard à la science. »

1157. Var. sur la réponse de l'apothicaire : — Le coup... (Orig· et Q.)

1158. Var. Homais le félicita... (Q. et D.)

1159. Var. Alors Homais attaqua... (Orig. Q. et D.)

1160. Var. il s'étendait sur les restitutions... (Orig. et Q.)

1161. « cela dissipe, » autre exemple de normandisme. — La *Revue de Paris* supprima : « Car, disait le pharmacien... cela dissipe. »

1162. Var. Cependant des aboiements... (Orig. et Q.)

1163. Var. reprit l'ecclésiastique... (Orig. et Q.)

1164. Var. ne releva pas ce préjugé... (Q.)

1165. Var. et cependant la nuit était douce... (Orig.)

1166. Var. Et il fut longtemps à se rappeler... (Q. et D.)

1167. Var. Enfin, se roidissant... (Orig.)

1168. Var. deux ou trois grands coups tout au hasard... (Orig· et Q.)

1169. *La Revue de Paris* supprima : « Alors M. Bournisien aspergeait la chambre... Ils rencontrèrent en bas... » Cette coupure est la seule qui, dans la revue, soit marquée par des points de suspension. Elle rendait d'ailleurs la suite immédiate incompréhensible.

1170. Var. Félicité avait eu soin... (Q. et C.)

1171. Var. Et l'ecclésiastique ne se fit point prier;... — ils mangèrent et même ils trinquèrent... (Orig. Q. et D.) — puis ils mangèrent et trinquèrent... (D.)

1172. Dans l'édit. orig., manque la phrase : « Il sortit pour aller dire sa messe. »

1173. Var. Dans l'édit. orig. et dans Q. manque le passage : « et, au dernier petit verre, jusqu'à : — Nous finirons par nous entendre ! »

1174. Var. comme la bière était trop large... (Q. et D.)

1175. Var. Il avait passé sa blouse... (Q.)

1176. Var. Il n'y voyait plus. Il entendait des voix. Il se sentait devenir fou.

1177. Var. mais il n'osa pas l'ouvrir. (Q. et C.)

1178. Var. si elle était morte, on le saurait. (Q. et D.)

1179. Var. expliquez-moi... (Q. et D.)

1180. Var. Et l'autre répondait... (Q. C. et D.)

1181. « La cloche tintait... » La scène de l'enterrement, à peine mentionnée dans le premier scénario, est un peu développée dans le second, surtout en ce qui concerne le père Rouault : « convoi — le père d'Emma en habit noir — la figure bleuie par son mouchoir neuf avec lequel il essuie ses larmes — portée du corps dans la campagne. »

1182. Var. Lestiboudois circulait par l'église... (Ms.)

1183. Var. Avec sa latte de baleine; et près du lutrin... (Orig. Q. et D.)

1184. Var. dans la terre, alors il se prenait... (Orig. Q. et D.)

1185. Var. Parfois même il croyait... (Q.)

1186. Var. les gros sous, l'un après l'autre... (Orig. et Q.)

1187. Var. Bovary, en lui jetant... (C.)

1188. « On se tenait à la fenêtre pour voir passer le cortège. » Noter que cette scène de l'enterrement à travers la campagne ne peut pas être conforme à la réalité, le cimetière de Ry étant tout contre l'église. — Sur le point d'assister à l'enterrement de la femme du naturaliste Pouchet, à Rouen, en juin 1853, Flaubert écrivait à Louise Colet : « Comme il faut du reste *profiter de tout*, je suis sûr que ce sera demain d'un dramatique très sombre et que ce pauvre savant sera lamentable.

Je trouverai là peut-être des choses pour ma *Bovary*. Cette exploitation à laquelle je vais me livrer, et qui semblerait odieuse si on en faisait la confidence, qu'a-t-elle donc de mauvais ? J'espère faire couler des larmes aux autres avec ces larmes d'un seul, passées ensuite à la chimie du style. Mais les miennes seront d'un ordre de sentiment supérieur. Aucun *intérêt* ne les provoquera et il faut que mon bonhomme (c'est un médecin aussi) vous émeuve pour tous les veufs... » (*Corresp.*, III, p. 225.)

1189. VAR. et leur voix s'en allait... (Q. et D.)

1190. VAR. et des gouttelettes de rosée... (Q. et D.)

1191. VAR. des fumignons bleuâtres... (Q. et D.)

1192. VAR. que lui tendait Lestiboudois et de sa main... (Orig.)

1193. VAR. qui n'avait point manqué... (Q. et C.)

1194. VAR. à quelque attentat funeste. (Q. et D.)

1195. « Il refusa même de voir sa petite-fille. » La scène est très sobrement indiquée dans le deuxième scénario : « Adieux de Charles et du beau-père. »

1196. VAR. étaient toutes en feu... (Orig. et Q.)

1197. VAR. et de l'avenir !

1198. VAR. Léon, là-bas... (Q.)

1199. VAR. Mais il y en avait un autre... (Orig. et Q.)

1200. VAR. La grille tout à coup claqua... (Orig. et Q.)

1201. VAR. Mais les affaires d'argent... (Orig.) Sur la question de l'héritage, cf. CLÉREMBRAY, *op. cit.*, p. 51.

1202. VAR. en avoir fini, mais il en survenait... (Orig.)

1203. VAR. où il s'enfermait. Comme elle était à peu près de sa taille, souvent lorsqu'elle sortait de la chambre, Charles... (Orig. Q. et D.) Sur ce détail des robes d'Emma portées par Félicité, cf. Mme Georgette LEBLANC, *op. cit.*, p. 65.

1204. VAR. tombée par terre... (Orig. et Q.)

1205. VAR. Qui était-ce ?... (Q.)

1206. VAR. Mais on avait dû, pensait-il... (Orig.)

1207. La *Revue de Paris* supprima : « plaisir tout mêlé d'amertume... qui sentent la résine. »

1208. La *Revue de Paris* supprima : « L'aveugle, qu'il n'avait pu guérir... réclusion perpétuelle dans un hospice. »

1209. VAR. du Moyen Age... (Q. et D.)

1210. VAR. « une statistique générale... climatologiques. » (Q. et D.)

1211. La *Revue de Paris* supprima : « Il en vint à rougir... symbole obligé de la tristesse. »

1212. « Il suivait le grand mouvement des chocolats. » Cf. CLÉ-
REMBRAY, *op. cit.*

1213. VAR. cho-ca, revalentia... (Q. et D.)

1214. « Homais ne démordait pas du saule pleureur. » Allusion
évidente au saule de la tombe de Musset. Lors d'une visite au Père-
Lachaise, en 1869, Flaubert s'indigne contre ce qu'il appelle « le féti-
chisme des tombeaux ». « J'ai été pris, au Père-Lachaise, d'un dégoût
de l'humanité profond et douloureux... Le vrai Parisien est plus idolâtre qu'un nègre ! » (*Corresp.*, VI, 9.)

1215. VAR. commandé un devis et fait un second voyage... (Orig.
et Q.)

1216. « un génie tenant une torche éteinte. » La pierre du tombeau
de la véritable Emma Bovary a disparu du cimetière de Ry depuis
1902. En interrogeant des témoins qui paraissent dignes de foi,
Mme Georgette Leblanc, et M. Pascal Forthuny, ont pu reconstituer
l'inscription de cette tombe : « Ici repose le corps de... épouse de
M. Delamare, médecin de cette localité, décédée le 6 mars 1848. Elle
fut bonne mère et bonne épouse. Priez Dieu pour elle ! » Inutile d'ajouter que la description du monument conçu par Homais est de pure
fantaisie.

1217. VAR. *Amabilem*... (Q. et D.)

1218. La *Revue de Paris* supprima : « D'ailleurs, le bonhomme
tournait... comme chacun sait. »

1219. « Homais désirait la croix. » On connaît le mépris ironique de
Flaubert pour de telles distinctions. Cf. notamment ses commentaires
sur la décoration de Du Camp. (*Corresp.*, III, 109.)

1220. La *Revue de Paris* supprima : « Les titres ne lui manquaient
point... aux incendies. »

1221. VAR. Homais inclina vers le Pouvoir. (Q. C. et D.)

1222. « On s'étonna de son découragement. » Jules Levallois, le
secrétaire de Sainte-Beuve, en vacances chez un de ses oncles à Neufchâtel, rencontra Delamare après son veuvage, et a fait de lui, dans les
Mémoires d'un critique, un portrait saisissant : il semblait un fantôme,
une sorte de Don Quichotte désabusé. (Cf. DUMESNIL, *op. cit.*, 349.)

1223. VAR. il n'avait personne autour de lui... (Q.)

1224. VAR. parler d'elle. (Q.)

1225. VAR. « à la concurrence. » (C.) à la concurrence... (Q. et D.)

1226. « il rencontra Rodolphe. » Sur ces relations de Charles avec
Rodolphe, après son veuvage, cf. la note 3.

1227. « culture, bestiaux, engrais, » rappel du thème des comices.

1228. VAR. était resté muet. Charles... (Q.)

1229. VAR. des lis en fleurs... (Q.)

1230. VAR. effluves amoureuses... (Ms. Orig., 1862-1869 et C.)

1231. VAR. soixante-quinze centimes... (Orig. et Q.)

1232. VAR. les a de suite battus... (Orig. et Q.)

1233. Voir la façon dont le dénouement est apprécié dans le réquisitoire (p. 345) et dans la plaidoirie (p. 356). — Les événements qui suivent la mort d'Emma sont brièvement indiqués dans le premier scénario : « Vie solitaire de Charles avec sa petite fille le soir, il s'aperçoit, et de jour en jour, des dettes de sa femme — le maître clerc se marie. — Un jour que Charles se promène dans son jardin, il meurt tout à coup — sa petite fille aux écoles gratuites. » Les indications du deuxième scénario sont plus nombreuses et plus intéressantes : il y a même des détails auxquels Flaubert a renoncé, comme la « grille à boules de cuivre » du tombeau, Charles « vaniteux d'habits » pour sa fille, Charles enfin assistant au mariage de Léon. Mais il meurt subitement dans son jardin, « s'assoit pour mourir sous la tonnelle. »

TABLE DES MATIÈRES

ACHEVÉ D'IMPRIMER
PAR L'IMPRIMERIE ANDRÉ TARDY
A BOURGES
LE 1er JUIN 1964

Numéro d'éditeur : 891
Numéro d'imprimeur : 4106
Dépôt légal : 2e trim. 1964

Printed in France